Robert Charles
4 Novembre 1983
Bruxelles.

INITIATION A LA PRATIQUE DE LA THÉOLOGIE

Initiation à la pratique de la théologie

publié sous la direction de

Bernard LAURET
et
François REFOULÉ

TOME I : INTRODUCTION

Les Éditions du Cerf
29, bd Latour-Maubourg, Paris
1982

ISBN 2-204-01943-7

SOMMAIRE

TOME I : INTRODUCTION

Préface

I. *Des manières d'habiter et de transformer le monde*

II. *Caractéristiques de la théologie*

A. *Normes et critères*
B. *Branches de la théologie*
C. *Lieux et moyens*

III. *Le Christianisme vu du dehors*

A. *Le Christianisme parmi d'autres religions*
B. *Critiques de la religion*

TOME II : DOGMATIQUE 1

I. *Alliance et révélation : Dieu parle*

II. *Messianisme et rédemption : Dieu sauve*

A. *Messianisme*
B. *Christologie*
C. *Pneumatologie*

TOME III : DOGMATIQUE 2

III. *La vie dans l'Esprit (l'homme est renouvelé dans l'Esprit)*

A. *Cosmologie*
B. *Ecclésiologie, sacrements et ministères*
C. *Anthropologie*

IV. *Création et eschatologie : Dieu accomplit*

Conclusion : Dieu Unique, Trinité

TOME IV : MORALE

I. *La morale chrétienne en situation*

Chapitre I : Foi, éthique et eschatologie
Chapitre II : Compétence chrétienne et compétences techniques

Chapitre III : Ethos culturel et différenciations sociales
Chapitre IV : Situations historiques et normes
Chapitre V : Les axes des grandes morales historiques

II. *Les catégories de la vie morale*

Chapitre I : Grâce et liberté
Chapitre II : Conscience et loi
Chapitre III : Pardon et péché
Chapitre IV : Courage et prudence
Chapitre V : Lucidité et espérance

III. *Les lieux de la vie morale*

Chapitre I : Vie, santé et mort
Chapitre II : Sexualité
Chapitre III : Economie
Chapitre IV : Politique
Chapitre V : Droit
Chapitre VI : Culture
Chapitre VII : Féminisme

Conclusion

I. Bonheur et souffrance
II. Vie morale et vie spirituelle

TOME V : PRATIQUE

Introduction

Chapitre I : Expérience personnelle
Chapitre II : Ecoute et conseil
Chapitre III : Enseignement et catéchèse
Chapitre IV : Prédication et évangélisation
Chapitre V : Rites et symbolique
Chapitre VI : Animation
Chapitre VII : Services de la société

Préface

Au début des années 50 les Editions du Cerf publiaient une *Initiation théologique* en quatre volumes, très largement traduite en d'autres langues et utilisée en de nombreux pays. Son contenu s'inscrivait principalement dans la grande tradition thomiste, tout en tenant compte du renouveau biblique et patristique alors en plein essor. Ses auteurs étaient en majorité des dominicains français s'adressant surtout à des clercs et, moins directement, à des « laïcs cultivés » désireux d'approfondir la foi chrétienne.

Aujourd'hui la situation a beaucoup changé, ou plutôt la théologie veut tenir compte de changements historiques et culturels profonds qui rejaillissent sur elle en même temps que sur l'Eglise : l'industrialisation, l'emprise des villes, la sécularisation, les révolutions, l'émergence politique des pays en voie de développement, les sciences humaines, etc. De tout cela Vatican II, il y a vingt ans déjà, prenait acte officiellement. Mieux, il transformait l'*aggiornamento* annoncé en un renouveau d'autant plus profond que l'Eglise s'était donné l'apparence d'une hiérarchie omniprésente et d'une doctrine sans faille. En ce qui concerne la théologie, en tout cas, c'était un bouleversement qui faisait sauter un immobilisme que les théologiens les plus lucides avaient essayé de contourner : un néo-thomisme plus ou moins heureux ou, au contraire, l'appui sur un thomisme resitué historiquement, les études historiques et critiques, la recherche du dialogue œcuménique, etc.

Vatican II a été accompagné et suivi d'un travail théologique intense, assez différent de celui qui l'avait préparé. Les théologiens sont apparus comme les acteurs privilégiés d'une nouvelle prise de conscience de « l'Eglise dans le monde de ce temps ». Il y eut donc du spectaculaire autant dans l'élaboration théologique (la vague des courants successifs : herméneutique, théologie de la sécularisation, théologie de l'espérance, théologie de la libération, interdisciplinarité, etc.) que dans son contexte institutionnel : beaucoup de séminaires ont disparu ou se sont transformés en centres de réflexion chrétienne en même temps que la proposition de ministères plus variés donnait à voir en d'autres termes l'avenir des prêtres et des communautés chrétiennes. Tout cela ne se fit pas sans provoquer des troubles dans les esprits non préparés à un changement aussi radical, qui affectèrent aussi bien les rites liturgiques considérés comme immuables que l'énoncé d'une foi aux prises avec l'histoire.

Depuis l'ouverture de Vatican II deux décennies sont passées. C'est peu dans la vie de l'Eglise. C'est beaucoup au regard des événements advenus entre-temps. Il fallait donc faire le point et montrer les raisons du développement théologique.

Cette entreprise n'était pas évidente au départ, dans l'éclatement théologique que nous connaissons. Comment faire le point et développer une théologie cohérente dans une période de pluralisme dont nous avons vivement conscience ? Et la question paraît encore plus aiguë si l'on veut faire appel à des collaborateurs variés choisis en fonction de leur compétence dans le champ théologique d'expression française. De fait, la soixantaine d'auteurs qui contribuent à cette Initiation sont d'origines diverses par leur nationalité (belges, canadiens, français et suisses en majorité), leur lieu de travail et d'enseignement, leur âge, leur statut dans l'Eglise (un tiers environ sont des laïcs) et même leur statut confessionnel (un orthodoxe et plusieurs protestants) ou religieux (un bouddhiste, un juif et un musulman), bien qu'il s'agisse d'un ouvrage de théologie catholique. Ce choix reflète la *pratique* actuelle de la théologie qui traverse les barrières confessionnelles sans pour autant les renier.

Mais il nous faut aussi nous expliquer sur le titre : *Initiation à la pratique de la théologie*.

Cette initiation s'adresse à toutes celles et à tous ceux qui désirent approfondir leur foi ou mieux comprendre les diverses expressions et manifestations du christianisme sans se contenter de l'ouvrage d'un seul auteur, d'une session ou de quelques articles. Or quiconque commence à étudier la théologie se trouve confronté à des problèmes d'information et de méthode. C'est ce que faisait déjà remarquer François de la Chambre, docteur de la Sorbonne, mort à Paris en 1753 : « Dès que l'on est convaincu du prix et de la nécessité d'une science, le bon sens exige que l'on recherche avec soin quels sont les principes sur lesquels elle s'appuie pour établir les points de doctrine qu'elle propose. Sans cette recherche préliminaire, on ressemblerait à un voyageur qui se mettrait en chemin sans aucune provision et sans savoir la route qu'il doit tenir [1]. » C'est ainsi que, dans ce premier tome introductif, nous avons situé la théologie parmi d'autres approches du monde et développé ses caractéristiques. Nous avons donné également des indications utiles sur la diversité des lieux où elle s'enseigne et des

1. « Introduction à la théologie », in *Theologia cursus completus*, éd. J.-P. Migne, t. XXVI, Paris, 1865, p. 1067.

conseils pragmatiques (en recherche bibliographique par exemple). Nous avons ajouté dans toutes les contributions une bibliographie qui, commentée très souvent, permet d'aller plus loin.

Cette Initiation introduit donc à la pratique en ce premier sens assez pragmatique où la diversité des auteurs elle-même joue un rôle important. En effet, en d'autres temps, cette diversité aurait pu être ressentie comme un obstacle à l'harmonie de l'ensemble, parce qu'elle aurait pu sembler remettre en question la « theologia communis ». Aujourd'hui cette diversité apparaît comme une richesse, si, comme nous le verrons plus loin, elle est cohérente. En tout cas c'est un état de fait incontournable : quiconque étudie la théologie rencontre des auteurs et des ouvrages d'orientations différentes. Chaque lecteur ou auditeur doit se former son propre jugement, à condition d'avoir pris connaissance au préalable de divergences et de questions disputées. Le lecteur rencontrera ici cette ouverture d'esprit et des différences de sensibilité (intellectuelle et spirituelle) parmi les auteurs de cette Initiation.

Cependant le pragmatique ne suffit pas à une Initiation. La pratique de la théologie c'est aussi le discernement de la vérité dans une histoire. En effet, cette Initiation ne joue pas la diversité pour la diversité en faisant appel à des auteurs d'horizons différents : un tel éparpillement ne serait ni formateur ni fécond. Nous avons voulu imprimer une unité à ce travail collectif en l'inscrivant dans une perspective commune : la pratique de la théologie est toujours interprétation de l'histoire du christianisme. Il n'est pas d'énoncé théologique qui tombe directement du ciel sans être le moment d'un processus d'énonciation, de reprise et d'instauration d'une tradition historique. Certes, cette visée est restée modeste, car il est encore trop tôt pour comprendre la théologie comme l'expérience réfléchie de la pratique des chrétiens à travers les siècles : trop d'études d'histoire ou même de sociologie manquent encore. Mais c'est déjà réconcilier la théologie avec la liberté chrétienne que de ne pas la confondre avec le dogmatisme abstrait et de saisir son inscription dans une histoire. Pour faire de la théologie, il faut connaître le passé, vivre activement le présent dans la foi et préparer l'avenir. L'unité de cette Initiation vient donc de ce que chaque auteur, avec son génie propre, son âge et sa sensibilité, tient compte de l'« histoire de la Tradition » et, en même temps, n'hésite pas à s'engager personnellement pour élaborer ce qui lui paraît porteur d'avenir pour l'Eglise.

Cette convergence entre les auteurs pourrait être une surprise si l'on n'y voyait la conséquence d'un travail en profondeur voulu par Vatican II, en particulier dans le décret *Optatam totius* (n° 16) qui visait alors l'enseignement dans les séminaires. Le concile traçait quelques grandes lignes : « un soin particulier (accordé) à l'étude de l'Ecriture Sainte, qui doit être comme l'âme de la théologie tout entière », l'enseignement de la théologie dogmatique à la suite de l'Ecriture et des Pères « d'Orient et d'Occident » avec l'« histoire ultérieure du dogme, sans perdre de vue sa relation avec l'histoire générale de l'Eglise » et la liturgie, une attention particulière à la théologie morale, « une meilleure connaissance des Eglises et des communautés ecclésiales séparées » et « la connaissance des autres religions ».

Le *plan* de cette Initiation en quatre tomes tient compte d'un impératif : respecter les divisions de l'enseignement théologique afin que les utilisateurs puissent s'y retrouver sans difficulté. Un index final, dans le dernier volume, complétera ce dessein. Nous n'avons pas pour autant cherché à recouvrir l'ensemble de l'enseignement théologique. Cet ouvrage n'est ni une encyclopédie ni un dictionnaire. Nous avons préféré porter l'accent sur les grandes questions qui se posent aujourd'hui à l'intelligence de la foi et de la pratique de l'Eglise.

On touvera en fin de volume les tables des matières dont voici la présentation d'ensemble :

1. Introduction

Il s'agit de situer ici la connaissance de foi théologique selon trois approches complémentaires :

1. parmi différentes manières de comprendre et d'habiter le monde. Sciences et techniques ne sont pas abordées pour elles-mêmes dans cette partie, car il aurait fallu de trop longs développements pour traiter ici des problèmes posés par les sciences à la réflexion contemporaine, notamment en raison de leur différenciation selon les objets scientifiques. Cette dimension est seulement évoquée dans le dernier chapitre et elle est présente en morale (tome III) ;
2. en elle-même, car la connaissance de foi s'articule à tout un ensemble institutionnel dans l'Eglise (canon scripturaire, tradition, ministères) et autour de l'Université (spécialisations diverses, centres d'enseignement, etc.) ;
3. par rapport à trois grandes religions (le choix est limité, mais il s'agit d'ouvrir une perspective : laisser d'autres religions donner leur interprétation du christianisme pour ne pas enfermer celui-ci dans l'attestation de lui-même à sens unique).

2. Dogmatique

Le plan retenu pourra surprendre, mais il s'inspire le plus possible d'une théologie biblique, qui doit « être l'âme de toute théologie », en mettant en valeur les grandes catégories de la révélation chrétienne. Il s'agit là d'un effort original pour présenter la dogmatique.

Cette partie comprendra deux tomes.

3. Morale

La division entre dogmatique et morale n'est pas évidente, car la morale chrétienne est profondément théologique dans ses justifications. Cependant il s'agit là d'une pratique courante dans l'enseignement et cette division veut permettre un dialogue avec des morales non théologiques.

La théologie morale présente des « points chauds » plus sensibles à l'opinion chrétienne que certaines remises en cause dogmatiques. C'est pourquoi, avant d'aborder ces « points chauds » — lieux de la vie morale ordinaire —, nous avons voulu articuler la morale chrétienne avec les grands concepts de la philosophie morale et de la foi en les situant dans un contexte plus vaste : évolution historique, compétences techniques, différenciations sociales, etc.

Des renvois entre dogmatique et morale aident à comprendre ces deux branches de la théologie comme issues d'un même tronc.

4. Pratique

Cette dernière partie présente les grandes tâches de la communauté chrétienne dans le monde en fonction de ce que l'on peut appeler la « socialité chrétienne » ou la texture de la vie chrétienne en société. Les chapitres reprennent donc ces tâches en articulant le plus possible la réflexion théologique et les sciences humaines constituées : psychologie, pédagogie, sciences de la communication, sociologie, etc.

Certaines contributions sont d'une lecture plus difficile que d'autres, mais, alors, des sous-titres aident à la compréhension. Toutes cependant sont accessibles à celles et ceux qui, à l'instar du maître hassidique Israël de Rijn, useront également de leur « propre lanterne ». L'étude de la Torah ressemble à quelqu'un qui s'avance « par une nuit ténébreuse à travers une épaisse forêt, alors que pour un bout de temps quelqu'un vous accompagne, une lanterne à la main. Mais au premier croisement, il vous laisse pour aller son chemin, et vous devez continuer le vôtre à tâtons. Celui qui a sa propre lanterne n'a rien à craindre des ténèbres »[2].

B. LAURET
F. REFOULÉ

2. Martin BUBER, *les Récits hassidiques*, éd. du Rocher, Monaco, 1978, p. 443.

PREMIÈRE PARTIE

DES MANIÈRES D'HABITER ET DE TRANSFORMER LE MONDE

CHAPITRE PREMIER

Savoir, idéologie, interprétation

par JEAN GRANIER

SOMMAIRE. — I. Le savoir de l'être : une quête grandiose de deux millénaires, le contexte de la cité, le divin et l'être, Aristote, l'être et l'essence, ontologie et métaphysique, être et logique de Kant à Hegel, le nihilisme. II. Interprétation et Idéologie : la philosophie renonce à être un savoir, le rôle de Heidegger, l'être code le discours philosophique qui est interprétation du monde, repenser la subjectivité, le moi, l'idéologie pose la conscience au fondement de l'être, comprendre d'abord l'essence de la praxis, l'aliénation. Conclusion : la philosophie porte l'empreinte du moi existentiel, l'interprétation s'ordonne à un texte jamais achevé en soi. Bibliographie.

Socrate faisait profession de ne rien savoir. Il donnait à entendre par là qu'il ne détenait par-devers soi aucune connaissance déterminée, mais qu'il était expert dans l'art d'« accoucher les âmes », qu'il nommait sa *maïeutique*. Loin d'être simple ignorance, le non-savoir de Socrate est ainsi le sage détour qui, au-delà des apparences où se laisse piéger l'opinion naïve, conduit à la réalité véritable, aux *Idées* pures, que Platon mettra au centre de sa méditation. Toutefois, si Platon transforme le questionnement ironique de Socrate en un savoir doté d'un statut rigoureux, la dialectique, de sorte qu'il devient possible non seulement de marquer les étapes qui jalonnent le parcours de l'âme s'élevant du sensible aux Idées, mais encore de reconstruire, dans toute leur complexité, les combinaisons des Idées entre elles, le paradoxe inhérent au non-savoir socratique se retrouve au sommet de la recherche platonicienne, avec les apories de la réflexion sur *le Bien*. Là, derechef, il se confirme que la pensée échoue nécessairement à conceptualiser ce qu'elle essaie de contempler, et qu'elle a besoin du mythe pour échapper à l'ineffable. Cet échange perpétuel entre savoir et non-savoir est la leçon qui se dégage du dialogue entre Socrate et son disciple Platon. Leçon exemplaire, en ce qu'elle révèle l'*ambiguïté* qui est au fondement de l'étonnante interrogation appelée, depuis ses origines grecques, « philosophie ». C'est cette ambiguïté qui, à vingt-cinq siècles de distance, oblige Merleau-Ponty à avouer que, oui décidément, « la philosophie boite », tandis que les sciences, elles, marchent droit, et avec quelle superbe assurance !

Or, précisément, n'est-ce pas la tentation à laquelle la philosophie, culpabilisée par les succès de la science, succombe inévitablement : vouloir éliminer cette irritante équivoque qui la fait claudiquer sur le chemin de la connaissance ? L'examen de son histoire montre que la philosophie s'est développée à l'ombre d'une permanente dénégation de sa destination essentielle, comme si elle n'avait l'audace de s'accomplir qu'en se trompant ingénieusement sur elle-même. Illusion qui, renforcée par les contraintes de l'idéologie, a fini par la jeter dans le *nihilisme*, dont elle ne sortira qu'à la condition de « surmonter la métaphysique », selon l'exhortation de Nietzsche. La crise moderne, en la menaçant de ruine, offre du même coup à la philosophie la chance de se re-connaître, et affranchie de la fascination du savoir systématique, d'effectuer son authentique fondation comme *discours interprétatif*.

I. LE SAVOIR DE L'ÊTRE

Une quête grandiose de deux millénaires

Voudrait-on résumer en une formule les tentatives multipliées par la philosophie pour se légitimer sur le modèle d'une science, on pourrait dire que la philosophie est *le savoir de l'être*. En fait, elle ne réussit à coïncider avec cette définition présomptueuse que dans l'hégélianisme, et encore au prix d'une distorsion infligée aux concepts du savoir et de l'être... La formule énonce néanmoins fidèlement ce qui a été l'enjeu d'une enquête grandiose, menée par la philosophie durant plus de deux millénaires.

L'essor de la pensée rationnelle

La naissance de la philosophie correspond à l'essor de la pensée rationnelle qui, chez les *présocratiques*, s'émancipe de « la parole magico-religieuse ». L'analyse des changements dans le traitement sémantique du mot *alètheia* (la vérité) nous renseigne, de manière privilégiée, sur cette mutation. Elle éclaire ainsi, tout spécialement, la substitution d'une *logique de la contradiction* à l'ancienne *logique de l'ambiguïté*. Désormais la vérité, au lieu d'être la complice de l'illusion et de l'erreur, se met en face d'elles en posture d'adversaire, dans le champ clos d'une *alternative*. Le véridique doit exclure le trompeur ! Et, chez Parménide, l'*alètheia* finit par réclamer la non-contradiction comme la condition impérative du discours intelligible. Ne manquons pas, également, de prêter attention à la structure dichotomique qui préside à la construction des « tables de contraires » dans les textes présocratiques ! Ici, à nouveau, *le Poème* de Parménide marque un aboutissement ; tandis que chez Héraclite on se trouve en présence d'une « logique de l'antagonisme », procédant par attribution d'un même prédicat à deux sujets opposés, avec toujours à l'horizon le *logos* comme lien, l'exigence péremptoire de non-contradiction chez Parménide s'accompagne de l'affirmation de l'être comme identité absolue.

Le contexte de la cité

Ces observations aident à élucider le sens grec originaire du mot « nature » *(phusis)*. Lorsque les présocratiques prétendent travailler « selon la nature », il faut en effet écarter la référence moderne à l'exploration expérimentale du réel, pour considérer avant tout le contexte de la cité, donc la signification *politique* et l'anthropomorphisme qu'elle entraîne dans la représentation du monde. La collaboration manque ici entre le mathématique et le physique, entre le calcul et l'expérience, alors qu'en revanche il y a d'emblée convergence entre le politique et la géométrie. C'est également l'avènement de la cité qui provoque le déclin de la parole magico-religieuse, ainsi qu'on le constate dans l'évolution du droit, où les serments gagés sur l'autorité des dieux sont relayés par les discussions sur la place publique, qui invitent la raison à donner ses raisons. La terminologie de la loi glisse dans le domaine de la réflexion sur la nature, et notamment le terme de « cause » *(aitia)*, haussé, déjà dans la doctrine d'Anaximandre, à la dignité d'une catégorie directrice. La différence séparant cette pensée présocratique de la science moderne se laisserait d'ailleurs caractériser à merveille d'après l'exemple de Pythagore. Chez celui-ci, les nombres ne servent pas à intégrer les phénomènes matériels dans un réseau de relations quantifiées, ils constituent des essences qualitatives applicables aux choses les plus hétéroclites, depuis le ciel jusqu'à la justice, alimentant ainsi des spéculations sur la proportion et l'harmonie dont les arts seront les bénéficiaires. Telle est aussi l'interprétation qui inspire les efforts de Platon, dans son enseignement tardif, pour réduire les Idées à des nombres.

Le divin et l'être

Quant au thème de *l'être*, on le voit se dégager progressivement à la faveur des reformulations que la pensée critique fait subir à la notion du divin dans les croyances religieuses primitives. Capitale est, à cet égard, l'initiative de Xénophane, concevant un dieu unique et sans ressemblance avec l'homme ; car elle forge l'abstraction où se coulera l'idée de l'être. Du reste, en règle générale, c'est *la théogonie* d'Hésiode qui se trouve démantelée par le travail de conceptualisation novatrice. Ainsi, au lieu de placer au commencement « l'abîme » (*kaos*), à l'instar d'Hésiode, Anaximandre cite l'illimité, et celui-ci assume alors les fonctions de *principe* pour une reconstruction sobre fondée sur la bi-polarisation des termes. Dans les sectes (Pythagore, Epiménide, etc.), l'ordre de classification anticipe l'énumération des attributs qui, au registre du vocabulaire ontologique clairement fixé, seront portés au compte de l'être, tels que l'éternité, la vérité, la permanence. Il vaut la peine de relever, au passage, que la table pythagoricienne des contraires est expurgée de tous les noms des dieux. Mais, pour une archéologie du discours qui concerne le sens de l'être, c'est sans doute l'examen des structures du discours lui-même qui nous fournit les indices les plus précieux. Trois stades sont repérables : au début, un schéma biparti, distinguant *le dire* et *le faire* ; on le rencontre couramment dans les poèmes homériques, mais déjà chez Pindare s'accuse la suprématie du dire (le beau chant n'est-il pas seul capable d'immortaliser les exploits des héros ?) ; puis un schéma triparti, inauguré par Héraclite, où *le sens* s'intercale entre les dits et les œuvres ; enfin, le sens établit sa domination à la fois sur les dits et les œuvres, de sorte que *le vrai faire* c'est maintenant *le dire glorificateur du sens !*

Le questionnement aristotélicien

Mais c'est avec Aristote que la philosophie affronte la mystérieuse originalité de sa tâche, énoncée dans la célèbre proposition du livre *Gamma* I de *la Métaphysique* : « Il y a une science qui étudie l'être en tant qu'être, et les attributs qui lui appartiennent essentiellement. » L'étonnant réside en ceci : la science mentionnée par Aristote n'a jamais eu de statut réel, mais, comme le notait Leibniz, elle « demeure encore aujourd'hui parmi les sciences qui doivent se chercher ».

Il en résulte déjà une incertitude fondamentale quant à la *dénomination* d'une telle science. Au fil des textes aristotéliciens, celle-ci s'intitulera « philosophie », « sagesse », « philosophie première », voire « théologie ». Bien étrange, assurément, doit être l'objet d'une telle science pour qu'elle soit ainsi entraînée par lui dans le tourbillon d'un questionnement indéfini sur sa propre qualification !

L'être, indique Aristote, « se prend en plusieurs acceptions, mais c'est toujours relativement à un terme unique, à une seule nature déterminée » (*Métaphysique, Gamma* 2, 1003 a-b). Cette formule donne à entendre que l'être, d'emblée, brise l'alternative de *l'homonymie* et de *la synonymie* à l'intérieur de laquelle, pourtant, nous enferme la réflexion sur le fonctionnement normal du langage. Accepte-t-on la synonymie, ainsi que nous y pousse le respect des règles du discours (où une signification unique doit correspondre à un nom unique), alors l'être doit être reconnu pour un *genre*, et on aboutit à une ontologie hiérarchisée, dont l'absurdité éclate dès l'instant où l'on s'aperçoit qu'elle effacerait toute véritable spécification, puisqu'elle obligerait à attribuer le genre à ses propres différences, comme le démontre Aristote au livre IV des *Topiques*. Et si la synonymie est irrecevable, c'est parce que l'être, justement, n'est pas un genre (*Métaphysique, Gamma* 2, 1005 a; B, 3, 998 b; K, 1, 1059 b). On constate une « communauté » de significations instaurée par l'être, laquelle n'est pas du même ordre que la logique des implications entre genre et espèces. Mais, de l'autre côté, admettrait-on l'homonymie, on ne pourrait plus trouver qu'un agrégat de significations qui se prêteraient à une simple énumération, et dont le principe unificateur serait alors un artifice de langage. La méditation d'Aristote s'engage ici, entre les deux impasses que représentent les thèses opposées des sophistes et des éléates, dans la seule voie menant à la vérité de l'être et que signale la formule évoquant une *homonymie non accidentelle* de l'être.

L'être et l'essence

Ce paradoxe de l'être met son empreinte sur les relations que l'être noue avec la catégorie privilégiée de *l'ousia* (il est préférable, malgré la coutume, de traduire ce terme par « essence » plutôt que par « substance »). Les significations selon lesquelles l'être se rend manifeste sont les « catégories » ; dans la mesure où toutes les catégories partagent la « communauté » de l'être, elles visent l'être en quelque sorte à travers une catégorie éminente, qui est justement l'*essence*. Or, de même que l'être n'est pas un genre, de même aucun genre, aucun universel n'est essence (*Métaphysique*, Z, 13, 1038 b, et Z, 16, 1140 b), — la double négation démolissant d'ailleurs, par ricochet, la théorie platonicienne des Idées. Mieux encore : l'être. derechef, se démarque de l'essence. Car, s'il y a bien un privilège de l'essence, Aristote refuse d'identifier pour autant l'être à l'essence (*Analytiques postérieurs*, II, 7, 92 ; *Métaphysique, Gamma* 2, 1002 b — 1003 a), voire même de les rattacher l'un à l'autre selon un rapport de principe à conséquence. Voilà ainsi bloquées, par la vigilance exemplaire d'Aristote, les funestes tentatives d'essentialisation et de logicisation de l'Etre !

L'être et la théologie

Ces précautions n'empêchent pas, néanmoins, d'autres équivoques de s'infiltrer dans les leçons aristotéliciennes. L'une des plus pernicieuses est celle qui fait glisser *la science de l'être en tant qu'être* vers la *théologie*, et a pour ressort le risque permanent de confusion entre l'être comme tel et *l'étant suprême*, c'est-à-dire l'étant investi de la plus haute dignité dans l'ordre de la valeur, et donc nécessairement assimilé à Dieu. Cette menace est associée, dans les textes d'Aristote, à la réflexion sur « les premiers principes et les premières causes » (*Métaphysique*, A, 2, 292 b), car celle-ci oriente irrésistiblement la pensée vers l'idée du divin et de la sagesse comme « science divine ». Si Aristote, pour son compte, réussit à la conjurer, imposant sa magistrale distinction entre la « philosophie première », identifiée à la théologie, et la véritable science de l'être en tant qu'être, l'intelligence de cette distinction demeure une acquisition très fragile ; aussi est-elle aisément refoulée, dès le moment où la victoire du christianisme sur l'antiquité gréco-latine amène la domination d'une conception théocentriste du monde. Comme, malgré tout, l'originalité de la question de l'être continue d'être intuitivement pressentie, l'exigence subsistera, plus ou moins clandestine, depuis le moyen âge jusqu'aux temps modernes, de forger de nouvelles dénominations aptes à la faire émerger dans la clarté d'une définition impeccable. D'où la création des termes *métaphysique* et *ontologie*. Malheureusement, ces dénominations, loin de protéger l'énigme de l'être, vont contribuer à l'obscurcir.

Ainsi, le titre « Métaphysique », qui figure, morcelé en trois mots *(meta ta phusica)*, dans l'édition d'Andronicos (Ier siècle av. J.-C.), répond à un souci de classification de l'œuvre aristotélicienne ; mais les raisons prépondérantes de son introduction concernent le statut de la science, restée « innommée », de l'être en tant qu'être. Or, aussitôt qu'il entre proprement en usage, avec Averroès au XIIe siècle, c'est pour entériner l'annexion de la question de l'être à la théologie. Car, chez Averroès, le terme désigne spontanément la connaissance rationnelle de Dieu et les principes naturels de la spéculation, par contraste avec la vérité révélée de la foi. Preuve que l'être se trouve inféodé, ici, à l'essence divine. Ce qui donne raison à Nietzsche quand celui-ci, accusant d'ailleurs une influence platonicinenne sous-jacente, reproche à toute la tradition philosophique d'avoir traité l'être comme une entité *transcendante* dotée de qualités *morales*, de sorte que l'être a été érigé en *idéal suprasensible,* fusionnant, pour la métaphysique, le bien et la cause de soi dans le concept de Dieu.

Ontologie et métaphysique

Du même coup, l'exigence de garantir l'autonomie de la question de l'être devait pousser à créer un nouveau titre à l'intérieur de la métaphysique elle-même. Ce fut l'*ontologie*. La dissociation se prépare chez Suarez, mais la dénomination franche n'apparaît qu'avec Gœckel, et elle attire dans la sphère de l'être pur, séparé du divin, l'ancien titre de la « philosophie première » pris comme analogue à la théologie. L'équivoque précédente est véhiculée maintenant par *la philosophie première*, ainsi qu'on peut le constater chez Descartes. Les fameuses *Méditations métaphysiques* ont pour titre latin *Meditationes de prima philosophia* ; or l'ambiguïté y est bien présente, puisque Descartes consacre cette enquête de « philosophie première » à la démonstration de l'existence de Dieu et à celle de la distinction de l'âme et du corps, ce qui confirme la persistance de la confusion entre l'être et le divin ; mais, d'autre part, ces méditations sont axées sur le thème de la « substance » (*res cogitans, res extensa,* substance divine) ; en cela elles ressortissent à l'ontologie, dans la mesure où l'ontologie veut examiner l'être en tant que tel, et où la substance, selon Descartes, désigne très exactement l'être lui-même.

La situation n'a commencé à se clarifier qu'à partir de l'instant où l'on s'est décidé à diviser la métaphysique en deux grandes sections intitulées respectivement *metaphysica generalis* et *metaphysica specialis* ; l'une étudiant les trois étants suprasensibles, Dieu, l'âme et le monde (d'où les trois disciplines : théologie, psychologie et cosmologie rationnelles) ; l'autre, en revanche, se consacrant à l'analyse de l'être en tant qu'être et adoptant la dénomination de l'ontologie. Telle est la structuration que Baumgarten, en 1739, dessine de la métaphysique : « Ad metaphysicam referuntur ontologia, cosmologia, psychologia et theologia naturalis » ; et il ajoutait cette définition, quasi récapitulative, de l'ontologie : « Ontologia (ontosophia, metaphysica generalis, architectonica, philosophia prima) est scientia praedicatorum entis generalium. »

Être et logique : de Kant à Hegel

L'apparition de l'ontologie amorce, à son tour, un processus capital qui, de Kant à Hegel, va déboucher sur *l'identification de l'être à la logique*. Celle-ci comble l'ambition de la philosophie à être science rigoureuse et souveraine, mais de trompeuse manière, de sorte que, sous sa bannière, c'est le règne de la *technique* qui s'installe planétairement…

Avec la *révolution copernicienne*, qui met la subjectivité en vedette,

Kant transforme la présentation substantialiste du *cogito* cartésien en théorie de la *conscience transcendantale*[1]. Il en découle, tout d'abord, que l'ancienne métaphysique générale (ou ontologie) devient *la science des concepts et des principes de l'entendement pur* ; ou, si l'on préfère, elle devient la doctrine des conditions de possibilité catégoriales de l'expérience, pour autant que les catégories constituent l'armature logique d'une subjectivité qui, d'un côté, dépasse invinciblement la réalité empirique (et ne saurait donc en être tirée par genèse) mais qui, de l'autre, échoue à rejoindre l'être (la « chose en soi » selon le vocabulaire de Kant), et se voit ainsi privée de toute compétence pour discourir sur le transcendant, sur le « métaphysique ». Le « Je pense » lui-même, la conscience transcendantale, simple forme logique, doit renoncer à s'hypostasier en une « âme » substantielle. La révolution copernicienne bute ainsi sur un nouveau paradoxe : alors que celle-ci devait autoriser la fondation de la métaphysique spéciale sur la base de l'ontologie, le déploiement du projet kantien oblige finalement à conclure que *cette métaphysique spéciale est une chimère,* une « illusion dialectique » de la raison pure !

Mais, tandis que Kant, grâce à la ferme distinction du monde des « phénomènes » et de l'être comme « chose en soi », empêchait l'ontologie de dissoudre l'être dans la logique, en limitant le rôle de la logique à celui d'un *organon* nécessaire à la structuration de l'expérience possible, et donc indispensable pour étayer l'*objectivité* de l'objet requise par les sciences, Hegel, lui, choisit de parachever dogmatiquement la logicisation de l'être que portait en germe la révision kantienne de la nature et des méthodes de l'ontologie, et parvient ainsi à hausser la philosophie jusqu'à la condition, apparemment enviable, d'une *science absolue de l'Absolu.*

Hegel comprend que l'obstacle à briser d'urgence est la transcendance, dont la chose en soi kantienne est une variante. La transcendance abolie, la logique peut en effet proclamer la stricte identité de la pensée et de l'être, et se changer, de logique transcendantale qu'elle était chez Kant, en logique absolue, c'est-à-dire, pour parler comme Hegel, en philosophie spéculative. Pour celle-ci, l'être vaut comme *idée absolue* et, derechef, s'identifie à Dieu, au sein de ce que Heidegger appelle, très heureusement, une « onto-théo-logie ». Si bien que l'ontologie, surhaussée en logique,

1. La conscience est dite, chez Kant, « transcendantale » pour autant qu'elle « transcende » l'expérience, et produit ainsi des connaissances *a priori*, investies de *nécessité* et d'*universalité*, mais qui, néanmoins, n'ont de validité que *par rapport à l'expérience possible.* Du même coup, le transcendantal s'oppose au transcendant, qui impliquerait une validité ontologique, c'est-à-dire s'appliquant à l'être situé *au-delà (méta) de l'expérience sensible.*

forme l'axe autour duquel se rassemblent toutes les disciplines ; et c'est à l'intérieur d'un tel savoir encyclopédique que les anciennes rubriques de la *métaphysique spéciale* viennent occuper leur place. Cette puissance d'intégration encyclopédique que déploie le système hégélien lui est procurée par une audacieuse refonte du concept de la *négativité* qui, assumant les fonctions polyvalentes d'une « médiation », devient l'âme du processus *dialectique* avec thèse, antithèse et synthèse. La médiation hégélienne est, par suite, l'agent infatigable de la totalisation où l'idée absolue dispense la richesse de sa substance divine et, simultanément, représente le principe même de la subjectivité, qui trouve son expression existentielle dans l'activité de la conscience de soi. Pourvu que l'on n'oublie pas de compléter le système par le concept de *l'aliénation*, qui prétend expliquer comment l'Esprit absolu se fait nature, puis histoire, en se posant comme autre que soi, on peut croire, devant l'impressionnante construction hégélienne, que la philosophie s'est enfin égalée à sa vocation essentielle.

Le nihilisme

Mais l'inquiétude et le doute se révèlent plus salutaires, comme le montre la protestation de Kierkegaard. Ils incitent à soupçonner que le savoir monumental de l'absolu peut être trahison en comparaison avec la méditation radicale de l'être, la « scientificité » exaltée par Hegel le leurre de la technique objectivante, et la dialectique de totalisation l'auxiliaire du totalitarisme. De fait, la crise du *nihilisme* moderne, diagnostiquée par Nietzsche comme ruine du sens et des valeurs, comme « mort de Dieu », ne nous enseigne-t-elle pas que le savoir absolu est une tour de Babel vouée à la destruction parce qu'elle a pour base, non l'authentique vérité de l'être, mais *le néant* ?

II. INTERPRÉTATION ET IDÉOLOGIE

La philosophie renonce à être un savoir

Donc, la philosophie doit renoncer à être un savoir, dans l'acception stricte du terme, qui ne vaut que pour les sciences, et assumer loyalement sa condition de connaissance interprétative. Dans ce combat, la philosophie rencontre plusieurs problèmes, et, de la solution qu'elle leur apporte, dépend alors la détermination de sa nouvelle identité.

Le procès de l'être

Au premier rang de ces problèmes figure, derechef, l'être. Depuis longtemps déjà les équivoques qui s'attachent à l'idée de l'être avaient amené certains penseurs à en faire le procès et, finalement, à en dénoncer l'égarante vacuité. Ainsi, Spinoza ne voyait en elle que le plus creux des « universaux », Schopenhauer un « concept abstrait », résidu de l'expérience intuitive, et Bergson une fiction engendrée par « l'illusion cinématographique de l'intelligence ». Nietzsche, lui avait, semble-t-il, donné le coup de grâce quand il l'avait taxée de « fable métaphysique » servant de refuge aux idéaux stériles que suscite l'angoisse du devenir chez les faibles. En outre, même dans les œuvres où elle gardait une place, l'idée d'être subissait une érosion si sévère qu'elle avait fini par perdre toute vigueur. On s'en rend le mieux compte avec l'hégélianisme, qui réduit l'être au plus abstrait, donc au plus pauvre, des concepts, et l'utilise comme le « moment » de « l'immédiat » dans son système de la logique absolue.

Le rôle de Heidegger

C'est le mérite de Heidegger d'avoir compris que ce dépérissement de la réflexion sur l'être constituait un des symptômes les plus alarmants du nihilisme dans lequel Nietzsche avait reconnu l'essence de la modernité. A partir d'autres indices et selon une autre ligne de méditation, on peut d'ailleurs conforter les explications de Heidegger, en montrant que le formalisme, qui régente toute la culture moderne avec la prolifération des combinatoires logiques (dont le structuralisme est une variante), est une conséquence fatale de cette impuissance à penser l'être qui, progressivement, a paralysé la philosophie occidentale. Mais si l'exhortation de Heidegger à dissiper « l'oubli de l'être » est bien une condition *sine qua non* du sauvetage de la philosophie, rien, sauf la piété trop zélée des disciples, n'oblige à abdiquer notre indépendance d'esprit quand nous avons à examiner le contenu positif des thèses heideggeriennes.

Pour Heidegger, en effet, la tâche de la philosophie est de penser « la vérité de l'être », ou encore « l'être de l'être » *(des Wesens des Seins)*. Et Heidegger d'insister — c'est là le foyer de toute son œuvre — sur ce qu'il appelle la « différence ontico-ontologique » ou « le pli » de l'être et de l'étant. La philosophie, à ses yeux, dégénère en « métaphysique » dès qu'elle réserve son attention exclusive à l'étant, c'est-à-dire à la multiplicité des phénomènes ou au tout du monde, en négligeant l'être *comme tel*, qui se tient « en retrait » dans la dispensation même de la lumière où les étants sont rendus visibles. Inutile d'ajouter, par suite, que, pour Heidegger, l'être demeure bien le thème par excellence de la philosophie.

L'être code le discours philosophique qui est interprétation du monde

Or, c'est avec cette postulation qu'il serait sans doute nécessaire de rompre, si l'on veut donner à l'idée d'« interprétation », déjà ébauchée par Nietzsche (mais peu exploitée chez Heidegger), une élaboration radicale, amenant à découvert, corollairement, l'essence de la philosophie elle-même. Au lieu de regarder l'être comme le thème de la philosophie, on considère, d'après une inspection minutieuse de son histoire, que l'être est le mot qui met en ordre le discours philosophique, lequel est lui-même au service de la pensée visant son « référentiel », l'*intégral,* et s'efforçant de le qualifier par des concepts spéculatifs. A l'arrière-plan de cette lecture se profile une double idée : la philosophie est une interprétation du monde qui tient ses pouvoirs propres du langage, de sorte que l'être doit d'abord être envisagé dans sa réalité langagière ; et, d'autre part, le mot « être », quant à lui, signe l'originalité du discours philosophique par comparaison avec les autres applications du langage. L'être assure le codage du discours philosophique. Cette conception garantit le rôle authentiquement fondateur de l'être, mais en évitant le fétichisme ontologique, qui prétendrait explorer un contenu substantiel là où, comme le confirment les apories de l'ontologie traditionnelle et les incantations ressassées de Heidegger, on ne rencontre qu'une fonction, en soi vide, aisément érigée, alors, en idole métaphysique. On se soucie désormais de repérer et de classer les « caractères » de l'être, dont on se garde bien, toutefois, de faire des catégories logiques (éventuellement dialectisables à l'intérieur d'une combinatoire), ou les accidents d'une substance.

Repenser la subjectivité

A suivre la piste ainsi ouverte, on est conduit à remanier la problématique de la *subjectivité,* qui, naturellement, s'imbrique dans celle de l'interprétation. Ici, c'est le primat de la *conscience*, gagé sur le *cogito* cartésien, qui s'écroule. Comment la philosophie ignorerait-elle les découvertes fulgurantes de la psychanalyse ? Aujourd'hui, pourtant, la difficulté est moins de prendre au sérieux ces découvertes que d'en mesurer la portée avec exactitude, afin de ne pas s'échouer sur les deux écueils : d'un côté, essayer de récupérer la psychanalyse, en édulcorant ou en faussant ses apports essentiels ; de l'autre, se placer à la remorque des théorisations aventureuses où cherchent à s'illustrer des psychanalystes qui se croient des philosophes. En tout état de cause, la certitude est acquise qu'une *phénoménologie* de type husserlien, qui ambitionne de hausser la philosophie au rang d'une « science rigoureuse », en lui assignant pour mission de décrire les actes purs d'un sujet transcendantal soustrait, grâce à des techniques raffinées de « réduction », aux limitations et aux aberrations du « naturalisme » objectiviste, n'est pas préparée à un dialogue fructueux avec la psychanalyse. Les versions existentialistes de la phénoménologie ne sont, elles non plus, guère fécondes sous ce rapport, soit qu'avec Sartre on se cramponne à une définition intransigeante du *cogito*, source absolue du sens et des valeurs, en reléguant l'inconscient dans la mauvaise foi, soit qu'on mise, avec Merleau-Ponty, de façon plus convaincante, sur les résultats d'une investigation tournée vers le corps propre et les structures du monde perçu. Faut-il, alors, se résoudre à supprimer le concept même de « sujet » ? Pour ce genre d'amputation expéditive, on n'aurait pas à craindre une carence de chirurgiens ! Car les idéologies dominantes, présentement, rivalisent d'ardeur pour effacer, non seulement toute trace de l'« âme », entité métaphysique, mais encore celle de toute instance qui risquerait de s'affirmer comme un centre d'autonomie. Pourvu qu'ils n'accordent au sujet que la fonction d'un leurre ou d'un manque, on est prêt à applaudir à tous les modèles imaginables, sans se laisser rebuter par la grossièreté de constructions qui, souvent, font regretter les animaux-machines de Descartes. Est-il besoin d'ajouter que cet acharnement à « évacuer » la subjectivité camoufle l'angoisse devant le sort de l'individu livré aux aliénations de l'univers technologique moderne, et ressortit donc à la logique du nihilisme ?

Le moi, lié à une praxis, entre interprétation et réalité

Une issue à la crise pourrait bien être une méditation renouvelée sur le *moi*, maintenant affranchie des illusions qui grevaient la théorie du *je* pur chez Fichte et celle de l'ego transcendantal chez Husserl. Car le moi est le répondant du *cogito*, mais il ne s'identifie pas à la conscience, puisqu'il plonge dans les abysses de l'inconscient, dont il représente une « instance » majeure, celle qui, notamment, contrôle les mécanismes de défense contre les pulsions. De par cette situation privilégiée, le moi peut revendiquer l'héritage du *cogito* cartésien, tout en épargnant à la philosophie les ambitions fallacieuses des ontologies idéalistes de la conscience. Ses rapports avec le surmoi inconscient, d'un côté, et avec les valeurs rationnelles, de l'autre, incitent à préserver les droits de la réflexion éthique, sans céder aux rigueurs du moralisme. Enfin, comme le répétait Freud, le moi, par son inscription dans le système perception-conscience, est branché sur le monde réel, et c'est donc lui qui fait la jonction entre l'interprétation et la *réalité* elle-même.

Du même coup, le moi est toujours embarqué dans une *praxis*. Et cela nous fait comprendre comment s'articulent interprétation et *idéologie*.

L'idéologie pose la conscience au fondement de l'être

Les idéologues, écrit Marx, « mettent tout la tête en bas ». Entendons : ils *inversent* l'ordre vrai selon lequel la connaissance appréhende le monde réel. L'inversion idéologique consiste à traiter les idées, les représentations dans la conscience, comme le principe d'où les événements de la réalité tirent leur sens, leurs raisons, et leur origine ; bref, à poser la conscience au fondement de l'être. Ce qui, au niveau de la pensée spéculative, correspond très exactement à l'attitude *idéaliste*. Dans le domaine de l'histoire par exemple, elle se traduira sous la forme d'une explication des événements qui, au lieu de chercher les raisons de leur enchaînement dans les structures mouvantes de l'économie, les rattachera à la *représentation* que les classes sociales (et prioritairement les classes dominantes) se faisaient de la situation à l'époque étudiée, de sorte que ce sont les idées morales, religieuses, philosophiques, mêlées aux opinions naïves, qui deviennent la clé de l'intelligibilité des phénomènes. Et c'est justement pour briser cette illusion, cristallisée en doctrine, que Marx forge l'instrument d'investigation critique, hardiment adapté à l'analyse de l'économie, qui témoignera de son efficacité sous le nom de *matérialisme historique*. Mais Marx ne se contente pas de donner la définition générale de l'idéologie, il en démonte les diverses structures opératoires, dont l'une des plus dangereuses est le clivage. Il consiste, en présence d'un couple de termes contradictoires (donc solidaires dialectiquement !), à effectuer une dissociation brutale, opposant alors le « bon » et le « mauvais » côté des choses ; dualisme menteur, puisque c'est la négativité, ainsi isolée arbitrairement dans la subjectivité comme aspect « mauvais », qui, dans la réalité, joue le rôle de médiation, de moteur, donc de principe évolutif ! C'est également à la lumière de ces analyses de Marx que l'on aperçoit les ravages causés par l'utilisation idéologique du concept de *nature*. Ce concept ne sert-il pas à procurer à la domination de classe une pseudo-légitimation très intimidante ? Car, comment se rebeller contre une hiérarchie sociale affirmée « naturelle » ?

L'idéologie, effet de méconnaissance à corriger

L'idéologie n'est pas, d'ailleurs, un accident provoqué par négligence ou sottise, c'est un *effet de méconnaissance* à caractère constant, enraciné dans la réalité même des relations entre la conscience des individus et leur praxis. Cette explication de l'idéologie jette un pont entre marxisme et psychanalyse. Car elle fait voir que la pensée consciente est contrainte de déformer aussi bien la vérité de l'inconscient que la vérité de la praxis ; et comme l'idéalisme est, en quelque sorte, la philosophie spontanée de la conscience, il s'affronte à la praxis comme à une espèce d'inconscient socio-économique, dont il ne peut prendre qu'une « conscience fausse », selon l'expression d'Engels.

Nous voici avertis que toute interprétation, dans la mesure où elle traverse nécessairement la conscience, subit une inversion idéologique, un effet de méconnaissance, qu'il faudra donc d'abord repérer, ensuite rectifier, par l'observance des règles qui garantissent la position de réalité des phénomènes, en fonction de l'inconscient et de la praxis. Pour maîtriser cette méthode, il convient de saisir l'essence de la praxis et les causes du processus qui déclenche l'illusion idéologique.

Comprendre d'abord l'essence de la praxis

La praxis, selon Marx, désigne l'ensemble des activités par lesquelles les hommes, sur la base de leur organisation corporelle et de leurs rapports sociaux, *produisent leur vie*, de telle manière que leur existence *consciente*, avec ses multiples expressions institutionnalisées dans le Droit, le régime politique, les mœurs, la culture, l'art et la religion, *reflète* les modalités de la production de leur existence *matérielle*. Le pivot de la définition est le concept de « production ». Elle est une *appropriation*. Précision essentielle, car elle dévoile dans la propriété le résultat d'une activité historique, ce qui empêche d'identifier fallacieusement, à l'instar des théoriciens bourgeois, l'appropriation avec la propriété privée ! Et surtout, c'est maintenant la production qui a la charge de fonder simultanément la consommation et la distribution. Mettons également l'accent sur le thème de la « vie » : c'est de lui que le concept de production reçoit sa pleine signification matérialiste, en accord avec le grand principe énoncé par Marx dès *l'Idéologie allemande :* « ce n'est pas la conscience qui détermine la vie, c'est la vie qui détermine la conscience ». Par conséquent, si la culture est bien une forme de vie, et donc dérive d'une production, cette production est elle-même conditionnée par la vie matérielle, autrement dit par les impératifs du rapport avec le milieu. Or les hommes, à la différence des animaux, doivent aussi produire leur *vie biologique*, à la faveur du *travail* qu'ils exercent sur le monde matériel ; c'est pourquoi, chez les hommes, la nourriture, le logement, l'habillement, l'armement, l'outillage, sont autant de productions, et non des biens passivement collectés. Il en découle la distinction des *infrastructures* et des *superstructures*, complétée par la thèse cardinale de la détermination « en dernière instance » par l'économie, — clé de voûte du matérialisme historique.

La praxis aliénée ou le passage de l'interprétation à l'idéologie

Dès lors, on conçoit la genèse de l'illusion idéologique. L'idéologie correspond à la forme que revêt l'interprétation de la réalité quand elle reflète une certaine organisation de la praxis ; celle que Marx qualifie à l'aide du concept de l'*aliénation* (concept emprunté à Hegel, mais retaillé aux mesures du matérialisme). L'aliénation désigne une praxis perturbée de telle sorte que le producteur, loin de s'accomplir et de se reconnaître dans sa production, se voit entravé et, à la limite, écrasé par les produits eux-mêmes. Cette dernière possibilité est d'ailleurs atteinte avec le capitalisme, puisqu'ici la totalité de la vie sociale est prisonnière de ce que Marx appelle la *réification*, autrement dit la réduction de toute réalité au statut de la *marchandise*, sous la loi omnipotente de la valeur d'échange. L'aliénation a sa source dans la *division du travail*, contemporaine de l'institution familiale et de la propriété privée, et culmine avec la dissociation catastrophique du travail manuel et du travail intellectuel. Là gît la raison cachée de la distorsion qui, infligée à la pensée consciente, gauchit l'interprétation en fausse conscience idéologique.

Pour boucler le cercle de notre argumentation, nous dirons, alors, que toute interprétation, parce qu'elle traduit la praxis du moi, est constamment menacée de verser dans l'idéologie à cause des structures changeantes de cette praxis qui, insérée dans la praxis sociale globale, est exposée à l'influence de ses multiples aliénations. En conséquence la philosophie, éduquée par les avertissements de Marx, doit veiller inlassablement à corriger ses interprétations par un travail *critique* qui en décape les éléments idéologiques, et mobiliser à cette fin une permanente confrontation entre les idées de la conscience et les déterminations de la praxis.

Elargissons, pour terminer, cette réflexion aux dimensions d'une brève analyse des méthodes.

Conclusion :
La philosophie porte l'empreinte du moi existentiel

Le savoir scientifique, pour pénétrer le réseau de relations pures qui déterminent les configurations formelles dont est façonnée la réalité *objective* du monde de l'expérience, exige la mise entre parenthèses du moi (si l'on désigne par ce terme le moi existentiel, le moi adhérent à ses vécus), et ne conserve que le pur sujet épistémologique, l'opérateur des combinatoires logiques et des manœuvres expérimentales ; la philosophie, au contraire, pointe ses interrogations, fixe ses principes, construit ses concepts de telle manière que chacune de ces initiatives porte l'empreinte du moi existentiel. Ce style « égotiste » des concepts en philosophie se signale par trois critères. Ce sont, d'abord, des concepts qui, directement ou indirectement, traduisent un *projet* du moi, c'est-à-dire coordonnent les *faits* selon les possibilités que le moi *désire* actualiser ; en second lieu, ce sont des concepts qui drainent des *valeurs*, car le moi se soucie, non de la facticité des faits, mais des raisons qui peuvent la justifier sur le vecteur d'un destin ; et, troisièmement, ce sont des concepts chargés d'*affectivité*, des concepts d'humeur. Par suite, quand la philosophie argumente et bâtit des démonstrations avec des preuves, elle fait bien acte de raison, mais la rationalité n'est qu'un moyen subordonné au discernement des valeurs, lui-même effectué dans une atmosphère émotionnelle. Désir, valeurs, émotions ne font pas, pour autant, basculer la philosophie vers l'opinion capricieuse, car l'exercice de la méditation s'accompagne toujours de réflexion *critique* ; devant son arbitrage les normes et les idéaux, naïvement accueillis par l'opinion, doivent obtenir leur légitimation, sauf à être promptement récusés et subvertis. Ici encore, l'attitude socratique fournit le modèle de compétence.

L'interprétation s'ordonne à un texte jamais achevé en soi

L'interprétation, ainsi qualifiée, s'ordonne à un *corrélat*, que nous nommerons *le texte*. Sans doute ne manque-t-il pas d'auteurs, aujourd'hui, pour biffer cette référence à un texte. Montant en épingle certaines citations de Nietzsche, ils estiment que le concept de « texte » n'est qu'un fâcheux reliquat métaphysique et que la fidélité à l'inspiration du nietzschéisme oblige à ne rien postuler en dehors des interprétations elles-mêmes. Assertion pittoresque, mais qui ne résiste pas à une confrontation avec la totalité des citations de Nietzsche sur ce problème, et qui, au regard du destin général de la philosophie, est un sophisme suicidaire. Déjà décapitée du « sujet », que représenterait une interprétation qui serait interprétation de *rien*, sinon une nébuleuse encore plus informe et obscure que la « chose en soi » kantienne, pourtant si décriée, une monstruosité idéaliste dont même Berkeley n'oserait assumer la paternité ! En vérité, la présence d'un texte est indispensable. Pour rendre compte des déterminations selon lesquelles se particularisent les diverses interprétations. Pour soutenir les communications qui s'établissent entre elles, marquant ainsi l'unité d'une même référence ; et pour expliquer les changements à l'occasion desquels le conflit des interprétations dessine une histoire globale de la connaissance humaine. Le concept de « texte », consommant la rupture avec les formulations trop dogmatiques du réalisme traditionnel, a justement pour avantage de souligner que le corrélat de l'interprétation n'est jamais un donné brut, achevé en soi dès l'origine, mais qu'il s'esquisse et se parachève dans et par le travail de l'interprétation, si bien que la réalité n'appartient à aucun des deux termes pris isolément, mais seulement à l'histoire de leur information mutuelle. Le texte, c'est alors comme le point-limite réel vers lequel convergent toutes les interprétations rivales et complémentaires, à travers les *indices* que leur offre l'expérience du moi et de sa praxis. La philosophie, à cet égard, ne se targue pas d'apporter des faits nouveaux, elle emprunte les faits qui lui serviront d'indices à toutes les sources de connaissance, donc à l'art et à la science, à la religion et à l'économie, aux techniques et à la politique.

La philosophie est donc le discours égotiste qui, par le déchiffrement réglé des phénomènes-indices, et toujours selon une multitude de « points de vue » à l'intérieur d'une histoire, essaie de faire advenir, dans le dire de la raison pensante et sous la gouverne du mot « être », la vérité ouverte d'un monde en train de s'inventer lui-même.

BIBLIOGRAPHIE

POUR L'INTRODUCTION

PLATON, *Œuvres complètes,* 2 vol., trad. nouvelle L. Robin et J.-M. Moreau, coll. de la Pléiade, Gallimard, Paris, 1950.

L. ROBIN, *Platon,* PUF, Paris, nouvelle édit., 1968.

POUR LA PREMIÈRE PARTIE

1. Les origines grecques

Cl. RAMNOUX, *Héraclite ou l'homme entre les mots et les choses,* « les Belles Lettres », Paris, 2ᵉ éd., 1968.

Cl. RAMNOUX, *Parménide,* éd. du Rocher, coll. « Gnose », Paris, 1979.

J.-P. VERNANT, *Mythe et pensée chez les Grecs,* Maspéro, Paris, 1969.

M. DÉTIENNE, *les Maîtres de vérité dans la Grèce archaïque,* Maspéro, Paris, 1967.

2. Aristote

ARISTOTE, *la Métaphysique,* 2 tomes, trad. J. Tricot, Vrin, Paris, 1964.

P. AUBENQUE, *le Problème de l'Etre chez Aristote,* PUF, Paris, 2ᵉ éd., 1966.

3. Le développement de la métaphysique

E. GILSON, *l'Etre et l'Essence,* Vrin, Paris, 1948.

E. VOLLRATH, « Die Gliederung der Metaphysik in eine Metaphysica generalis und eine Metaphysica specialis », in *Zeitschrift für philosophische Forschung,* Bd XVI, Heft 2, April-Juni 1962, Verlag Anton Hain KG.

4. L'avènement de la modernité

KANT, *Critique de la raison pure,* trad. Tremesaygues et Pacaud, PUF, Paris, 1950.

ID., *Prolégomènes à toute métaphysique future qui pourra se présenter comme science,* trad. J. Gibelin, Vrin, Paris, 1965.

ID., *les Progrès de la métaphysique en Allemagne depuis Leibniz et Wolf,* trad. L. Guillermit, Vrin, Paris, 1968.

ID., *Réponse à Eberhard,* trad. R. Kempf, Vrin, Paris, 1959.

DAVAL, *la Métaphysique de Kant,* PUF, Paris, 1951.

HEGEL, *la Phénoménologie de l'Esprit*, 2 tomes, trad. J. Hyppolite, Aubier, Paris, 1947.
ID., *Encyclopédie des sciences philosophiques en abrégé*, trad. M. de Gandillac, Gallimard, Paris, 1970.
ID., *la Science de la logique*, t. 1 de *l'Encyclopédie des sciences philosophiques*, trad. B. Bourgeois, Vrin, Paris, 1970.
E. FLEISCHMANN, *la Science universelle ou la logique de Hegel*, Plon, Paris, 1968.
S. KIERKEGAARD, *Post-scriptum aux Miettes philosophiques*, Paris, Gallimard.

POUR LA DEUXIÈME PARTIE

1. L'argumentation d'ensemble

J. GRANIER, *le Discours du monde*, Seuil, Paris, 1977.

2. Métaphysique et nihilisme

F. NIETZSCHE, *la Volonté de Puissance*, trad. G. Bianquis, NRF, Gallimard, Paris, t. 1, 1947, t. 2, 1948.
J. GRANIER, *le Problème de la Vérité dans la philosophie de Nietzsche*, Seuil, Paris, 2e éd., 1969.

3. La question de l'être

M. HEIDEGGER, *Introduction à la métaphysique*, trad. G. Kahn, PUF, Paris, 1958.
ID., *Essais et Conférences*, trad. A. Préau, NRF, Gallimard, Paris, 2e éd., 1958.
O. POEGGELER, *la Pensée de Heidegger*, trad. Marianna Simon, Aubier-Montaigne, Paris, 1967.

4. Subjectivité et psychanalyse

E. HUSSERL, *Idées directrices pour une phénoménologie*, trad. P. Ricœur, NRF, Gallimard, 10e éd., Paris, 1950.
P. RICŒUR, *De l'interprétation, essai sur Freud*, Seuil, Paris, 1965.
S. FREUD, *Métapsychologie*, trad. Laplanche et Pontalis, NRF, Gallimard, Paris, 1968.
ID., *Essais de psychanalyse*, trad. S. Jankélévitch, revue par A. Hesnard, Payot, Paris, 1967.

5. L'idéologie

K. MARX, *l'Idéologie allemande*, trad. Auger, Badia, Baudrillard, Cartelle, éd. Sociales, Paris, 1968.
ID., *Œuvres*, trad. M. Rubel, coll. de la Pléiade, NRF, Gallimard, Paris, t. 1, 1963, t. 2, 1968.
K. MARX-F. ENGELS, *Etudes philosophiques*, éd. Sociales, Paris, nouvelle éd., 1977.

6. Méthodologie de l'interprétation

M. FOUCAULT, *les Mots et les Choses*, NRF, Gallimard, Paris, 1966.

CHAPITRE II

Poétique et symbolique

par PAUL RICŒUR

SOMMAIRE. — Introduction : le discours religieux est mixte : préconceptuel et conceptuel, la poétique comme discipline descriptive. I. Le symbolisme immanent à la culture : le geste, l'action délibérée, les cinq caractéristiques du symbolisme. II. Le symbolisme explicite et le mythe : un sens second atteint à travers un sens premier, un symbolisme de nature narrative, mythe et allégorie. III. Le moment de l'innovation sémantique : la métaphore. La métaphore comme noyau sémantique du symbole, les trois conditions de l'innovation sémantique, le rôle de l'imagination. IV. Symbole et métaphore : le « moment » non sémantique du symbole, la psychanalyse, la phénoménologie de la religion, l'activité poétique. V. Symbole et narration : l'intrigue comme équivalent narratif de l'innovation sémantique, imagination et tradition. VI. Le « moment » heuristique : symbole et modèles. Conclusion.

L'expérience religieuse ne se réduit certainement pas au *langage* religieux. Toutefois, qu'on mette l'accent sur le sentiment de dépendance absolue, sur la confiance illimitée, sur l'espérance sans garantie, sur la conscience d'appartenir à une tradition vivante, sur l'engagement total au plan éthique et politique, tous les « moments » de l'expérience religieuse trouvent dans le langage une *médiation* indispensable, non seulement pour l'exprimer, mais pour l'articuler au niveau même où elle prend naissance et croissance. Une expérience qui n'est pas *portée au langage* demeure aveugle, confuse et incommunicable. Tout n'est donc pas langage dans l'expérience religieuse, mais l'expérience religieuse n'est pas sans langage.

Le discours religieux est mixte : préconceptuel et conceptuel

En revanche, ce langage, pour exercer sa fonction d'articulation, d'expression, et de communication, n'exige pas de se constituer en langage spéculatif, disons en langage *porté au concept*. En témoignent les genres littéraires illustrés par la Bible hébraïque et le Nouveau Testament. On y rencontre des récits, des lois, des prophéties, des paroles de sagesse, des hymnes, des lettres, des paraboles. Or c'est au niveau préconceptuel de ces genres littéraires que se constitue le langage religieux primaire. Certes, une fois livré à des interprétations divergentes, à des contestations extérieures et à des déchirements internes à la communauté confessante, ce langage a été contraint de se préciser dans des doxologies et des confessions de foi où se discerne déjà le travail du concept. De plus, une fois confronté au langage philosophique, le *Credo* de l'Église chrétienne a dû déployer des ressources inaperçues ou inemployées de conceptualité, tant par emprunt externe que par explicitation interne, pour se porter au même niveau que la philosophie. C'est ainsi que le langage religieux a accédé au statut proprement théologique. De ce changement de statut et de la dialectique entre le niveau préconceptuel et le niveau conceptuel, est né un genre mixte de langage qu'on peut désigner désormais du terme de *discours* religieux.

L'aspect symbolique du discours religieux

Ce sont les traits spécifiques du niveau préconceptuel de ce discours que l'on se propose ici d'explorer. On peut appeler *symbolique* ce niveau de discours, pour des raisons qu'on va développer plus loin. Disons dès maintenant que le terme sera pris en un sens moins étendu qu'il n'est d'usage chez les logiciens et les scientifiques, lorsqu'ils parlent de logique symbolique, de symbole mathématique ou de symbole chimique. L'extension maximale que l'on accordera au terme de symbole est celle que Cassirer lui a conférée dans sa *Philosophie des Formes symboliques*[1], à savoir des structures de l'expérience humaine dotées d'un statut *culturel* et capables de *relier (religio)* entre eux les membres de la communauté qui reconnaissent ces symboles comme les *règles* de leur conduite. Inversement le terme sera pris en un sens plus étendu que ne le voudraient les auteurs qui attachent à l'idée de symbole celui d'un sens *caché*, accessible seulement aux initiés d'une doctrine *ésotérique*. A cet égard, l'extension minimale que l'on accordera au terme de symbole est celle que Peirce lui reconnaît dans sa *Sémiotique*[2], à savoir une relation entre deux niveaux de signification, fondée sur l'*analogie*. L'analyse qui suit se tiendra entre ces deux repères extrêmes, celui de la norme *culturelle* et celui du sémantisme de *l'analogie*.

---

1. E. Cassirer, *Philosophie der symbolischen Formen*, 3 vol., 1924, trad. fr. *la Philosophie des formes symboliques*, éd. de Minuit, Paris, 1972.
2. Ch. S. Pierce, *Collected Papers*, Harvard U.P., Cambridge (Mass.), 1931-1958, t. II : *Elements of Logic*.

La poétique, discipline descriptive

C'est pour explorer cet entre-deux que l'on aura recours à une discipline descriptive, la poétique, laquelle, sans méconnaître l'originalité du discours religieux (auquel elle emprunte maints exemples), l'appréhende par le côté de ses ressemblances avec d'autres modes de discours non spécifiquement religieux.

Comme le suggère la racine grecque du terme (*poièsis* = fabrication d'une chose distincte de son auteur), la poétique s'attache au caractère *productif* de certains modes de discours, sans égard pour la différence entre la prose et la poésie (versifiée, rimée ou rythmée). C'est donc l'aspect productif du symbolisme que l'on examinera ici, sa puissance d'invention et de création. Mais il importe de préciser dès le début que cette *production* est d'emblée double : c'est, à la fois, une production de *sens*, c'est-à-dire une expansion du langage « interne » à lui-même, *et* un accroissement de sa puissance de découverte eu égard à des traits proprement « inédits » de la réalité, à des aspects « inouïs » du monde. Pour désigner le premier aspect, on parlera d'*innovation sémantique* (l'adjectif « sémantique » ayant même extension que le substantif « sens ») ; pour le second, on parlera de fonction *heuristique* (l'adjectif « heuristique » recouvrant la même aire que les substantifs « invention » ou « découverte », dont on montrera qu'ils deviennent indiscernables dans l'ordre symbolique). Ces deux fonctions reçoivent des noms différents, mais elles ne se distinguent en principe que par abstraction méthodique, dans la mesure où la linguistique nous a enseigné à isoler le fonctionnement immanent du langage et à le scinder de toute visée extra-linguistique. Toutefois la poétique opère au niveau d'unités de discours de longueur supérieure à la phrase (récit, poème lyrique, etc.) ou égale à la phrase (aphorisme, proverbe, etc.). A ce niveau, la distinction ascétique que la linguistique s'impose à elle-même, entre traits immanents et visée extra-linguistique, devient une contrainte mutilante. Ici, pas d'innovation sémantique sans puissance heuristique. La poétique doit alors réunir ce que la linguistique a séparé par exigence de méthode. Pour ce faire, elle doit hardiment remettre en question la distinction même entre un « dedans » et un « dehors » du langage, laquelle suppose que le langage n'est plus considéré que comme un *objet* homogène relevant, comme le voulait de Saussure, d'une science unique aux contours définis. Mais les grandes unités de discours que la poétique décrit font apparaître un dynamisme du langage qui tient à sa fonction majeure, à savoir sa fonction de *médiation* : médiation *entre* l'homme et le monde, médiation *entre* l'homme et l'homme, médiation *entre* l'homme et lui-même. On peut appeler référence la première médiation, dialogue la seconde, réflexion la troisième. La puissance heuristique du langage s'exerce dans ces trois registres de la référence, du dialogue et de la réflexion. Ce que le langage *change*, c'est simultanément notre vision du monde, notre pouvoir de communiquer et la compréhension que nous avons de nous-même.

La tâche de la poétique, dans le champ du symbolisme, est de décrire de quelle façon celui-ci, en produisant du sens, accroît notre expérience, c'est-à-dire précisément la triple médiation de la référence, du dialogue et de la réflexion.

I. LE SYMBOLISME IMMANENT A LA CULTURE

Dans un premier stade, on considérera le fonctionnement du symbolisme à un niveau *pré-littéraire*, c'est-à-dire avant qu'il ne donne lieu à une production fixée dans des textes, au sens précis d'œuvres *écrites*. Les civilisations sans écriture que décrit l'ethnologie (appelée anthropologie dans la tradition anglo-saxonne) ne connaissent que ce fonctionnement du symbolisme. N'ayant pas de statut distinct, d'existence séparée, le symbolisme de tradition orale révèle une dimension de la culture elle-même, à savoir d'être *symboliquement médiatisée*. Si l'expérience humaine peut être dépeinte, racontée, mythisée dans des symboles explicites, dans des peintures, des récits, des mythes, c'est parce qu'elle est dès toujours liée du dedans par un symbolisme immanent, implicite et constitutif, à quoi la littérature donnera le statut distinct de symbolisme autonome, explicite et représentatif. Tenons-nous donc d'abord sur cette frontière commune à la poétique et à l'ethnologie (ou anthropologie).

Le geste

On ne partira jamais d'assez bas pour cerner le symbolisme immanent, implicite, constitutif. Déjà le *geste* — montrer, prendre... — se distingue du simple mouvement physique par des traits qui annoncent la symbolisation explicite : un geste constitue une totalité signifiante, irréductible à ses composantes motrices, et susceptible d'être désignée dans un verbe d'action qui la dénomme. De plus un geste conjoint, par-delà tout dualisme de l'âme et du corps, une face mentale et une face physique dans l'unité de l'expression. Le geste présente en outre une intentionnalité spécifique, une orientation temporelle qui joint l'anticipation à l'accomplissement. Enfin il présente des traits de communalité, dans la mesure où l'intentionnalité du geste incorpore la référence latérale à un autrui dont il est tenu compte dès le stade de la conception. Cette direction vers l'autre dessine toutes les figures possibles, depuis la coopération jusqu'à la lutte, en passant par le jeu.

L'action délibérée

En s'élevant au rang de l'*action délibérée*, réglée par des préférences, on accède au plan des traits de *signifiance* qui marquent l'ancrage du symbolisme dans la vie. On ne peut en effet parler d'action concertée et réfléchie sans faire vibrer tout un réseau catégorial dont tous les termes s'intersignifient : on peut ainsi s'interroger sur l'*intention* d'une action, soit pour demander ce que l'on projetait à l'avance de faire, soit pour caractériser la manière, libre ou contrainte, *dont* on agit ou a agi (il a fait ceci intentionnellement), soit pour désigner la série ordonnée des choses à faire pour arriver à un résultat désiré (je fais ceci *dans* l'intention de..., ou *avec* l'intention de...). Mais si l'on parle de l'action en termes d'intention, il faut continuer à en parler en termes de *motifs*, plutôt que de causes, en entendant par motif une raison d'agir et par cause un antécédent constant. Nos désirs et nos croyances sont en ce sens des motifs, c'est-à-dire des raisons de faire ceci plutôt que cela, de préférence à cela. Et si l'on parle d'intentions et de motifs, on parlera aussi de *celui qui* agit comme étant l'agent qui a le pouvoir de faire, qui est capable de faire et qui peut être tenu pour l'auteur responsable de l'action entière ou d'une part identifiable de l'action. Il y a ainsi un jeu de langage qui règle la sémantique de l'action et qui consiste dans l'entrelacs des questions et des réponses relatives aux intentions, aux motifs, aux auteurs, mais aussi aux circonstances, aux interactions, aux résultats voulus ou non voulus, voire aux effets pervers de l'action. C'est dans ce jeu de questions et de réponses que se constitue la signification — ou la signifiance — de l'action[3]. Et c'est sur cette signifiance que se greffe le symbolisme immanent à la communauté.

Cinq caractéristiques du symbolisme

On peut caractériser ce symbolisme par les quelques traits suivants :

a) Il faut d'abord souligner le caractère *public* des articulations signifiantes de l'action. Selon le mot de Clifford Geertz, un des maîtres de l'anthropologie culturelle américaine, dans *The Interpretation of Cultures*[4] : « La culture est publique, parce que la signification l'est. »

---

3. Sur tout ceci, cf : P. Ricœur et al., *la Sémantique de l'action*, éd. du CNRS, Paris, 1979.

4. Cl. Geertz, *The Interpretation of Cultures*, Basic Books, New York, 1973.

Claude Lévi-Strauss ne démentirait pas sans doute cette assertion, lui qui souligne, après Marcel Mauss, que ce n'est pas la société qui produit le symbolisme, mais le symbolisme qui produit la société [5]. Par là est attesté le caractère *institutionnel* des médiations symboliques qui assurent la signifiance de l'action. Ce caractère s'articule sur un trait de l'action évoqué plus haut, à savoir qu'elle résulte de l'interaction entre des agents multiples. Mais l'idée d'institution ajoute à celle d'interaction ce trait que l'institution constitue des totalités irréductibles à leurs parties (familles, groupes d'âge, classes sociales, sociétés, États, civilisations), lesquelles assignent des *rôles* aux individus qui les composent. En cette assignation de rôles consiste la première fonction du symbolisme immanent à la communauté.

b) Insistons encore sur le caractère *structural* des complexes symboliques. Les symboles forment système, dans la mesure où ils entretiennent des rapports de synergie ou d'interaction, ou, comme on a dit plus haut, d'intersignification. Avant de constituer un texte, au niveau littéraire, les symboles offrent une *texture* signifiante. Ainsi, comprendre un rite, c'est pouvoir le replacer dans la trame d'un rituel ; comprendre celui-ci, c'est le situer, à son tour, dans un culte particulier et, de proche en proche, dans l'ensemble des croyances et conventions qui forment le réseau d'une culture, afin d'apprécier le rôle social du rituel considéré et son influence sur les autres structures sociales. C'est ici qu'une transposition du structuralisme linguistique à l'anthropologie trouve sa justification.

c) A la notion d'institution est encore liée celle de *règle* ou de *norme*. On peut parler en ce sens de régulation symbolique et caractériser, avec Peter Winch dans *The Idea of A Social Science* [6], l'action humaine comme conduite gouvernée par des règles *(rule-governed behaviour)*. On peut aussi, avec Clifford Geertz, souligner les ressemblances et les différences entre codes génétiques et codes culturels. Les uns et les autres peuvent être traités comme des « programmes » qui *encodent* l'action. Mais, à la différence des codes génétiques, les codes culturels s'établissent sur les zones d'effondrement des régulations génétiques. C'est pourquoi ils peuvent aussi les subvertir, en substituant leur intentionnalité et leur finalité aux contraintes régulatrices des codes héréditaires.

---

5. Cl. Lévi-Strauss, « Introduction à l'œuvre de Marcel Mauss », in *Anthropologie structurale*, Plon, Paris, 1958.
6. P. Winch, *The Idea of A Social Science*, Routledge and Kegan Paul, London, 1958.

d) A son tour l'idée de règle oriente vers celle d'*échange*. Cl. Lévi-Strauss, dans ses premiers travaux, montre comment les échanges de biens, de signes, de femmes constituent des systèmes homologues à l'intérieur d'une même culture[7]. En introduisant le critère de l'échange, on ranime une des significations les plus anciennes du mot symbole, comme signe de reconnaissance entre deux partis, gardiens chacun d'un fragment brisé du symbole complet ; le rapprochement des deux fragments donne au symbole sa valeur de signe qui opère en re-liant (ainsi les confessions de foi de l'Eglise chrétienne primitive sont-elles parfois appelées des Symboles, parce que, par leur moyen, les membres de la communauté confessante vérifient leur commune appartenance à cette communauté). Ce nouveau critère confirme le précédent, et en même temps le corrige : autant la règle de l'échange justifie le transfert à la sociologie culturelle des procédures appliquées d'abord au système sémiologique par excellence, le langage, autant le caractère concret de l'échange met en garde l'anthropologie contre la séparation du symbolisme et de l'action qu'elle règle. C'est dans l'action sociale que la règle d'échange opère. Elle appartient à ce que Clifford Geertz appelle « la logique informelle de la vie réelle ». En ce sens, la cohérence d'un système symbolique fermé n'est pas le critère majeur pour le décrire, mais son efficacité sociale.

e) On pourrait dire, pour arrêter ici l'analyse, que les systèmes symboliques fournissent un *contexte* de description pour des actions individuelles. C'est « en termes de... », « en fonction de... » telle règle symbolique qu'une conduite isolée peut être regardée *comme* signifiant ceci ou cela. Comprendre le geste de lever le bras, c'est, selon le cas, le « voir comme » salutation, menace, indication, imploration,... ou vote. En ce sens, le symbole est en lui-même une règle d'interprétation. Avant donc d'être objets d'interprétation, les symboles sont des interprétants internes aux phénomènes culturels : en vertu de ces opérateurs immanents d'interprétation, telle action particulière vaut pour..., compte comme..., bref est *à interpréter* comme... Grâce à cette fonction, les analyses formelles-structurales sont réorientées vers l'interprétation concrète.

Au total, les symboles immanents à une communauté et à sa culture confèrent une *lisibilité de base* à l'action et en font un quasi-texte. Ce n'est que dans le texte de l'anthropologue ou du sociologue que les interprétants à l'œuvre dans la culture deviennent des objets d'interprétation. Mais seuls les échanges entre le quasi-texte de la

7. Cl. LÉVI-STRAUSS, *Anthropologie structurale*, Plon, Paris, 1958.

culture et le texte scientifique permettent à la science sociale de rester une conversation avec des étrangers, grâce à laquelle leurs interprétants sont mis en dialogue avec les nôtres. C'est ce souci qui maintient l'anthropologie culturelle dans la mouvance de la poétique.

II. LE SYMBOLISME EXPLICITE ET LE MYTHE

L'organisation du symbolique dans l'écriture

Dans l'analyse précédente, nous nous sommes tenus à une des extrémités de l'éventail symbolique : c'est l'aspect *culturel* du symbole qui a été ainsi souligné. Nous allons désormais nous placer au pôle opposé, celui de la structure *analogique* du symbole au point de vue de son sémantisme. Or celle-ci ne se montre que lorsque le symbolisme se détache sur l'arrière-plan des autres structures sociales, pour devenir une couche distincte à l'intérieur de la sphère culturelle. C'est évidemment avec la littérature, donc l'écriture, que cette scission est achevée. Mais, dès le stade oral, on peut voir le symbolisme se condenser dans des activités verbales autonomes et parfaitement identifiables. Les symboles dont nous allons maintenant parler répondent à cette double considération : d'une part, le sémantisme analogique y est clairement discernable ; d'autre part, il s'incarne dans des actes de langage bien définis que l'écriture n'a pas eu de peine à fixer, même s'ils ont eu une longue existence orale avant que des *scribes* de profession les inscrivent sur un support durable et leur donnent une existence textuelle. Ce symbolisme explicite, distinct, est le symbolisme proprement dit.

Un sens second atteint à travers un sens premier

Par structure analogique, entendons provisoirement la structure des expressions à *sens double*, dans lesquelles un sens premier renvoie à un sens second qui est seul visé par la compréhension, sans pourtant qu'il puisse être atteint directement, c'est-à-dire autrement qu'*à travers* le sens premier. On se servira plus loin de la métaphore comme d'un discriminant du « moment » proprement sémantique d'innovation. Pour l'instant, on considère le fonctionnement global du symbole, et surtout son extension, plus vaste que celui de la métaphore, puisqu'il rejoint celui des mythes, entendus au sens de récits sur les origines.

J'ai jadis exploré, dans la *Symbolique du Mal,* une région particulièrement bien structurée d'expressions symboliques, celles de l'aveu du mal (et plus particulièrement de la confession des péchés, dans le langage de la tradition ecclésiastique chrétienne). Le symbolisme y est donc enchâssé dans une activité langagière bien déterminée, qui a sa force illocutionnaire propre, celle de l'aveu. J'avais noté à cette époque deux traits majeurs de ce symbolisme, que je veux replacer aujourd'hui dans un cadre plus vaste.

Un symbolisme structuré

Le premier trait de ce symbolisme est évidemment son caractère *structuré*. On peut en effet discerner plusieurs couches parmi les symboles primaires du mal confessé. Au plus bas degré, on rencontre le symbolisme du pur et de l'impur, lié à un rituel de purification, dans lequel lustrations et ablutions ne sont jamais confondues avec l'effacement d'une tache physique. La souillure est comme une tache, sans être une tache ; et c'est le symbolisme des rites de purification qui révèle, au plan pratique, la charge symbolique contenue dans la représentation de l'infection, avant que des lois, religieuses ou civiles, délimitent les frontières du pur et de l'impur et que les textes littéraires, tant grecs qu'hébraïques, confèrent la frappe d'un langage transmissible à la ténébreuse émotion. Le jeu de mot de Platon dans le *Cratyle*, 405 C, est à cet égard instructif : Apollon est le dieu « qui lave » *(Apolouôn)*, mais il est aussi celui qui prononce la vérité « simple » *(haploun)*. Si donc la sincérité peut être une purification symbolique, tout mal est une tache symbolique. A un degré plus élaboré le mal est caractérisé corrélativement comme faute « devant Dieu », comme péché. Il est le négatif de l'Alliance, dont les ressources symboliques sont immenses. C'est pourquoi il s'exprime dans un grand nombre d'images : manquer le but, suivre un chemin tortueux, se rebeller, devenir adultère, se réduire au vent, au souffle, à la vanité du rien ; tous symboles qui ont leur contrepartie dans le symbolisme du pardon comme retour, rachat, docilité, fidélité, affermissement : « Fais-moi revenir et je reviendrai », s'écrie Jérémie. Enfin, à un stade plus raffiné encore, le mal est caractérisé par l'intériorisation de la faute ; c'est la culpabilité dans un contexte pénal. De nouveaux symboles se font jour : fardeau du péché, morsure du scrupule, sentence de condamnation par le juge d'un tribunal, aveuglement fatal, démesure.

On peut bien dire que tout cet édifice symbolique pointe vers le niveau conceptuel du serf-arbitre. Mais celui-ci tire toute sa signification du symbolisme lui-même, en vertu de l'incessant travail de réinterprétation par lequel un niveau symbolique passe dans un autre. Le concept n'est que le *télos* intentionnel de ce processus cumulatif de la réinterprétation.

Un symbolisme de nature narrative

Le second trait de ce symbolisme n'est pas moins important pour la suite de notre analyse et ne sera repris que dans la section : symbole et narration. Il est remarquable en effet que ce symbolisme primaire ne nous soit lui-même accessible qu'à travers un symbolisme de second degré, de nature essentiellement narrative, celui des *mythes* du Commencement et de la Fin. Je prends ici le terme de mythe au sens que l'on trouve chez Mircea Eliade[8], comme le récit d'événements fondateurs survenus *in illo tempore*, ce que j'ai appelé plus haut un récit sur les origines. Il est vrai que le mythe n'est mythe que pour nous, modernes, qui avons formé l'idée d'un temps historique avec lequel le temps des origines n'est pas plus coordonnable que la scène des événements fondateurs ne l'est avec l'espace physique et géographique empiriquement inventorié. Mais la perte de la fonction explicative — étiologique — des mythes met précisément à nu leur fonction symbolique, laquelle n'est accessible, dans toute sa nudité, qu'à une conscience post-critique. Comprendre le mythe en tant que mythe, c'est comprendre ce qu'il ajoute à la fonction révélante des symboles primaires grâce à sa structure narrative originale. Ainsi, une première fonction des mythes de chaos, de chute, d'aveuglement divin, de désobéissance, et de leur réplique dans les mythes d'ordre, d'élévation, d'illumination, de réconciliation, est de conférer à l'humanité l'unité d'un universel concret. En outre, la narration introduit un mouvement, un dynamisme, une orientation, de la Genèse à l'Apocalypse : une histoire exemplaire traverse nos histoires. Plus fondamentalement, le mythe donne une interprétation narrative de l'énigme de l'existence, à savoir la discordance entre la bonté originaire de la créature et la méchanceté historique que déplorent les sages. Le mythe raconte, comme un événement survenu à l'origine des temps, la faille que la sagesse ausculte.

Mythe et allégorie

Or ces symboles véhiculés par le mythe ne sont pas plus traduisibles en langage direct et littéral que les symboles primaires. C'est ce qui distingue le mythe de l'allégorie. Il est possible en principe de remplacer une allégorie par un discours direct qui se comprend par lui-même. Une fois ce meilleur texte composé, l'allégorie devient superflue : c'est l'échelle que l'on repousse du pied après l'avoir

8. M. Eliade, *Traité d'histoire des religions*, Payot, Paris, 1949 ; *Aspects du mythe*, Gallimard, Paris, 1963.

gravie. Par sa triple fonction d'universalité concrète, d'orientation temporelle, d'exploration existentielle et ontologique, le mythe rend manifestes des traits de la condition humaine qu'aucune tradition en clair ne pourrait égaler ou suppléer. Selon le mot de Schelling dans sa *Philosophie de la Mythologie*, le mythe signifie ce qu'il dit : il est tautégorique, et non allégorique.

Le rejet de l'interprétation allégorique n'implique pas le rejet de toute interprétation, soit que le mythe suscite de nouveaux développements narratifs qui ont eux-mêmes valeur d'interprétation, comme Frank Kermode le montre dans *Genesis of Secrecy*[9], — soit que tel mythe suscite une confrontation avec les mythes d'un autre cycle, comme entre le récit biblique de la désobéissance et les récits de chute de type orphico-platonicien, — soit que le travail d'interprétation suscite un discours de niveau quasi conceptuel, comme avec le dogme du péché originel chez saint Augustin, — soit, enfin, que l'interprétation consiste à explorer le champ d'expérience ouvert par le mythe, offrant pour celui-ci une vérification existentielle comparable à la déduction transcendantale des catégories de l'entendement chez Kant. Mais il est une chose qu'on ne saurait attendre de l'interprétation, c'est qu'elle restaure la plénitude d'expérience que le mythe désigne seulement en énigme. On peut bien dire que le mythe témoigne d'un accord intime entre l'homme et le tout de l'être, entre le naturel et le surnaturel, bref d'un être antérieur à la scission. Mais c'est précisément parce que cette indivision n'est donnée dans aucune intuition, qu'elle ne peut être que signifiée et racontée. C'est peut-être pour la même raison que le mythe est lui-même scindé en cycles multiples, en condensations narratives distinctes, dont aucune n'est égale à la visée *du* mythe.

III. LE « MOMENT » DE L'INNOVATION SÉMANTIQUE : LA MÉTAPHORE

L'approche globale du symbole dans le paragraphe précédent ne nous a pas permis de rendre compte des deux fonctions de la poétique que nous avons placées sous le signe de l'*innovation sémantique* et de la *fonction heuristique*. Dans l'exemple de base considéré plus haut nous nous sommes bornés à décrire le symbolisme comme un fait de langage dans une statique du discours. Nous avons néanmoins anticipé l'analyse explicite de la première fonction quand nous avons rencontré

9. F. KERMODE, *Genesis of Secrecy*, Cambridge University Press, 1980.

le phénomène d'intersignification entre symboles de même rang, le mouvement qui porte des symboles primaires aux symboles narrativisés en forme de mythe, enfin la requête de conceptualisation suscitée par le travail d'interprétation à l'œuvre au cœur même du monde symbolique. Nous avons également anticipé l'analyse de la fonction heuristique du symbole en marquant le lien des symboles du mal avec les actes de langage de la famille de l'aveu et en soulignant le pouvoir révélant des mythes du Commencement et de la Fin à l'égard des énigmes de l'existence.

Nous allons, dans la présente section, traiter systématiquement de l'*innovation sémantique*, réservant pour la dernière section la question de la *fonction heuristique* des symboles.

La métaphore, noyau sémantique du symbole

La *métaphore* est la stratégie concertée du discours qui permet de cerner le principe de l'*innovation sémantique* et d'en expliciter le dynamisme producteur. Ce n'est pas que le symbole se réduise à la métaphore, comme on le verra dans la section suivante. Mais la métaphore en constitue le noyau sémantique.

La théorie de la métaphore est restée inutilisable pour l'exploration du symbolisme aussi longtemps que l'on a vu en elle, dans la ligne de la rhétorique classique, une simple extension de sens des mots isolés, une manière de donner à une chose le nom d'une chose étrangère (selon la définition fameuse d'Aristote dans la *Poétique*)[10], en vertu d'une similarité observée entre ces deux choses. La métaphore n'avait pas alors d'autre intérêt que celui de combler quelque lacune de la dénomination et d'orner le langage en vue de le rendre plus persuasif. Dans cette acception purement décorative, où la métaphore prend une valeur émotionnelle sans valeur informative, la théorie de la métaphore relève d'une pragmatique du langage, sans portée sémantique. Le caractère d'innovation, de création de sens, n'apparaît que si l'on replace la métaphore dans le cadre de l'attribution (ou, pour mieux dire, de la prédication), plutôt que de la dénomination. « La nature est un temple où de vivants piliers... » C'est la phrase entière qui fait métaphore. Celle-ci consiste dans la *prédication bizarre* par laquelle des termes incompatibles entre eux, selon les classifications usuelles, sont mis mutuellement en contact et engendrent une signification inédite. Comment ?

---

10. ARISTOTE, *Poétique* : « la métaphore est le transfert à une chose d'un nom qui en désigne une autre » (1957 b 6-9).

Les trois conditions de l'innovation sémantique

Les conditions de l'innovation sémantique sont les suivantes :

La non-convenance — l'impertinence — de la prédication bizarre doit continuer d'être perçue, en dépit de l'émergence de la signification nouvelle. A cet égard, l'absurdité constitue la forme la plus extrême d'impertinence sémantique, comme lorsqu'on parle d'une « obscure clarté » ou d'une « mort vivante ». Ce n'est plus le cas dans les métaphores mortes (le « pied de la chaise », le « col de la montagne », etc.) où le conflit entre le sens littéral et le sens métaphorique a cessé d'être perçu.

Ensuite, le moment proprement créateur de la métaphore consiste dans l'émergence d'une nouvelle pertinence sur les ruines de la prédication impertinente. Des termes éloignés dans l'espace logique apparaissent soudain « proches ». C'est ici que la ressemblance joue un rôle. Mais il s'agit moins d'une ressemblance perçue avant d'être dite que d'une ressemblance instaurée par le rapprochement lui-même. En ce sens, il vaut mieux parler d'*assimilation* prédicative que de *similarité* entre des choses données, afin de marquer le caractère opérant de la prédication bizarre.

Enfin, troisième trait, c'est cette nouvelle pertinence, produite au niveau de la phrase entière, qui suscite l'extension du sens des mots isolés à laquelle la rhétorique classique ramène la métaphore.

Impertinence littérale, nouvelle pertinence prédicative, torsion verbale : tels sont les traits de la métaphore *vive*.

Il est clair que c'est le deuxième trait qui constitue le « moment » de l'innovation sémantique. Il est parfaitement légitime de l'attribuer à l'*imagination*, à condition de dissocier le problème de l'imagination de celui de l'image, au sens de résidu perceptif, d'impression affaiblie, et à condition de distinguer avec Kant entre imagination productrice et imagination simplement reproductrice. La première, qui seule importe ici, a pour fonction, non de donner une image présente de choses absentes, mais d'esquisser des synthèses nouvelles. A cet égard le cœur de l'imagination productrice est le *schématisme* que Kant définit comme une méthode pour donner une image au concept. Il est ainsi la matrice des synthèses catégoriales au plan de l'entendement.

Le rôle de l'imagination

Le lien entre métaphore et schème est la clé de l'innovation sémantique. C'est en effet lorsqu'une nouvelle signification émerge des ruines de la prédication littérale que l'imagination offre sa médiation spécifique. Elle consiste pour l'essentiel dans la saisie soudaine de la ressemblance qui fonde la nouvelle pertinence sémantique. « Faire de bonnes métaphores, disait Aristote, c'est apercevoir le semblable. » Or, si la ressemblance est elle-même l'œuvre de l'*assimilation* prédicative, l'imagination est ce pouvoir de *schématiser* la nouvelle pertinence sémantique. Rien, dans ce rôle accordé à l'imagination, ne rappelle la vieille association des idées, conçue comme une attraction mécanique entre atomes psychiques. Imaginer, c'est plutôt, selon une expression de Wittgenstein dans les *Investigations philosophiques*, « voir comme » : voir la vieillesse comme le soir de la vie, le temps comme un mendiant (selon le vers fameux de Shakespeare dans *Troïlus et Cressida*)[11]. L'essentiel du schématisme kantien est ici préservé : une méthode pour donner une image au concept. Le « voir comme » est une méthode (et non un contenu), dans la mesure où ce qui est schématisé, c'est l'assimilation prédicative (de « vivants piliers ») qui produit la nouvelle pertinence sémantique. De plus, le « voir comme... » procure des images qui servent de support à l'innovation sémantique. On touche ici à l'aspect quasi visuel, quasi sensoriel de la métaphore, qui a fait confondre la métaphore avec l'image. Mais il s'agit ici du phénomène que Bachelard, reprenant une expression d'Eugène Minkovski, désignait du terme de « retentissement ». C'est dans l'expérience de la lecture que ce phénomène s'observe le mieux : en schématisant l'attribution métaphorique nouvelle, l'imagination réanime des expériences antérieures, réactive des souvenirs dormants, irrigue les champs sensoriels adjacents : c'est ainsi qu'elle procure des images au concept. Mais ce ne sont pas les images libres dont traite la théorie de l'association, ce sont des « images liées », engendrées par la diction poétique et contrôlées par elle, selon la belle expression de Marcus Hester dans *The Meaning of Poetic Metaphor*[13]. Le poète est cet artisan de langage qui suscite et configure des images par la vertu du seul langage.

Cet effet de retentissement n'est pas un phénomène subalterne. Si, d'un côté, il peut sembler affaiblir et disperser la signification en images flottantes et rêveuses, comme quand la lecture s'arrête, laissant les images « liées » dériver vers les images libres, d'un autre côté, l'image « liée » introduit dans le processus entier une note suspensive, un effet de neutralisation du réel, grâce auquel la pensée est projetée

11. W. SHAKESPEARE, *Troïlus and Cressida*, III, 3, 11 ; cité dans Marcus B. HESTER, *The Meaning of Poetic Metaphor*, Mouton, La Haye 1967, p. 164.

12. G. BACHELARD, *la Poétique de l'espace*, PUF, Paris, 1957 ; *la Poétique de la rêverie*, PUF, Paris, 1960.

13. Voir note 11.

dans la dimension de l'irréel. L'imagination joue alors le rôle d'un libre jeu avec les possibilités, dans un état de non-engagement concernant le monde de la perception et de l'action. C'est dans cet état que nous essayons de nouvelles idées, de nouvelles valeurs, de nouvelles manières d'être au monde. Toutefois ces trois fonctions de l'imagination poétique — schématisation, retentissement, désengagement — ne sont pleinement reconnues que quand la fécondité de l'imagination est reliée à celle du langage, telle que l'illustre le procès métaphorique. Autrement, nous perdons de vue cette vérité, que nous ne *voyons* des images que dans la mesure où d'abord nous les *entendons*.

Lorsque la métaphore est portée jusqu'à ce point où l'œuvre de langage paraît entièrement débrayée de l'expérience quotidienne, à l'inverse du symbolisme immanent à la culture d'une communauté, le symbole mérite alors le nom de *fiction*. C'est en effet la rupture avec l'ordre du réel qu'opère l'imagination considérée dans sa fonction suspensive : les significations engendrées par le processus d'innovation sémantique sont des significations *feintes*. On dira dans la dernière section en quel sens elles peuvent néanmoins *dire vrai*.

IV. SYMBOLE ET MÉTAPHORE

Le « moment » non sémantique du symbole

Il est possible de revenir à la problématique du symbole, après le détour par la théorie de la métaphore. La métaphore, a-t-on dit plus haut, constitue le noyau proprement *sémantique* du symbole, pour autant que celui-ci est compris comme une expression à double sens. Il était donc plausible de chercher dans le fonctionnement de la métaphore le secret de son aptitude à *produire* du sens. D'autant que l'étude du symbolisme relève de champs d'investigation fort divers, de la psychanalyse à la phénoménologie de la religion, en passant par la critique littéraire, alors que la théorie de la métaphore s'est formée au sein d'une discipline unique et millénaire, la rhétorique. Il reste donc à se demander en quoi consiste le « moment » non sémantique du symbole et comment les deux « moments », sémantique et non sémantique, s'articulent dans l'unité du symbole.

L'opacité du symbole témoigne de sa résistance à toute réduction à une stratégie du discours aussi maîtrisée que celle de l'*écriture* poétique. Un symbole est toujours plus qu'une métaphore *littéraire*. Je dirai qu'un symbole est une métaphore « liée », en vertu de son enracinement dans un sol prélinguistique dont l'identification relève de disciplines non rhétoriques. La dispersion de ces disciplines exprime la diversité des modalités d'enracinement pré-verbal du symbolisme.

La psychanalyse

A une extrémité de l'éventail des descriptions considérées se place la psychanalyse. Elle prend le *rêve* comme modèle ou comme premier analogué d'une série ouverte de représentations substituées ou déguisées, qui couvre de proche en proche tout le champ du *Phantasieren* — terme qui recouvre, chez Freud, aussi bien le fantasme plus ou moins pathologique, que le rêve éveillé, les contes et proverbes, les créations littéraires, les représentations mythiques. Le choix de ce paradigme est fort instructif pour notre propos, car il place d'emblée le monde des « représentations » au carrefour du désir et du langage et plus largement des pulsions et de la culture. De plus, la production de ces « représentations » est liée, au regard de la psychanalyse, à un phénomène dont on peut certes trouver un équivalent linguistique, mais qui n'est pas, en tant que tel, d'ordre langagier, le refoulement : refoulement primaire affectant les premiers témoins de nos pulsions, refoulement secondaire proprement dit, responsable des rejetons dérivés et du glissement indéfini entre signes substitutifs. Cette position du signe psychanalytique à la frontière du désir et du langage explique que la psychanalyse développe un discours mixte qui parle équivalemment du conflit pulsionnel en termes énergétiques et en termes linguistiques. En témoignent les expressions telles que refoulement, censure, déplacement, condensation, etc., qui font du rêve une *Entstellung*, à la fois une distorsion et une transposition de sens [14]. Pour tous ces termes il est possible de donner à la fois une interprétation économique en termes d'énergies empêchées, déviées ou déchargées et une interprétation linguistique, où l'on retrouve la métaphore et la métonymie. Mais, ni le jeu de forces à quoi une interprétation économique voudrait réduire la psychanalyse n'est accessible ailleurs que dans le jeu des représentations qui font du rêve un texte surchargé, tronqué ou maquillé, ou, selon une expression familière de Freud, une sorte de palimpseste ou de hiéroglyphe, — ni la substitution des signifiants à quoi une interprétation linguistique voudrait assimiler le jeu des forces, n'épuise ce que Freud a opportunément appelé le « travail du rêve ».

De même la métaphore du psychanalyste ne se réduit pas à celle du rhétoricien. La « barre » qui sépare le signifiant du signifié est plus que

14. S. Freud, *l'Interprétation des rêves,* trad. fr., nouvelle édition, PUF, Paris, 1967, chap. III.

la notation d'une relation de correspondance, elle exprime la scission *forcée* que Freud désigne par ailleurs du terme de censure. Or la censure, si elle s'exerce bien sur un texte, marque en même temps l'exercice d'une force répressive au niveau de la production du texte. La psychanalyse dès lors doit assumer le statut épistémologique mixte que ces concepts hybrides lui imposent, dans la mesure où les conflits profonds résistent à toute réduction à des processus linguistiques, bien qu'ils ne puissent être *lus* ailleurs que dans le texte du rêve.

Cette brève discussion de la psychanalyse permet de saisir une des raisons pour laquelle le symbole ne passe pas dans la métaphore. La métaphore survient dans l'univers déjà purifié du *logos*, tandis que le symbole naît à la jonction de la force et du sens, de la pulsion et du discours, bref aux confins entre *Bios* et *Logos*.

La phénoménologie de la religion

A l'autre extrémité de l'éventail des expressions symboliques, celle du *sacré*, une structure mixte comparable à celle que la psychanalyse explore s'offre à la *phénoménologie de la religion*. Rudolf Otto, dans son célèbre ouvrage *le Sacré* (*Das Heilige*, 1917), avait déjà souligné la manifestation du sacré comme puissance, comme efficace. Quelles que soient les objections qu'on puisse opposer à sa description du sacré, elle met en garde contre toute réduction linguistique de la mythologie. Nous franchissons ici le seuil d'une expérience qui ne se laisse pas entièrement inscrire dans les catégories du *logos* ou de la proclamation, ni dans celles de la transmission ou de l'interprétation d'un message. L'élément « numineux » ne passe pas entièrement dans le langage, même s'il donne de la *puissance* à la parole. Il est vrai que, comme le soulignait Dumézil dans son introduction au *Traité d'histoire des religions* de Mircea Eliade, la notion de hiérophanie que ce dernier substitue à celle de « numineux », implique que les manifestations du sacré ont une forme ou une structure. Mais, même alors, aucun privilège spécial n'est conféré au discours : ce sont des configurations cosmiques — ciel, eaux, montagnes, végétation — qui sont les porteurs de ces figures du sacré. Des modulations de l'espace et du temps, visibles dans le dessein du Temple, le seuil et le toit de la maison, la gestuelle du rite, etc. marquent l'incarnation du sacré dans les valeurs plastiques du Cosmos. Cette incarnation fait toute la différence entre symbole religieux et métaphore littéraire. Celle-ci est une libre formation dans le discours ; celui-là est liée au Cosmos. Dans l'univers sacré la capacité même de parler est fondée dans la capacité du Cosmos de signifier. La logique des correspondances, que porte au jour une histoire comparée des religions, exprime ce caractère mixte

— langagier et cosmique — du symbolisme sacré : ainsi se correspondent la fertilité du sol, l'exubérance végétative, la prospérité des troupeaux et la fécondité du sein maternel ; le mouvement des astres, le retour annuel de la végétation et l'alternance de la vie et de la mort ; les hiérogamies du Ciel et de la Terre et l'union des sexes ; le ciel et les yeux ; la mort du grain semé et la sépulture des morts ; le Cosmos, le Temple, la maison, et la structure du corps humain, etc. On peut bien souligner que c'est toujours par la médiation de quelque parole que cette logique des correspondances s'exprime et s'articule : si nul mythe n'était raconté qui disait comment les choses vinrent à l'existence, si nulle parole liturgique ne réglait les rites qui ré-actualisent cette naissance du Monde, si nul tabou n'enseignait comment partager l'espace et le temps, dessiner le contour du Temple et le seuil de la maison et faire alterner les fêtes, au milieu des travaux et des jours, le symbolisme du sacré resterait indistinct et parfaitement opaque. Mais cette articulation langagière ne supprime pas l'adhérence du symbolisme à des configurations cosmiques, elle la présuppose. Le caractère sacré de la nature se révèle en se lisant symboliquement. Mais la manifestation immédiate fonde le *dire*, non l'inverse.

L'activité poétique

Entre les deux extrêmes de la psychanalyse et de la phénoménologie de la religion, la critique littéraire a elle aussi son mot à dire sur la liaison entre symbole et métaphore, — mot qu'elle apprend à prononcer en se laissant instruire par les deux disciplines parentes et opposées que l'on vient d'évoquer. Avec toute la prudence requise, il faut dire que l'activité poétique — le « poétiser » qui traduirait le beau mot allemand *dichten* ou *Dichtung* — est, elle aussi, la venue au langage d'une expérience qui ne passe pas entièrement dans le jeu de langage de la métaphore, bien qu'elle ne s'articule pas autrement que dans ce jeu. Ce qu'on appelle sentiment, et qui ne se réduit ni à l'émotion, ni à la passion, est une relation charnelle au monde, qui « lie » le langage et l'assimile à la restitution d'une dette contractée à l'égard de ce qui est « à dire ». Sinon, comment expliquer les tourments et les douleurs du poète, qui n'a jamais fini de « rendre » — comme on dit — l'aspect des choses et se sent infiniment débiteur à l'égard de ce qui est pourtant sa création ? Cette dette et cette restitution ne sont pas sans laisser une trace dans le fonctionnement même de la métaphore, une marque qui élève la métaphore littéraire au rang de symbole.

La vie de la métaphore et le symbole

Nous avons, en effet, parlé jusqu'ici de la métaphore comme d'une création instantanée et transitoire du langage. Dépourvue de tout statut dans le langage établi, la métaphore *vive* est, au sens fort du mot, un événement de discours. Ce n'est que lorsque la métaphore est reprise et acceptée par la communauté parlante qu'elle tend à se confondre avec une extension de la polysémie des mots. Elle devient alors triviale et, pour tout dire, morte. Le langage ordinaire est un tel cimetière de métaphores mortes. Mais la métaphore vive n'existe que dans le moment même de l'innovation sémantique et dans celui de sa réactivation dans l'acte d'écoute ou de lecture.

Les symboles, par contraste, parce qu'ils plongent leurs racines dans les constellations durables de la vie, du sentiment et de l'univers, semblent doués d'une longévité surprenante. Les symboles, estime Mircea Eliade, ne meurent pas, mais se transforment.

Cet écart entre métaphore vive et symboles de longue durée se comble partiellement si l'on considère quelques traits du procès métaphorique que l'on n'a pas considérés et auxquels l'étude des symboles rend attentif.

D'abord les métaphores échappent à l'évanescence par tout un jeu d'intersignifications. Une métaphore, en effet, en appelle une autre et chacune reste vivante par le pouvoir qu'elle conserve d'évoquer le réseau entier. Ainsi, dans la tradition hébraïque, Dieu est appelé Roi, Père, Epoux, Seigneur, Berger, Juge, Rocher, Forteresse, Rédempteur, etc. Dans les paraboles de Jésus, les métaphores de croissance végétale recoupent celles de la perle trouvée et achetée, de la pièce de monnaie et de la brebis perdues et retrouvées, celle des vignerons meurtriers et celle du fils prodigue. Ainsi les paraboles se corrigent-elles mutuellement en se complétant et en s'intersignifiant. Ces réseaux métaphoriques sont parfois réglés par des métaphores insistantes, récurrentes, qui relient entre elles les métaphores transitoires et leur confèrent équilibre et pérennité.

Outre cette constitution en réseau, les métaphores présentent une constitution hiérarchique, selon les niveaux différents du fonctionnement langagier : phrases isolées, poèmes entiers, œuvres complètes d'un poète, usages linguistiques d'une communauté linguistique particulière ou d'une culture donnée. Ces métaphores, en quelque sorte archétypales, deviennent indiscernables des paradigmes symboliques. En même temps ces métaphores radicales — au sens littéral du mot — plongent dans l'humus des fantasmes étudiés par la psychanalyse. Les métaphores littéraires, ainsi portées au niveau du symbole, attestent elles aussi que ce qui est porté au langage par le symbolisme, sans toutefois passer complètement dans le langage, est toujours quelque chose de fort, d'efficace, de puissant. L'homme, semble-t-il, y est désigné lui-même comme puissance d'exister, comme désir d'être.

V. SYMBOLE ET NARRATION

La poétique s'identifie-t-elle à la description du symbolisme ? Non, si l'on considère la grande variété des modes de discours où se laisse discerner une *production de sens*, sans que celle-ci se ramène à la sorte d'innovation sémantique caractéristique du procès métaphorique. Oui, si ces autres modes de discours présentent néanmoins un dynamisme analogue à celui de la métaphore, qui permette d'étendre la notion de fonction symbolique au-delà des symboles de type métaphorique.

L'extension de la fonction poétique dans le récit

C'est le cas, au premier chef, avec les *récits* de tous genres — du conte populaire au drame ancien et moderne, au roman, à la biographie, à la chronique, etc. Cette extension du champ symbolique ne peut nous surprendre puisque, dans notre exemple initial — la symbolique du mal —, nous avons pu isoler une couche symbolique de forme typiquement narrative, la couche mythique. Bien que le mythe constitue une catégorie bien particulière de récit, en tant que récit des origines, il reste que c'est bien la narration mythique qui exerce la fonction symbolique, en tant qu'elle vise une région d'expérience fondamentale, par exemple la discordance entre l'être bon de la créature et l'existence mauvaise de l'homme historique, en racontant l'histoire d'une chute survenue *in illo tempore*. Le cas du mythe n'est lui-même qu'un exemple parmi d'autres, bien que fondamental, dans le vaste domaine de la narration.

Par quels traits le récit recèle-t-il une production de sens comparable à l'innovation sémantique à l'œuvre dans la métaphore ?

La mise en intrigue

Il est remarquable que pour désigner la sorte de *composition verbale* qui constitue un texte en récit Aristote ait utilisé le terme de *mythos*, terme que l'on a traduit par « fable » ou par « intrigue ». Les deux significations sont également importantes. D'un côté, l'épopée, la tragédie, la comédie — c'est-à-dire les trois modes de production *(poièsis)* qu'Aristote a en vue dans la *Poétique* — sont des fictions qui dépeignent des actions non réelles, mais seulement « imitées » (c'est-à-dire racontées comme si elles étaient arrivées). D'un autre côté, le poème issu de cette *poièsis* mérite d'être caractérisé par le terme d'intrigue, dans la mesure où l'histoire racontée est composée selon des règles de manière à former une action « complète et entière ». La définition principale du *mythos* reflète tout particulièrement cette seconde signification : « j'appelle ici *mythos* l'assemblage des actions accomplies »[15]. Par là Aristote entend plus qu'une structure, au sens statique du mot, mais une opération structurante qui nous donne le droit de parler de mise en intrigue plutôt que d'intrigue, au sens étroit du résumé descriptif qu'on peut faire après coup de l'histoire racontée. C'est cette opération de mise en intrigue qui confère à l'histoire racontée la sorte d'unité temporelle caractérisée par un commencement, un milieu et une fin. Comprenons par là qu'aucun événement n'est en soi un commencement, mais seulement dans l'histoire qu'il inaugure ; aucun événement n'est davantage un milieu, s'il ne provoque pas dans l'histoire racontée un changement de fortune qui est obtenu par le moyen d'une « péripétie » surprenante, compensée par une « reconnaissance » inattendue, et par une suite d'incidents « pitoyables » ou « effrayants » ; aucun événement, enfin, pris en lui-même, n'est une fin, sinon en tant que dans l'histoire racontée il conclut un cours d'action, scelle le destin du héros par un incident ultime, qui clarifie toute l'action et produit, chez l'auditeur, la *katharsis* de la pitié et de la peur.

C'est l'acte de mise en intrigue qui met le récit en parallèle avec l'innovation sémantique propre au symbolisme métaphorique et permet de parler, en un sens élargi, de symbolisme narratif.

L'intrigue, équivalent narratif de l'innovation sémantique

Une sorte d'innovation sémantique constitue en effet la mise en intrigue, traitée selon son dynamisme. Elle ne consiste pas dans le rapprochement soudain entre des champs sémantiques jusque-là éloignés. Mais, en tant qu'assemblage d'incidents hétérogènes dans une histoire une, elle transforme *en* histoire des événements épars et réciproquement tire l'histoire racontée *de* ces événements. En tant que médiateur entre l'événement et l'histoire racontée, l'intrigue constitue l'équivalent narratif de la nouvelle pertinence prédicative en quoi consiste, on l'a dit, l'innovation sémantique propre à la métaphore. L'intrigue, elle aussi, consiste à « prendre ensemble » des ingrédients

15. Aristote, *Poétique*, 1450 a 5.

de l'action humaine qui, dans l'expérience ordinaire, restent hétérogènes et discordants.

Cette synthèse de l'hétérogène, visible dans la composition des incidents en une action « entière et complète », se retrouve dans d'autres traits de l'opération narrative. Je me bornerai à en citer deux. Au point de vue temporel, d'abord, l'intrigue compose ensemble un aspect simplement épisodique et un aspect proprement configurant. Selon le premier, le récit obéit aux exigences de la simple succession, ouverte et sans fin. Selon le second, le récit reçoit une forme qui échappe à la simple succession, introduit dans le récit un principe de clôture et permet de saisir la totalité narrative à partir de sa fin, selon la téléologie interne de son organisation. La mise en intrigue est encore à un autre titre une synthèse de l'hétégorène ; elle compose ensemble des circonstances extérieures, des intentions, des buts et des moyens, des interactions, des résultats non voulus, voire des effets pervers ; de tout cela, elle fait un tout que nous comprenons comme constituant un procès cohérent, en dépit de ses contingences et de ses ruptures.

Imagination et tradition

De cette compréhension, il faut dire ce que l'on a dit de l'acte de « voir comme... » dans le procès métaphorique. Elle confère, à coup sûr, à l'histoire racontée une intelligibilité comparable à la réorganisation de l'expérience que provoque l'assimilation prédicative dans la métaphore. Mais cette intelligibilité a plus de rapport avec le schématisme, donc avec l'imagination productrice, qu'avec la rationalité logique ou législatrice. On peut parler en ce sens d'un schématisme narratif, voire d'une typologie de la mise en intrigue. Mais celle-ci ne saurait être construite a priori, à la manière d'une combinatoire axiomatique. Elle émerge de la familiarité que nous pouvons entretenir avec les intrigues inventées au cours des siècles. Cette familiarité présente elle-même des traits « historiques » propres, dans la mesure où c'est toujours dans une tradition que se transmettent des paradigmes de mise en intrigue, offerts soit à l'imitation servile, soit à la contestation schismatique, en passant par tous les degrés de la « déformation réglée ». Dans cette relation de traditionnalité, continuée ou interrompue, l'innovation apparaît comme la contrepartie dialectique de la sédimentation. Sédimentation et innovation prises ensemble constituent ainsi « l'historicité » particulière de la tradition narrative et attestent l'appartenance de l'intelligence narrative à la sphère de l'imagination productrice.

Que le récit littéraire relève d'une grande fonction symbolique à côté de la poésie lyrique, où prédomine l'innovation par métaphore, nous en avons un indice supplémentaire dans des combinaisons variées entre récit et métaphore. Nous avons déjà considéré un cas, celui du mythe, où le récit exerce lui-même la fonction symbolique et vaut métaphore. Dans ce cas, c'est le récit qui relaye la force métaphorique des symboles primaires. Mais il y a le cas inverse, celui de la *parabole*, où c'est la métaphore qui relaye la force symbolique attachée au récit de base. Une parabole, en effet, est un bref récit, dont la structure narrative s'apparente à celle des contes populaires, mais qui est déplacé métaphoriquement, en direction d'une expérience autre que celle qui est racontée, par la force d'attraction d'expressions-énigmes telles que « Royaume de Dieu ». Le Royaume de Dieu, disent les paraboles, est semblable à... (un roi qui..., une femme qui..., un employeur qui...). On trouve ainsi conjoints dans l'unité d'un genre littéraire simple une structure narrative et un procès métaphorique, leur liaison étant assurée par l'expression-limite qui polarise le récit vers son Autre. Mythe et parabole sont ainsi opposés, quant au rapport entre récit et métaphore, le récit médiatisant la métaphore dans le premier cas, la métaphore médiatisant le récit dans le second cas.

VI. LE « MOMENT » HEURISTIQUE : SYMBOLE ET MODÈLE

On a dit plus haut que le symbole, porté par l'imagination jusqu'au point de suspension de toute réalité, devient indiscernable de la *fiction*. Il semble alors que, contrairement au vœu exprimé au début, l'innovation sémantique soit exclusive de la *fonction heuristique* lorsque le symbole, complètement détaché du fond culturel sur lequel il s'enlève, accède au stade proprement littéraire. Je pense que cette apparence est trompeuse. Si l'on continue de prendre la métaphore comme guide dans l'exploration de la fonction symbolique, il faut dire que « sens » et « référence » ne cessent pas d'être conjoints en tout énoncé métaphorique, bien que ce soit d'une façon plus complexe et plus indirecte que dans le cas des énoncés descriptifs du langage ordinaire et de la science.

De nombreux auteurs ont noté la parenté entre métaphores et modèles. Cette parenté joue un rôle décisif dans l'ouvrage de Max Black, intitulé précisément *Models and Metaphors*[16], et dans celui de Mary Hesse *Models and Analogies in Science*[17]. De son côté, le

---

16. M. BLACK, *Models and Metaphors*, Cornell Univ. Press, Ithaca, 1962.
17. M.B. HESSE, *Models and Analogies in Science*, University of Notre Dame Press, 1966, 1970.

théologien anglais Ian Ramsey, dans *Religious Language* et dans *Models and Mystery* [18], tente d'élucider la fonction du langage religieux en révisant de façon appropriée la théorie de Max Black. Dans le langage scientifique, un modèle est essentiellement une procédure heuristique destinée à briser une interprétation inadéquate et à frayer la voie à une autre plus adéquate. Pour Mary Hesse, le modèle est un instrument de re-description. Elle élargit ainsi la brèche ouverte par Max Black pour qui construire un modèle c'est construire une entité imaginaire plus accessible à la description, afin de prendre possession d'un domaine de réalité dont les propriétés correspondent, par isomorphisme, aux propriétés de l'entité imaginaire. Décrire un domaine de réalité dans les termes d'un modèle théorétique imaginaire, c'est une manière de voir les choses différemment, en changeant notre langage relatif au sujet de notre investigation.

L'application du concept de modèle à la métaphore repose sur le parallélisme entre la *redescription* produite par le transfert de la fiction à la réalité, dans les sciences, et le pouvoir de *reconfigurer la réalité,* relevant du langage poétique. La métaphore comme le modèle est une fiction heuristique : par elle nous percevons de nouveaux rapports entre les choses, grâce à l'isomorphisme présumé entre le modèle et son nouveau domaine d'application. Dans les deux cas on peut parler, comme Max Black, de « transfert analogique d'un vocabulaire ».

On peut objecter à ce parallélisme entre redescription par modèle et reconfiguration par métaphore que le langage poétique diffère du langage scientifique, précisément en ce qu'il est dirigé vers lui-même et non plus vers les choses. En poésie, selon le mot fameux de Roland Barthes dans son *Introduction à l'analyse structurale des récits,* le langage se célèbre lui-même. On ne pourrait donc pas parler de re-description par métaphore, car le langage poétique ne serait pas du tout descriptif. Cette objection repose sur une analyse tronquée du fonctionnement référentiel du langage poétique. Il est bien vrai que celui-ci implique la suspension de la référence *directe* du langage descriptif. C'est, on l'a vu, une des conséquences de l'implication de l'imagination productrice dans la genèse du sens métaphorique. Mais cette suspension, me semble-t-il, est seulement l'envers, ou la condition négative, d'une fonction référentielle plus dissimulée du discours, laquelle est en quelque sorte libérée par la suspension de la valeur descriptive des énoncés. C'est ainsi que le discours poétique porte au langage des aspects, des qualités, des valeurs de la réalité, qui n'ont pas d'accès au langage directement descriptif et qui ne peuvent

---

18. I. RAMSEY, *Models and Mystery,* O.U.P., New York, 1964; *Religious Language,* S.C.M. Press, Londres, 1957.

être dits qu'à la faveur du jeu complexe entre l'énonciation métaphorique et la transgression réglée des significations usuelles des mots de notre langage. Dans la *Métaphore vive*, je me suis risqué à parler non seulement de sens métaphorique, mais de référence métaphorique, pour dire ce pouvoir de l'énoncé métaphorique de re-configurer une réalité inaccessible à la description directe. J'ai même suggéré de faire du « voir comme... », à quoi se résume le pouvoir de la métaphore, le révélateur d'un « être-comme »..., au niveau ontologique le plus radical. Le Royaume des Cieux est-semblable-à... C'est le cœur même du réel qui est atteint analogiquement par ce que j'ai appelé la référence dédoublée propre au langage poétique. De même que le sens littéral, en se détruisant par incongruité, fraye la voie à un sens métaphorique (que nous avons appelé nouvelle pertinence prédicative), de même la référence littérale, en s'effondrant par inadéquation, libère une référence métaphorique, grâce à quoi le langage poétique, faute de dire « ce qui est », dit « comme quoi » sont les choses dernières, à quoi elles sont éminemment semblables.

Mais la métaphore n'épuise pas les ressources heuristiques du symbolisme. De la même manière que le récit, considéré du point de vue de la mise en intrigue, consiste dans une *production de sens* comparable à l'innovation sémantique caractéristique de la métaphore, de la même manière, la puissance *mimétique* du récit se laisse comparer à la puissance de re-description des modèles et des métaphores. A vrai dire la fonction mimétique des récits n'est même qu'une application de la référence métaphorique à la sphère de l'agir humain. Ce parallélisme exclut que l'on comprenne la *mimèsis*, accordée par Aristote au poème tragique ou épique, au sens d'une imitation-copie. Il s'agit plutôt d'une imitation créatrice qui tout à la fois invente et découvre. *Mimèsis* signifie à la fois que l'action imitée est seulement imitée, c'est-à-dire *feinte*, et que la fiction enseigne à voir le champ de l'action effective *comme* elle est dépeinte dans les fictions poétiques. C'est dans la mesure où l'intrigue est feinte qu'elle a le pouvoir de re-configurer l'action.

Conclusion

On voit ainsi se reconstituer la grande unité du symbolisme, incluant métaphore et récit. Et cette grande unité n'est pas moins forte dans la dimension *heuristique* que dans celle de l'*innovation sémantique*. A travers métaphore et récit, la fonction symbolique du langage ne cesse de produire du sens et de révéler de l'être.

CHAPITRE III

Mythe et Sacré

par MICHEL MESLIN

SOMMAIRE. — Le conflit des interprétations. L'attitude rationaliste : le mythe comme fiction illusoire. II. L'approche psychologique : le mythe comme expression psychique collective. III. L'approche sociologique et ethnologique : le mythe comme langage, forme de connaissance et modèle d'intégration active. Un langage signifiant : l'approche structuraliste. L'anthropologie religieuse : le mythe est explicatif parce que signifiant. V. La dialectique sacré/profane ; mobilité du sacré ; sacré et divin. Orientation bibliographique.

Le conflit des interprétations

Une simple observation du langage contemporain révèle une fréquente opposition entre ce qui est considéré comme réel, rationnel, et ce qui est qualifié de mythique et que l'on tient pour illusoire et fictif. Cette opposition sémantique repose-t-elle sur l'existence de deux formes différentes d'organisation mentale, et faut-il croire qu'à une forme réaliste, logique, scientifique et créative s'opposerait une forme intuitive, prélogique et symbolique ? En d'autres termes, faut-il penser qu'une pensée rationnelle, « secondaire » et réfléchie, se situerait à l'opposé d'une pensée mythique, « primaire » et non dirigée vers une efficacité concrète ? La définition très cartésienne que donne du mythe le *Vocabulaire philosophique* de Lalande : « Récit fabuleux, d'origine populaire et non réfléchie... », s'inspire de cette théorie et classe le mythe dans le domaine de l'irréel parce qu'il est irrationnel. Une telle opposition existe-t-elle vraiment ?

Pour y répondre valablement il faut d'abord tenter de comprendre ce qu'est le mythe. Or ce n'est pas chose facile, tant est grande la multiplicité des réponses données, depuis les philosophes grecs jusqu'aux structuralismes contemporains. Cette histoire des multiples interprétations du mythe s'explique par la fascination exercée sur l'homme par ce mode de pensée ; mais aussi par la capacité, plus ou moins grande selon les cultures et le temps, de l'esprit humain à accepter et à comprendre une pensée et un langage mythiques, souvent différents des siens. Trois types fondamentaux d'attitude mentale expliquent les diverses appréciations portées sur le mythe ; et qui sont autant de rencontres possibles avec l'autre :

— Cet autre, qui s'interroge sur le monde et sur la place qu'il tient dans ce monde, me paraît si différent de moi, que son langage mythique ne peut vraiment que représenter une étape inférieure du développement de la pensée humaine. Le monde des mythes n'est que celui des représentations enfantines de l'humanité.

— Malgré la cocasserie, l'étrangeté, la poésie même de ce « beau parler », malgré les différences d'expression parfois surprenantes, cet autre homme qui s'exprime par le mythe n'est qu'un autre moi-même. La comparaison de nos langages différents fait apparaître l'universalité de la raison humaine et l'identité profonde de tous les hommes.

— Cet autre est un homme, comme moi, mais qui s'exprime différemment. Il me faut donc sortir de moi, me déprendre d'habitudes mentales, pour décrire, analyser, comprendre la raison d'être et la signification du langage mythique par lequel il exprime ses interrogations fondamentales.

Il est évident que ces trois attitudes autorisent des méthodes de recherche et suscitent des interprétations opposées et contradictoires. Force est donc de constater d'entrée de jeu que, comme pour la pensée symbolique, c'est à un conflit d'herméneutiques rivales que peut aboutir la recherche mythologique. Ce n'est qu'en assumant avec lucidité un tel risque que l'on peut dépasser ce conflit et aboutir à une vision anthropologique du sacré véhiculé par le mythe.

I. L'ATTITUDE RATIONALISTE : LE MYTHE COMME FICTION ILLUSOIRE

L'affirmation que le mythe appartient au monde de l'apparence, de l'illusion, de la fable, se fonde sur l'idée présupposée d'un développement rationnel de l'esprit humain. Idée fort ancienne, puisque, au-delà de la philosophie cartésienne et de celle de l'*Aufklärung*, cette conception s'enracine dans le monde antique. De la pensée grecque, le monde occidental a retenu l'attitude fort critique vis-à-vis du discours mythique : à *logos*, qui est l'assemblage de faits vérifiables en un discours cohérent, s'oppose *muthos*, qui est ce que l'on raconte spontanément, agréablement, une belle histoire plaisante.

Dès le dernier tiers du VIe siècle avant notre ère les philosophes ioniens condamnent les récits sur les dieux et les héros qui se permettent des actions qui sont blâmées dans le monde des hommes. Ces mythes, — y compris ceux que l'on trouve dans les écrits homériques et d'Hésiode — sont jugés comme de pures fictions, voire parfois, comme des propos séditieux, comme des illusions volontairement entretenues par des sots ! Ce qu'Homère tenait pour l'expression même de la vérité, le mythe, n'est plus considéré que comme un discours trompeur ou, à la rigueur, comme un récit allégorique dont l'interprétation moralisante peut être laissée aux rhéteurs, mais qui est indigne d'un vrai philosophe.

Ainsi, dès le début de la pensée philosophique grecque, se trouve commis un contresens lourd de conséquences, qui ne veut voir dans les mythes qu'un discours se rapportant à un temps imaginaire où les dieux étaient proches des hommes et où la nature était intuitivement perçue, et inconsciemment sublimée par ces derniers. Par une interprétation trop uniment rationnelle, on prit pour d'illusoires généalogies ce qui, dans le mythe, signifiait des rapports de causalité : on confondit l'image mythique et la réalité qu'elle tentait d'exprimer. Même lorsqu'Aristote suggère de reconnaître aux mythes une fonction étiologique, en montrant qu'ils indiquent des *aitiai* dans la stricte mesure où ces causes sont présentées comme étant des commencements, des *archai*, on se méprit sur le sens profond de cette explication du mythe. Pourtant, en affirmant ainsi que les événements que mettent en place les mythes sont les fondements du monde, en montrant que dans le discours mythique l'ancienneté est synonyme d'essence, Aristote fournissait l'une des clés fondamentales de la compréhension de la pensée mythique (*Métaphysique*, △ 2, 1013 a). Car, comme nous allons le voir, tout mythe est un récit non factuel, donc en un sens invérifiable, mais qui, par-delà le merveilleux et le symbolisme qui le tissent, possède une valeur explicative profonde et une cohérence interne qu'il faut savoir décrypter.

Encore faut-il, pour que cette étiologie puisse fonctionner dans une culture donnée, que celle-ci admette que le mythe est l'expression d'une vérité. Or, parce que la philosophie grecque définissait d'abord l'homme comme un animal doué de raison, il parut choquant que ce dernier puisse se satisfaire d'une simple explication mythique. Il n'est pas évident, en effet, que lorsque l'homme cherche à comprendre le pourquoi des choses, il ne puisse y parvenir que par le truchement du mythe. L'a-priori rationnel que posait, dès ses premières démarches, la philosophie grecque s'est donc peu à peu affermi et généralisé dans la conception d'un développement de l'esprit humain entre deux pôles dialectiques : *muthos/logos*, récit traditionnel et concept rationnel. Certes, de récentes études ont bien montré que la pensée grecque antique ne se réduit pas à cette dialectique[1]. Il n'empêche que c'est

1. Parmi les études récentes, Ch. KÉRÉNYI, « Qu'est-ce que la mythologie », in *la Religion antique*, Genève, 1957 ; J. RUDHARDT, « Images et structures mythiques », in *Cahiers internationaux du Symbolisme*, 1969, pp. 87-109.

cette connotation péjorative du mythe qui a surtout été retenue par un large secteur de la pensée occidentale.

Le rationalisme des Lumières n'a vu dans les mythes que des enfantillages, des absurdités, des « fables », véritables maladies de l'esprit humain, selon l'expression de Fontenelle et du président de Brosses. Cette analogie du développement de l'esprit de l'humanité avec celui de chaque individu a été largement développée par le positivisme et a persisté jusqu'en plein XXe siècle. En 1940, W. Nestlé écrit encore que la victoire du Logos sur le mythe, — c'est-à-dire la rationalisation —, « est un processus inévitable chez des peuples de haute culture... aussi nécessaire que dans la vie de l'homme son émergence au-dessus du monde des représentations enfantines » (*Mythos und Logos*, p. 20). Onze ans plus tard, Alain esquisse le même parallèle entre pensée mythique et enfance de l'homme, et refuse, en s'autorisant de Locke, d'admettre que le mythe puisse indiquer l'essence même des choses et des êtres. Prisonnier d'une culture philosophique trop rationnelle et trop occidentale, il n'hésite pas à assimiler la pensée mythique à des comportements infantiles, tels ceux, dit-il, des faiseurs de pluie qui « sont assurés de faire la pluie en l'appelant par des signes et qui sont trompés par ceci que la pluie finit toujours par arriver ». (*Préliminaires à la mythologie*, 1951, pp. 15 et 64). Ainsi selon cette perspective évolutionniste le mythe n'est considéré que comme le produit d'un esprit prélogique dont une philosophie de la raison doit permettre de déterminer la genèse pour en mieux marquer la faiblesse.

Cette recherche sur les causes de la pensée mythique a été menée par des hommes aussi différents qu'A. Lang, W. Wundt, A.H. Krappe, L. Lévy-Bruhl, V. Larock, et bien d'autres. Les uns ont insisté sur la participation à la nature, d'autres sur l'imagination, comme facteur principal de la création des mythes ; d'autres enfin sur l'aspect absurde des représentations mythiques dont ils dénonçaient la nature irrationnelle. De telles prises de position étaient viciées, dès leur point de départ, par un raisonnement trop abstrait, souvent trop détaché des enquêtes ethnologiques qui venaient de révéler aux Occidentaux toute l'importance de la pensée mythique. En continuant d'opposer, contre tous les témoignages recueillis dans les sociétés traditionnelles, le mythe au réel, comme l'illusion au fait d'évidence et le mensonge à la vérité, cette attitude rationaliste ne pouvait aboutir qu'à une impasse. Car on ne pouvait commencer par nier, fût-ce au nom de la raison, que le mythe fût vérité, alors qu'il était évident que pour des sociétés entières le mythe est une histoire crue et tenue pour vraie. Il était donc inutile de prétendre reconstituer la genèse des mythes afin de démonter le processus mental qui les produit. Car c'est là précisément que se trouverait l'illusion : de croire que nous puissions, par le seul raisonnement logique, découvrir de vrais commencements. Il importait de comprendre avant tout que le langage mythique est réellement constitutif de l'humanité, au même titre que la raison, mais autrement qu'elle.

II. L'APPROCHE PSYCHOLOGIQUE : LE MYTHE COMME EXPRESSION PSYCHIQUE COLLECTIVE

Or, par des voies différentes certes, la psychanalyse allait s'efforcer d'éclairer cette genèse des mythes, contribuant ainsi à renforcer *malens volens* ce jugement rationnel, en montrant que les mythes n'étaient que des produits de l'inconscient. Il est clair qu'en médecine psychiatrique le concept de mythe apparaît chargé d'une connotation très péjorative, désignant toute représentation lestée d'une valeur irrationnelle manifestant un décalage par rapport à une réalité objectale. On sait combien l'intrication de démarches mythiques et de certains processus pathologiques pose de nombreux et difficiles problèmes. Mais si toute pathologie mentale semble bien s'accompagner de régressions mythiques, doit-on, pour autant, lier toute pensée mythique à l'idée même de pathologie mentale ? [1bis].

Reprenant à un autre niveau la comparaison classique entre pensée mythique et pensée infantile, S. Freud a affirmé que les mythes n'étaient que des débris déformés des imaginations et des désirs des peuples, « les rêves séculaires de l'homme », ajoutant qu'au point de vue phylogénétique le mythe est dans un peuple ce qu'est le rêve dans la vie individuelle (*Die Traumdeutung*, 2e éd. p. 185).

Certes l'analyse comparée des rêves et des récits mythiques laisse apparaître l'utilisation d'images et de symboles communs : dans les rêves, comme aussi dans les produits de toute névrose ou psychose, interviennent des schémas, des déplacements, des phénomènes de dramatisation et de condensation des images, que l'on retrouve aussi dans les récits mythiques. Il faut donc admettre l'existence de certains éléments mythogènes constitutifs du psychisme inconscient, dans lesquels l'analyse découvre les racines libidinales des mythes. Or la seule enquête ethnographique collectant des récits mythiques ne parvient pas à ce niveau profond d'analyse (ce qui explique la célèbre confrontation, sur le même terrain des îles Trobriand, des analyses contradictoires de Br. Malinowski et de G. Roheim). Freud se sentait

---

1bis. Voir P. Marchais, *Magie et Mythe en psychiatrie*, Masson, Paris, 1977.

ainsi fondé à affirmer que les mythes sont vraiment les manifestations de tendances inconscientes de l'humanité, comme les rêves le sont pour chacun d'entre nous. Appliquant cette grille herméneutique à la mythologie antique, Freud en trouvait la plus célèbre illustration dans le mythe d'Œdipe, qui constituait pour lui la manifestation du désir infantile (du fils pour sa mère et contre son père), auquel s'oppose l'interdit de l'inceste[2]. Sur sa lancée, tour à tour, O. Rank, E. Jones, et surtout Geza Roheim ont développé cette nouvelle technique d'investigation de la pensée mythique en la reliant à la pensée individuelle inconsciente. Mais ils ne récusaient pas, pour autant, une herméneutique socio-culturelle. Ils affirmaient au contraire que la psychanalyse aboutit à situer le mythe à la rencontre de deux mécanismes, celui des situations sociales et celui des complexes de la libido. Le disciple, rejeté d'autant plus qu'il avait été le plus cher, C.G. Jung, a toujours insisté sur cette sorte de révolution que la psychanalyse accomplissait dans l'herméneutique mythologique. Pour lui les mythes sont des révélations de l'âme préconsciente, des affirmations involontaires au sujet de faits psychiques inconscients. Ils possèdent donc une signification vitale, car ils constituent un langage vécu et senti par l'homme dans la mesure où les mythes sont l'expression authentique de sa nature psychique[3]. Ainsi l'enquête psychanalytique aboutit à montrer, de plus en plus clairement, que le langage mythique est constitué de projections dont l'analyse peut dégager les racines psychiques inconscientes. Or ces projections révèlent une adaptation spontanée, et sensible, de l'homme au monde dans lequel il vit. Il n'y a, dans ce processus, absolument rien de pathologique. Au contraire, c'est la condition même de l'homme qui s'incarne dans ces mythes. Mais la conscience collective qui élabore de tels récits n'est elle-même que l'expression réfléchie de structures sociales et d'institutions rituelles. Il faut donc considérer, maintenant, comment le mythe fonctionne à l'intérieur d'un groupe humain.

---

2. Sur ce point précis on lira avec profit l'article de C. Downing : « Sigmund Freud and The Greek Mythological Tradition », in *Journal of American Academy of Religion*, n° 43, 1975, pp. 3-14.

3. *Seelenprobleme der Gegenwart*, 1931, p. 167 s.; *Introduction à la mythologie*, trad. fr., Payot, Paris, 1953.

III. L'APPROCHE SOCIOLOGIQUE ET ETHNOLOGIQUE : LE MYTHE COMME LANGAGE, FORME DE CONNAISSANCE ET MODÈLE D'INTÉGRATION ACTIVE

On sait combien les progrès de la connaissance des sociétés archaïques et traditionnelles ont révélé toute l'importance de la pensée mythique et la signification profonde de ce type de langage, en montrant sa liaison constante avec des actions rituelles et des institutions régissant la vie de groupes humains. Peu à peu, et sous la double influence d'ethnologues et de sociologues, le mythe a été perçu comme « une histoire crue entraînant en principe des rites... et faisant partie d'un système obligatoire de représentations religieuses » (M. Mauss, *Manuel d'ethnographie,* 2e éd. 1967, p. 250). Depuis la découverte que fit le gouverneur de Nouvelle Zélande, en 1855, Sir George Grey, que « pour comprendre les conduites et les opinions des sujets indigènes de Sa Gracieuse Majesté, il fallait connaître leurs mythes », jusqu'aux plus récentes enquêtes ethnologiques, une théorie de la mythologie fonctionnelle est apparue[4]. Les mythes sont présentés comme des réalités vécues, à la fois langage et modèle, forme d'action et de vie, et non pas comme une simple histoire des temps passés, racontée pour la beauté du récit ou pour sa leçon de morale allégorisante. Le mythe est défini comme l'expression immédiate et première de la réalité du monde que l'homme perçoit intuitivement : il est donc l'expression d'une totalité, le plus souvent à forte connotation religieuse : le mythe, en d'autres termes, est la projection de l'expérience que l'homme fait du monde qui l'entoure et dans lequel il vit. Dans cette mythologie, qui n'est vivante que parce qu'elle est vécue, le mythe fait participer l'homme au cosmos. Et cette participation, — qui n'a que bien peu de ressemblance avec la notion que Lévy-Bruhl affirmait caractéristique de l'âge prélogique —, fonde et justifie toute existence humaine. Car, pour l'homme de ces sociétés traditionnelles, l'essence mythique précède et prime sa propre existence, qu'elle justifie. D'où ce sentiment, bien perçu et analysé par Mircéa Eliade, que « le mythe met à l'aise ». On peut donc dire que l'univers mythique appartient à l'existentiel. Le mythe est, contraire-

4. Voir Cl. KLUCKOHN, « Myths and Ritual, A General Theory », in *Harvard Theological Review,* 34, 1942 ; J. FONTENROSE, *The Ritual Theory of Myth,* « University of California Folklore Studies », n° 18, 1966.

ment à ce qu'affirmait un rationalisme trop assuré de détenir le vrai, un mode de vérité, qui certes n'est pas établi apparemment en raison, mais qui constitue une adhésion spontanée de l'homme au monde. Il exprime donc une prise de conscience des réalités du monde, bien plus qu'il ne cherche à définir ces réalités selon les voies d'une conceptualisation logique.

Il ne faut pas s'y tromper : lorsque Malinowski déclarait que les mythes n'expliquent rien, qu'ils n'ont pas d'abord une fonction étiologique, il entendait simplement que les mythes n'explicitent pas rationnellement, à la suite d'un raisonnement logique, la réalité des êtres et des choses. Mais ils la confirment en se référant à un précédent. Ainsi servent-ils à motiver, à fonder toutes les actions de l'homme. Car tout mythe est un produit culturel, le fruit d'une société d'hommes ; non seulement une structure d'existence mais une règle pour l'action et la vie quotidienne, un véritable formulaire de comportements qui règlent les rapports de l'homme, tant avec ses semblables qu'avec ses dieux. Il constitue par là-même un ensemble de valeurs de référence, dont le rôle est de rappeler constamment à la conscience d'un groupe humain les valeurs et les idéaux que celui-ci reconnaît et maintient à chaque génération. C'est la grande leçon qui se dégage du très beau livre de M. Leenhardt, *Do Kamo* : « Le mythe, dit-il, en parlant des sociétés canaques où il vécut comme missionnaire de longues années, est senti et vécu avant d'être intelligé ou formulé. Il est la parole, la figure, le geste qui circonscrit l'événement au cœur de l'homme, avant d'être un récit fixe... Il est l'intuition de l'unité de l'homme et du monde, d'abord vécue dans les fibres de l'être [5] ». On le voit, le mythe n'est pas seulement un langage de l'homme sur le monde et sur lui-même ; il est aussi un mode de connaissance. Et c'est précisément pour cela qu'il est tenu pour vrai. La vérité du mythe signifie que l'on y trouve des connaissances exactes, dans un cadre culturel donné, sur l'essence des choses et sur les processus cohérents à ce monde, dont l'expression mythique peut aussi bien se justifier que l'expression rationnelle qu'en donne la science moderne, note fort justement A. E. Jensen [6]. Or cette connaissance profonde du microcosme quotidien que l'homme apprend, et vit, à travers les mythes, nous pouvons certes la définir comme une connaissance de type affectif ; ceci n'implique pas qu'il faille la taxer de subjectivité au point de l'opposer à la seule connaissance valable, celle, objective parce que fondée sur une méthode logico-rationnelle. La connaissance

5. *Do Kamo, la personne et le mythe dans le monde mélanésien*, Gallimard, Paris, 2e éd., 1971.

6. *Mythos und Kult;* trad. fr. : *Mythes et Cultes chez les peuples primitifs*, Payot, Paris, 1954, pp. 204 s.

mythique peut bien différer de la vision que donne l'analyse rationnelle d'une même réalité, elle n'en est pas moins véritablement un mode de vérité dans lequel se manifeste une adhésion de l'être au monde et une sagesse de vie.

Car l'énonciation par le mythe d'événements primordiaux *in illo tempore*, qui constituent des précédents et des modèles obligatoires pour l'homme, réintègre ce dernier dans un monde archétypal. Tout ce qui se passe dans la nature où vit l'homme et où s'épanouit sa culture, n'est jamais considéré que comme la répétition de ce qui a eu lieu, jadis et pour toujours. Comme le disait G. Van der Leeuw, « tout ce qui se passe est mythique ». Le mythe est vrai parce qu'il indique à l'homme les moyens d'expérimenter en lui les significations profondes des êtres et des choses. Je dirai volontiers que le mythe inscrit les gestes les plus humbles et les plus concrets de la vie quotidienne, ainsi que les actes les plus importants de l'existence, dans la pérennité des gestes primordiaux que les rites renouvellent. Ainsi le mythe, vécu dans les sociétés traditionnelles d'Océanie, d'Afrique noire, des Amériques, comme il le fut jadis dans le monde antique, n'apparaît plus comme le fruit incontrôlé d'une imagination collective, mais comme la transposition consciente, dans un monde socialisé, de ce qui est la vie affective de l'homme. La pensée mythique se révèle donc comme une systématisation signifiante, que rien ne permet d'opposer valablement à la pensée scientifique. La pensée mythique exprime par un langage social particulier une totalité organisée, formée des valeurs fondamentales et du trésor d'une expérience accumulée au cours de générations, dans lesquels se reconnaît une société et où elle puise ses raisons de vivre. Multiformes, partout répandus, les mythes manifestent, selon des schèmes souvent identiques ou du moins très voisins, l'intégration de l'homme dans son univers quotidien, ses efforts pour le comprendre, et pour donner un sens à son existence particulière. Autour du mythe, et à travers lui, cristallisent toutes les contestations, les angoisses, les réponses que l'homme se fait à lui-même et sur lui-même. En exprimant au plan collectif ce que l'individu ressent le mythe sauve l'homme du repli néfaste sur sa propre vie ; il normalise ses inquiétudes ; il le sauve de l'isolement en le faisant participer à un *ordo rerum* qui le dépasse, mais dont l'homme est partie intégrante. Or, si le mythe possède une telle puissance de signification, s'il est un langage si prégnant, n'est-ce pas parce que sa fonction est d'exprimer un contenu de valeurs religieuses et sociales ? Au lieu de poser l'habituelle question : « pourquoi des mythes ? », ne faut-il pas plutôt se demander comment ce langage est parlant aux hommes.

IV. UN LANGAGE SIGNIFIANT

Formulaire de comportements et code pour les multiples actions humaines, le mythe est d'abord un langage, donc une création de l'homme, à son usage, pour exprimer et expliquer des réalités auxquelles il s'affronte sans toujours les comprendre, et d'autres auxquelles il est particulièrement attaché. Le récit mythique se présente sous l'apparence d'un discours persuasif, paradigmatique, et se trouve ainsi orienté vers l'avenir de l'homme auquel il montre la voie à suivre. Il lui signifie une réalité que l'homme ne peut pas toujours, ni complètement, appréhender. Mais parce que ce discours mythique est le produit de plusieurs causes, sociales, culturelles, il constitue un discours plurivoque que l'on a cru, bien à tort, pouvoir opposer à l'unique sens de la démarche scientifique. En effet, expression authentique de la nature humaine, le mythe ne doit jamais être réduit à une seule série causale puisqu'il ne remplit pas une unique fonction. Prenons l'exemple des mythes cosmogoniques présents dans la presque totalité des cultures humaines. Ils naissent de la réflexion de l'homme cherchant à expliciter une représentation plus ou moins systématisée du cosmos, et à définir les relations qui lient ses éléments constitutifs. Mais aussi de ses efforts pour s'y situer. L'imagerie dramatique qui décrit les origines du monde aboutit toujours à l'émergence de l'homme et du monde qu'il connaît et où il vit, et que le mythe institue comme un ordre tout aussi immuable, semble-t-il, que l'homme lui-même. Au point même que, souvent, le dieu créateur se retire de ce monde humain, pour vivre dans un éternel repos. De même les mythes qui narrent l'origine des institutions sociales, de la famille, de la tribu, du clan, de la cité, — ces mythes que Malinowski appelait les *Charters-Myths* —, renvoient-ils aussi à l'homme. Ils transmettent un savoir technique, social, moral, spirituel parfois, à partir d'une véritable osmose entre l'expérience quotidienne et « les paroles anciennes ». L'univers mythique se superpose ainsi au monde quotidien de l'homme, et lui donne son sens vrai. Il possède donc en lui-même une valeur de cohérence rationnelle qu'il confère à toute praxis humaine. La pensée mythique est réellement une modalité de la pensée humaine, un mode d'application au réel, vécu ou subi quotidiennement, d'un type certes différent de celui de nos sociétés techniciennes, mais qui n'est ni meilleur ni plus pauvre, seulement différent. Or cette différence tient en ce que les produits de la pensée mythique sont des images chargées d'une signification immédiate, alors que dans la mentalité contemporaine occidentale ce sont les concepts qui expriment le réel.

L'approche structuraliste

Ainsi sommes-nous introduits au cœur même du problème : les mythes ne doivent-ils être considérés que comme un pur système de référence, un simple code, ou comme le réceptacle d'un savoir sur le monde et d'une sagesse permettant à l'homme d'y vivre le mieux possible ? On connaît la réponse apportée par Cl. Lévi-Strauss à ces questions importantes. Déjà les études de Fr. Boas sur la mythologie des Indiens Tsimshian avaient laissé entendre que l'arrangement des divers éléments composant le récit mythique comptait plus que le contenu même du mythe, et que les univers mythologiques à peine formés étaient vite démantelés tandis que d'autres mythes naissaient de leurs débris. Cette idée est devenue l'un des axes fondamentaux des *Mythologiques* de Lévi-Strauss, qui entend bien montrer « non pas comment les hommes pensent dans les mythes, mais comment les mythes se pensent dans les hommes à leur insu » (*le Cru et le Cuit*, 1964, p. 20). Ce que l'analyse peut donc dégager du récit mythique, ce n'est pas un contenu paradigmatique, ni des projections idéologiques, ou socio-politiques, mais « ce que le système des axiomes et des postulats définit comme le meilleur code possible capable de donner une signification commune à des élaborations inconscientes ». Une telle affirmation repose sur le postulat, devenu célèbre, que la pensée mythique est du bricolage. Dépendant étroitement des éléments du langage qu'elle utilise, et, engluée dans les images, elle ne peut fonctionner qu'à coups d'analogies et de rapprochements. Comme le bricoleur, cette pensée mythique élabore donc des ensembles structurés au moyen d'un autre ensemble structuré qui est le langage. Mais ce n'est pas au niveau de ce dernier qu'elle fonctionne : « elle bâtit ses palais idéologiques avec les gravats d'un discours social ancien » (*la Pensée sauvage,* 1962, p. 32). Car le mythe utilise des résidus, des débris d'événements, des bribes et des morceaux, témoins fossiles de l'histoire d'une société ou d'un individu, afin d'établir des rapports d'homologie entre les divers termes d'une série sociale et des classes d'animaux, de végétaux ou d'objets divers qui forment ensemble le microcosme quotidien de l'homme. On peut donc dire, pense Lévi-Strauss, que la signification du mythe est portée, conduite, exprimée par sa propre structure, comme l'est la syntaxe dans tout langage.

Si intelligente et brillamment technique que soit cette théorie, il nous faut avouer quelques réserves. Certes, l'analogie mythe-langage est valable, mais la signification du mythe ne peut être trouvée uniquement dans une algèbre de relations structurelles entre les divers éléments qui la composent. Je pense, en effet, que les mythes possèdent une signification première et immédiate, à travers leur structure propre, dans leur contenu même, qui manifeste soit des relations sociales, soit des tensions, soit des techniques de vie, soit des préoccupations causées par l'opposition entre des désirs quasi instinctifs et les contraintes collectives de la société, soit, enfin, des questionnements spirituels. D'autre part, il semble évident que l'analyse structuraliste est fondée sur la construction de modèles abstraits, obtenus par une brisure artificielle du récit mythique étudié, puis par sa reconstruction en termes de propriétés essentiellement relationnelles. Mais ce n'est point ainsi qu'ils sont vécus. Bien souvent, en effet, les mythes semblent proposer un modèle qui médiatise les contraires, afin de résoudre les oppositions surgies de la vie quotidienne, et qui, dans les sociétés traditionnelles, sont génératrices de tabous et d'interdits : ciel/terre ; homme/femme ; village/forêt ; droite/gauche, etc. concrétisant une opposition fondamentale entre culture et nature sauvage ; en bref, toute une série d'oppositions entre nature et culture dont le mythe assure la médiation tout autant qu'entre l'homme et les puissances supérieures, génies ou dieux. En ce sens on peut dire que la pensée mythique est généralisatrice et l'on comprend que Lévi-Strauss la tienne pour un langage pré-scientifique. Mais on peut difficilement admettre, pour autant, que le mythe connote simplement l'appréhension intellectuelle d'une réalité concrète, et qu'il ne soit porteur d'aucun message. Pour Lévi-Strauss en effet, les sociétés, comme les individus, dans leurs coutumes, leurs délires, leurs croyances, ne créent jamais de façon absolue. Ils ne peuvent que choisir certaines combinaisons dans un répertoire idéal qu'il doit être possible de reconstituer pour en dégager les lois qui président à ses combinaisons. L'homme vivrait ainsi dans un monde avec lequel il formerait une totalité close et qu'il apprend à connaître sans y chercher rien ni personne d'autre. Contrairement à ce qu'à toujours affirmé Mircea Eliade, la prise de conscience du cosmos que le mythe permet progressivement ne déboucherait jamais sur un temps primordial ni sur un paradis perdu, ni vers un sacré que, pour Lévi-Strauss, les mythes ne véhiculent pas.

L'anthropologie religieuse : Le mythe est explicatif parce que signifiant

On en peut douter. Toute culture dans laquelle le monde est pris en charge, nommé, classé, connu, et donc possédé par l'homme à travers des mythes, est une totalité dont les modes d'expression ne sont jamais complètement homologues de la réalité concrète. Ce jeu multiple des différences permet aux sociétés humaines, comme à chaque individu, de se définir par rapport à autrui. Mais là où le structuralisme ne perçoit que des mécanismes différentiels, l'union des contraires, à quoi ils aboutissent, peut fort bien être vécue comme une réalité supérieure à l'homme, investie par lui de la valeur d'une unité primordiale. Les mythes, en effet, nous disent les diverses représentations humaines du temps et de l'espace : comment l'homme conçoit la loi, l'ordre, l'énergie, et quelle est sa propre vision de l'homme et de la femme. Bref, les mythes témoignent de cette exploration par l'homme des confins du contingent et de l'inéluctable, du fini et de l'infini, du mortel et de l'éternel, et de cette part du monde, si petite soit-elle, que l'homme associe à une réalité qu'il juge transcendante, ou au moins supérieure à lui, et qui confère au mythe sa valeur de vérité sacrée.

On comprend mieux pourquoi le contenu d'un mythe apparaît aux hommes qui vivent ce mythe comme ayant un sens, et donc comme étant un langage prégnant et persuasif. Le rôle du mythe s'explique non du fait qu'il est inventé pour expliquer, mais parce que, médiateur entre l'homme et l'univers, il est, en lui-même, explicatif car signifiant. Parce que le récit mythique est tissé des réalités familières à l'homme et qui appartiennent à son univers le plus quotidien, le mythe apparaît comme réel. Mais en même temps il transpose toujours ce réel à un niveau supérieur, celui du monde et celui des origines. Dès lors, par cette transfiguration des réalités quotidiennes, le mythe les justifie en les sublimant. Comme la musique est le monde des sons dissous en des séries tonales, l'univers mythique est le monde de l'homme traduit et justifié dans les formes d'un absolu sacré. Le divin devient par lui réalité. Et c'est bien ce caractère de « transfiguré-sacré » qui confère au mythe toute sa véracité. L'histoire que raconte le mythe est une histoire vraie parce qu'elle apparaît comme sacrée, non pas tant en raison de son contenu mais par ses conséquences. En effet tout mythe est chargé d'un dynamisme qui agit sur les membres du groupe humain : il est une histoire qui ramène pédagogiquement une réalité mystérieuse à une expérience singulière et à une action précise, le rite.

Mythe et rite

Il existe donc une liaison quasi structurelle entre le mythe et le rite qui met en action la vérité renfermée dans celui-ci : la connexion est si étroite entre les deux que, dès que l'action rituelle cesse, il y a dégradation du mythe qui devient alors simple légende, pure littérature moralisante. Comment s'explique une telle liaison ? On l'a vu, le mythe dramatise le sentiment humain d'une nature emplie de forces, d'énergies, de « vivants » ; il donne une représentation organisée du monde ; il justifie un certain ordre social et tente de résoudre les conflits qui naissent entre l'individu et cet ordre collectif. Par les mythes c'est donc une sorte de sur-nature qui se surimpose à la vie quotidienne, telle un modèle idéal, et qui détermine l'accomplissements d'actions rituelles précises, fixées une fois pour toutes par une tradition respectée. Parce qu'il réactualise des réalités supérieures, et qu'il sublime « dans un éternel maintenant et toujours » l'action humaine, le mythe est donc religieusement actif. C'est pourquoi J. Wach pensait que les rituels sont l'expression pratique d'une expérience religieuse fondée par les mythes, et qu'ils constituent la réponse de l'homme à cette ultime réalité que ces récits traditionnels lui font connaître.

Ainsi la liaison entre mythe et rite résiderait dans l'application pratique réalisée dans les rituels d'une vérité sacrée contenue dans les mythes. « Nous devons faire ce que les dieux firent au commencement ; ainsi ont fait les dieux, ainsi font les hommes » affirment deux textes sacrés hindous. Peu importe au fond de savoir qui, du rite ou du mythe, a précédé l'autre. Ce qu'il faut comprendre c'est que le mythe fournit aux hommes la légitimation d'actes par lesquels ils établissent des relations avec des puissances supérieures selon un modèle divin fourni par le mythe. La fonction du mythe est donc essentiellement paradigmatique : il fournit un modèle en se référant à un temps primordial. D'où le comportement, paradoxal à nos yeux d'Occidentaux rationalisants, de l'homme qui vit le mythe : il ne se reconnaît comme réel que dans l'exacte mesure où il cesse d'être autonome, qu'au moment où il modèle ses conduites sur un exemple mythique qu'il répète, inchangé, à chaque génération et dans chacune de ses actions quotidiennes. Les expériences que les mythes exposent en termes simples, mais toujours solennels, sont des expériences assez proches d'une certaine vision mystique. Ils ne se contentent pas, en effet, de situer l'homme par rapport à un temps originel. Ils démontrent à l'homme que chaque fois que ce dernier redit les mythes et les réactualise dans des rituels, il redécouvre cette identité qui l'unit au monde naturel qui l'entoure. Surtout les mythes font comprendre aux hommes que la signification qu'ils leur fournissent des êtres et des choses parmi lesquels ils vivent, s'identifie avec leur existence propre. En d'autres termes, la vérité du mythe ne réside pas dans le fait qu'il raconte une histoire qui est sacrée parce qu'elle est celle des dieux ou des êtres supérieurs à l'homme. Mais cette vérité réside dans le simple fait que, langage d'homme, le mythe exprime une expérience vécue dans le plus profond de son être, et qui lui révèle le sens plénier des choses. Contrairement à ce que l'on a cru et écrit, le vers virgilien : « *Felix qui potuit rerum cognoscere causas* » n'est pas le témoignage d'un processus de démythisation, mais il exprime admirablement toute la richesse existentielle de la pensée mythique.

Pour une anthropologie religieuse

Au terme de cette brève réflexion il apparaîtra que toute prise en considération du mythe ne peut se situer que dans le cadre d'une anthropologie religieuse, au sens le plus large du terme. Car à tous les stades de l'histoire, comme à tous les niveaux méthodologiques, c'est toujours l'homme que nous rencontrons en quête d'un sacré qu'il exprime à travers divers langages, dont le mythe. Le mode de représentation mythique n'est donc pas une étape inférieure de la rationalité, mais le lieu où les valeurs considérées par l'homme comme fondamentales et transcendantes à sa propre condition lui apparaissent comme immanentes et humanisées. Fruit de la pensée et des interrogations de l'homme, le mythe renvoie toujours à son auteur, car tout langage est l'être lui-même parlant. Mais dans cette aube des sociétés humaines, sans devenir, à laquelle se réfèrent les mythes, le sacré est précisément cette réalité conjointe d'une nature et d'une culture : c'est le monde où vit l'homme, en tant qu'il l'appréhende et qu'il s'y définit. La rencontre avec l'Autre, à laquelle nous invite toute recherche mythologique, n'est jamais la rencontre d'un être isolé dans son univers quotidien ; mais d'un homme qui se situe toujours en face d'un monde de valeurs et d'une réalité plus vaste et plus haute que sa propre expérience. Il ne peut jamais définir totalement, ni de façon parfaite cette réalité, à laquelle pourtant il se réfère, car l'homme est marqué par la finitude. Mais les mythes nous apprennent que chaque fois qu'un homme s'aperçoit qu'il constitue, parce qu'il existe, une interrogation posée à soi-même et que chaque fois qu'il prend conscience qu'il ne possède pas totalement la réponse, il se heurte, en quelque sorte, à ce qu'il définit comme le Sacré. Il ne convient donc pas d'opposer mythe et raison et d'établir un jugement de valeur entre des formes différentes du langage de l'homme sur lui et le monde, mais de comprendre que l'exigence est inscrite au plus profond de la nature humaine. L'analyse que nous pouvons faire de la pensée mythique ne doit jamais gauchir la nature des rapports de l'homme avec cette réalité mystérieuse qu'il accepte, ou qu'il peut refuser, comme guide et référence de sa propre vie. Les multiples formes de ce sacré-vécu, dont témoignent abondamment les mythes, constituent en effet une part intrégrante de la nature de l'être humain.

V. LA DIALECTIQUE SACRÉ / PROFANE

L'utilisation de la notion même de sacré, par les anthropologues, les phénoménologues, les sociologues, les historiens des religions, les théologiens, est si générale qu'elle en fait ressortir l'ambiguïté. Il est certain que depuis Durkheim le champ sémantique de *sacré* s'est considérablement élargi : sous l'influence d'une phénoménologie qui se refusait à inscrire le sacré uniquement dans des structures sociales, les diverses théologies se sont emparées de la notion de sacré et l'ont appliquée à l'analyse même du christianisme, au moins dans ses préoccupations pastorales. La notion de sacré est ainsi devenue, mais pour de toutes autres raisons que celles avancées par Durkheim, le fondement essentiel des phénomènes religieux. Mircea Eliade n'hésite pas à définir le sacré comme « la pierre d'angle de l'expérience religieuse... qui seule permet de comprendre et de vivre »[7], car elle est la source de la conscience même de l'existence, « qui permet de distinguer le réel de l'irréel ». Ainsi apercevons-nous déjà une première distinction nécessaire entre ceux qui, se fondant sur l'apport des analyses ethnologiques, historiques, sociologiques, tentent de définir la notion de sacré grâce aux sciences de l'homme et veulent savoir ce que concrètement cette notion recouvre, et ceux qui utilisent la même notion de sacré au niveau d'un discours religieux, pour sous-tendre une réflexion théologique ou une action pastorale. Mais cette distinction faite, un premier problème se pose.

Si nous ne pouvons saisir le sacré que là où nous le rencontrons, dans l'existence même de l'homme, ce n'est pas parce qu'il existerait dans le monde une zone du sacré et une zone du profane, délimitées une fois pour toutes, par nature et par essence. Dans chaque expérience religieuse nous constatons en effet que la ligne de partage entre sacré et profane est fixée empiriquement par l'homme, et qu'elle se modifie. Cette ligne de démarcation se trouve toujours plus ou moins insérée dans le quotidien de la vie ; elle connote aussi bien les grands moments du temps cosmique, les saisons, le jour, la nuit, le cycle de fécondité, que les temps forts de l'existence individuelle : naissance, mariage, mort, et que le corps même de l'homme. Ainsi le sacré est-il d'abord un fait, observable et analysable. Or, si nous le saisissons dans un cadre de vie, c'est bien parce que le sacré structure un *ordo rerum*. L'analyse que nous pouvons ainsi faire des réalités où nous percevons le sacré nous le montre dialectiquement opposé à

7. Mircea ELIADE, *l'Epreuve du labyrinthe*, Paris, 1978, p. 176.

d'autres notions, complémentaires ou opposées, qui s'ordonnent en série du type :

sacré-saint-pur/profane-souillé-impur, ou

sacré-tabou-impur/profane-permis-pur.

Seule une analyse historico-culturelle permet de comprendre comment fonctionnent, dans telle ou telle expérience religieuse particulière, ces couples d'oppositions [8]. Cependant, toute analyse comparative qui s'efforce de distinguer soigneusement les divers types d'expérience religieuse aboutit à l'idée que, même si nous rencontrons partout le couple sacré/profane, ou le couple pur/impur, cela n'implique nullement que le contenu de ces notions soit identique. En effet la signification précise et concrète du sacré se modifie, sous l'influence de l'évolution de la morale, du droit, du langage et de la conception même du divin. Cette évolution consiste en fait à relier le profane à l'impur, et donc à identifier plus ou moins le sacré au pur ; c'est-à-dire qu'on parvient à un renversement d'une situation religieuse archaïque dans laquelle le plus souvent le sacré est assimilé à l'impur. Parvenus à ce point de réflexion, il faut bien constater l'aspect labyrinthique du problème. Ne serait-il pas plus économique — plutôt que de tenter d'adapter de force une définition du sacré à des réalités variables que l'historien des religions comme l'ethnologue constatent — d'essayer de comprendre le fonctionnement de ces catégories, sacré, profane, pur, impur ? C'est-à-dire, de réfléchir sur la syntaxe même du sacré plus que sur sa morphologie. Car il est évident qu'un être, un animal, une chose, possède, chacun dans son ordre, une nature spécifique et immuable : une pierre est toujours une pierre, un arbre un arbre, un agneau un petit ovin. Seule quelque chose, une puissance extérieure, une force, un désir, extérieurs à cet être ou à cet objet, peuvent, en l'investissant, le définir comme sacré, comme pur ou impur, puisque tout sacré est ambivalent et ambigu. Or le fonctionnement de cette syntaxe nous révèle une constante dialectique entre un principe de séparation, le tabou ou l'interdit, et l'investissement par une puissance, d'un être ou d'un objet qui agit comme principe de conjonction, de cohésion. C'est un fait, souvent relevé, que le sacré attire et repousse à la fois ; l'homme en a peur mais veut l'utiliser : *et inhorresco et inardesco* disait saint Augustin. R. Caillois a beaucoup insisté sur cette dialectique du sacré, où deux termes, en

---

8. Ainsi, pour l'ancien Israël, l'étude pionnière de W. ROBERTSON SMITH, *Lectures on The Religion of The Semites*, 1889 (rééd. 1894, 1927), reprise sur de nouvelles bases par Mary DOUGLAS, *Purity and Danger, An Analysis of Concepts of Pollution and Taboo*, 1966. L'analyse du vocabulaire est une piste importante : E. BENVENISTE, *le Vocabulaire des Institutions indo-européennes*, tome 2, pp. 179-207, éd. de Minuit, Paris, 1969.

s'opposant l'un à l'autre, définissent automatiquement un néant actif qui est le profane. Sainteté et souillure s'opposent à profane ; mais la sainteté, l'intégrité qui est l'état même que définit le sacré, craint à la fois la souillure et le profane. Ainsi, pur, impur, profane, peuvent-ils se lier deux par deux contre l'autre. Si le sacré est ce qui est interdit au profane, si le profane ne se définit donc que par rapport à un sacré qui lui est interdit, comment alors s'effectue le contact entre sacré et profane ? N'y a-t-il pas danger de désintégration du premier au contact du second ? Le profane ne serait-il pas simplement du sacré désacralisé ? Le vocabulaire est ici éclairant, qui lie profane et profanation, c'est-à-dire corruption du sacré. On le voit, nous parvenons aux racines mêmes de la notion morale et théologique du péché, conçu comme atteinte à l'intégrité et comme rupture d'un ordre.

Nous pourrions ainsi distinguer entre ce qui est naturel, profane, et que des rites peuvent rendre sacré ; ce qui est déclaré impur et ne peut réellement devenir du sacré, sauf par le truchement de la magie qui est caricature du sacré ; ce qui est sacré mais qui dans d'autres expériences religieuses est tenu, soit pour impur, soit pour profane. On voit ainsi qu'en fait le profane doit être compris, moins comme l'opposé fondamental du sacré, que comme un complément.

Mobilité du sacré

Mais alors il n'est pas du tout certain que l'opposition sacré/profane puisse être réduite à l'opposition réel/illusion comme l'affirme Mircea Eliade. Car ce qui semble évident, c'est la plurivocité des termes sacré et profane. Quand nous parlons du sacré, nous invoquons en fait une réalité double, opposée et complémentaire : d'une part, le sacré semble être le lieu où réside une force efficace, manifestation d'une puissance divine, énergie créatrice et substantielle, qui demeure le plus souvent incompréhensible à l'homme et que ce dernier tient pour dangereuse parce que précisément elle lui est cachée ; mais, d'autre part, une réalité que l'homme entend capter dans la pratique concrète de ses sensibilités comme de ses actions quotidiennes. Le fait que le sacré soit toujours vécu à travers des systèmes précis de rites et d'interdits, règle sa situation dans toute société humaine. On le sait, le sacré peut être délimité par des catégories d'opposition : pur/impur ; droite/gauche ; dedans/dehors ; jour/nuit ; homme/femme ; ordre/désordre. Ces catégories ne font qu'expliciter, selon les cultures, l'analogie posée par l'homme entre pur=ordre=cohésion et impur=désordre=dissolution, ou, si l'on préfère parler latin, l'opposition entre *fas* et *nefas*. Mais cela n'implique pas que le sacré soit l'existant. Car il n'existe point, dans les êtres ni dans les choses, un quelconque principe objectif qui nous autorise à les répartir entre sacrées et profanes. Au contraire ! Le sacré intervient partout où l'homme le veut. Il n'est rien qui ne puisse en devenir le lieu. Mais ce qui est sacré peut toujours redevenir profane. La frontière, constamment mobile, dépend du choix et du désir de l'homme.

L'opposition entre sacré et profane apparaît donc comme une donnée de la conscience humaine. La fonction de tout système religieux est précisément d'offrir les moyens par lequels du profane peut devenir du sacré, et d'enseigner à distinguer le pur de l'impur et à reconnaître ce qui est investi de la puissance divine. On sait que pour Mircea Eliade les structures dans lesquelles l'homme prend conscience de ce sacré et les images par lesquelles il le représente sont des *hiérophanies,* qui présentent des qualités de solidité, de mobilité, de développement et d'énergie qui attestent leur réalité. Par une démarche toute logique l'homme attend donc d'elles que ces choses sacrées qui manifestent à ses yeux le divin exercent une influence sur sa propre vie et qu'elles y introduisent l'ordre, la consistance, la cohésion de ce qu'il croit être le réel. Certes, il est évident que le sacré n'existe que dans une existence d'homme et qu'il l'aide à se situer dans le monde. Mais il faut bien comprendre que c'est dans la stricte mesure où ces structures et ces images constituent, pour l'homme, le lieu et le moyen d'expériences médiates du divin, qu'elles deviennent pour lui des *hiérophanies*. Elles ne le sont absolument pas par elles-mêmes. C'est l'homme, et l'homme seulement, qui est toujours la mesure de la sacralité des êtres et des choses. Car le sacré ne nous est jamais donné à l'état pur. Mais au travers de systèmes religieux, de réseaux de liens plus ou moins étroits et de divers ordres, qui unissent les hommes au divin. Le sacré est ainsi une structure globale, à la fois linguistique, sociologique, rituelle, qui vit sa vie propre dans le temps de l'histoire. Par là même il est soumis au changement. L'indice de mobilité du sacré corrélativement aux états de culture, apparaît donc comme un élément fondamental de toute analyse : car si, encore une fois, le sacré paraît être une notion communément répandue dans les sociétés humaines, il s'en faut qu'il présente partout le même contenu.

Sacré et divin

Un dernier point reste à souligner. Si la frontière du sacré et du profane est toujours mobile et dépend du désir de l'homme et du choix des sociétés dans lesquelles il vit, il reste qu'un sacré s'impose toujours de quelque manière à l'homme religieux parce qu'il est le lieu où est perçu le divin. Nous ne pouvons donc pas nous contenter d'opposer sacré à profane ; il faut le relier à l'expérience même de Dieu. On peut donc dire que le sacré c'est du profane qui, servant de médiation signifiante et expressive, relie l'homme au divin et devient par là même du sacré [9]. Certes, dans les religions dites primitives, le divin et le sacré ont tendance à se confondre, car l'élément médiateur est souvent le lieu d'incarnation de la puissance divine, et les hiérophanies ne distinguent pas très clairement le dieu de l'élément investi par cette puissance ; d'où le danger de confusion. Inversement, d'autres systèmes religieux font disparaître presque totalement le sacré au profit de la transcendance divine : ainsi l'analyse de R. Otto, ou la mystique plotinienne. Mais il reste que le sacré est le lieu médiateur entre le profane et le divin parce qu'il est comme le retentissement, ou le reflet, du divin dans le profane. Il est cette part du monde que l'homme associe, plus ou moins symboliquement, à l'expérience qu'il peut connaître du divin. Il est cette exploration des limites du contingent, de l'inéluctable, du fini, et de l'infini, comme de l'éternel ; il est aussi cette volonté de se relier à une réalité transcendante qui demeure toujours en partie cachée.

---

9. Je suis pleinement d'accord avec ce que disait, sur le sacré, le regretté H. Bouillard, au colloque de Rome : *le Sacré, études et recherches*, Aubier, Paris, 1974, pp. 33 s.

BIBLIOGRAPHIE

Au milieu d'une bibliographie très abondante on ne signale volontairement ici que des ouvrages posant les principaux problèmes et développant des théories herméneutiques qui peuvent exercer une influence sur la recherche théologique.

E. CASSIRER, *Philosophie des formes symboliques,* tome II. *la Pensée mythique,* 1923, trad. fr., éd. de Minuit, Paris, 1972. Du même auteur, *Sprachen und Mythos,* 1924, trad. fr. *Mythe et Langage,* éd. de Minuit, 1974.
A. H. KRAPPE, *la Genèse des Mythes,* trad. fr., Payot, Paris, 1938.
V. LAROCK, *la Pensée mythique,* Paris, 1945.
G. GUSDORF, *Mythe et Métaphysique,* Flammarion, Paris, 1953.

A côté de ces études d'orientation philosophique on retiendra des ouvrages plus phénoménologiques. En premier lieu, l'œuvre de Mircea Eliade, en particulier :

Mircea ELIADE, *Aspects du mythe,* coll. « Idées », n° 32, Paris, 1963 ; *le Mythe de l'Eternel retour,* NRF, Paris, 2e éd. 1969 ; *Mythes, Rêves et Mystères,* coll. « Idées », n° 271, 1957.
A. E. JENSEN, *Mythos und Kult,* trad. fr. : *Mythes et Cultes chez les peuples primitifs,* Payot, Paris, 1954.
J. CAZENEUVE, *les Rites et la Condition humaine,* PUF, Paris, 1958.

C'est de l'école sociologique française qu'est sorti le structuralisme. On tirera toujours profit des analyses de

M. MAUSS, *Œuvres complètes,* 3 vol., éd. de Minuit, Paris, 1968, en particulier les deux premiers tomes : *Fonctions sociales du sacré ; Représentations collectives et Diversité des civilisations.*

L'œuvre de Cl. LÉVI-STRAUSS est capitale. Les grands thèmes de sa théorie sont déjà bien développés dans *la Pensée sauvage,* Plon, Paris, 1962, qui permet d'entrer dans l'univers des *Mythologiques* (*le Cru et le Cuit ; Du miel aux cendres ; l'Homme nu,* parus chez Plon).

Une réflexion plus sociologique a été menée par R. CAILLOIS, *le Mythe et l'Homme,* 1938, rééd. coll. « Idées », n° 262.

R. BASTIDE, « Mythologie », in *Ethnologie générale,* Encyclopédie de la Pléiade, Paris, 1968.

Sur la fonction des mythes, en plus des ouvrages cités en note dans le texte :

P.C. COURTES, « le Mythe et le Sacré », in *Revue thomiste*, 1972, pp. 392-407.
M. MESLIN, *Pour une science des religions*, Seuil, Paris, 1973.
COLLECTIF (sous la direction de Y. BONNEFOY), *Dictionnaire des mythologies et des religions des sociétés traditionnelles et du monde antique*, 2 vol., Flammarion, Paris, 1981.

CHAPITRE IV

La connaissance de foi*

par JEAN-FRANÇOIS MALHERBE

SOMMAIRE. — I. Connaître un monde, c'est d'abord l'habiter : le monde, l'action, l'interprétation, le langage, la tradition, la culture, l'éthique. II. Habiter le monde de Dieu au cœur du monde de l'homme : le monde du savant, le monde du philosophe, la question de Dieu, du conflit des interprétations à l'articulation du sens, le monde du croyant, la connaissance de foi, la théologie. III. « Celui qui n'aime pas ne connaît pas Dieu » (1 Jn 4, 7) : le lieu de la vérité, la vérification, Jésus-Christ, la charité, la fidélité, Ulysse et Abraham.

> *« Quiconque aime est né de Dieu et parvient à la connaissance de Dieu. Qui n'aime pas n'a pas découvert Dieu, puisque Dieu est amour. »*
>
> 1 Jn 4, 7-8.

La foi est-elle une connaissance ? Mais qu'est-ce qu'une connaissance ? Un artisan connaît sa machine. Un témoin a connaissance d'un fait. On connaît un objet ou un événement. Mais il existe différentes

---

* Le propos ici tenu s'inscrit délibérément dans une perspective extérieure au thomisme. Il s'agit d'une tentative pour situer la pertinence du langage des croyants à l'aide d'une approche philosophique elle-même marquée par une triple influence : la phénoménologie existentielle, l'analyse du langage et la philosophie de l'action. La bibliographie consignée dans les notes fera apparaître tout ce que l'on doit particulièrement à M. Blondel, L. Wittgenstein et M. Heidegger. C'est dans un langage inspiré par la fréquentation de leurs œuvres que l'on tente de dire en quoi consiste la « connaissance de foi ». On ne cherchera donc pas dans ce chapitre ce qu'il n'entend pas donner. Pour un exposé plus classique de la question, on consultera par exemple M.-D. CHENU, *la Foi dans l'intelligence*, Cerf, Paris, 1964. Sur l'articulation de la philosophie analytique et de la phénoménologie : P. RICŒUR, *la Sémantique de l'action*, CNRS, Paris, 1977.

manières de connaître, divers modes de connaissance. Quelqu'un qui se brûle a de sa brûlure une connaissance différente de celle du spectateur qui l'a vu se brûler. L'un et l'autre ont, en quelque sorte, connaissance du *même* événement mais ce que chacun sait est, pour ainsi dire, *différent*.

La foi serait-elle un mode de connaissance particulier dont il faudrait expliciter la spécificité par rapport à d'autres modes de connaissance (comme la science par exemple), ou bien une connaissance d'objets accessibles par la seule vertu d'une « révélation » inédite ?

Poser ces questions, c'est supposer une nette distinction entre les *modes* et les *objets* de connaissance. Or il apparaît que cette distinction elle-même est problématique. Toute connaissance d'un objet semble, en effet, être portée par un *intérêt* pour cet objet-là précisément [1]. Tout mode de connaissance met en œuvre une précompréhension de l'objet et aucun objet n'est connaissable en dehors d'un mode de connaissance particulier. Cette liaison de l'objet et du mode de connaissance est souvent implicite et c'est la tâche de l'épistémologie de l'expliciter. Dans le domaine religieux, celle-ci aura pour tâche notamment d'élucider la nature de la foi en tant qu'elle se donne pour une connaissance. Il s'agira donc ici de préciser le mode de la connaissance de foi, son objet et la liaison de ce mode et de cet objet.

I. CONNAÎTRE UN MONDE C'EST D'ABORD L'HABITER

1. Le monde

Toute connaissance est connaissance d'un monde. Il ne s'agit pas de réduire les objets connaissables au monde « matériel » mais, au contraire, de partir de cet ensemble de réalités qui constituent notre environnement car le rapport à un monde est constitutif de l'existence humaine [2]. Par *monde*, on entendra ici *toute mise en perspective de la*

1. J. Habermas, *Connaissance et intérêt*, Gallimard, Paris, 1976, a bien mis en évidence cet aspect de la connaissance dans le cadre d'une critique générale du positivisme.

Les indications bibliographiques qui sont reprises dans les notes se limitent, à quelques rares exceptions près, aux titres de langue française. Le lecteur, en consultant ces ouvrages, n'aura aucune peine à retrouver les originaux ni à compléter son information.

2. Ce concept de *monde* est inspiré de la phénoménologie. Cf. E. Husserl, *Idées directrices pour une phénoménologie*, Gallimard, Paris, 1950, surtout les

réalité à partir d'un centre d'activité et de compréhension qui est l'être humain lui-même[3]. Par sa seule présence au milieu des choses, l'être humain leur donne une signification en les organisant dans un champ cosmologique. La présence de l'être humain dans la réalité est proprement cosmogonique : elle engendre un monde. C'est en ce sens qu'on dira à juste titre que le « monde grec » n'est pas le « monde juif ». D'une certaine façon, chaque être humain a son propre monde puisqu'il est autant de mises en perspectives de la réalité que d'existences humaines (c'est-à-dire de centres de perspective). Mais, parce que les êtres humains ne sont pas solitaires mais solidaires, leurs mondes se regroupent en fonction d'« airs de famille ». Le « monde grec » comme le « monde juif », en effet, sont des sociétés. Un monde, au sens ici défini, est toujours en même temps une société[4]. C'est que le rapport de l'être humain à son monde est toujours celui d'une existence à la réalité en totalité. L'« être-au-monde » est toujours déjà un « être-avec-autrui ».

C'est le projet, c'est-à-dire cette disposition de l'être humain par laquelle il est toujours déjà en avant de lui-même vers autrui et les choses, qui structure fondamentalement l'existence. Si les choses qui composent la réalité sont un monde pour une existence, c'est parce que celle-ci projette sur celles-là une perspective qui, dès le départ, dépasse leur particularité pour les inscrire dans le réseau d'une interprétation universelle en quoi consiste le monde[5].

---

§§ 18-55 ; M. HEIDEGGER, *l'Etre et le Temps*, Gallimard, Paris, 1964, surtout les §§ 12-27 ; W. BIEMEL, *le Concept de monde chez Heidegger*, Vrin, Paris, 1950 ; M. MERLEAU-PONTY, *Phénoménologie de la perception*, Gallimard, Paris, 1945 et A. de WAELHENS, *la Philosophie et les Expériences naturelles*, M. Nijhoff, La Haye, 1961, surtout le chap. 5. Nous ne reprenons pas ici la distinction faite par GADAMER (*Vérité et Méthode*, Seuil, Paris, 1976) entre l'environnement (biologique, naturel) et le milieu (social et culturel).

3. La présente définition est inspirée de J. LADRIÈRE, « Monde », in *Encyclopædia Universalis*, vol. 11, 1971, col. 231-234.

4. La phénoménologie a d'ailleurs toujours insisté sur le fait que l'être-au-monde est toujours-déjà un être-avec-autrui. Dans une tout autre perspective, L. WITTGENSTEIN, *Investigations philosophiques*, Gallimard, Paris, 1961, a mis en lumière le lien entre ontologie et communication à l'aide de la notion de « jeu de langage ». A sa suite, J.-L. AUSTIN, *Quand dire c'est faire*, Seuil, Paris, 1970 et J. SEARLE, *les Actes de langage*, Hermann, Paris, 1972, ont développé une théorie des actes de langage qui articule très étroitement l'action et le langage. Sur la théorie de la référence dans la philosophie anglo-saxonne : J.-F. MALHERBE, *Epistémologies anglo-saxonnes*, PUF, Paris, 1981.

5. Le thème du projet est développé par J.-P. SARTRE (*l'Existentialisme est un humanisme*, Nagel, Paris, 1968) d'une façon non technique et extrêmement claire. Voir aussi, du même, un ouvrage plus technique : *l'Etre et le Néant*, Gallimard, Paris, 1943.

2. L'action

Dire que l'existence est projet, c'est dire qu'elle est marquée par la structure de l'action. Et, en effet, exister c'est agir. Mais qu'est-ce, au juste, que l'action ? Cette question, qui est l'une des plus fondamentales de la philosophie, a été formulée de la façon suivante par M. Blondel dans la préface d'un ouvrage resté célèbre : « Oui ou non, la vie humaine a-t-elle un sens, et l'homme a-t-il une destinée ? J'agis, mais sans même savoir ce qu'est l'action, sans avoir souhaité de vivre, sans connaître au juste ni qui je suis ni même si je suis [6] ». L'*action* est *cette tension dynamique qui porte l'être humain, tel qu'il est effectivement, vers ce qu'il veut être*. L'action, c'est l'existence en tant qu'elle est projet. C'est dire que l'action est rapport de l'être humain à la réalité. C'est l'action qui, dans la présence de l'être humain au monde, est véritablement cosmogonique, qui organise le *monde* d'une existence, qui met les choses « à leur place » dans la perspective d'une existence. L'action s'appuie sur la réalité pour la transformer ; c'est dans l'action et par elle qu'un monde change. L'action, qui est passage du vouloir être dans l'être effectif, est médiation et son déploiement implique non seulement l'appui des choses mais leur connaissance. L'action, en effet, suppose pour s'accomplir — c'est-à-dire pour tendre vers la coïncidence de l'existence effective avec l'existence voulue — une réflexion de l'expérience pré-réfléchie, un approfondissement méthodique de la connaissance intuitive du monde qu'elle constitue. Un monde, en effet, se donne toujours déjà à connaître comme fruit de la mise en perspective de la réalité par une existence.

3. L'interprétation

On aperçoit bien ici la circularité de l'action : elle suppose toujours ce qu'elle contribue à constituer. C'est que l'action, n'est pas une pure initiative ni une créativité absolue. Elle se déploie en découvrant et en reprenant à son propre compte le *monde* qu'elle transforme. L'action progresse en tirant toujours du neuf de l'ancien, en épousant son héritage pour le faire fructifier. C'est dire qu'il est vain de s'interroger sur l'antériorité de l'action ou du monde. Pas de monde sans mise en perspective et pas de mise en perspective sans action.

Le rapport au monde, qui est constitutif de l'existence comme de

---

6. L'analyse de la structure de l'action a été menée notamment par M. Blondel, *l'Action. Essai d'une critique de la vie et d'une science de la pratique* (1893), PUF, Paris, 1973. Pour un exposé introductif à la philosophie de M. Blondel, on consultera J. Lacroix, *Blondel*, PUF, Paris, 1963.

l'action, est donc finalement un rapport d'interprétation. D'une certaine façon, l'interprétation vient à l'être-au-monde comme le coup de crayon au dessinateur. En tant qu'elle est *cheminement d'un discours qui fait advenir un sens,* l'*interprétation* est une opération qui s'insère dans l'enchaînement de l'action. Interpréter c'est agir, et agir c'est interpréter, car agir c'est finalement poursuivre dans un monde à (dé-)chiffrer, une énigmatique *destinée*[7] d'homme. L'action requiert, dans son déploiement même, l'interprétation du monde et de l'existence. Le monde est toujours un monde ; le monde est toujours déjà interprété et l'existence, parce qu'elle est une mise en perspective, est fondamentalement interprétante.

C'est dire que toute connaissance, en tant qu'elle est connaissance d'un monde, est interprétation. L'interprétation, c'est l'être-au-monde de l'être humain. Etre au monde, c'est interpréter. L'action, l'existence et l'interprétation sont prises dans une même circularité car elles supposent toutes trois ce qu'elles constituent[8].

4. Le langage

Cette circularité est aussi celle du langage car le *langage* est précisément *la médiation de l'action et du monde,* l'opération par laquelle l'existence se projette en avant d'elle-même. Parler un langage, c'est habiter un monde. Parler un langage, c'est mettre un monde en mouvement de telle façon que ce monde se recueille, en quelque sorte au point à partir duquel il est mis en perspective, pour se

---

7. Par *destinée,* on entend ici l'*existence* en tant qu'elle se reconnaît ou se donne un sens, une finalité (immanente-réfléchie ou transcendante).

8. Sur le concept d'interprétation et l'herméneutique en général, on se reportera, du point de vue philosophique, à M. HEIDEGGER (cf. note 2); H.G. GADAMER, *Vérité et Méthode,* Seuil, Paris, 1976 et P. RICŒUR, *le Conflit des interprétations,* Seuil, Paris, 1969 et *Interpretation Theory, Discourse and The Surplus of Meaning,* The Texas Christian Univ. Press, Fort Worth, 1976 — malheureusement indisponible en français. Du point de vue théologique, R. MARLÉ, *le Problème théologique de l'interprétation,* éd. de l'Orante, Paris, 1968, 2e éd. revue et augmentée, donne une excellente introduction. On trouvera des développements plus techniques dans R. BULTMANN, *Foi et Compréhension,* Seuil, Paris, 1969 et 1970, 2 vol. dont A. MALET, *la Pensée de Rudolf Bultmann,* Labor et Fides, Genève, 1962 a donné une très fidèle étude d'ensemble ; R. MARLÉ, *Bultmann et l'interprétation du Nouveau Testament,* Aubier, Paris, 1966, est une étude plus particulière mais très solide. Les travaux de G. EBELING, *Hermeneutik,* in *Die Religion in Geschichte und Gegenwart,* Tübingen, 1959 et *Einführung in theologische Sprachlehre,* Mohr, Tübingen, 1971, s'inscrivent dans le prolongement des contributions de M. Heidegger et R. Bultmann. R. MARLÉ, *Parler de Dieu aujourd'hui, la théologie herméneutique de G. Ebeling,* Cerf, Paris, 1975, situe également d'une façon extrêmement nette l'intérêt des positions du théologien protestant.

dire à lui-même qui il est. Parler un langage, c'est interpréter le monde dans la perspective de son existence. L'interprétation est habitation du monde dans le langage et par lui.

C'est dans son corps que l'être humain habite le monde. Le corps, en effet, est la soudure du monde et du langage puisqu'il est lui-même à la fois monde et langage [9] : un corps sans expression de soi ne serait qu'une chose banale et une expression de soi qui ne prendrait pas corps un simple mirage. Le corps humain, étant à la fois mondain et langagier, est le lieu éminent où l'existence se donne un sens, le lieu privilégié où la destinée fait irruption dans le monde [10]. C'est pourquoi la corporéité, qui est de l'être humain la dimension mondaine, constitue, en un sens que l'on précisera, le lieu par excellence de la question de Dieu [11].

Mais le corps, étant du monde, n'est connaissable, même comme langage, que dans un langage. C'est pourquoi l'élucidation de toute connaissance pourra prendre la forme d'une analyse du langage tenu dans l'opération d'interprétation qui la constitue. En ce sens, l'épistémologie est toujours une interprétation d'interprétation. Toute connaissance est progression dans le déploiement du sens et s'inscrit, à ce titre, dans le mouvement de l'interprétation qui est « ce cheminement d'un discours qui, en se construisant, selon les exigences propres du concept, fait progressivement advenir, dans la concaténation même de ses moments et la systématicité de son architecture totale, un sens dans lequel se montre et se célèbre le fond même de la réalité [12] ». Déterminer en quoi consiste la connaissance de foi revient

---

9. Cf. P. GUIRAUD, *le Langage du corps,* PUF, Paris, 1980.

10. C. BRUAIRE, *Philosophie du corps,* Seuil, Paris, 1968 a donné un point de vue net et rigoureux sur ce thème. Cf. aussi à ce sujet les contributions de J. LADRIÈRE, *le Problème de l'âme et du corps dans la philosophie empiriste* et A. VERGOTE, « le Corps », dans le volume publié par L. MORREN, *la Signification du corps,* Louvain-la-Neuve, Cabay, 1981 qui contient également d'autres contributions dues notamment à R. Guelluy, S. Mansion et P. Watté ainsi que le point de vue de quelques scientifiques : physicien (G. Deutsch) ou neuro-physiologiste (M. Meulders). Du point de vue biblique, cf. l'ancienne mais toujours indispensable étude d'E. DHORME, « l'Emploi métaphorique des noms de partie du corps en hébreu et en akkadien », in *Etudes bibliques,* 1920-1923, reprise sous forme de livre : Lib. Orientaliste P. Geuthner, Paris, 1963 et celle, plus récente, de L. MONLOUBOU, *l'Imaginaire des psalmistes,* Cerf, Paris, 1980, qui s'attache à élucider le symbolisme qui vient du corps.

11. Dans un petit livre extrêmement suggestif, Y. LEDURE (*Si Dieu s'efface,* Desclée, Paris, 1975) a tenté, à partir de la thématique nietzschéenne, de dégager l'un des principes de l'athéisme contemporain et conclut à l'intérêt d'une étude de la corporéité comme lieu de l'affirmation de Dieu.

12. Cette définition est due à J. LADRIÈRE, *les Enjeux de la rationalité, le défi des sciences et des technologies aux cultures,* Aubier-Unesco, Paris, 1977, p. 33. La lecture de cet ouvrage, qui n'est ni théologique ni d'analyse du langage

donc, en définitive, à déterminer, dans un effort d'explicitation du langage de la foi, en quoi consiste l'existence du croyant c'est-à-dire son monde et tout en même temps son action.

5. La tradition

Chaque être humain habite son monde en parlant le langage de sa propre existence. Cependant, il n'y a pas de langage purement privé [13] ; il n'y a pas de langage que quelqu'un soit absolument seul à parler. C'est que tout langage est en quelque sorte communautaire. C'est par l'imitation d'autrui que l'on apprend son langage. On hérite un langage comme on hérite un patrimoine génétique. Mais, à la différence des gènes que l'on ne peut pas modifier chez l'être humain (du moins dans l'état actuel de la science), chacun en poursuivant son existence transforme son langage. C'est en ce sens, et en ce sens seulement qu'on peut dire avec A. Malraux : « La culture ne s'hérite pas, elle se conquiert », car, en fait, la culture comme le langage est à la fois un héritage et une conquête.

Cet aspect apparemment contradictoire de l'existence est une nouvelle figure de la circularité déjà mise au jour à propos de l'action et de l'interprétation. Cette circularité, en définitive, est celle de la tradition. La *tradition* nous porte mais elle n'est pas un pur conservatoire de dogmes élaborés, de résultats acquis ou de décisions prises par le passé ; elle est, selon le mot du P. Chenu, *un principe créateur d'intelligibilité, une source inépuisable de vie nouvelle* [14]. La tradition n'est pas seulement l'ancien dont on peut tirer du neuf, elle comporte des indications précieuses sur la manière de la mettre elle-même à contribution pour en tirer du neuf [15].

6. La culture

La tradition, en effet, est ce qui constitue pour un être humain une culture c'est-à-dire une conception du monde, une vision de

religieux est d'un très grand intérêt pour les théologiens car il propose de la société contemporaine une interprétation qui permet de situer très clairement, bien qu'indirectement, le défi lancé à la théologie par le développement des sciences et des techniques. On s'inspirera plus loin notamment du chapitre sur l'éthique.

13. Cf. à ce sujet L. WITTGENSTEIN (*op. cit.*, note 5) qui défend la thèse de l'impossibilité d'un langage privé, thèse que J. BOUVERESSE, *le Mythe de l'intériorité*, éd. de Minuit, Paris, 1976, commente et illustre abondamment.

14. Cf. M.-D. Chenu, *in J. Duquesne interroge le P. Chenu : Un théologien en liberté*, Centurion, Paris, 1975, p. 123.

15. On reviendra plus loin sur les implications théologiques de cette conception. Cf. *infra* III, 5 : La fidélité.

l'existence avec autrui et des tâches à assumer en commun, ainsi que l'expression d'une situation historique particulière. Une *culture,* c'est *un cadre qui modèle l'être humain et dans lequel, en relation à ses semblables, il construit sa destinée* : c'est un héritage qui lui appartient tout en ne dépendant pas de lui, un héritage qui l'ouvre à un horizon de possibilités qui sont les siennes mais qu'il n'a pas pu vouloir telles. Selon la métaphore de J. Ladrière, une culture, c'est un « enracinement ». C'est un lien invisible mais très étroit qui attache un être humain à ses prédécesseurs, à ses contemporains et à ses successeurs.

Appartenir à une culture, c'est s'enraciner dans une tradition particulière, c'est être invité à habiter le *monde* dans un certain langage. Comme on l'a dit, le « monde juif » n'est pas le « monde grec ». Accepter son héritage culturel c'est, dans une certaine mesure du moins, accepter d'être choisi pour poursuivre la tâche entreprise. Refuser la tradition qui le porte c'est, pour un être humain, « se déraciner » et tenter, bon an mal an, de se réimplanter ailleurs. Toute existence est ainsi pour une part ratification et pour une autre contestation. C'est qu'une tradition véritable ouvre autant d'horizons nouveaux qu'elle propose d'orientations déjà confortées par l'histoire. L'existence, parce qu'elle est projet, est finalement le lieu d'une libre et toujours fragile appropriation de la tradition.

Mais cette appropriation n'est pas une tâche solitaire. En effet, l'être humain ne devient lui-même que dans et par la communication avec son semblable. La création d'une culture est une entreprise collective dans laquelle les destinées individuelles sont toujours déjà solidaires [16]. Cette solidarité existentielle se marque d'ailleurs autant dans l'antagonisme des conflits que dans l'harmonie de la concorde. N'est-on pas, en effet, déterminé existentiellement autant par la haine que par l'amitié [17] ?

7. L'éthique

C'est pourquoi l'existence requiert l'exigence éthique qui la constitue en destinée. Il y a un effort éthique qui se poursuit à travers l'histoire par la conjugaison des destinées individuelles et vers elle. L'éthique n'est pas un impératif traduisible immédiatement en principes concrets. Elle est déterminée davantage par ce vers quoi elle tend que par ce d'où elle vient. Elle fonctionne de façon téléologique

---

16. Sur les aspects individuels et structurels de la pratique sociale : M. Crozier et E. Friedberg, *l'Acteur et le Système,* Seuil, Paris, 1977.

17. Cf. à ce sujet les remarques suggestives de R. Girard, *la Violence et le Sacré,* Grasset, Paris, 1972 et *Des choses cachées depuis la fondation du monde,* Grasset, Paris, 1978.

précisément parce qu'elle est à la fois une exigence à l'égard de l'action et une exigence de l'action.

L'*éthique* est l'inscription au cœur de chaque action véritablement humaine d'une tension qui marque en elle une volonté immanente d'auto-réalisation, une affirmation d'autonomie, une exigence de liberté. « Il faut donc qu'intervienne, au cœur de l'action, une véritable invention éthique. Les traditions ne représentent en fait que la mise en formules de ce qui, à un moment donné, a dû constituer un effort créateur [18]. » Mais ces formulations ne sont elles-mêmes que des indications destinées à soutenir les individus dans leurs prises de position éthiques ; elles ne valent donc que dans la mesure où elles peuvent être réassumées dans un acte authentiquement instaurateur. C'est parce que le monde (qui comprend aussi la société) est déjà livré par la tradition à l'action dont il est le fruit, qu'il est toujours à construire pour l'avenir. Et puisqu'il n'y a pas de transformation du monde sans connaissance du monde, on s'aperçoit que *connaissance et éthique, par la médiation du langage que l'action se tient à elle-même, s'articulent l'une à l'autre dans la dimension de l'interprétation.*

Comment, en effet, pourrait-il y avoir une interprétation du monde qui ne soit pas liée à une interprétation de l'existence, un monde qui ne soit pas lié à une destinée et vice versa ? C'est dire que le registre de l'action est tout à la fois celui de la connaissance et celui de l'éthique. La connaissance comme l'éthique sont les fruits de l'action qui est, du plus profond de son exigence fondamentale, éminemment créatrice. La création cognitive consiste à découvrir et construire de nouveaux mondes ; et l'invention de valeurs à reconnaître l'exigence éthique telle qu'elle se manifeste dans l'objectivité des situations concrètes que traverse une existence (c'est-à-dire à interpréter ces situations du point de vue de la destinée) bien plus qu'à projeter sur celles-ci des jugements pré-établis.

Bref, connaître un monde, c'est l'habiter, y vivre sa destinée. Mais les destinées ne sont jamais identiques et chacune d'elles est marquée par différentes interrogations, différentes préoccupations à l'égard du monde. L'interprétation est un champ multidimensionnel et l'on est en droit de se demander, d'un point de vue épistémologique, en quoi l'interprétation croyante de la réalité (qui est du monde la connaissance de foi) se distingue d'autres interprétations de la réalité, en quoi consiste au juste le monde du croyant ?

---

18. J. Ladrière, *op. cit.*, p. 142.

II. HABITER LE MONDE DE DIEU AU CŒUR DU MONDE DE L'HOMME

Le monde du croyant est-il le même que le monde du savant par exemple ? Oui et non, dira-t-on après avoir précisé le mode d'habitation scientifique du monde.

1. Le monde du savant

La science est une interprétation de la réalité caractérisée par un mouvement particulier, une intentionnalité propre [19]. Le monde du savant n'est pas le monde de l'homme de la rue. Comme on l'a indiqué ci-dessus, c'est la structure projective de l'existence qui opère le passage du particulier à l'universel, en permettant de dépasser le caractère individuel des choses pour les organiser en ce réseau d'interprétation qu'est un monde. Le projet d'une interprétation scientifique du monde s'enracine dans la structure fondamentale de l'existence. La science naît en effet de la contradiction entre le désordre (apparent) des phénomènes naturels et le désir d'ordre et de systématisation de l'être-au-monde. Le travail scientifique consiste dès lors à mettre des liens entre ce qui semble ne pas en avoir. Une pierre qui tombe à terre et un ballon gonflé qui monte vers le ciel obéissent aux mêmes lois naturelles [20]. Tel qu'il apparaît aujourd'hui, le monde de la science est profondément différent de l'interprétation que l'on se donnait de la réalité il y a un siècle à peine [21]. La réalité n'est plus interprétée aujourd'hui par les savants comme « une étoffe tissée de fils durables et résistants entrelacés » qui constituerait la matière, mais

19. En écrivant « *la* science », on commet un abus de langage car en fait il y a de multiples sciences. On voudra donc considérer ce singulier comme un raccourci n'impliquant nullement l'identité du monde du physicien ou du biologiste avec le monde du psychologue ou de l'économiste.

20. En effet, le « plus lourd que l'air » et le « moins lourd que l'air » obéissent à la même loi physique : tout corps plongé dans un fluide subit, de bas en haut, une pression égale au poids du fluide déplacé. Sur la méthode scientifique, on consultera K. POPPER, *la Logique de la découverte scientifique*, Payot, Paris, 1973 ; M. BUNGE, *Scientific Research*, vol. 1. *The Search for System ;* vol. 2. *The Search for Truth*, Springer Verlag, New York, 1967 ; N. RESCHER, *Cognitive Systematization, A Systems-theoretic Approach to A Coherentist Theory of Knowledge*, Blackwell, Oxford, 1979 ou, à défaut, J.-F. MALHERBE, *la Philosophie de Karl Popper et le positivisme logique*, 2e éd. revue et corrigée, PUF, Paris, 1979, préface de J. Ladrière.

21. Pour une conception classique de la physique dans la perspective du conventionalisme : P. DUHEM, *la Théorie physique, son objet, sa structure*, Librairie Marcel Rivière, Paris, 1906.

comme « un flux de transitions et de passages successifs composant un immense processus[22] ». C'est la notion d'événement qui est désormais considérée comme première et non plus celle de substance. Car les phénomènes naturels dont la science classique tentait de rendre compte à l'aide de la notion de substance[23], ne sont finalement que des effets d'invariance locaux et momentanés produits dans le flux des transformations incessantes de la réalité. *Le monde du savant n'est plus un ordre immuable reproduisant invariablement les mêmes configurations mais un milieu d'autostructuration édifiant ses propres architectures à partir d'un flux perprétuel d'interactions.* Le monde du savant, c'est la réalité interprétée comme émergence c'est-à-dire comme auto-organisation de plus en plus complexe. Et l'interprétation scientifique de l'être humain par le savant fait de celui-ci non plus un spectateur mais un élément de ce monde[24].

Par l'action assumée dans la liberté d'une destinée, l'être humain prolonge, pour ainsi dire, le mouvement spontané de la cosmogenèse. Du point de vue scientifique, dans la perspective duquel la liberté de l'être humain serait une hypothèse ruineuse, et particulièrement du point de vue de la biologie, l'on pourrait en effet considérer que les réalisations technologiques de l'être humain sont les fruits de l'évolution. Mais du point de vue philosophique, qui est celui de l'existence s'interrogeant sur son propre sens, et dont la liberté de l'être humain est l'hypothèse constitutive, ces fruits sont voulus, et non pas seulement nécessaires ; et ils sont voulus par l'être humain,

---

22. A. N. Whitehead a été sans doute le premier philosophe à élaborer une cosmologie tenant compte de cette mutation scientifique (*Process and Reality. An Essay in Cosmology,* The Free Press, New York, 1972 ; la première édition est de 1929) dont se sont fait l'écho nombre d'hommes de science : N. Bohr, *Physique atomique et Connaissance humaine,* Gonthier, Paris, 1961 ; W. Heisenberg, *la Nature dans la physique contemporaine,* Gallimard, Paris, 1962 ; A. Einstein et L. Infeld, *l'Evolution des idées en physique,* Flammarion, Paris, 1938 et, plus récemment, du côté des sciences de la vie : H. Atlan, *Entre le cristal et la fumée, essai sur l'organisation du vivant,* Seuil, Paris, 1979 ; T. Dobzhansky, *Génétique du processus évolutif,* Flammarion, Paris, 1977 ; A. Danchin, *Ordre et Dynamisme du vivant, Chemins de la biologie moléculaire,* Seuil, Paris, 1978 ; F. Jacob, *la Logique du vivant, Une histoire de l'hérédité,* Gallimard, Paris, 1970 et J. Monod, *le Hasard et la Nécessité. Essai sur la philosophie naturelle de la biologie moderne,* Seuil, Paris, 1970. Pour introduire à la pensée de Whitehead, qui est souvent difficile : A. Parmentier, *la Philosophie de Whitehead et le Problème de Dieu,* Beauchesne, Paris, 1968.

23. Cf. entre autres Descartes, *Œuvres et Lettres,* La Pléiade, Gallimard, Paris, 1953.

24. Cf. à ce sujet les belles pages de J. Ladrière, « Anthropologie et Cosmologie », in *Etudes d'anthropologie philosophique,* Vrin, Paris, 1980.

élément du cosmos en «procès». L'action est créatrice; mais, précisément parce qu'elle est libre — dans une certaine mesure du moins —, elle amplifie en fait l'indétermination qu'elle était censée combler dans les processus de la cosmogenèse. En l'action de l'être humain s'éveille et se recueille l'immanence d'une dérive qui, se réfléchissant en quelque sorte en elle-même, tente de prendre en main son avenir. Mais, en même temps qu'il ouvre un horizon indéfini de maîtrise de la vie sociale comme de la vie biologique, le développement des sciences et des techniques fait surgir un questionnement à l'égard duquel il reste impuissant.

2. Le monde du philosophe

«Pourquoi suis-je au monde?», «Quelle est ma destinée (si tant est que j'en aie une)?» L'absurde, disait A. Camus, naît de la confrontation des questions de l'homme et du silence du monde[25]. Le propre de l'action humaine qui est interprétation, c'est de faire passer la finalité immanente du monde de l'implicite à l'explicite. Il ne s'agit pas seulement pour l'être humain, en effet, de mettre de l'ordre dans le désordre apparent qui l'entoure, mais encore de dire quel est le sens de cet ordre. Il y a dans le monde du savant, qui est aussi le monde du technicien, ainsi d'ailleurs que dans le monde ordinaire de la vie quotidienne ou dans le monde de l'art, comme une béance, comme une insaturation, comme une incomplétude qui marquent une requête profonde de ce monde à l'égard d'une intepprétation méta-scientifique (métaphysique) de la réalité. Avec l'action, la question de la destinée fait irruption dans le monde.

C'est ici que s'enracinent certaines tentatives philosophiques dont on s'inspire dans le présent chapitre. Chacune d'elles donne de la réalité (y compris la destinée individuelle et collective de l'homme) une *interprétation* qui crée un monde nouveau. Le travail philosophique peut consister, en effet, à élaborer un schème conceptuel (un langage spéculatif)[26] dans lequel l'être humain puisse penser son être-au-monde de façon éclairante c'est-à-dire de manière à mettre en lumière les véritables enjeux notamment éthiques de son existence. Le monde du philosophe est donc en quelque sorte identique au monde du savant ou du technicien (c'est de ce monde qu'il s'agit de dire le sens) et différent de ce monde (le monde du savant, envisagé du point de vue de son rapport à la destinée humaine n'est plus vraiment le monde du savant). *Le monde du philosophe assume le monde du savant,*

---

25. Cf. A. CAMUS, *le Mythe de Sisyphe,* Gallimard, Paris, 1942.
26. J. LADRIÈRE, «Langage scientifique et langage spéculatif», in *Revue philos. de Louvain,* 1971, pp. 92-132 et 241-267.

qui est un monde d'évolution et de lutte pour la vie, tant au plan biologique qu'au plan social, au cœur même d'une destinée. C'est dire que la philosophie n'est pas une science mais qu'elle ne peut se faire sans la science car c'est de cette dernière qu'elle recueille certaines des questions les plus radicales qui la mettent en mouvement.

3. La question de Dieu

Mais la destinée, l'interprétation du sens de l'existence de l'être humain, en tant qu'elle fait apparaître dans l'action la tension entre l'être voulu et l'être effectif, suscite la question de Dieu. Non pas évidemment l'affirmation de Dieu mais la question d'une espérance fondée sur une transcendance. « Que m'est-il permis d'espérer ? », demandait I. Kant[27]. L'espérance de l'être humain doit-elle être contenue dans les limites du monde de la science jugées toujours trop étroites par la volonté ? *Est-il permis à l'être humain d'espérer être autre chose que le simple porte parole de l'interprétation que le cosmos, par le truchement d'un de ses éléments, se donne de lui-même ?* Cette interrogation mille fois réprimée par un certain scientisme[28] se formule inlassablement au cœur de l'être humain. Dans la culture judéo-chrétienne qui est aujourd'hui l'héritage de l'Occident, cette question a pris la forme d'une interrogation sur le salut de l'homme dans une alliance avec un Dieu caché qui se révèle dans l'histoire[29]. L'humanisme athée, précisément parce qu'il est a-thée, n'échappe pas à la question de Dieu[30]. Et le croyant, qui reconnaît que ce salut lui est offert, accepte de placer son existence sous le signe de l'alliance avec Dieu et, par un travail qui est celui d'une conversion quotidienne de soi et de son regard, se destine au monde de Dieu. La destinée humaine est toujours grosse de la question de Dieu, même si l'être humain y répond négativement.

---

27. I. KANT, *Critique de la raison pure* (1781), PUF, Paris, div. éd.
28. Cf. J.-F. MALHERBE, « Athéisme scientiste et métaphysique de la représentation », *RTL*, 1982, 1. D'un point de vue strictement athée : H. MARCUSE, *l'Homme unidimensionnel*, éd. de Minuit, Paris, 1968.
29. Cf. notamment G. von RAD, *Théologie de l'Ancien Testament*, 2 vol. Labor et Fides, Genève, 1963 et J. L'HOUR, *la Morale de l'alliance*, Gabalda, Paris, 1966.
30. Cf. notamment K. Marx, F. Nietzsche et S. Freud qu'on a pu appeler les « maîtres du soupçon » et qui, chacun à sa manière, se débattent avec la question de Dieu. Cf. aussi E. BLOCH, *le Principe Espérance*, Gallimard, Paris, 1976 dont s'est inspiré J. MOLTMANN, *Théologie de l'espérance*, Cerf-Mame, Paris, 1970. Dans un tout autre sens, E. LÉVINAS, *Totalité et Infini*, M. Nijhoff, La Haye, 1968, montre également que la question de Dieu est toujours-déjà impliquée dans la question du rapport de l'être humain à son semblable.

Mais avant d'envisager plus explicitement en quoi le monde de Dieu est à la fois identique aux mondes du savant et du philosophe et différent d'eux, une remarque s'impose au sujet de ce qu'on a appelé « le conflit des interprétations » (P. Ricœur).

4. Du conflit des interprétations à l'articulation du sens

Dans la culture occidentale, l'interprétation scientifique du monde s'est développée historiquement après l'interprétation religieuse. Et, en général, le développement des sciences, à une époque où certains ont pu croire qu'elles apporteraient le salut à l'humanité [31], a été perçu par les grands systèmes religieux, et par le catholicisme en particulier, comme une menace. Il suffit de penser à l'« affaire Galilée » [32] ou, plus récemment, à l'encyclique *Humani generis* [33] pour le constater. La question qui se posait alors était celle de la compatibilité des données de la science et de la révélation. Aujourd'hui, la rapport science-foi ne se pose plus guère dans ces termes. Mais la problématique actuelle est le fruit d'une évolution épistémologique que l'on pourrait décrire en trois étapes.

Il y a d'abord une phase de refus : dans la mesure où une affirmation de la science paraît contredire une proposition théologique bien établie, elle est ressentie comme une menace et purement et simplement rejetée comme absurde ; elle est inassimilable par l'interprétation religieuse du monde. Mais, au fur et à mesure que l'autorité du discours religieux est mise en cause, s'affirme une phase de critique et de distinction des domaines : l'épistémologie tente alors non plus de démontrer la compatibilité de telle affirmation scientifique avec le donné révélé (en quoi consistait le travail d'une certaine apologétique [34]), mais de spécifier différents domaines de vérité autonomes [35]. La théologie se voit ainsi assigner un champ de

31. Cf. A. Comte, *Leçons de philosophie positive*, 2 vol., Hermann, Paris, 1975, surtout les *Leçons* 53 à 55.

32. Cf. à ce sujet E. Namer, *l'Affaire Galilée*, Archives, Gallimard-Julliard, Paris, 1975.

33. Pie XII, *Encyclique « Humani generis » sur certaines opinions qui menacent de ruiner les fondements de la doctrine catholique*, septembre 1950, Office général du Livre, Paris 1950.

34. Cf. p. exemple le manuel de M. Brillant et M. Nédoncelle, *Apologétique. Nos raisons de croire. Réponses aux objections*, Bloud et Gay, Paris, 1939, qui contient notamment des considérations intéressantes sur l'affaire Galilée dues à J. Vieujean : « la Condamnation de Galilée », in « les Difficultés tirées de l'histoire de l'Eglise », pp. 1297-1302.

35. K. Rahner, *Science, Evolution et Pensée chrétienne*, Desclée De Brouwer, Paris, 1967, s'inscrit assez bien dans cette perspective.

pertinence qui n'empiète pas sur celui des sciences, le domaine de ces dernières étant étroitement circonscrit par la nature de la méthode scientifique elle-même.

Mais cette distinction des domaines, finalement, aboutit à une irréductible dualité dans laquelle il devient très difficile d'élaborer par exemple une théologie de la création ou une théologie de l'histoire qui aient quelque pertinence aux yeux des savants d'aujourd'hui[36]. C'est pourquoi on assiste alors à une troisième phase dans laquelle on tente de reconstituer l'unité d'une vision soit en réduisant toute affirmation religieuse à des causes qui relèvent purement et simplement de l'objectivité scientifique (c'est le réductionisme scientiste[37]), soit en élaborant des sytèmes spéculatifs capables d'intégrer, plus ou moins heureusement à vrai dire, l'essentiel des connaissances scientifiques

---

36. On trouvera un intéressant essai de théologie de la création dans P. SCHOONENBERG, *le Monde de Dieu en devenir*, Centurion, Paris, 1967 et *Alliance et Création*, Mame, Paris, 1970. Voir aussi à ce sujet les tentatives de la « Process Theology » inspirée précisément par les travaux de Whitehead ; J.B. COBB et D.R. GRIFFIN, *Process Theology, An Introductory Exposition*, The Westminster Press, Philadelphia, 1976 est une bonne introduction qui contient une bibliographie ; en français, on pourra lire J. VAN DER VEKEN, *Dieu et la Réalité. Introduction à la « Process Theology »*, *RTL*, 1977, pp. 423-47. Dans la ligne de l'analyse du langage inaugurée par L. WITTGENSTEIN (cf. n. 5), dont on trouvera une application générale au langage religieux dans F. FERRÉ, *Le langage religieux a-t-il un sens ?*, Cerf, Paris, 1970, on consultera avec profit l'ouvrage de D. EVANS, *The Logic of Self-Involvement, A Philosophical Study of Every-day Language with Special Reference to The Christian Use of Language about God as Creator*, SCM Press, Londres, 1963, dont J. LADRIÈRE a donné une présentation en français : *l'Articulation du sens. Discours scientifique et parole de la foi*, Aubier, etc. Paris, 1970, chap. 4.

Pour la théologie de l'histoire, il est significatif, comme le remarque I. BERTEN (« Qu'est-ce que l'histoire du salut ? », in *la Foi et le Temps*, 1, 1971, n° 5, p. 478) que le *Dictionnaire de théologie catholique* n'ait d'entrée ni à « histoire », ni à « salut », ni à « histoire du salut ». On trouvera cependant des élaborations intéressantes dans I. BERTEN, *Histoire, Révélation et Foi, dialogue avec W. Pannenberg*, CEP, Bruxelles 1969 ; O. CULLMANN ; *le Salut dans l'histoire*, Delachaux et Niestlé, Neuchâtel, 1966 ; J. DANIÉLOU, *Essai sur le mystère de l'histoire*, Seuil, Paris, 1953 ; W. PANNENBERG, *Offenbarung als Geschichte*, Göttingen, 1961 et H. URS von BALTHASAR, *Théologie de l'histoire*, Fayard, Paris, 1970.

37. Le réductionnisme scientiste s'est développé, en épistémologie, à la suite d'une mésinterprétation du premier livre de L. WITTGENSTEIN, *Tractatus logico-philosophicus*, Gallimard, Paris, 1961, par les membres du Cercle de Vienne. Cf. à ce sujet J.-F. MALHERBE, « le Scientisme du Cercle de Vienne », *Revue philosophique de Louvain*, 1974, pp. 562-573 et « Interprétations en conflit à propos du "Traité" de Wittgenstein », *ibid.*, 1978, pp. 180-204.

sous une interprétation d'ensemble portée par la foi [38]. C'est d'ailleurs dans le cadre d'un tel type d'interprétation que voudrait s'inscrire le propos de ce chapitre qui s'inspire largement des travaux de J. Ladrière [39]. C'est, en effet, à une véritable « articulation du sens » que peut mener la dynamique du « conflit des interprétations ».

5. Le monde du croyant

Mais, dans cette perspective, quel monde le croyant ou l'homme religieux habite-t-il ? Pour l'homme religieux, la question sur Dieu est, à proprement parler, la trace d'une question de Dieu lui-même. La question que se pose l'être humain de savoir si Dieu existe et qui Il est, est pour le croyant déjà une question qui lui est adressée par Dieu lui-même. La foi suppose la foi car en fait le croyant est toujours déjà un être qui « espère avoir la foi ». Selon l'admirable formule de saint Jean, le croyant « est du monde sans être du monde ». Autrement dit : le croyant habite le monde de Dieu au sein du monde de l'homme ; il est ainsi totalement du monde de l'homme tout en étant intégralement requis par l'exigence du monde de Dieu. En tant qu'elle est un *acte,* la foi appartient à l'existence de l'être-au-monde ; mais en tant qu'elle est un *acte-de-foi* [40], elle transcende cette existence en l'assumant au sein d'une autre interprétation de la réalité : le monde de Dieu. La connaissance de foi est donc, en définitive, la connaissance du monde de l'homme comme monde de Dieu.

6. La connaissance de foi

En tant qu'elle est un acte, la foi est d'abord une *expérience* du monde de Dieu. Celle-ci s'instaure dans toutes les dimensions de l'existence humaine : la vie mystique et spirituelle, la vie liturgique, l'engagement, l'exigence éthique, la recherche spéculative (scientifique, philosophique ou théologique), le témoignage, le travail, etc. [41],

---

38. C'est dans une telle perspective que semble s'être situé P. TEILHARD de CHARDIN, *le Phénomène humain,* Seuil, Paris, 1955.

39. En plus des ouvrages et articles cités dans les autres notes, on se reportera notamment à J. LADRIÈRE, *la Science, le Monde et la Foi,* Casterman, Tournai, 1972 et *Vie sociale et destinée,* Duculot, Gembloux, 1973.

40. Sur ce thème, cf. la somme de R. AUBERT, *le Problème de l'acte de foi. Données traditionnelles et résultats des controverses récentes,* Publications universitaires, Louvain, 1950.

41. Ces différents aspects de l'expérience religieuse ont été analysés, du point de vue de la philosophie des actes de langage, par J. LADRIÈRE, « la Performativité du langage liturgique », in *Concilium,* n° 82, 1973, pp. 53-64 ; « Langage théologique et philosophie analytique », in *le Sacré,* Aubier, Paris,

sont là les lieux véritables de l'expérience du monde de Dieu où se forme l'authentique connaissance de foi. Celle-ci, comme on l'a dit, consiste en effet, à connaître le monde de l'homme comme monde de Dieu.

Habiter en croyant le monde de l'homme, c'est le connaître comme création d'un Dieu tout puissant. C'est connaître l'homme Jésus comme Fils de Dieu, comme Christ de Dieu, comme incarnation de Dieu, comme parole de Dieu faite chair, comme prophète de la logique de Dieu (qui est celle des paraboles, du sermon sur la montagne[42] et de l'amour des ennemis[43]), comme révélateur (dénonciateur) de la logique des hommes (qui est celle du talion). C'est connaître la logique des hommes comme assassine du Fils de Dieu; c'est connaître la mort de Jésus comme résurrection, comme victoire de la vie sur la mort; c'est connaître l'histoire des hommes comme histoire d'une alliance de salut; c'est connaître le monde humain comme promesse du Royaume de Dieu scellée par la vie nouvelle; c'est connaître l'exigence éthique fondamentale comme exigence de la logique de Dieu. C'est connaître l'existence humaine comme habitée de la vie de l'Esprit : c'est connaître le rassemblement humain des croyants comme vie de l'Esprit dans l'Eglise, comme corps de Christ, comme sacrement de l'histoire; c'est connaître l'Eglise comme préfiguration du Royaume de Dieu, tendue entre son être effectif, souvent misérable, et son vouloir être dont l'ambition est à la hauteur de l'exigence divine. C'est connaître le mal comme extranéité du monde de l'homme dans le monde de Dieu; c'est connaître la faute morale comme péché et la réconciliation comme pardon de Dieu en même temps que comme exigence éthique. C'est se connaître comme enfant aimé de Dieu. C'est connaître la non-violence (qui est cassure de la logique des représailles) comme exigence de Dieu; c'est connaître l'existence humaine comme promise à la vie éternelle. Connaître de foi, c'est habiter le monde de Dieu au cœur du monde de l'homme[44].

1974; «le Langage théologique et le Discours de la représentation», in *Miscellanea A. Dondeyne,* Leuven Univ. Press, Louvain, 1974; «le Discours théologique et le symbole», *RSR*, 1975, XLIX, pp. 485-493; «Langage des spirituels», in *Dictionnaire de théologie ascétique et mystique,* tome IX, col. 204-217, Beauchesne, Paris, 1975; «Penser la création», in *Communio,* 1976, I, n° 3, pp. 53-63; «la Performativité du récit évangélique», in *Humanités chrétiennes,* 1977, XX, pp. 322-337; «les Aspects performatifs d'un texte évangélique», in A. Descamps et alii, *Genèse et Structure d'un texte du Nouveau Testament,* Cerf, Paris, 1981.

42. Mt 5, 1-12; Lc 6, 20-23.

43. Lc 6, 27-35.

44. C'est connaître le monde de l'homme dans le *Credo.* On trouvera d'excellentes présentations du symbole des apôtres dans H. de Lubac, *la Foi*

7. La théologie

Mais la connaissance de foi en tant qu'elle est d'abord expérience, n'est jamais de prime abord directement communicable. Certains pensent même qu'elle est ineffable[45] et, d'un certain point de vue, ils n'ont pas tort. L'expérience , en effet, est toujours particulière et, à ce titre, si elle vient au langage, c'est sous forme de témoignage. Or, on l'a vu, l'être humain porte en lui une exigence d'universalité. C'est pourquoi le langage de l'expérience de foi, qui est le véritable langage de la connaissance de foi, demande à être dépassé et repris dans une perspective d'ensemble en quoi consiste l'interprétation théologique de la réalité.

Mais le croyant ne dispose pas d'emblée d'un langage approprié à l'expression de cette reprise rationnelle de la foi. C'est pourquoi il cherchera son inspiration dans sa culture scientifique et philosophique et dans l'héritage que lui lègue la tradition religieuse dans laquelle il s'inscrit[46]. Mais la philosophie et la science en peuvent pas, du moins directement, fournir à la théologie le langage spéculatif dont elle a besoin. C'est pourquoi le théologien doit créer son propre langage en prenant son bien où il le trouve, en se livrant, à l'égard des langages scientifiques et philosophiques, à une véritable exploitation et en leur empruntant des termes, des phrases, des contrastes, voire même des architectures conceptuelles[47]. Il utilisera tous ces éléments d'emprunt pour construire son propre langage destiné à faire connaître le monde de l'homme dont parlent la science et la philosophie, comme monde de Dieu.

L'art du théologien, et en cela il est très proche du philosophe et du

---

chrétienne, Aubier, Paris, 1970 ; W. PANNENBERG, *la Foi des Apôtres,* Cerf, Paris, 1974 ; J. RATZINGER, *Foi chrétienne hier et aujourd'hui,* Mame, Paris, 1969 ; et d'autres.

45. C'est le cas des défenseurs de la théologie négative illustrée notamment par Maître Eckhart. Cf. à ce sujet J. ANCELET-HUSTACHE, *Maître Eckhart et la Mystique rhénane,* Seuil, Paris, 1956 et V. LOSSKY, *Théologie négative et Connaissance de Dieu chez Maître Eckhart,* Vrin, Paris, 1960, et les œuvres d'Eckhart lui-même (en français : les *Traités,* Seuil, Paris, 1971 et les *Sermons,* Seuil, Paris, 3 vol. 1974, 1978 et 1979 dans l'admirable traduction de J. ANCELET-HUSTACHE).

46. Cf. E. SCHILLEBEECKX, *Geloofverstaan, interpretatie en kritiek,* Nelissen, Bloemendaal, 1972. On trouvera les positions générales de Schillebeeckx sur la théologie dans *Révélation et Théologie,* CEP, Bruxelles, 1965. D'autres conceptions de la théologie dans Y. CONGAR, « Théologie », in *Dictionnaire de théologie catholique,* vol. 15, col. 341-502 ; M.-D. CHENU, *la Théologie est-elle une science ?* Fayard, Paris, 1957 ; A. MANARANCHE, *les Raisons de l'espérance,* Fayard, Paris, 1979, etc.

savant, *consiste à disposer ses phrases et ses mots de façon à faire apparaître un réseau de significations capable de substituer à la vacillante certitude de l'expérience de foi la rigueur objective du monde de la foi.* Mais, ce faisant, le théologien, à la suite d'ailleurs du philosophe et du savant dont il exploite les trouvailles, opère au sein du langage qu'il hérite des transmutations sémantiques qui, tirant du neuf de l'ancien, dessinent à la longue une interprétation globale et cohérente de l'existence humaine connue comme *destinée* divine. La théologie, en définitive, ne peut construire son langage propre qu'en prenant appui d'une part sur tout ce que le langage humain peut lui fournir et, d'autre part, sur ce qui fait sa présupposition fondamentale, à savoir la compréhension qu'elle peut avoir, dans la foi, de l'avènement du salut de Dieu.

Mais on s'aperçoit ainsi que, précisément parce qu'elle ne peut qu'exploiter le langage humain, la théologie ne peut se déployer que dans le registre de la métaphore [48] et qu'à strictement parler, il n'y a pas de science du monde de Dieu. La théologie, toujours en butte à l'ineffable, ne peut en définitive que s'effacer devant Celui dont elle aimerait tant parler. C'est en poète que l'être humain habite le monde humain. C'est en poète que le croyant, et a fortiori le théologien qui tente de maîtriser rationnellement son propre discours, habite le monde de Dieu : en le disant, et en s'effaçant sans cesse devant lui, il contribue à son avènement [49]. Mais jamais le monde du croyant, ni celui du théologien, ne peuvent coïncider avec le véritable monde de Dieu. Sinon, le croyant serait Dieu. C'est pourquoi, s'agissant du véritable

---

47. Cf. les articles de J. LADRIÈRE sur la théologie cités n. 46.

48. Sur la métaphore dans la ligne de l'analyse du langage, cf. J. LADRIÈRE, *Langage des spirituels*, cf. n. 46, qui utilise notamment les recherches de W. QUINE, *le Mot et la Chose*, Flammarion, Paris, 1978 ; pour une présentation générale des recherches de W. Quine, voir J.-F. MALHERBE, « Epistémologie, logique et ontologie, une mise en perspective des thèses de Quine », *Revue philosophique de Louvain*, 1978, pp. 371-385 ; pour une étude du statut de la métaphore dans la perspective de L. WITTGENSTEIN, voir P.J. WELSCH, « Métaphore et jeux de langage », in J.-F. MALHERBE, *Philosophie et langage ordinaire chez le « second » Wittgenstein*, Publications de l'Institut de linguistique, Louvain-la-Neuve, 1981. Le recueil de P. RICŒUR, *la Métaphore vive*, Seuil, Paris, 1975, constitue une étape importante dans la réflexion sur la créativité du langage et la métaphore ; voir aussi M. LE GUERN, *Sémantique de la métaphore et de la métonymie*, Larousse, Paris, 1973. Sur les rapports entre philosophie et théologie, voir A. GESCHÉ, « la Médiation philosophique en théologie », in *Miscellanea A. Dondeyne*, Leuven Univ. Press, Louvain, 1972, et aussi le point de vue original de M. HEIDEGGER, « Théologie et philosophie », in M. HEIDEGGER et E. CASSIRER : *Débat sur le kantisme et la philosophie*, Beauchesne, Paris, 1972, pp. 101-131.

49. Cf. H. COHEN, *la Structure du langage poétique*, Flammarion, Paris, 1966.

monde de Dieu, on parlera désormais, métaphoriquement, du *Royaume de Dieu.*

III. « CELUI QUI N'AIME PAS NE CONNAÎT PAS DIEU » (1 Jn 4, 7)

Si un monde est une mise en perspective, une interprétation de la réalité, il s'ensuit que connaître un monde, faire venir une interprétation au langage, c'est transformer cette mise en perspective, c'est l'affiner, la compléter, la parfaire. Et si la connaissance croyante du monde de l'homme consiste à l'habiter comme monde de Dieu, il s'ensuit qu'avoir du monde de l'homme une connaissance de foi c'est tout en même temps être de ce monde un agent transformateur. Un croyant qui laisserait le monde de l'homme en l'état serait un croyant stérile c'est-à-dire tout le contraire d'un croyant. Cependant, de même qu'il y a mille interprétations du monde, il y a mille façons de le transformer et l'on est en droit de s'interroger sur la nature exacte d'une transformation croyante du monde.

1. Le lieu de la vérité

Connaître c'est déjà agir. Et connaître sans agir n'est pas connaître car toute connaissance, on l'a vu, est un moment de l'action et il n'y a pas d'action véritablement humaine sans connaissance. En définitive, l'action est à la fois la source et le but de la connaissance. Et cela vaut tout aussi bien pour les sciences que pour la philosophie ou la théologie comme d'ailleurs pour toute autre interprétation [50]. Mais il est autant de modalités de vérification, de manières de transformer le monde avec succès, qu'il y a d'interprétations. C'est pourquoi, s'agissant de la connaissance de foi, il s'indique, comme on a tenté de le faire pour son aspect spéculatif, de préciser la spécificité de l'aspect praxéologique de cette connaissance.

---

50. De ce point de vue, la XIe thèse sur Feuerbach de K. MARX, « Les philosophiques n'ont fait qu'interpréter le monde de différentes manières ; il s'agit de le transformer » apparaît comme un sophisme qui ne peut avoir de sens que dans le cadre d'une interprétation réductrice du monde et de l'action.

2. La vérification

Il n'y a pas, en effet, d'interprétation authentique qui soit indifférente à la question de sa vérité[51]. Mais l'exigence de vérification prend des formes différentes selon le type des interprétations auxquelles elle s'applique. Dans les sciences, il s'agira essentiellement d'une démarche anticipatrice qui tentera, par la médiation de systèmes technologiques appropriés de prévoir de nouvelles manifestations de la logique qu'elles supposent dans la réalité. C'est dire que les sciences sont en définitive ordonnées à un intérêt de *maîtrise de la nature*. En philosophie, la vérification s'effectue dans l'existence du philosophe qui atteint dans la clarté ce qu'on a pu appeler le « consentement à l'être »[52]. Car, s'il est vrai, comme le voulait Whitehead, que la philosophie est « un effort pour constituer un système cohérent, logique, nécessaire d'idées générales dans les termes desquelles tout élément de notre expérience puisse être interprété »[53], il s'ensuit que cet effort ne sera couronné de succès que s'il aboutit à une interprétation intégrale de l'existence.

C'est dire que la vérification de la philosophie s'effectue dans l'ordre de la *maîtrise de l'action* qui est l'ordre éthique. Le consentement à l'être, en effet, n'est pas une simple passivité ; c'est un dynamisme créateur. La philosophie se vérifie quand le philosophe, dans son existence même, assume sa destinée. Ici encore, bien que plus d'une différence les sépare, le croyant (et a fortiori le théologien) s'apparente au philosophe. Mais la destinée du croyant n'est pas d'ordre philosophique. Par la conversion qu'elle soutient, la connaissance de foi confine à la sainteté et celle-ci n'est pas de l'ordre de la démonstration mais de l'ordre du témoignage. *La vérification de la foi, c'est l'épiphanie du Royaume de Dieu au cœur de l'humain.*

---

51. Cf. à ce sujet entre autres les beaux ouvrages de J. GRANIER, *le Problème de la vérité dans la philosophie de Nietzsche*, Seuil, Paris, 1966 ; *le Discours du monde*, Seuil, Paris, 1977 et *Penser la praxis*, PUF, Paris, 1980. Pour une épistémologie d'inspiration marxiste liant vérité et pratique, cf. M. HORKHEIMER, *Théorie traditionnelle et théorie critique*, Gallimard, Paris, 1974 ; J. HABERMAS, *Connaissance et intérêt*, Paris, Gallimard, 1976 ; ID., *Théorie et pratique*, 2 vol., Payot, Paris, 1975, et *la Technique et la Science comme « idéologies »*, Gallimard, Paris, 1973. On trouvera une introduction à l'Ecole de Francfort (Bloch, Adorno, Horkheimer, Marcuse, Habermas...) dans M. JAY, *l'Imagination dialectique. Histoire de l'Ecole de Francfort 1923-1950*, Payot, Paris, 1977.

52. A. FOREST, *Du consentement à l'être*, Aubier, Paris, 1936 a appelé ainsi une méthode strictement métaphysique qui permet de voir les choses dans leur relation à leur principe.

53. A.N. Whitehead cité par J. LADRIÈRE : *Langage scientifique, etc.*, p. 271.

3. Jésus-Christ

A cet égard, Jésus-Christ est la vérification personnifiée de la foi. Que signifie, en effet, l'incarnation de Dieu en Jésus ? « Le Verbe s'est fait chair et il a habité parmi nous » (Jn 1, 14). Cela semble bien vouloir dire, dans le langage de ce chapitre, « Le Verbe a pris existence dans le monde de l'homme. » C'est pourquoi, l'incarnation de Dieu est une naissance du Verbe de Dieu dans le monde de l'homme qui est structuré par l'action (praxis). C'est pour ainsi dire une « empraxion »[54] du Verbe car il n'y a pas d'incarnation sans existence ni d'existence sans action. C'est parce que le corps humain est toujours déjà en action dans un monde, qu'on peut dire de l'incarnation qu'elle est une « empraxion ». C'est pour cette raison également qu'on a pu dire ci-dessus que la corporéité est le lieu de la question de Dieu. On pourra aller ici encore un pas en avant et dire que la corporéité est le lieu de l'affirmation de Dieu, non pas seulement dans l'incarnation du Verbe mais encore dans l'existence de tout croyant.

Jésus-Christ, vrai Dieu vrai homme, est la révélation du salut de Dieu dans le monde de l'homme. En un certain sens, F. Nietzsche n'avait pas tort de dire qu'« Il n'y a jamais eu qu'un seul chrétien et il est mort sur la croix »[55] car *Jésus est le seul à connaître véritablement le monde de l'homme comme Royaume de Dieu*. Les prophètes avant lui et les témoins après lui n'ont pu connaître le monde de l'homme que comme monde de Dieu et non pas véritablement comme Royaume de Dieu. En Jésus seul la parole de Dieu se trouve véritablement agie. C'est pourquoi son enseignement consiste autant dans sa vie que dans ses paroles. Lui seul a fourni par la logique de sa vie la vérification péremptoire de son langage[56].

Jésus enseignait, en effet, à ses auditeurs :

Les œuvres que le Père m'a donné à mener à bonne fin, ces œuvres mêmes que je fais me rendent témoignage que le Père m'envoie (Jn 5, 6).

---

54. « Em-praxion » : mise en action du langage lorsque celui-ci se fait acte, quand dire c'est faire.

55. F. Nietzsche, *l'Antéchrist*, Union générale d'Editions, Paris, 1967.

56. Cela n'implique pas que Jésus, qui tout en étant Dieu est vraiment homme, n'a pas connu les hésitations inhérentes à toute condition humaine. Cf. à ce sujet l'épisode de la femme syro-phénicienne (Mt 15, 21-28) où l'on voit Jésus qui, en quelque sorte, se convertit en s'ouvrant aussi aux païens alors qu'il avait d'abord pensé aux brebis de la maison d'Israël. C'est la cohérence de l'itinéraire de Jésus avec sa parole qui vérifie celle-ci.

Si vous demeurez dans ma parole, vous êtes vraiment mes disciples et vous connaîtrez la vérité et la vérité vous libérera (Jn 8, 31-32).

Vous cherchez à me tuer, moi, un homme qui vous ai dit la vérité que j'ai entendue de Dieu (Jn 8, 40).

Vous êtes du diable et ce sont les désirs de votre père que vous voulez accomplir. Il était homicide dès le commencement et n'était pas établi dans la vérité (Jn 8, 44).

Je donne ma vie pour mes brebis (Jn 10, 15).

Je vous donne un commandement nouveau : vous aimer les uns les autres ; comme je vous ai aimés, aimez-vous les uns les autres. A ceci tous reconnaîtront que vous êtes mes disciples : si vous avez de l'amour les uns pour les autres (Jn 13, 34).

Nul n'a exprimé mieux que saint Jean le véritable conflit qui oppose la logique du monde de l'homme à la logique du Royaume de Dieu [57] :

Si le monde vous hait, sachez que moi, il m'a pris en haine avant vous. Si vous étiez du monde, le monde aimerait son bien ; mais parce que vous n'êtes pas du monde, puisque mon choix vous a tirés du monde, pour cette raison, le monde vous hait (Jn 15, 18-19).

La version johannique de l'enseignement de Jésus souligne particulièrement bien la parfaite coïncidence en Jésus du dire et du faire. Tout ce que Jésus a dit, il l'a fait et c'est cela qui confère à son dire sa vérité. C'est aussi ce qui a provoqué, finalement, son élimination. Et l'évangile johannique éclaire d'une lumière extrêmement vive la condition du disciple qui est, comme Jésus, d'être du Royaume de Dieu dans le monde de l'homme c'est-à-dire de n'être pas du monde. Dans l'inévitable conflit avec le monde, Jésus, apparemment vaincu, est le vainqueur : « Mais gardez courage ! J'ai vaincu le monde » (Jn 16, 33).

---

57. Cf. à ce sujet les remarques très suggestives de R. GIRARD (*Des choses cachées...*) qui oppose logos héraclitéen et logos johannique comme le logos philosophique, masquant en définitive la violence fondatrice, et le logos de l'« Ecriture judéo-chrétienne » qui, au contraire le dévoile. Il s'oppose en cela à la thèse de M. HEIDEGGER et E. FINK, *Héraclite*, Gallimard, Paris, 1973, qui voient dans le logos johannique une manifestation de la problématique sacrificielle qu'aurait dépassée Héraclite. Ce débat, qui pourrait paraître marginal, est en fait central dans une discussion des rapports entre philosophie et théologie.

Le « monde » johannique, c'est ce qu'on a appelé ici le monde de l'homme, le monde régi par la loi du talion, structuré par la logique des représailles. La vie de Jésus tout entière, sa pratique et son enseignement, sont révélation du Royaume de Dieu au cœur du monde de l'homme : dénonciation de la logique de la violence et appel à la conversion de l'amour qui brise le cercle vicieux de la vengeance. Mais la lumière n'a pas été saisie par les ténèbres (Jn 1, 5), car ses paroles étaient trop dures pour être entendues. C'est pourquoi les hommes de ce monde ont assassiné la lumière. Jésus, par ses œuvres, par sa foi, par son espérance, est *la* vérification de la foi, vérification à laquelle sa destinée divine appelle le croyant lui aussi.

4. La charité

Si connaître de foi c'est pour l'homme habiter le monde de Dieu au cœur de son propre monde, alors le croyant attestera la vérité de sa foi par la vérité de ses œuvres. « Celui qui n'aime pas son frère ne connaît pas Dieu », écrit saint Jean (1 Jn 4, 7-8). Le croyant osera, en parole et en acte, se faire l'écho de la logique de Dieu en sachant combien son entreprise est périlleuse, en sachant qu'il risque sa vie s'il reste fidèle ; mais en sachant également que seul l'amour (*charis*, la « charité ») sera signe de Dieu, théo-logie, dans un monde de violence. *La connaissance de foi apporte la contradiction dans l'existence du croyant, entre la logique de Dieu et la logique de l'homme.* La charité, vérification de la foi, est déchirement de l'homme, mort de l'homme ancien pour que vive l'homme nouveau ; la charité, apocalypse de Dieu dans le monde, est un signe de contradiction qui institue le croyant en témoin.

5. La fidélité

Si la connaissance de foi du monde suppose sa mise en cause radicale, alors le croyant attestera la vérité de sa foi par sa fidélité prophétique à la tradition de la foi. En effet, Jésus lui-même n'a pas été le premier à tenir le langage qu'il a tenu. Avant lui, de nombreux prophètes s'étaient déjà faits les porte parole de la logique de Dieu[58]. Et après lui, à sa suite, la foi a trouvé d'autres témoins éminents ; et c'est finalement grâce à leur témoignage que celui de Jésus continue de mettre les hommes en situation de crise, en situation de devoir choisir pour lui ou contre lui[59]. Mais, pour des raisons qui apparaissent

58. Un des plus beaux exemples se trouve dans le second Isaïe. Cf. à ce sujet la belle étude de P. GRELOT, *les Poèmes du serviteur. De la lecture critique à l'herméneutique*, Cerf, Paris, 1981.

59. Cf. la thèse remarquable d'A. NÉHER, *l'Essence du prophétisme*, Calmann-Lévy, Paris, 1972 ; 1re éd. 1955.

clairement maintenant, la fidélité n'est pas pure répétition de la tradition mais reprise créatrice, dans l'existence de chaque croyant, de l'exigence initiale révélée par Jésus. C'est pourquoi la tradition est à la fois continue dans son inspiration originaire et discontinue dans ses modes d'expression[60].

L'expression de la foi aujourd'hui n'est plus la même qu'à l'époque des grands Conciles par exemple. Cela n'implique pas, cependant, que les énoncés dogmatiques formulés autrefois soient aujourd'hui dépourvus de sens mais bien que, pour rejoindre ce que ceux-ci ont exprimé dans un monde qui n'est plus celui d'aujourd'hui, un travail de réappropriation soit nécessaire[61]. C'est à ce travail que s'attache l'herméneutique qui est un des aspects de la fidélité créatrice à la tradition. A cet égard, le théologien ne récuse nullement le magistère de l'Eglise qui exerce une légitime vigilance du fait de son charisme d'unité[62]. Cependant, le travail du théologien tire sa force non pas d'une autorité institutionnelle mais de sa foi elle-même[63]. On retrouve ici encore la circularité, maintenant bien connue, qui caractérise l'existence de l'être humain en tant qu'être interprétant. *La connaissance de foi se vérifie dans la fidélité créatrice des croyants à la tradition* dont se nourrit et qui alimente leur vie en Eglise. Comme tout élément constitutif d'une culture, la connaissance de foi est toujours déjà une connaissance partagée et, pour ainsi dire, commune.

6. L'espérance

Mais il est une troisième dimension à la vérification de la connaissance de foi, qui sous bien des aspects rejoint d'ailleurs les deux premières. L'espérance est, dans la foi, ordonnée à la charité et à la fidélité. Ce dont parle le langage du croyant, qui est celui de la connaissance de foi, est finalement cela même qui opère en lui. C'est seulement par la médiation de l'engagement qu'il exprime que le langage de la foi fait apparaître le monde de Dieu qu'il met en perspective. C'est que l'expérience de la foi est un cheminement et que l'action par laquelle le croyant assume en lui le salut est en même temps toujours l'attente de ce salut, l'ébauche seulement de son

---

60. Cf. Y. CONGAR, *la Tradition et les traditions*, 2 vol., Fayard, Paris, 1960 et 1963.
61. Cf. M. BLONDEL, « Histoire et dogme », in *les Premiers Ecrits de M. Blondel*, PUF, Paris, 1956.
62. Cf. Y. CONGAR, *l'Eglise, une, sainte, catholique et apostolique = Mysterium salutis*, vol. 15, Cerf, Paris, 1970 et, *infra*, J.-M. Tillard.
63. Cf. M.-D. CHENU, *op. cit.* n. 17, pp. 198-199.

accomplissement. La foi est ouverte sur un horizon eschatologique. Elle est soudée à l'espérance[64].

Le langage de la foi révèle ce dont il parle selon une modalité d'approfondissement incessant. La parole du croyant, si elle est véridique, rend présente et agissante en elle la réalité dont elle parle. Elle convoque, pour ainsi dire, dans l'espace qu'elle institue le mystère qu'elle évoque et, par là, elle le fait connaître. Mais ce qui se montre ainsi est toujours en même temps dissimulé ; ce qui est révélé reste caché. Il y a donc dans le langage de la foi une infirmité qui manifeste une infinité : il révèle en s'ouvrant toujours davantage à une révélation plus éclairante. Autrement dit, le mouvement de transmutation langagière qui fait surgir l'objet de la foi dans la visée de son langage, donne à celui-ci un mouvement incessant dont le cheminement même, qui est indéfini, figure l'objet. Le langage de la foi, qui fait connaître le monde de Dieu au cœur du monde de l'homme, est vrai lorsqu'il fait naître et soutient l'espérance active du Royaume de Dieu. C'est qu'il s'agit, pour ce langage, non pas de venir à la rencontre, grâce à un système préalablement élaboré, d'un domaine ouvert à l'expérimentation (comme en science) ou à l'interprétation de l'existence (comme en philosophie) mais de rendre plus explicite une salutaire interprétation d'une réalité qui s'est déjà élaborée[65].

7. Ulysse et Abraham

La connaissance de foi est une connaissance-action qui consiste, en définitive, à connaître le monde de l'homme comme monde de Dieu c'est-à-dire à s'efforcer d'habiter le monde de l'homme comme on habiterait le Royaume de Dieu. La connaissance de foi la plus authentique est finalement la connaissance du dessein de Dieu. Voir le monde avec les yeux de Dieu, c'est le connaître de foi. Et, disait Jésus, « Nul ne connaît le Père s'il ne me connaît ». Et le monde de Dieu s'oppose au monde de l'homme comme s'opposent l'itinéraire d'Abraham et l'Odyssée d'Ulysse[66].

Ulysse, après mille aventures revient à Ithaque son point de départ, amorçant pour ainsi dire le cercle de l'éternel retour qui est celui de la condition humaine livrée à elle-même. Abraham, au contraire, lorsqu'il quitte sa terre, ne sait qu'une seule chose, c'est que jamais il

---

64. He 11,1 ; cf. aussi J. MOLTMANN, *op. cit.*, n. 33.

65. La question de la Parole de Dieu dans la parole humaine se trouve développée plus largement, en dogmatique, par CH. DUQUOC, *infra*, tome II, 1re partie, chap. II.

66. Cf. S. KIERKEGAARD, *Crainte et Tremblement*, Aubier, Paris s.d. ; surtout l'« Eloge d'Abraham ».

ne reviendra là d'où il est parti. Mais sa foi en la Promesse, qui le conduit au-delà des terres connues, lui a donné une postérité aussi nombreuse que les étoiles du ciel. Car à Dieu seul rien n'est impossible.

La connaissance de foi, c'est une marche au désert qui n'en finit pas de commencer.

DEUXIÈME PARTIE

CARACTÉRISTIQUES DE LA THÉOLOGIE

A. NORMES ET CRITÈRES

CHAPITRE PREMIER

Pluralité des théologies et unité de la foi

par CLAUDE GEFFRÉ

SOMMAIRE. — I. La nouveauté du pluralisme théologique : 1. le pluralisme des sociétés modernes ; 2. le pluralisme religieux ; 3. le pluralisme philosophique insurmontable. II. La signification théologique du pluralisme : 1. la richesse du mystère du Christ ; 2. la dimension noétique de la concupiscence ; 3. la pluralité des figures historiques du christianisme. III. L'unité multiforme de la foi : 1. théologie et révélation ; 2. « La foi n'est pas pluraliste » ; 3. les critères de l'unité de la foi. IV. Pluralisme théologique et exercice du magistère. Bibliographie.

Au seuil de ce chapitre consacré aux *Caractéristiques de la théologie*, nous rencontrons nécessairement une des questions les plus urgentes et les plus délicates de la réflexion théologique contemporaine : comment concilier le *fait* de la pluralité des théologies avec l'unité de la foi ? Ce n'est pas seulement un problème théorique, c'est une question pratique qui a son incidence dans tous les aspects de la vie de l'Eglise d'aujourd'hui. Et la présente *Initiation,* concert à plusieurs voix, témoigne déjà en elle-même de cet inévitable pluralisme théologique qui ne conduit pas pour autant à un éclatement de la foi, ou même à un indifférentisme ou à un éclectisme.

Ce chapitre, qui est préalable à une réflexion sur *les tâches de la théologie,* se situera dans une perspective de théologie fondamentale. Il cherche à poser le problème du pluralisme dans toute son acuité sans avoir la prétention de le résoudre d'une manière pleinement satisfaisante. C'est un chantier encore ouvert dont la pensée théologique n'a pas encore perçu toutes les conséquences. Et en dehors de cette Introduction générale, beaucoup d'éléments de réponse se trouvent inclus dans la Section qui suit immédiatemment : *Normes et critères,* en particulier les développements sur le *Canon des Ecritures* et sur le rapport entre *vérité* et *tradition historique*.

Nous commencerons par essayer de caractériser la nouveauté du pluralisme théologique dans l'Eglise d'aujourd'hui. Nous nous interrogerons ensuite sur la signification théologique profonde du pluralisme au sein d'une Eglise, peuple en marche vers une plénitude eschatologique. Il conviendra alors de manisfester clairement l'articulation possible entre ces deux *faits* irréductibles, d'une part la pluralité des théologies, d'autre part l'unité de la foi. On pourra enfin se demander si l'acceptation du pluralisme théologique et même d'une certaine pluralité des confessions de foi ne nous conduit pas à envisager un nouveau mode d'exercice du magistère.

I. LA NOUVEAUTÉ DU PLURALISME THÉOLOGIQUE

Depuis les origines du christianisme, on peut parler du pluralisme théologique comme d'un fait irrécusable. Il tient à la nécessaire *historicité* de la foi chrétienne, à la diversité de l'expérience chrétienne dans l'Esprit et à l'inadéquation de toute formulation humaine par rapport à la plénitude du Mystère révélé. Il faut même dire que, déjà dans le Nouveau Testament, la théologie est contemporaine de la foi, au moins en ce sens que la foi se dit nécessairement dans une confrontation incessante avec une culture. On peut considérer tout le Nouveau Testament comme étant déjà *un acte d'interprétation* de l'événement Jésus-Christ par l'Eglise primitive. Or, il témoigne d'une pluralité d'interprétations qui sont souvent difficilement conciliables.

Par la suite, toute l'histoire de la pensée chrétienne témoigne d'une pluralité d'*écoles théologiques*. Qu'il suffise d'évoquer la différence entre les Pères orientaux et les Pères latins en matière de christologie et de théologie trinitaire ; ou bien ce qui sépare l'école d'Antioche et celle d'Alexandrie dans leur appréhension du mystère du Christ ; ou encore la différence toujours citée entre l'école thomiste et l'école scotiste. Selon les époques, un *credo* identique a donné lieu à de nouvelles structurations de la foi, c'est-à-dire à des systèmes théologiques différents, en fonction de nouveaux éléments structurants. Et, parmi ces éléments structurants comme facteurs de variabilité, il faut faire une place privilégiée aux présupposés philosophiques et aux spiritualités.

Ces évidences classiques étant rappelées, il faut essayer de comprendre pourquoi nous sommes affrontés à une situation nouvelle dans l'Eglise et pourquoi il est légitime de parler d'« un pluralisme qualitativement nouveau [1] ». Il ne suffit pas, en effet, de dire que le

1. L'expression est de K. RAHNER, « le Pluralisme en théologie et l'Unité du credo de l'Eglise », in *Concilium,* n° 46, 1969, p. 95. K. Rahner est revenu

pluralisme théologique est une histoire de toujours et que l'attention nouvelle de certains théologiens à ce problème est déjà une concession à l'idéologie moderne du pluralisme ou une « résignation pluraliste ».

Il est impossible d'analyser sérieusement ici les facteurs historiques complexes qui ont contribué à créer cette situation nouvelle de la théologie dans l'Eglise. On se contentera d'évoquer le pluralisme des sociétés modernes, la conscience nouvelle du pluralisme religieux et le pluralisme insurmontable de la philosophie.

1. Le pluralisme des sociétés modernes

Selon une première approche, on peut définir le pluralisme comme « la coexistence à l'intérieur de la communauté politique de groupes qui se réclament de conceptions différentes à l'égard des questions ultimes concernant la nature et la destinée de l'homme » (J.-C. Murray)[2]. L'idée de pluralisme est inséparable de l'histoire du développement de la société occidentale, en particulier du passage de la société traditionnelle à la société libérale.

Ce qui caractérisait la société traditionnelle, c'est le pouvoir d'*intégration sociale* dévolu à la religion. Celle-ci constitue une réserve transcendante de sens qui, par tout un réseau symbolique et rituel, assure la cohésion et la stabilité du groupe social[3]. Avec l'avènement de la société moderne comme société laïque, le système politico-social ne reçoit plus sa légitimité de la religion et les symboles ou structures qui relient étroitement les deux sont rompus. Le phénomène de sécularisation implique que les grandes aires de la vie sociale (politique — justice — éducation — économie, etc.) passent de la tutelle de l'instance religieuse à la juridiction de l'Etat.

L'avènement de la société bourgeoise libérale au temps de l'*Aufklärung* coïncide avec une sécularisation toujours plus grande de l'intelligence. La culture bourgeoise est fondée sur deux grandes valeurs, la liberté et le sens de la conscience individuelle. C'est l'âge de la critique et de l'autonomie. La religion n'est plus une « structure de

---

plusieurs fois et en des termes presque identiques sur cette question du pluralisme théologique. On trouvera une liste complète de ses Ecrits sur le pluralisme avec références aux traductions françaises à la fin de l'article de G. LANGEVIN, « Quelques aspects du pluralisme chez Rahner », in *le Pluralisme — Pluralism : Its Meaning Today*, coll. « Héritage et Projet », n° 10, Fides, Montréal, 1974, pp. 411-412.

2. Cette définition est de J.C. MURRAY, citée par Ch. DAVIS, « The Philosophical Foundations of Pluralism », in *le Pluralisme*, op. cit., p. 223.

3. Sur ce rôle intégrateur de la religion dans les sociétés traditionnelles, on se rapportera à P. BERGER, *la Religion dans la conscience moderne (The Sacred Canopy)*, Centurion, Paris, 1971.

plausibilité » reconnue socialement par tous. Elle est donc l'objet d'un choix libre et on est en présence d'une *pluralité* d'options en faveur de tel ou tel système de valeurs ou idéologie.

2. Le pluralisme religieux

Le pluralisme de la culture dans les sociétés modernes libérales posait évidemment la question du pluralisme de la vérité. Aujourd'hui, il ne faut pas parler seulement d'un pluralisme culturel et idéologique à l'intérieur des sociétés occidentales. Il faut être attentif à une prise de conscience beaucoup plus radicale du relativisme de la civilisation occidentale et du christianisme lui-même comme religion historique. Il est certain que, depuis ses origines, l'Eglise s'est pensée comme une société exclusive et a eu beaucoup de mal à accepter le pluralisme religieux. Les hommes appartenant à d'autres religions étaient toujours des étrangers et des ennemis, au mieux des sujets éventuels de son action missionnaire. Au début, cette attitude anti-pluraliste était surtout dirigée vers l'extérieur. Mais à l'intérieur d'elle-même, l'Eglise, en définissant des règles strictes d'orthodoxie, eut de plus en plus de mal à tolérer un certain pluralisme doctrinal.

Aujourd'hui, où l'acceptation du pluralisme est devenue un état de conscience communément partagé par les hommes, nous sommes amenés à remettre en cause une certaine *idéologie unitaire* engendrée par le christianisme qui a d'ailleurs profondément informé la pensée occidentale. Il est certain qu'à partir du dogme fondamental concernant la médiation unique du Christ comme incarnation de Dieu dans l'histoire, l'Eglise a eu tendance à revendiquer une universalité de fait comme si elle avait le monopole de toutes les vérités et de toutes les valeurs dans l'ordre culturel, éthique, spirituel et religieux. Une meilleure connaissance des autres grandes traditions religieuses de l'humanité et des autres civilisations, une conscience plus réaliste aussi d'un certain échec de la mission de l'Eglise nous conduisent à juger de façon plus critique la prétention à l'universel du christianisme historique[4].

Cette conscience plus vive de la relativité du christianisme comme *religion historique* a nécessairement ses conséquences à l'intérieur de l'Eglise elle-même. On accepte de plus en plus mal l'uniformité d'un système monolithique et on revendique les droits d'un légitime pluralisme dans l'ordre doctrinal, dans l'ordre des pratiques chrétiennes et des expressions liturgiques. Ce mouvement est d'autant plus fort qu'il coïncide avec la fin de l'ère coloniale et avec l'affirmation par

---

4. Nous renvoyons au numéro de théologie fondamentale de la revue *Concilium* (n° 155, 1980) : *Vraie et fausse universalité du christianisme.*

chaque Eglise particulière de son originalité ethnique et culturelle.

Il est certain que, jusqu'au IIe Concile du Vatican, le nouveau pluralisme des sociétés modernes fut non seulement ignoré, mais consciemment combattu. En réaction ouverte contre le laïcisme et le sécularisme, l'Eglise s'est comprise comme la société parfaite qui reflète dans toutes ses structures l'unité du Corps du Christ. Par contraste avec le libéralisme des sociétés bourgeoises, elle veut demeurer une sorte de grandeur féodale indépendante des vicissitudes de l'histoire universelle et de la diversité des choix dans une société démocratique. La conception catholique de l'enseignement du magistère, qui pour l'essentiel recouvre l'époque qui va du Congrès de Vienne jusqu'au Deuxième Concile du Vatican, cherche à maintenir la forme féodale de la catholicité médiévale par réaction contre l'humanisme issu de l'Aufklärung et de la révolution bourgeoise.

Prisonnière de la problématique rationaliste du XVIIIe siècle, la théologie baroque tendra à édifier un système où l'autorité du Magistère revêt pratiquement une autorité plus grande que celle de l'Ecriture elle-même. Pour la première fois dans l'histoire de la théologie, par une sorte de réaction fatale contre le principe scripturaire de la Réforme, la Bible n'est plus que la *source* de la révélation, elle n'est plus *la forme première* de la foi en la révélation judéo-chrétienne. Concrètement, la forme première de la révélation, c'est la doctrine proclamée par le magistère vivant comme somme de vérités révélées (cf. le Concile de Vatican I). Le rôle de l'Ecriture consiste seulement à fournir la preuve de la vérité proposée et interprétée par le magistère. Finalement, en réaction contre la théologie réformée, l'Ecriture risque de perdre son exigence d'autonomie pour se subordonner à la doctrine de l'Eglise.

Si l'on ajoute que, pratiquement jusqu'à Vatican II, le droit canon (cf. chap. VI, I) faisait l'obligation à tous les professeurs de théologie d'enseigner ce qu'on appelle *le thomisme,* la question du pluralisme théologique à l'intérieur de l'Eglise catholique ne se posait même pas. Sous sa forme rationaliste, la scolastique tend à devenir un système de propositions capable de déduire tous les contenus de foi à partir de principes crédibles. Et le moteur de cette construction théologique, ce n'est plus la *vérité* de ce qui est à croire, mais la *certitude* que Dieu a dit ceci ou cela, certitude qui a reçu la garantie de l'autorité du magistère[5].

---

5. Cette logique subtile de la théologie baroque a été bien restituée par P. EICHER dans son livre : *Theologie. Eine Einführung in das Studium,* Kösel, Munich, 1980 ; cf. en particulier pp. 178-183. Trad. fr., *la Théologie comme science pratique,* trad. J.-P. Bagot, Cerf, Paris, 1982.

3. Un pluralisme philosophique insurmontable

C'est là une idée chère à Karl Rahner et sur laquelle il est revenu plusieurs fois[6]. C'est même la raison décisive pour laquelle il parle d'un pluralisme « qualitativement nouveau » à l'intérieur de l'Eglise, pluralisme qui n'est pas identifiable au vieux problème de la pluralité des écoles théologiques. Dans ce dernier cas, on pouvait se trouver en présence de systèmes théologiques qui s'opposaient radicalement, mais la discussion avait comme préalable un horizon de pensée commun. On savait sur quoi portait le désaccord parce qu'on était parfaitement au fait des présupposés philosophiques et méthodologiques de la position adverse.

Aujourd'hui, nous devons affronter une situation inédite.
La situation de dialogue dans laquelle se trouve aujourd'hui une théologie catholique par rapport à d'autres théologies chrétiennes, quel qu'en soit le type (exégétique, historique ou systématique), est totalement différente de celle de jadis. Les théologies chrétiennes, en effet, ne s'opposent pas de façon contradictoire ; leur ligne de démarcation est sinueuse, et passe par-dessus les frontières confessionnelles. Et voilà déjà la source d'un pluralisme rebelle même aux efforts d'un travail d'équipe... Il faut tenir compte, enfin, de la situation particulière des sciences de l'esprit, et donc de la théologie, par rapport aux sciences de la nature. Dans les unes comme dans les autres, on est tributaire du travail d'autrui ; mais, alors que, dans les sciences de la nature, on peut s'emparer, sans autre forme de procès, des « résultats » acquis par d'autres, il est, à proprement parler, impossible de réaliser une telle appropriation dans les sciences de l'esprit, d'avoir des données une intelligence authentique, sans refaire pour son propre compte le processus mental qui leur a donné naissance. D'où, en fin de compte, l'impuissance d'un travail d'équipe pour venir à bout du pluralisme théologique. Celui-ci est aujourd'hui *insurmontable* (c'est nous qui soulignons), tant il est impossible que la théologie et les théologies (possibles et réellement existantes), même à ne considérer que leur simple substance, puissent tenir dans la tête d'un théologien et dans le cadre du temps dont il dispose[7] !

Même si, dans la pratique concrète des théologiens, les choses n'étaient pas si simples, il y avait autrefois, idéalement, une philosophie, la *philosophie chrétienne*, qui prétendait être *la* philosophie et qui fournissait ses instruments conceptuels et ses thèses à la

---

6. Parmi d'autres travaux, nous citerons surtout : « la Réflexion philosophique en théologie », in *Ecrits théologiques*, n° 11, Desclée De Brouwer-Mame, Paris, 1970, pp. 49-76 et « l'Historicité de la théologie », *ibid.*, pp. 77-105.
7. K. RAHNER, « le Pluralisme en théologie et l'unité du credo de l'Eglise », in *Concilium*, n° 46, 1969, p. 96.

théologie spéculative. Qui peut encore affirmer cette heureuse continuité entre la philosophie thomiste et la théologie telle qu'elle se pratique dans l'Eglise d'aujourd'hui ? La pluralité des philosophies a toujours existé, mais le théologien a conscience maintenant d'un pluralisme insurmontable au sens où aucun homme ne peut prétendre embrasser adéquatement toutes les sources de l'expérience humaine [8]. Il faudrait non seulement maîtriser les divers systèmes de pensée en Occident et en dehors de l'Occident, mais encore les résultats des diverses sciences de l'homme. La philosophie demeure un interlocuteur privilégié pour le théologien. Mais il doit tenir compte aussi non seulement des résultats de la sociologie de la connaissance, de la psychanalyse, de l'histoire, de la linguistique, mais des nouvelles rationalités impliquées par ces diverses disciplines. Il y a donc, en dehors de la philosophie, d'autres « lieux théologiques » annexes qui transforment notre vision du monde et de l'homme et qui modifient notre manière de théologiser.

Le pluralisme théologique est donc devenu notre destin historique. Il fallait commencer par l'éclairer à partir de cet arrière-fond social et culturel. Comme le pluralisme des sociétés modernes, il est profondément ambigu. Il peut être un mauvais *destin* auquel on se résigne. Mais il peut être, au contraire, notre *chance*. Il peut conduire, en effet, à l'indifférentisme, au relativisme, au « tout est possible ». Mais il peut être aussi la chance d'une théologie risquée qui prend au sérieux les enjeux historiques de la fidélité à la Parole de Dieu. Et, dans la mesure où nous sommes plus sensibles à la diversité irréductible des formes de langage, le travail théologique peut devenir une école de tolérance.

Avant de voir comment on peut concilier le pluralisme théologique avec l'unité de la foi, il convient de faire quelques remarques sur la signification théologique du pluralisme. C'est s'interroger sur ses sources profondes et permanentes, au-delà des facteurs sociohistoriques immédiats qui le conditionnent.

II. LA SIGNIFICATION THÉOLOGIQUE DU PLURALISME

1. La richesse du Mystère du Christ

Quand on s'interroge sur la cause radicale du pluralisme, il faut d'abord évoquer la richesse suréminente du Mystère du Christ qui

---

8. Cf. K. Rahner, « la Réflexion philosophique en théologie », *op. cit.*, p. 61.

déborde toute formulation humaine adéquate. Il y aura donc nécessairement une pluralité d'expressions qui nous renvoie aux espaces historiques dans lesquels se sont inscrites les diverses objectivisations textuelles et institutionnelles du christianisme.

Le mouvement de la foi tend à rejoindre la totalité du Mystère. Mais, même si la connaissance de foi atteint réellement la vérité révélée, elle ne la possède que dans des énoncés inadéquats. Cette inadéquation tient à la fois à l'inscription historique de toute connaissance humaine et à la plénitude surabondante du Mystère du Christ. Ce décalage entre la Réalité même de ce qui est à croire et les énoncés rend compte de la *cogitatio* incessante de la foi qui cherche à mieux comprendre (*Fides quaerens intellectum*). C'est dans ce décalage que s'enracine le pluralisme des expressions de la foi depuis ses premières formulations néo-testamentaires jusqu'aux explicitations ultérieures de la tradition. Et c'est lui aussi qui explique pourquoi, dans la pratique, il n'est pas si facile de tracer une frontière bien nette entre une proposition erronée et une proposition simplement inadéquate.

Le pluralisme théologique ne s'enracine pas seulement dans la distance entre la plénitude du Mystère et les énoncés de foi qui cherchent à l'exprimer. Il est aussi la conséquence de l'*originalité de la vérité révélée* qui est autre chose qu'un corpus doctrinal, une vérité-chose, mais une vérité dynamique, une vérité advenante, une vérité pratiquée au sens de saint Jean. Il s'agit d'une vérité *visée* et jamais possédée. Il y a un *advenir* permanent de la vérité de l'Evangile qui est mesuré par la distance entre le Christ *hier* et *aujourd'hui*. Disons que la pluralité des expressions de la foi tout au long de l'histoire de l'Eglise s'enracine dans la distance entre la Parole de Dieu dont témoigne l'Ecriture et l'Evangile comme plénitude eschatologique. Depuis les origines, le capital de vérité évangélique que porte la pratique ecclésiale déborde le contenu explicite des confessions de foi. Et, de même qu'il n'y a pas identité entre l'Eglise et le Royaume de Dieu, il n'y a pas identité entre la confession de foi dogmatique et la Parole de Dieu[9].

Enfin, il est permis de découvrir un lien entre la pluralité des figures historiques de la vérité chrétienne et le secret ultime sur la nature du Dieu de Jésus, à savoir le Dieu unique en trois personnes. Il est vrai qu'historiquement, comme nous l'avons rappelé plus haut, l'Eglise a plutôt cherché à organiser son action aussi bien doctrinale que sociale sous l'angle d'une *idéologie unitaire*. Mais, en fait, cette idéologie

9. Cf. C. GEFFRÉ, «Liberté et Responsabilité du théologien», in *le Supplément*, n° 133, mai 1980, p. 289.

unitaire contredit la visée de la symbolique trinitaire. « Le Dieu de Jésus n'est pas conforme à une idéologie unitaire. La symbolique, issue de la pratique de Jésus, le présente comme intégrant des différences ; l'unité de ce Dieu n'est pas le dépassement ou l'abolition de ces différences, celles-ci en sont plutôt la condition. En conséquence, l'activité créatrice de Dieu, symbolisée par le souffle, l'Esprit, suscite des différences. Elle poursuit une œuvre de dissémination plutôt qu'un projet d'identité [10]. »

2. La dimension noétique de la concupiscence

Le pluralisme théologique n'est pas uniquement le révélateur de la limite inéluctable de toute connaissance humaine liée à notre condition de créature. Dans la situation historique d'une humanité qui s'est volontairement détournée du plan originel de Dieu sur elle, il faut invoquer aussi cet état de « dispersion intérieure » qu'on appelle la *concupiscence*.

Traditionnellement, la notion théologique de *concupiscence* a été appliquée à l'agir moral de l'homme justifié. Elle désigne une situation de fragilité qui tient aux suites du péché et qui subsiste même chez l'homme justifié, préalablement à l'exercice de sa liberté. C'est le propre de Karl Rahner d'avoir étendu le concept de *concupiscence* au domaine de la connaissance. Il désigne alors l'ambiguïté inhérente à tout acte de connaissance, y compris dans le domaine du savoir théologique. Et finalement, le pluralisme théologique est un révélateur de cette situation historique caractérisée par la « dispersion intérieure de toute connaissance humaine ». « Bien comprise, la *concupiscence* signifie : un pluralisme interne de l'homme dans toutes ses dimensions, couches et impulsions, et tel que l'homme, en tant qu'il est fondamentalement un être libre et personnel, ne peut jamais intégrer adéquatement et radicalement son propre être dans l'unique décision de la liberté, pour ou contre Dieu. Cet "état de désintégration", qui ne peut être supprimé, se manifeste dans toutes les décisions de l'existence humaine : non seulement dans l'agir moral au sens strict, mais aussi dans le domaine de la connaissance qui, comme telle, est toujours en même temps "praxis" [11]. »

---

10. Ch. Duquoc, *Dieu différent,* Cerf, Paris, 1977, p. 143. Voir aussi son article : « le Christianisme et la Prétention à l'universalité », in *Concilium,* n° 155, 1980, pp. 75-85.

11. K. Rahner, « Réflexions théologiques sur le problème de la sécularisation », in *la Théologie du renouveau,* Fides-Cerf, Montréal-Paris, 1968, pp. 274-275. Pour un commentaire de cette conception originale de la concupiscence chez Rahner, nous renvoyons à G. Langevin, *art. cit.,*

L'unité parfaite, le point d'intégration qui englobe toutes les synthèses provisoires n'existe qu'en Dieu et ne sera révélé qu'à la fin des temps. L'erreur en théologie consiste justement à vouloir anticiper cette synthèse ultime ou au contraire à tomber dans le scepticisme absolu. Concrètement, assumer sa finitude, c'est accepter une situation de pluralisme, c'est-à-dire accepter de se laisser mettre en question, dans un dialogue ouvert, par d'autres sources de connaissance ou d'autres systèmes de pensée, au lieu de prétendre au savoir universel et intégrateur d'un unique système (fût-ce celui de la théologie). La théologie *en soi* n'existe pas. Elle n'existe que dans la pluralité de ses disciplines historiques, exégétiques, spéculatives et pratiques. Et même dans le domaine de la théologie systématique, nous sommes en présence d'une pluralité de systèmes théologiques, qui reflète la pluralité des intérêts sociaux et culturels au sein de nos sociétés modernes.

3. La pluralité des figures historiques du christianisme

Nous avons déjà évoqué la situation historique nouvelle faite à l'Eglise en cette fin du XXe siècle. Nous avons connu une figure historique privilégiée de la religion chrétienne qui était celle de l'Occident chrétien. Et encore aujourd'hui, la théologie dominante, qui est enseignée dans la plupart des Facultés ou séminaires catholiques, est une théologie profondément marquée par l'héritage culturel de l'humanisme gréco-romain.

Or les choses sont en train d'évoluer rapidement. Au seul point de vue démographique, l'avenir du christianime ne se joue plus en Occident, mais en Amérique Latine, en Asie et en Afrique. Et dans la ligne de l'ecclésiologie de Vatican II, les Eglises locales prennent une conscience beaucoup plus vive de leur identité culturelle, au moment même où la pensée occidentale est plus consciente de son propre ethnocentrisme. Alors qu'aux beaux temps du colonialisme, on pensait volontiers que le christianisme allait supprimer rapidement en les accomplissant les religions non chrétiennes, on constate aujourd'hui que l'islam et les grandes religions de l'Asie non seulement se portent bien mais connaissent un véritable renouveau.

Cette situation nouvelle nous amène à repenser le problème théologique du pluralisme. Comme nous l'avons évoqué plus haut à propos du pluralisme religieux, la mission universelle de l'Eglise ne

---

pp. 398-402 et à P. GERVAIS, « les Enoncés de foi de l'Eglise aux prises avec la contingence de l'histoire selon Karl Rahner », *NRT*, n° 103, 1981, pp. 492-494.

dépend pas du caractère absolu du christianisme comme religion historique. Ce que nous affirmons du Christ comme médiation unique de Dieu parmi les hommes, nous ne pouvons pas le dire du christianisme comme religion historique, et nous sommes prêts à considérer les grandes religions de l'humanité comme des voies « ordinaires » de salut [12]. D'autre part, la véritable universalité du christianisme n'est pas une universalité abstraite qui tend à imposer à toutes les Eglises une uniformité formelle. Selon le mot de Paul VI, « nous sommes pluralistes précisément parce que catholiques, c'est-à-dire universels » [13]. La catholicité doit pouvoir inclure un pluralisme de pratiques, de théologies et même de confessions sans aboutir à l'éclatement. Certes, « la foi n'est pas pluraliste », pour reprendre une autre formule de Paul VI dans la même allocution. Mais si on prend au sérieux les conditions d'incarnation de l'Eglise dans une culture donnée, la même foi doit pouvoir engendrer des figures historiques différentes du christianisme. Nous connaissons déjà une théologie latino-américaine comme la théologie de la libération. Nous connaissons, même si elles sont encore balbutiantes, des théologies africaines et des théologies asiatiques. En fait, si nous savons ce qu'a été et ce qu'est encore un christianisme occidental, nous ne savons pas encore ce que serait un christianisme intégralement africain, chinois, etc.

Parler de figures historiques différentes du christianisme, ce n'est pas céder à « une conception hégélienne ou quasi hégélienne du devenir de la conscience dans le temps » [14], c'est prendre au sérieux les exigences d'une véritable *inculturation* du christianisme. Le synode des évêques de 1977 parlait d'une véritable incarnation de la foi « dans les cultures ». « Le message chrétien doit s'enraciner dans les cultures humaines, les assumer et les transformer... La foi chrétienne doit s'incarner dans les cultures [15]. » La foi est comparée à une semence exactement comme la Parole de Dieu dans les Synoptiques. Et l'expression « incarnation de la foi » nous renvoie évidemment au mystère central du christianisme comme incarnation du Verbe de Dieu. C'est dire assez que l'incarnation radicale du message chrétien

---

12. On sait que le théologien allemand H.R. Schlette a proposé de distinguer les grandes religions du monde comme des voies « ordinaires » de salut et le christianisme comme une voie « extraordinaire ». Cf. H.R. SCHLETTE, *Pour une « théologie des religions »*, (*Die Religionen als Thema der Theologie*), Desclée De Brouwer, Paris, 1971.

13. Audience générale du 14 mai 1969. Cf. *DC*, 1er juin 1969, n° 1541.

14. La formule est de P. TOINET qui conteste vigoureusement l'opinion des théologiens qui soulignent le caractère irréversible du pluralisme actuel et leur reproche leur « résignation pluraliste » : cf. « le Problème théologique du pluralisme », *Revue thomiste*, n° 72, 1972, pp. 5-32.

15. *DC*, n° 74, 1977, p. 1018.

dans une culture ne compromet pas son intégrité, de même que le devenir-homme de Dieu sauvegarde la transcendance de Dieu.

Une réflexion de théologie fondamentale sur le pluralisme théologique devrait réfléchir aussi sur la nature du rapport entre Ancien et Nouveau Testament, rapport qui est fait à la fois de continuité et de rupture. Comme le souligne la thèse II de la Déclaration de la Commission théologique sur le pluralisme théologique : « l'unité-dualité de l'Ancien Testament et du Nouveau, comme expression historique fondamentale de la foi chrétienne, offre son point de départ concret à l'unité-pluralité de cette même foi [16]. »

Nous indiquerons seulement ici qu'une meilleure appréhension du pluralisme religieux et culturel du monde contemporain nous invite à réagir contre une certaine vision « judéo-centriste » familière à l'Occident chrétien. En d'autres termes, il faut dépasser une conception trop linéaire de l'« histoire du salut » comme s'il y avait une continuité pure et simple entre l'Israël ancien et l'Eglise du Christ. Pour un chrétien, ce qui est premier dans l'ordre du mystère co-extensif à toute l'humanité, ce n'est ni Abraham, ni Moïse, ni même le premier Adam, c'est le Christ « nouvel » Adam. Et ce qui est dit du Christ comme « Verbe éclairant tout homme venant en ce monde » doit être dit de l'Esprit. Au-delà d'une conception trop chronologique de l'histoire du salut, il faut retrouver l'« économie du mystère » chère à la théologie orientale. On comprendrait mieux alors qu'il n'est pas question d'intégrer l'histoire tellement diversifiée des peuples de la terre dans l'histoire d'un peuple, celle d'Israël, de même qu'il n'est pas question de leur faire parler la langue de Canaan... L'Ancien Testament n'a de sens qu'en fonction du Nouveau, c'est-à-dire du Christ. Et si la révélation consignée dans l'Ancien Testament demeure privilégiée, c'est en tant qu'elle est comme l'alphabet du message que l'Esprit de Dieu adresse à tout homme et à tout peuple *dans sa propre langue*.

---

16. *DC*, n° 70, 1973, p. 459. On se reportera très utilement au commentaire de cette thèse par J. RATZINGER in « l'Unité de la foi et le Pluralisme théologique », C.L.D. *Esprit et Vie*, Paris, 1978, pp. 18-28. Cet ouvrage est la traduction française partielle de l'ouvrage collectif : Internationale Theologenkommission, *Die Einheit des Glaubens und der theologische Pluralismus*, Johannes Verlag, Einsiedeln, 1973. On trouve aussi le texte des XV thèses de la Commission théologique, in *Esprit et Vie*, n° 83, 1973, pp. 371-373.

III. L'UNITÉ MULTIFORME DE LA FOI

Tout ce que nous avons dit jusqu'ici tend à montrer que nous sommes en présence d'un pluralisme théologique irréductible. Et quoi qu'il en soit des conditionnements historiques et culturels nouveaux, il ne s'agit pas d'une mode ou d'une résignation, mais d'un *pluralisme positif*, qui tient aux exigences mêmes du mystère chrétien selon sa dimension eschatologique et universaliste, comme aux limites inéluctables de toute expression humaine de la foi.

Mais comment accepter sans réticence le pluralisme théologique sans compromettre l'unité du *credo* chrétien ? Nous ne pouvons pas risquer d'aboutir à un éclatement du christianisme selon lequel toutes les opinions et toutes les thèses théologiques seraient légitimes. « Un christianisme qui ne pourrait simplement plus dire ce qu'il est et ce qu'il n'est pas, ni où passent ses frontières, n'aurait plus rien à dire [17]. » Nous avons fortement souligné la plénitude inépuisable du mystère du Christ. Mais cela ne signifie nullement que la vérité chrétienne serait inaccessible et qu'il faudrait désespérer d'une confession de foi normative pour toute l'Eglise. Cependant, il convient de bien s'entendre sur cette confession de foi et de ne pas confondre les divers niveaux de langage (scripturaire, dogmatique, théologique) selon lesquels elle s'exprime. Le développement qui suit a pour but de préciser en quoi consiste cette unité de la foi qui est le présupposé commun à toute construction théologique et quels sont les critères qui permettent de tracer les frontières d'un pluralisme théologique non seulement légitime mais souhaitable.

1. Théologie et Révélation

Il faut commencer par rappeler avec force que toutes les théologies — quels que soient leur forme de langage et leurs intérêts — ont un point de départ commun, à savoir la Révélation, c'est-à-dire le témoignage que Dieu a donné de lui-même et qui se trouve consigné dans les saintes Ecritures.

Cela veut dire que le « Dieu » dont parle la théologie n'est pas une « production » de la raison humaine autonome ou la « projection » des diverses traditions religieuses de l'humanité. « Toutes les théologies chrétiennes contemporaines se refusent à déterminer scientifiquement de façon adéquate, c'est-à-dire positivement, le sens de l'expression "Dieu" et affirment que celui-ci ne peut être connu que par une

---

17. J. Ratzinger, *op. cit.*, p. 57.

reconnaissance libre de l'action par laquelle ce Dieu s'est tourné vers l'homme dans l'histoire[18]. »

Par révélation, on entend d'abord généralement le *contenu* de la foi, c'est-à-dire tout ce qui constitue le contenu interne de la tradition chrétienne, depuis les témoignages bibliques jusqu'aux différents dogmes de l'Eglise. C'est ce caractère de révélation, c'est-à-dire d'« indisponibilité pour la raison laissée à ses seules forces » qui donne son unité aux éléments disparates du contenu de la foi. On peut toujours interpréter à nouveaux frais le message chrétien, on peut en chercher la logique interne, mais on ne peut ni le changer, ni l'adapter à notre mesure rationnelle. On ne peut que l'accepter comme Parole de Dieu ou le refuser.

Si la révélation comme contenu est autre chose qu'un savoir humain, cela veut dire aussi qu'elle ne peut être accueillie que par cette forme d'intelligence particulière que nous appelons *la foi*. Et cette dernière doit être comprise elle-même comme un don gratuit de Dieu et non comme une auto-production de l'homme. C'est pourquoi, on doit parler de la révélation comme d'une *catégorie transcendantale*, au sens où elle qualifie l'intelligence de son propre contenu et donc la présuppose.

A partir de ces prémisses, nous pouvons tirer deux conséquences fort importantes. Tout d'abord, aucune théologie chrétienne ne tient sa certitude d'elle-même quoi qu'il en soit de sa cohérence, de son argumentation rationnelle, de son efficacité sociale et politique. En soi, elle est un savoir humain comme un autre, une production de l'homme. La théologie ne tient sa certitude que de la révélation à laquelle elle fournit un langage. D'autre part, autant il est juste de parler d'un développement historique de la vérité et de souligner l'historicité radicale des divers langages de la révélation, autant il serait faux de faire de la vérité révélée un produit de l'histoire. Il faut ici prendre ses distances à l'égard d'un schéma évolutionniste ou même hégélien de la vérité dans l'histoire. On doit parler plus justement d'une « médiation historique de la vérité dans le sujet historique "Eglise"[19] ».

2. « La foi n'est pas pluraliste »

Personne ne peut contester la visée de cette heureuse formule de Paul VI. Mais, en même temps, elle ne peut être acceptée sans réticence qu'au prix d'un certain nombre de discernements. La foi, en

18. P. EICHER, *op. cit.*, p. 172.
19. J. RATZINGER, *op. cit.*, p. 38.

effet, n'existe pas à l'état chimiquement pur. Il s'agit toujours d'une foi acculturée qui connaît des formulations diverses selon les époques. Et ce serait une facilité apologétique de croire que nous disposons d'une confession de foi matériellement immuable au-delà de laquelle commencerait la pluralité des Ecoles théologiques. Si on considère la foi selon sa traduction dans un langage humain (et comment serait-elle repérable autrement ?), il est tout aussi légitime de parler d'une *unité multiforme de la foi* dans le temps et l'espace, et cela, même à l'intérieur de la seule confession catholique. La vraie question à se poser pourrait donc être celle-ci : comment parler d'unité de la foi alors que, selon son objectivation textuelle, elle est déjà multiforme ? La réponse relève à la fois de l'ordre théologal de la foi personnelle et de l'ordre ecclésial.

a) Il faut d'abord faire intervenir la différence entre la tension interne de la foi qui se porte vers la réalité du mystère du Christ crucifié et ressuscité et l'énonciation de la foi. Cette énonciation peut être différente selon les divers niveaux de conscience des croyants et selon les conditionnements socio-culturels différents de la foi tout au long de l'histoire. Mais ce qu'il y a de commun à toutes ces expressions de la foi, c'est *le mouvement interne de la foi* vers la plénitude du mystère du Christ. Il est permis de parler d'une sorte de temps commun de la foi qui « synchronise » tous les croyants à travers les âges ; et cette identité de la foi vécue nous est garantie par le don de l'Esprit donné à l'Eglise. Il faut ajouter que ce dynamisme interne de la foi n'est pas étranger à son énonciation quel que soit son degré d'élaboration. Disons qu'il y a un lien entre la *fides qua,* l'exercice théologal de la foi, et la *fides quæ,* le contenu de la foi. La *conversion* comme exigence interne de toute foi est le lieu commun dans lequel se rejoignent toutes les démarches de foi, qu'il s'agisse de la foi des simples ou de celle des sages, de la foi d'hier ou de la foi d'aujourd'hui ; et c'est elle aussi qui assure l'unité organique des énoncés dans lesquels elle s'exprime[20].

Ce décalage entre la foi vécue et la foi confessée nous explique pourquoi il y aura toujours, au sein de l'Eglise, une tension inévitable entre les exigences d'une foi authentique et les exigences d'une

---

20. Sur ce lien intime entre l'exercice personnel de la foi et l'unité du contenu de la foi, on pourra consulter le commentaire par J. RATZINGER de la thèse I de la Commission théologique internationale, *op. cit.*, surtout pp. 14-15. La thèse I est formulée comme ceci : « L'unité et la pluralité dans l'expression de la foi ont leur fondement ultime dans le mystère même du Christ, qui, tout en étant mystère de récapitulation et de réconciliation universelles (cf. Ep 2, 11-22), déborde les possibilités d'expression de n'importe quelle époque de l'histoire, et par là se dérobe à toute systématisation exhaustive (cf. Ep 3, 8-10). »

communication sociale qui ne brise pas l'unité. La foi est toujours vécue à la première personne et il est possible que ce vécu irréductible ne se retrouve pas dans le langage officiel de la foi de l'Eglise (« Que m'importe un langage qui n'est pas vrai pour moi ? »). Mais, à l'inverse, je dois accepter une certaine régulation sociale du langage de la foi pour demeurer en communion avec tous ceux qui adhèrent au même message que moi (« Que m'importe une vérité qui me sépare de mes frères ? »)[21]. Cette tension nécessaire est une tension féconde : elle est l'expression même du mystère de l'*unité* de l'Eglise, non pas unité d'une société close, mais unité d'un Peuple en marche, tendu vers le Retour de son Seigneur. Cette unité n'est pas une unité donnée une fois pour toutes. Elle est toujours à *faire* et à *refaire,* sous la mouvance du même Esprit, à mesure que l'histoire se renouvelle. Sinon, l'Eglise méconnaît sa nature exodale.

b) Cette dernière remarque nous invite à insister maintenant sur l'*Eglise comme sujet de l'unité de la foi,* en deçà de la pluralité d'expressions. Finalement, il faut toujours en revenir au sujet « Eglise » pour surmonter le conflit possible entre les exigences de l'unité et les droits à un légitime pluralisme théologique.

« L'Eglise est le sujet englobant dans lequel est donnée l'unité des théologies néo-testamentaires comme aussi l'unité des dogmes à travers l'histoire. Elle se fonde sur la confession de Jésus-Christ mort et ressuscité, qu'elle annonce et célèbre dans la puissance de l'Esprit[22]. » Nous pouvons reprendre à notre compte cette thèse de la Commission théologique internationale en essayant d'en dégager toutes les implications.

Nous avons insisté sur l'expérience irréductible de la foi personnelle comme rencontre avec le Dieu de Jésus. Mais cette expérience individuelle est portée par l'expérience de toute l'Eglise, ce que l'on a toujours reconnu comme le *sensus fidei.* Le « Je » adéquat du *Credo,* c'est l'Eglise. Ce « Je » de l'Eglise s'enracine tout d'abord dans cette source et cette norme permanente que constitue l'expérience fondamentale par la première communauté chrétienne d'un salut offert par Dieu en Jésus-Christ, expérience qui a été exposée différemment chez S. Paul, dans les Synoptiques et chez S. Jean, en fonction des questionnements, des modes de représentation, de pensée et de langage qui étaient ceux du temps et du milieu socio-culturel.

---

21. Cf. M. de CERTEAU, « Y a-t-il un langage de l'unité ? De quelques conditions préalables », in *Concilium,* 51, 1970, pp. 72-89.

22. C'est la thèse VI de la Commission théologique internationale, *DC,* n° 70, 1973, p. 460. Voir le commentaire de J. RATZINGER, *op. cit.,* pp. 38-46.

Mais à cette expérience fondamentale, il faut ajouter tout l'espace historique des expériences de l'Eglise tout au long de son histoire. Ce qui garantit l'identité du « Je » de l'Eglise, en dépit des ruptures historiques, ce n'est pas seulement la permanence du don de l'Esprit, mais l'identité de l'expérience croyante qui trouve son expression privilégiée dans la célébration de l'eucharistie, dans la même relation orante au Père en Jésus-Christ, dans l'imitation du Christ des Béatitudes et aussi dans les objectivations du message originaire, sous forme de confessions de foi et d'énoncés dogmatiques. Et ce que nous appelons la *tradition* n'est pas autre chose que la *mémoire vivante* de l'Eglise mesurée par la tension entre le Christ hier et aujourd'hui. A condition de bien comprendre que la continuité de la tradition n'est pas à chercher dans la *répétition* mécanique d'un même message doctrinal, mais dans l'*analogie* entre le Nouveau Testament et la fonction qu'il exerçait dans la primitive Eglise et puis la production d'une nouvelle interprétation créatrice du même message et la fonction qu'elle exerce dans l'Eglise et dans la société. « Le christianisme est *tradition* parce qu'il vit d'une origine première qui est *donnée.* Mais il est nécessairement en même temps toujours *production,* parce que cette origine ne peut être redite qu'historiquement et selon une interprétation créatrice[23]. »

A partir de ce qui précède, il est permis de préciser encore d'un mot que, lorsque nous parlons de l'unité du sujet « Eglise », il s'agit d'une unité *englobante.* Nous voulons dire que ce n'est pas l'unité matérielle du contenu de foi qui serait le fondement quasi automatique de l'unité de l'Eglise. C'est bien plutôt le contraire, et c'est pourquoi l'unité du sujet Eglise peut maintenir l'unité de la foi par-delà le pluralisme théologique. Nous avons déjà évoqué l'unité plurale de l'Ancien et du Nouveau Testament. Sans la foi de l'Eglise primitive, il n'y a pas d'unité de l'Ancien et du Nouveau Testament et il n'y a pas de lecture chrétienne de l'Ancien. Mais on devrait évoquer aussi le cas exemplaire de la constitution du *canon des Ecritures.* Ce n'est pas la fixation tardive du canon qui a forgé l'unité de l'Eglise et l'unité de sa foi. Il est bien plutôt l'expression de l'unité pré-existante de la foi de l'Eglise. « Ce n'est pas le canon qui fonde l'unité de l'Eglise, mais l'unité de l'Eglise a constitué le canon comme unité[24] ». Certes, ce

23. C. GEFFRÉ, « la Crise de l'herméneutique et ses conséquences pour la théologie », in *RevSR,* t. 52, 1978, p. 294. Nous résumons ainsi, en reprenant ses propres termes, la thèse qui est au cœur de tout l'ouvrage de P. GISEL, *Vérité et Histoire. La théologie dans la modernité : Ernst Käsemann,* Beauchesne, Paris, 1977.

24. J. RATZINGER, *op. cit.,* p. 41. Voir aussi le développement de P. Gisel sur la Nécessité d'un canon, *infra,* chap. II.

n'est pas l'Eglise qui a inventé l'Ecriture et Vatican II nous a rappelé, dans la Constitution sur la Révélation (II, 10), que le magistère « n'est pas au-dessus de la Parole de Dieu, mais à son service ». Mais il est tout aussi incontestable d'affirmer que l'Ecriture n'existe pas en dehors de l'Eglise comme son sujet porteur.

3. Les critères de l'unité de la foi

Fondamentalement, si notre développement sur l'Eglise comme sujet de l'unité de la foi est exact, il faut dire que c'est l'Eglise elle-même qui est le *lieu herméneutique* à partir duquel on peut dire que telle vérité appartient de façon inaliénable à la confession de foi chrétienne. Mais cela est encore beaucoup trop général. De quels critères disposons-nous pour discerner le vrai et le faux en théologie et, par là, tracer une frontière entre le pluralisme légitime et le pluralisme inadmissible ?

Il est trop simpliste et contraire à la pratique complexe de l'Eglise d'invoquer comme critère l'autorité du principe scripturaire (tel qu'il a été utilisé dans les Eglises de la Réforme) ou bien le principe formel de l'autorité du magistère (tel qu'il a été utilisé dans l'Eglise de la contre-Réforme). L'Ecriture demeure bien le critère fondamental, mais il ne fonctionne pas de manière *isolée*. En fait, la norme du jugement théologique jaillira de la corrélation réciproque entre l'expérience fondamentale du Nouveau Testament et l'expérience collective de l'Eglise conditionnée par les nouveaux états de conscience de l'humanité[25]. « Fondamentalement, ce sera toujours le même Message, la même Révélation qui inspirera les jugements théologiques, mais ceux-ci seront aussi nécessairement influencés par les questions posées par l'homme à telle époque déterminée, par la manière concrète, historique, dont il se comprendra lui-même et son monde[26]. »

Il serait illusoire de penser que nous disposons d'un critère statique infaillible au sens d'un corpus d'énoncés scripturaires ou dogmatiques qui permettrait de décider de l'authenticité chrétienne d'un nouveau système théologique. Il n'y a pas d'un côté un noyau invariant et puis de l'autre un registre culturel variable qui rendrait compte des nouvelles formulations de la foi. Le noyau invariant est lui-même

25. Sur la corrélation entre l'expérience fondamentale du Nouveau Testament et notre propre expérience de l'existence comme principe herméneutique, voir E. Schillebeeckx, *Expérience humaine et Foi en Jésus-Christ*, Cerf, Paris, 1981.

26. J.-P. Gabus, *Critique du discours théologique*, Delachaux et Niestlé, Neuchâtel-Paris, 1977, p. 204.

transmis dans un contexte culturel donné et donc selon une certaine interprétation. Il vaut mieux parler d'une *structuration* nouvelle du christianisme qui est le résultat d'une conjonction entre les *éléments fondamentaux* du christianisme et certains *éléments structurants* nouveaux selon les époques[27].

C'est pourquoi, il est plus conforme à la réalité de parler d'un *critère dynamique,* à savoir un rapport proportionnel entre plusieurs idées-forces qui constituent la substance du christianisme et qui se rapportent au Christ comme à leur centre. Ces idées-forces découlent toutes du kérygme de l'Eglise primitive, mais elles tiennent compte des explicitations ultérieures, en particulier des déterminations fondamentales concernant le mystère trinitaire et le mystère du Christ qui ont reçu leur consécration à Nicée et à Chalcédoine.

Finalement, même si le magistère détient un rôle critique indispensable, en tant que témoin privilégié de la tradition de l'Eglise, il est vrai de dire que la vérification et donc le jugement appartient à la communauté ecclésiale tout entière comme communauté confessante et interprétante dans son écoute toujours nouvelle de la Parole de Dieu. Il y a un discernement propre de la foi vécue à l'égard de la foi confessée et donc à l'égard des nouvelles structurations théologiques. Et la liberté d'interprétation n'est pas indéfinie. Il est permis de dire qu'elle est mesurée non pas par un contenu propositionnel invariant qui se transmettrait matériellement de siècle en siècle, mais par la permanence du *rapport religieux* de l'homme à Dieu inauguré en Jésus-Christ et dont l'Esprit Saint assure l'identité à travers tous les temps de l'Eglise.

Dans cette recherche des critères permettant de discerner le vrai et le faux en théologie, on devra tenir compte d'une situation nouvelle de la théologie caractérisée par un certain *déplacement* de l'articulation entre ces deux *lieux théologiques* traditionnels que sont l'*Ecriture* et la *tradition.* Depuis le Concile de Trente, la théologie a fonctionné surtout selon un modèle qu'on pourrait désigner comme un *modèle dogmatique,* c'est-à-dire que le point de départ immédiat du travail théologigue était l'enseignement du magistère et l'*Ecriture* et la *Tradition* intervenaient à titre de preuves. Aujourd'hui, on dirait volontiers que la théologie travaille plutôt selon un *modèle herméneutique.* On veut dire par là que le point de départ du théologien, c'est toujours un *texte,* l'Ecriture ou les relectures de cette Ecriture dans la

---

27. Cf. J.-P. Jossua, « Immutabilité, progrès, ou structurations multiples des doctrines chrétiennes », in *RSPT*, t. 52, 1968, pp. 173-200. On trouvera un résumé plus accessible de la pensée de l'auteur dans l'article « Règle de foi et orthodoxie », in *Concilium,* n° 51, 1970, pp. 57-66.

tradition. On se livre alors à une réinterprétation de ces textes normatifs à la lumière de la conscience collective de l'Eglise, façonnée par les pratiques historiques des hommes dans l'Eglise et dans la société[28]. A propos de cette articulation nouvelle entre l'Ecriture et la tradition, nous nous contenterons de faire les trois remarques suivantes :

a) Conformément à l'enseignement de Vatican II, c'est l'Ecriture qui doit être « l'âme et même le "principe vital" de toute théologie ». Cela veut dire qu'il faut soumettre les hypothèses théologiques, même les plus vénérables, aux conclusions irréfutables de l'exégèse historico-critique. Sans doute, ce n'est pas le Jésus restitué par la science historique qui est la source et la norme de la foi chrétienne : c'est le Jésus vivant de l'histoire confessé comme Christ par la première communauté chrétienne. Mais justement, la théologie dogmatique doit tenir compte du fait que la recherche historico-critique est en mesure aujourd'hui de nous manifester l'identité entre le Christ confessé dans la foi et l'homme Jésus de Nazareth.

b) Les définitions dogmatiques doivent être réinterprétées à la lumière de notre lecture moderne de l'Ecriture sainte et en fonction de notre expérience humaine et ecclésiale actuelle. Notre situation historique particulière est, en effet, un élément constitutif de notre compréhension du message chrétien. Sinon, on risque de défendre une orthodoxie purement « verbale ».

c) Dans la présentation du message chrétien, il faut tenir compte du principe mis en avant par Vatican II, à savoir la « hiérarchie des vérités »[29]. En cette fin du deuxième millénaire, l'Eglise a le devoir urgent d'actualiser le message chrétien dans d'autres cultures que la culture occidentale. Il s'agit toujours de rechercher ce qui est essentiel à la foi apostolique. *Id quod requiritur et id quod sufficit :* à condition de ne pas être compris dans un sens quantitatif, c'est-à-dire comme un principe de soustraction, ce principe de base du travail œcuménique dans la recherche d'une formule d'union entre les diverses confessions chrétiennes doit s'exercer aussi au sein de la communauté ecclésiale

---

28. Sur ce déplacement de la théologie, nous renvoyons à notre étude, « Du savoir à l'interprétation », publiée dans l'ouvrage collectif *le Déplacement de la théologie,* Beauchesne, coll. « le Point théologique », n° 21, Paris, 1977, pp. 51-64.

29. Cf. H. MÜHLEN, « Die Lehre des Vaticanum II über die "hierarchia veritatum" und ihre Bedeutung für den ökumenischen Dialog », in *ThGl,* t. 56, 1966, pp. 303-335.

catholique. L'unité de la foi n'est pas synonyme d'uniformité. Il faut plutôt chercher dans le sens de ce que la Fédération luthérienne mondiale appelle une « diversité réconciliée ».

IV. PLURALISME THÉOLOGIQUE ET EXERCICE DU MAGISTÈRE

Nous avons insisté dans la dernière section sur une certaine auto-régulation de la foi par toute l'Eglise. En effet, l'indéfectibilité, c'est-à-dire la permanence dans la vérité, est une promesse faite par le Christ à toute l'Eglise, Peuple de Dieu. Et nous sommes autorisés à dire que l'infaillibilité ministérielle, celle des responsables hiérarchiques, doit être l'expression de cette indéfectibilité de toute l'Eglise. Mais, même si dans le climat de la contre-Réforme et jusqu'à la veille de Vatican II, on a assisté à une sorte de surenchère du magistère [30], c'est bien la responsabilité du magistère de trancher en dernière instance quand une explication théologique tend à mettre l'enseignement scripturaire en opposition avec l'Eglise et avec son *credo*.

Force est de constater cependant que l'existence d'un pluralisme théologique insurmontable au sein de l'Eglise place le magistère dans une situation nouvelle. Idéalement, le magistère doit s'exercer au service de la communauté ecclésiale tout entière, au nom de la confession de foi elle-même, et non au nom d'une théologie particulière — fût-ce celle des théologiens romains. Mais concrètement, il est impossible au magistère de s'exprimer autrement que dans le langage d'une théologie. Et, il faut bien reconnaître que, depuis le Concile de Trente, on a assisté à une certaine confusion à l'intérieur de la théologie catholique entre la *fonction dogmatique* et la *fonction théologique*. On veut signifier par là que, pendant quatre siècles, les textes du Concile de Trente furent considérés non seulement comme des décisions magistérielles, mais comme la norme suprême de toute spéculation théologique. C'est pourquoi il était pratiquement impossible de parler d'un pluralisme théologique légitime.

La situation a évolué rapidement depuis le dernier Concile et on

---

30. Y. Congar a souvent évoqué cette évolution historique qui a consisté à majorer de plus en plus le rôle de l'autorité du magistère comme règle prochaine et immédiate de la croyance, alors que dans le christianisme antique la *regula fidei* n'était pas autre chose que la doctrine elle-même reçue des apôtres. Cf. *la Tradition et les traditions*, I. *Essai historique*, Fayard, Paris, 1960, pp. 233-257 et notes, pp. 279-291 ; et encore plus récemment, son article « les Régulations de la foi », in *le Supplément*, n° 133, mai 1980, pp. 260-281.

distingue plus nettement aujourd'hui la fonction de régulation du magistère et la fonction scientifique de la recherche théologique (avec la liberté qu'exige toute recherche)[31]. « Alors que, jadis, les thèses vraiment importantes d'une théologie, c'étaient les propositions du magistère elles-mêmes, il n'en sera plus de même à l'avenir, du moins pour une théologie qui veut être une théologie ; et cela lui est même impossible, si elle veut vraiment réaliser aujourd'hui la tâche qui était la sienne. Car enfin, la règle du langage est faite avant tout pour la profession de foi, et non pas — du moins avec la même rigueur et d'une façon aussi originelle — pour la pensée théologique en ce qu'elle a de spécifique. Bien sûr, les théologies ne sauraient s'affranchir de toute dépendance à l'égard de la doctrine du magistère, et donc du langage utilisé par celui-ci. Il n'empêche qu'il faut voir aujourd'hui avec plus de netteté que la règle du langage, c'est la règle de profession de foi de l'Eglise, et non pas (du moins d'une façon aussi originelle) la règle de la théologie[32]. »

En termes clairs, cela veut dire qu'à l'avenir la théologie peut faire preuve d'une plus grande liberté à l'égard des « concepts théologiques » consacrés par le langage officiel du magistère sans nécessairement compromettre l'unité de la foi.

Il s'agit au fond de tirer toutes les conséquences du principe énoncé par Jean XXIII lors du discours d'ouverture du deuxième Concile du Vatican : « Autre chose est le dépôt même ou les vérités de foi, autre chose la façon selon laquelle ces vérités sont exprimées, à condition toutefois d'en sauvegarder le sens et la signification. » C'est justement la fonction propre du théologien de se livrer à une réinterprétation des énoncés de la foi en exerçant un discernement critique entre la vérité de l'affirmation de foi dont est porteuse une formulation dogmatique et la formulation même qui est dépendante du matériel sémantique d'une époque. Mais il est possible qu'une simple réinterprétation ne suffise pas quand la transparence primitive du langage d'une définition pour ceux qui en étaient les contemporains est devenue quelque chose d'obscur pour les croyants d'aujourd'hui. On sait que la question a déjà été posée à propos du vocabulaire métaphysique utilisé par Nicée et Chalcédoine pour exprimer la foi de l'Eglise au sujet de l'uni-trinité de Dieu ou du théandrisme christologique ; on peut en dire autant en

---

31. Sur cette distinction entre la fonction du magistère et la fonction de la théologie, parmi bien des travaux récents suscités par « l'affaire Küng », nous nous permettons de renvoyer à notre étude, « Liberté et Responsabilité du théologien », *le Supplément*, n° 133, mai 1980, pp. 282-293.

32. K. RAHNER, « le Pluralisme en théologie et l'Unité du credo de l'Eglise », in *Concilium*, n° 46, p. 104.

ce qui concerne la doctrine du Concile de Trente sur le péché originel et sur le mystère de la Présence réelle.

On peut donc être dans l'obligation de recourir à une nouvelle formulation du dogme pour être justement fidèle à la visée permanente de l'affirmation de foi. Le théologien sait qu'il n'y a rien d'irréversible en matière de formulation et que le mystère du Christ déborde tous les énoncés que l'Eglise peut en donner. Mais une ancienne formulation ne devient pas fausse pour autant. Elle était la juste réponse à la question historique qui l'a suscitée et elle garde des ressources d'intelligibilité toujours précieuses pour la compréhension totale de la foi apostolique au même titre que certaines expressions antérieures de la foi, bibliques ou non. En tout cas, une meilleure connaissance de l'histoire des doctrines et de la tradition dogmatique devrait nous mettre en garde contre toute tentation d'hypostasier certaines formulations historiques de la foi. Pourquoi, par exemple, ce qui fut possible en 433, au moment de l'acte d'union de Cyrille d'Alexandrie reconnaissant la différence de formules christologiques opposant Antioche et Alexandrie, ne serait-il pas possible aujourd'hui ? De même, l'Eglise a toujours su confesser la divinité de la troisième personne de la Trinité sans recourir au vocabulaire de la *consubstantialité*. Et qui oserait affirmer que l'unanimité dans la foi au Saint-Esprit entre l'Eglise d'Orient et celle d'Occident a été rompue par une divergence sur la procession du Saint-Esprit ? Il ne s'agit pourtant pas là d'une simple divergence théologique : elle est d'ordre proprement dogmatique.

Ces derniers exemples montrent assez que le pluralisme théologique ne compromet pas nécessairement l'unanimité dans la foi. Mais c'est encore trop peu dire. Indépendamment de la permanence de la division des Eglises chrétiennes (avec toutes les conséquences que cela entraîne pour l'Eglise catholique quant à la différence entre une œcuménicité de *droit* et une œcuménicité de *fait*), on peut se poser sérieusement la question de savoir s'il ne faut pas parler aussi d'un pluralisme légitime des confessions de foi, dans la mesure où les Eglises locales sont enracinées dans des expériences historiques, culturelles, socio-politiques, irréductibles. La question mérite d'être posée alors que, de plus en plus, l'avenir de la foi chrétienne ne se trouve plus lié comme autrefois à celui de l'Occident. L'Eglise ne pourra jamais faire l'économie d'une certaine réglementation sociale du langage de la foi. Mais est-ce que la volonté d'imposer à toute l'Eglise une unique confession de foi ne comporte pas le danger de maintenir, coûte que coûte, une orthodoxie toute formelle qui ne rejoint pas le vécu irréductible de chaque Eglise particulière ?

Enfin, le fait du pluralisme théologique dans l'Eglise nous suggère une dernière remarque concernant les nouvelles modalités d'exercice du magistère. Nous avons déjà souligné plusieurs fois le devoir urgent pour l'Eglise d'actualiser le message chrétien (évangélique et dogmatique) dans d'autres cultures que la culture occidentale. Or, selon leur formulation, les définitions dogmatiques sont étroitement dépendantes d'une théologie dominante essentiellement conditionnée par les ressources conceptuelles de la pensée grecque. Tout ce chapitre tend, par ailleurs, à montrer que l'Eglise doit être prête à accepter — non pas comme un mal nécessaire mais comme un signe de son universalité — un pluralisme théologique irréductible, qui provient d'une véritable *inculturation* du christianisme dans les diverses cultures de l'humanité. La question se pose donc de savoir si, à l'avenir, le magistère de l'Eglise pourra encore déterminer la foi d'hier et d'aujourd'hui par le moyen de définitions dogmatiques. Il ne s'agit pas de refuser à l'Eglise le droit et le devoir de *déterminer la foi* de toujours face à des réinterprétations appauvrissantes ou même aberrantes du message chrétien. Nous voulons seulement suggérer que, dans notre situation historique, ce n'est pas en proclamant de nouvelles définitions infaillibles que l'Eglise maintiendra le mieux cette unité multiforme de la foi qui est un écho de « la sagesse multiforme de Dieu » (Ep 3, 10).

BIBLIOGRAPHIE

J. AUDINET, M. BELLET, M.-D. CHENU, *le Déplacement de la théologie*, Beauchesne, coll. « le Point théologique », n° 21, Paris, 1977.

S. BRETON, *Unicité et Monothéisme*, Cerf, coll. « Cogitatio Fidei », n° 106, Paris, 1981.

Y. CONGAR, *Diversités et Communion*, Cerf, coll. « Cogitatio Fidei », n° 112, Paris, 1982.

Ph. DELHAYE, « le Problème du pluralisme », in *Esprit et Vie*, 1976, pp. 529-544.

P. EICHER, *Theologie. Eine Einführung in das Studium*, Kösel, München, 1980, trad. fr. *la Théologie comme science pratique*, Cerf, Paris, 1982, chap. XIII : *Orientation dans le pluralisme des théologies*.

P. GISEL, *Vérité et Histoire. La théologie dans la modernité : Ernst Käsemann*, Beauchesne, Paris, 1977.

J.-P. GABUS, *Critique du discours théologique*, Delachaux et Niestlé, Neuchâtel-Paris, 1977, pp. 200-231.

Internationale Theologen-Kommission, *Die Einheit des Glaubens und der theologische Pluralismus*, Johannes Verlag, Einsiedeln, 1973. (Traduction française partielle sous le titre : J. RATZINGER, *l'Unité de la foi et le Pluralisme théologique*, Paris, C.L.D., Esprit et Vie, 1978.)

J.-P. JOSSUA, « Immutabilité, progrès, ou structurations multiples des doctrines chrétiennes », *RSPT*, t. 52, 1968, pp. 173-200.

L.D. KLIEVER, *The Shattered Spectrum. A Survey of Contemporary Theology*, John Knox, Atlanta, 1981.

R. PARENT, *Communion et Pluralisme dans l'Eglise*, Centurion-Fides, Paris-Montréal, 1980.

C.J. PINTO de OLIVEIRA, « Eglise, orthodoxie et société pluraliste », in *Concilium*, n° 51, 1970, pp. 91-100.

le Pluralisme. Pluralism : Its Meaning Today, Fides, coll. « Héritage et Projet », n° 10, Montréal, 1974. (Avec une bibliographie complète des *Ecrits* de K. Rahner sur le pluralisme.)

G. PHILIPS, « A propos du pluralisme en théologie », *ETL*, t. 46, 1970, pp. 149-169.

K. RAHNER, « le Pluralisme en théologie et l'unité du credo de l'Eglise », in *Concilium* n° 46, 1969, pp. 93-112.

ID., « la Réflexion philosophique en théologie », in *Ecrits théologiques* n° 11, Desclée De Brouwer-Mame, Paris, 1970, pp. 49-76.

ID., « l'Historicité de la théologie », *ibid.*, pp. 77-105.

H. Riesenfeld, *Unité et Diversité dans le Nouveau Testament*, Cerf, coll. « Lectio divina », n° 98, Paris, 1979, pp. 11-29.
D. Tracy, *Blessed Rage for Order. The New Pluralism in Theology*, The Seabury Press, New York, 1975.
Id., *The Analogical Imagination. Christian Theology and The Culture of Pluralism*, SMC Press LTD, Londres, 1981.

CHAPITRE II

Vérité et tradition historique

par PIERRE GISEL

SOMMAIRE. — I. Liminaire : autorité et vérité. II. Tradition : anamnèse et production. III. La vérité est témoignage et interprétation. IV. Critique et affirmation. V. Nécessité d'un canon. Bibliographie.

Il y a *pluralité* de théologies et *unité* de foi. C'est ce que rappelait le chapitre ci-dessus. Pluralité et unité de fait; l'une comme l'autre. Pluralité et unité nécessaires; là aussi : l'une comme l'autre. Mais les dire nécessaires, c'est dire qu'elles sont à penser.

On s'efforcera de penser ici la pluralité et l'unité au niveau où elles se donnent, dans la vie historique de l'Eglise. En effectivité, donc. Dans le jeu réglé qui est le leur, symbolique et institutionnel.

Les lignes qui suivent s'efforcent de cerner le type de vérité dont témoigne la foi chrétienne. Elles relèvent ainsi d'une « théologie fondamentale »[1]. La régulation plus concrète de la vérité est abordée *infra*, au titre : « Théologie et Vie ecclésiale ».

I. LIMINAIRE : AUTORITÉ ET VÉRITÉ

On peut d'entrée souligner que s'il y a, au départ de la théologie, de fait et nécessairement, pluralité, c'est qu'il y a, au départ, l'*espace d'une histoire* : la vie d'un « peuple », avec son inscription dans des *institutions* et des *textes*; avec, par conséquent, la confession d'une *origine* - d'où vient ce « peuple » et en laquelle il se reconnaît (une « origine » qui le « légitime », une « origine » *au nom de* laquelle il « proteste » tant de lui-même que de ce qui le provoque à être et à

1. Sur l'acception récente de ce concept, cf. H. SRIRNIMANN, « Erwägungen zur Fundamentaltheologie », in *FZThPh,* 1977/1-2.

parler) - ainsi que d'une *destination* ou d'une finalité ; avec, encore, le jeu réglé d'une *tradition* au travers de laquelle sa vie est engendrée et ne cesse d'être à nouveau engendrée.

S'il y a, indéniablement, normativité, pour la foi, l'Eglise et la théologie, ce ne pourra donc être selon les règles d'une autorité formelle. Extrinsèque. Normes, critères et autorité seront au contraire déterminés par l'objet même, la vérité (« substantielle » ou « positive ») dont témoigne et que transmet la vie dans la foi. *Vérité* (le dogme comme témoignage et proposition de vie) et *autorité* (le dogme comme énoncé dirimant, de fait) sont étroitement et intrinsèquement liés.

Au regard des témoignages majeurs de la grande tradition de l'Eglise — chez les Pères et au moyen âge — un liminaire de ce type fait figure d'évidence. S'il faut prendre la peine de le noter ici, clairement, c'est au vu de l'histoire subséquente de la théologie et au vu du contexte culturel ou « idéologique » dans lequel nous vivons aujourd'hui.

Quelques mots de rappel historique le feront voir. Pour les Pères et les grands théologiens médiévaux, le « donné révélé » n'est jamais entendu comme somme de vérités purement conceptuelles ou logiques. Il est foncièrement « mystère », compris selon les coordonnées d'une pensée sacramentaire (faisant référence à un Dieu qui entre dans la chair du monde, s'y lie et s'y donne, tout en restant hétérogène). On ignore donc, là, une connaissance théologique qui ne serait pas « participation » (active), polarisée par une fin (un objet) non possédée (la foi habite une dimension de l'« eschatologique » ou de la transcendance), tout en étant, bien sûr, instituant ou constitutif (« substantiellement »). La vérité dogmatique ou théologique *(lex credendi)* est ici inséparable de la sainteté de vie *(lex orandi)*. Mais c'est dire que, dans cette perspective, la vérité est, foncièrement, auto-attestative ; elle s'impose, *oblige* et *propose* à partir du fait — toujours offert et toujours à reprendre — de sa révélation : la « règle de foi » sera donc la règle qu'*est* la vérité.

« Ce que le moyen âge entendait par "article de foi" et par "doctrine" tenait son autorité non du fait d'être formellement garanti par une autorité ecclésiastique, mais du fait qu'effectivement, la vérité divine s'y manifestait[2]. » Or, ce lien, intrinsèque, entre la structure même de la vérité de foi et sa valeur dogmatique s'est, à l'époque moderne, relâché ; au profit d'une compréhension du dogme renvoyant principalement à une définition proclamée et quasi instituée par l'Eglise (en son ministère magistériel). Cette évolution s'explique partiellement par la polémique anti-protestante (nécessité de souligner

2. W. KASPER, *Dogme et Evangile*, Castermann, Paris, 1967, p. 40.

le lien d'une vérité de foi à l'Eglise). Mais, plus profondément, elle apparaît consécutive à la cassure nominaliste et n'est pas sans lien — même si ce fut souvent à son corps défendant et contre son intention explicite — avec l'avènement du rationalisme (cf. la scolastique dite « baroque »). On remarque un phénomène analogue en terre protestante, cf. le recours des « orthodoxies » à une pensée de type « supranaturaliste » pour tenter de faire pièce aux menaces de dissolution que fait planer le « libéralisme ». Ici comme là, une même perte se laisse repérer quant à la définition même et à la valeur du mot vérité. Elle a pu et peut être dommageable si elle oblitère le lien — décisif au vu de la vérité théologique centrale de la foi chrétienne — entre toute forme de *causalité* (donc toute question portant sur le « fondement ») et la réalité d'une *participation objective*. La vérité théologique — ou vérité de foi — est assurément effectuante (causative en ce sens-là et discriminante), mais elle l'est en associant son effet à la vérité — l'être et *eo ipso* la valeur ou perfection — de ce qu'elle *est* comme « cause » : la vérité de foi n'offre rien d'autre — en son acte instituant et créateur — qu'à participer de sa vie même (la causalité est « communicatio propriae perfectionis » ; la vérité est donc de soi transitive, et tout concept ou définition intellectuel — « dogmatique » en ce sens-là — demeure indissolublement lié à une existence en acte ; il faut donc dire que la foi naît, et vit, d'une reconnaissance ou d'une précédence) [3].

II. TRADITION : ANAMNÈSE ET PRODUCTION

La foi et la théologie chrétiennes ne sont pas leur propre origine. Elles renvoient à une expérience historique réglée et à ce dont cette expérience vit. Elles sont foncièrement précédées et seront donc, foncièrement, un geste de *tra-dition*.

Ce premier caractère, décisif, souligne que la foi et la théologie chrétiennes se nouent en une première *passivité* [4] : elles reconnaissent

---

3. Sur la question abordée dans ce paragraphe, on lira aussi : E. SCHILLEBEECKX, *Approches théologiques*, t. 1. *Révélation et Théologie*, CEP, Bruxelles, 1965.

4. Le terme de passivité renvoie à une terminologie traditionnelle, cf. les travaux de Y. CONGAR sur ce sujet, notamment *la Tradition et les traditions*, 2 vol., Fayard, Paris, 1960 et 1963 (cf. aussi « les Régulations de la foi », *le Supplément*, Cerf, Paris, mai 1980, pp. 260-281). On peut admettre que c'est selon une profonde analogie quant à ce qui est ici en jeu que l'on parle de « justice passive » à propos de la « découverte réformatrice » de Luther. Pour une reprise contemporaine de ce thème d'une première passivité, on lira avec

qu'elles sont *obligées* par une vérité qu'elles ne sauraient maîtriser mais dont elles peuvent témoigner, à laquelle elles peuvent renvoyer.

Cette première passivité n'exclut pas que la foi et la théologie soient aussi décision, décision présente et active ; mais elle en détermine, dès le départ et de bout en bout, l'activité. Elle en dit l'enracinement et le type spécifique de développement ou de généalogie. Elle circonscrit un jeu ou une intrigue spécifique de la liberté[5].

Concrètement, le geste de tra-dition qu'instituent la foi et la théologie prend d'abord la forme de l'*anamnèse* : elles sont un « faire mémoire ». Rappel d'un passé, donc. Ou d'un moment d'institution. Confession donc, *eo ipso,* d'une histoire ; rigoureusement : d'une émergence spécifique hors la simple naturalité. Mais le « faire mémoire » n'est pas que tourné vers le passé : il est aussi un faire *présent* qui, justement, dit aujourd'hui le sens de ce passé ; qui, dans la mesure même où il est « faire mémoire », confesse que le passé n'est pas simplement dépassé, mort. Un « faire mémoire » est toujours un geste *présent* qui confesse une existence (personnelle et communautaire) dont les coordonnées échappent au déroulement linéaire de la seule temporalité (le déroulement du seul temps-qui-passe), une existence comme émergence intensive, irréductible et spécifique, qui témoigne elle-même (du fait même de son existence spécifique) d'une mise en échec de la mort.

Un « faire mémoire », enfin, n'est pas que rappel d'un passé et instauration d'un présent ; il est encore, indissolublement, visée d'avenir : *prophétie,* geste d'espérance ou confession d'une promesse. Si le passé est repris et reçu comme acte d'institution (originaire), si le présent est ainsi le lieu d'une intrigue à la fois articulée sur la temporalité et échappant à ses seules lois de vieillissement et de mort, le geste de tradition ainsi mis en œuvre apparaît alors comme étant un geste d'advenir, geste d'anticipation, geste polarisé par une transcendance, une finalité, un eschatologique.

Le geste de tra-dition — anamnèse, instauration spécifique d'un présent et ouverture sur l'avenir — requiert un jeu complexe qui ne va pas sans une régulation où différentes instances doivent pouvoir, impérativement, être prises en compte[6]. Avant d'en préciser la

---

profit E. LÉVINAS, qui fait fructifier ici un enseignement biblique, *Totalité et Infini,* M. Nijhoff, La Haye, 1961 et *Autrement qu'être ou au-delà de l'essence,* M. Nijhoff, La Haye, 1974.

5. L'expérience chrétienne est, foncièrement, celle d'une liberté (d'une libération qui ouvre une histoire), mais cette liberté et cette histoire présentent un caractère tout à fait spécifique et doivent donc être toujours à nouveau repensées *théologiquement.*

6. Sur ces instances et leur jeu institutionnel, cf. plus spécialement *infra,* « Théologie et Vie ecclésiale ».

nécessité et les dimensions, soulignons bien deux points, d'ailleurs solidairement articulés.

Premier point : le caractère *historique* du geste de tra-dition. Historique pour marquer son insertion réelle, et notamment passée, mais historique aussi pour souligner que ce geste est, foncièrement, instaurateur, productif. L'acte présent et actif de tradition sera donc le lieu d'une vraie décision, le lieu d'une « prise de parole » où la subjectivité du croyant est partie prenante comme le sont également les défis du temps. Mais — c'est le second point — ce geste productif n'est possible et vrai que dans la mesure où il ne cesse de renvoyer à une première passivité. C'est d'ailleurs dans la mesure même où il renvoie à une antécédence (qu'il ne saurait en aucun cas rejoindre ou s'approprier) qu'il pourra être réellement productif ; aussi vrai que, pour l'homme, un même rapport décisif à l'altérité se joue dans sa relation au passé que dans sa relation au monde présent. Ici comme là, je dois apprendre à me déprendre de l'idolâtrie d'une approche trop immédiate. Bien qu'on puisse en avoir, s'installer dans son seul présent — soi-disant libre à l'égard du passé — n'est pas gage d'avenir créateur. Au contraire : ouvrir sur un avenir qui soit autre chose qu'illusion irresponsable ou secrète répétition prise à ses propres pièges exige l'expérience d'un décentrement au travers duquel un passé peut être assumé d'une façon productrice et un présent mis en perspective dynamisante.

III. LA VÉRITÉ EST TÉMOIGNAGE ET INTERPRÉTATION

La vérité n'est pas une réalité une, simple, circonscrite et à libre disposition (vérité formelle) ; *elle est avènement de figures concrètes* (vérité pratique et incarnée).

Le renvoi à une première passivité en laquelle s'ordonne et se noue un procès différencié de tra-dition souligne que le « donné révélé » n'est pas de l'ordre d'une réalité simple, circonscrite, entièrement maîtrisable en une connaissance intellectuelle et/ou par une autorité institutionnelle.

Il importe d'abord de bien marquer ici que le « donné » est, dès le départ, de l'ordre du *témoignage* : témoignage suscité par un événement et condensé en Ecriture. Souligner ce point, c'est dire que le « donné » est déjà, d'entrée, traversé d'une médiation humaine et subjective : le « donné » est acte, production, réponse. Il est confession (voyez les textes bibliques[7]). Et la *distance* qu'il marque à l'égard de

7. On fait écho ici à l'une des (re)découvertes les plus décisives de l'exégèse

l'événement dont il témoigne n'est pas réductible (on ne saurait remonter en arrière des textes pour découvrir une vérité plus pure, comme délestée de ce poids d'humanité propre à tout témoignage) ; elle est au contraire élément constitutif de ce donné : irréductiblement témoignage rendu à ce qu'il n'*est* pas (mais qu'il confesse comme son origine) et avènement d'humanité vraie dans l'espace et le temps.

La vérité chrétienne ignore ainsi toute immédiateté, de fait et de droit. Elle ne saurait se présenter, nulle part, ni comme Parole originaire, pleine, évidente, suffisante en son adéquation formelle avec elle-même (une Parole qui serait, littéralement, divine et dont la religion chrétienne serait le savoir ésotérique et initiatique) ; ni comme première décision dogmatique formelle, quasi axiomatique (la religion chrétienne en serait l'espace juridico-institutionnel)[8] ; ni comme événement brut, hors la dramatique humaine qu'il commande et qui le raconte (la religion chrétienne serait le rappel peu ou prou positiviste d'un fait qui la légitimerait comme de l'extérieur).

Si la vérité à laquelle la foi et la théologie chrétiennes ont affaire dès le départ est de l'ordre du témoignage, leur tâche sera de répondre de ce témoignage par un nouveau témoignage, qui lui corresponde, selon un mode analogique. Explicitons-en quelques éléments structurants.

Il convient tout d'abord de souligner la *discontinuité* qui va séparer le témoignage passé du témoignage présent. Cette discontinuité est fonction du caractère historique inhérent au témoignage. Parce que la foi et la théologie sont témoignage incarné dans un temps et un lieu précis (et qu'elles sont ainsi à distance de leur objet), il est clair qu'elles ne sauraient être purement et simplement répétées. Leurs énoncés, les formes de leurs pratiques, de leurs institutions et de leurs engagements vont changer.

La correspondance entre la confession d'hier et celle d'aujourd'hui est inséparable de l'examen du contexte socio-culturel dans lequel ces confessions prennent corps et figure. La confession d'aujourd'hui qui répondra à la confession d'hier devra opérer, dans le monde qui est le sien, selon un *rapport* analogue à l'opération qu'effectuait, dans le monde qui était le sien, la confession d'hier. C'est dire que la comparaison directe, terme à terme, de deux *énoncés* — celui d'hier et celui d'aujourd'hui — ne saurait à elle seule trancher la question de la

---

biblique de ces dernières décennies (cf. à titre exemplaire et à certains égards inaugurateur, le geste de l'école dite « formgeschichtlich », au début des années vingt, voir les travaux de R. BULTMANN, M. DIBELIUS et K.-L. SCHMIDT, coupant d'avec tout « historicisme »).

8. Significativement, l'Eglise ignore toute liste officielle des dogmes (le dogme se propose comme interprétation d'une tradition à laquelle il renvoie : il formule les « principes » qui assurent la structuration d'un *Credo* effectif).

fidélité à un même mouvement de tra-dition. Le même énoncé ne peut-il pas, dans un autre contexte, assumer une tout autre fonction (et donc une tout autre signification) que celle qu'il assurait primitivement et, ainsi, réellement, dire autre chose et ne plus témoigner de la même vérité ? La crispation sur tel énoncé formel peut être, en dépit des meilleures intentions, une trahison.

Il n'y aura donc pas, pour la foi et la théologie chrétiennes, de continuité sinon par-delà — et au gré — de ruptures. Aussi la continuité ne prendra-t-elle pas la forme d'un développement homogène : elle supposera le jeu d'autres instances où seront notamment pris en compte un examen lucide et exigeant de la situation du temps (de ses espoirs et de ses interrogations, de ses pièges comme de ses promesses possibles) et une lecture différenciée de l'histoire passée dans laquelle s'est inscrite sa tradition (on y reviendra) ; elle relèvera, enfin, articulé sur cet examen et cette lecture, d'un jugement proprement théologique [9].

La procédure esquissée ici est naturellement fonction d'une certaine compréhension de la *vérité* et d'une certaine compréhension — liée — du *langage*.

Prenons tout d'abord la *vérité*. Au vu de ce qu'on a dit — passivité originaire et mouvement de tra-dition qu'elle suscite et qui en répond —, on dira que la vérité est à la fois éminemment *pratique* et irréductiblement *incarnée*.

Pratique : la vérité chrétienne ne ressortit pas à un ordre formalisé (de type mathématique par exemple) ; elle est la vérité de l'instauration d'un certain nombre de figures — qui font tradition — au cœur de l'histoire. Comme telle, la vérité est indissolublement liée à un *faire* et au caractère tranché qu'il suppose : il n'y a ainsi de vérité chrétienne que liée à des figures qui font face à d'autres figures dont elles se démarquent, et parfois polémiquement. La vérité chrétienne est liée à un avènement (un *novum*) au cœur du monde et aux prises avec lui : elle en poursuit le geste.

La vérité est, aussi, irréductiblement *incarnée* : liée à l'instauration de figures, elle est liée à leur visibilité, positive. A leur institution et à leurs symboliques concrètes et effectives. L'opacité et la contingence qui se donnent là ont caractère obligé : c'est en entrant plus avant dans les figures proposées par la christianité (dans leur méditation) qu'on découvrira *d'où* elles viennent (à quelle « création » elles ressortissent) et quelle vérité (quel Dieu) elle attestent. On découvrira donc leur

9. Et non seulement historique, sociologique, psychologique etc. Parler d'un jugement proprement théologique, c'est naturellement tenir que la théologie est un *ordo disciplinae* spécifique (avec son matériel, sa texture, *et* ses principes d'intelligibilité propres).

vérité *discontinûment* et au gré de ce dont ces figures vivent, *centralement*[10] (non par jeu de contiguïté, par régression sur leurs confins).

Si la vérité n'est donnée que par la grâce de figures historiques (dans leur avènement dynamique et l'opacité de leur consistance propre), le *langage* dont usera la foi et la théologie ne sera jamais purement véhiculaire ou instrumental : un tel langage suppose une vérité formalisable, simple, adéquate à elle-même. Le langage de la foi sera tour à tour narratif, poétique, liturgique. Il restera évocateur. Et le théologien (comme le croyant) ne lèvera pas la foncière énigme du monde, même s'il entend indéniablement la prendre en charge de façon responsable. Il en appellera donc à du non-accompli, travaillera au creux de la distance : à l'égard du passé qui l'oblige et du futur qu'il espère, comme à l'égard du présent qui le déborde de part en part.

Un dernier point mérite d'être ici souligné. Parce qu'elle est le geste de tradition inscrit au cœur d'une histoire qu'on a désigné jusqu'ici, la foi chrétienne a de part en part affaire à la chair du monde. Les figures auxquelles elle renvoie, comme les figures qu'elle s'essaie à incarner, sont, finalement, des figures *du* monde : prise en charge spécifique de la réalité.

La foi et la théologie chrétiennes se développent au cœur du créé. Elles ne sauraient donc, dans leur évocation de Dieu et dans le penser qui lui correspond, dépasser un ordre d'*analogies* constitué à partir d'une habitation concrète du monde. C'est dire qu'elles ne désignent Dieu que par renvoi indirect (dans la *disproportio*) ; mais c'est dire aussi que le passage par la contingence des corps, des lieux et des moments particuliers du monde est requis : il s'accorde en effet de la liberté de Dieu. Dieu donne radicalement sans nécessité, il se donnera donc au gré des médiations qui signalent *et* préservent son altérité.

La foi et la théologie chrétiennes s'éprouvent et s'élaborent au cœur du créé dont elles proposent des figures spécifiques. Elles ne cessent donc de renvoyer au réel. Elles nous obligent même à une conversion toujours reprise, conversion à l'encontre de nos tentations idéalistes où l'on risque toujours de n'adorer que ses propres projections. Mais — pour être bel et bien réel, grevé d'opacité et de contingence — le réel auquel elles en appellent n'est jamais un réel chosifié. Dans le même mouvement qui convertit notre regard au monde, la foi et la théologie font voir et découvrir le monde comme advenir : monde foncièrement porté par la Parole[11], monde comme histoire(s),

---

10. En langage thomasien, on renverrait ici au moment de la *relation*, moment décisif d'une création présente (donc directement articulé sur l'*esse*). Cf. *Somme théologique,* Ia, q. 45, art. 3.

11. Monde « en Christ », dès le commencement des temps.

tradition(s), monde renvoyant à Dieu et aux généalogies (advenir spécifié à chaque fois, selon la diversité des paroles possibles et leur rapport à Dieu) qu'il ordonne.

Précisons qu'on use à dessein, ici, du mot « advenir » ; il suppose un mouvement et une effectivité à l'œuvre. Il n'équivaut pas pour autant à un pur « devenir » : si le monde est traversé des figures qu'y discernent la foi et la théologie (figures positives et négatives : dans la grâce ou le péché, « en Adam » ou « en Christ », etc.), il porte irrémédiablement la marque d'un achèvement, l'achèvement de chacune des figures, dans le temps et le lieu qui sont les siens à chaque fois et en rapport avec des personnes irréductiblement particulières. Le monde n'est pas chose morte, neutre, à disposition : il porte en lui-même l'empreinte de ce qui le *fait* être, de ce qui le tient comme existence renvoyant à une origine et visant une fin (il garde ainsi le sceau d'une passivité et d'un dynamisme) ; mais le monde n'est pas pour autant perpétuel devenir, jamais achevé, soumis à la seule temporalité de ce qui ne cesse de passer, entraîné par le jeu de la vie et de la mort : il est, au sein de la diversité des temps, figure offerte à chaque fois dans la *densité* propre d'un présent, d'une parole et d'un regard.

Enfin, si la vérité est de l'ordre d'un témoignage toujours à nouveau repris, d'un témoignage *pratique* et *incarné*, d'un témoignage lié à un *advenir* où est fortement affirmée la densité propre des lieux et des moments, il nous faut parler d'un témoignage comme *jugement*. La vérité théologique ne va pas sans une dramatique ou un procès. Elle ne ressortit pas à une récapitulation de l'histoire en forme de généralisation additionnante et universalisante, mais elle décide à chaque fois des *identités* en jeu, dans un procès toujours à reprendre : le procès du Dieu de Jésus-Christ contre les faux dieux de ce temps. On a vu que la foi et la théologie ont foncièrement pour tâche de permettre un nouvel avènement d'une vérité antécédente (incarnée et traditionnelle) ; elles ne vivent pas d'une nostalgie passéiste et ne peuvent pas ne pas être, en un certain sens, toujours à nouveau « modernes » : c'est le monde d'aujourd'hui qu'elles entendent dire et transformer. Mais si elles disent ainsi l'homme et le monde en modernité, elles le diront *contre les dieux de la modernité*. C'est d'ailleurs pourquoi la théologie parle d'un passé et d'un futur (cf. la tradition comme anamnèse et production) : elle est ainsi intempestive, mais c'est, justement, pour pouvoir dire un présent qui soit *vrai*. Le jugement d'identité ici en jeu relève donc d'autres instances que de celles qui déterminent simplement la vie ou son devenir : un jeu d'instances qui commandent une dramatique de la *confession*, performatrice et instauratrice. C'est là que naît et se joue l'existence propre de chacun et du monde comme création de Dieu, là qu'elle dit ce qu'elle vaut, « entre » la naissance et la mort ; c'est là qu'elle atteste de ce qui est plus fort que la mort (et que la simple naissance !). La question demeure donc de bout en bout *théo*logique (elle relève de la confession d'une « seigneurie » et de la généalogie — tra-dition — qu'elle ordonne) et non simplement historique (question d'une maturation vivant de ses seules forces internes ou d'une émancipation progressive).

IV. CRITIQUE ET AFFIRMATION

En appeler à une vérité antécédente — dès le départ incarnée et positive — une vérité qui oblige mais dont on ne saurait rejoindre le premier mouvement (cf. *supra* la notion de passivité originaire) suppose un rapport original de l'affirmation et de la négation ou de la critique.

On dira que, pour la foi et la théologie, l'affirmation est, en un sens, première ; elle l'est même très fondamentalement, puisque la foi et sa tradition en naissent et en vivent. Mais le modèle esquissé jusqu'ici et le type de vérité qu'il suppose et s'efforce d'expliciter obligent à dire que l'affirmation contient, *en elle-même et à partir de son affirmation même,* un principe de négation et de critique. Le point mérite d'être noté, aussi vrai que, spontanément, nous, modernes, avons trop tendance à opposer formellement, et quasi terme à terme, affirmation et critique. C'est que les inflexions notées ci-dessus en point I, concernant la valeur attribuée à la vérité, se retrouvent pour nous, comme il est normal, à propos de la critique : la critique fait désormais face à une vérité d'autorité comme son contraire ou son contre-pied ; en forme d'alternative, et entre les termes de laquelle il faut (et l'on peut) choisir.

L'affirmation, en régime de foi et de théologie, contient donc un principe de négation. Pourquoi ? — très fondamentalement : parce que cette affirmation est justement d'un ordre tel qu'on a dû parler ci-dessus de passivité originaire[12], d'une origine échappant, *in conditione humana* et *in hoc saeculo,* à toute contemporanéité possible. L'affirmation suprême est donnée en régime de *disproportio* et sous les espèces de figures incarnées qui la signifient ; et ces figures signifient *indirectement,* puisqu'elles signifient en fonction de leur *propre* affirmation (loin de s'esquiver, elles proposent leur médiation à une méditation originale).

On trouve là un premier principe de critique : la tra-dition des

12. E. Lévinas dit « pré-originaire » précisément pour couper cette « origine » d'un simple commencement, vers lequel on pourrait remonter *(regressio ad infinitum).*

figures au travers desquelles se vit et se dit la foi se déploie en effet, dès le départ et de bout en bout, en double registre et de distance et d'affirmation active, *confessante*. Ces figures sont donc écoute et service, renvoi à ce qu'elles *ne* sont *pas*, mais *dont* elles vivent. En langage plus dogmatique, on dira que c'est là le lieu d'une irréductible prééminence du Christ sur l'Eglise. On parlera aussi d'une subordination de la vie historique de l'Eglise à un moment « eschatologique », qu'elle a centralement pour fonction et pour vocation d'indiquer, en sa chair même, mais sans s'y substituer.

Ce principe premier de critique commande, au niveau historico-temporel (niveau des figures de témoignage et de tradition), toute une série de différenciations, nécessaires et toujours à reprendre. On peut noter, d'abord, une différenciation à opérer au niveau de la tradition transmise (le « dépôt ») : les figures qui nous précèdent ne seront figures et vérité que si elles sont restituées à l'histoire, au geste de tra-dition qu'elles sont ; elles seront figures et vérité — parole interpellante — si elles sont restituées à une histoire où, dans un contexte déterminé, elles ont opéré comme *reprise* d'un passé (qu'elles ne répètent pas simplement, d'où marque de nouvelle différenciation), reprise devant et pour le *monde* (en lequel elles ne s'abîment pas simplement, donc inscrivant là aussi une marque de différenciation) et *tranchant* en plein cœur des risques d'infidélités ou d'hérésies, novatrices ou conservatrices (une différenciation apparaît là encore à l'œuvre). La primauté d'une passivité qu'on ne saurait rejoindre interdit de considérer la tradition qui en répond comme un tout homogène que ne viendrait pas nécessairement scander un jeu de ruptures et de discontinuité.

On notera ensuite un nouveau jeu de différenciations au niveau de l'aujourd'hui de la foi, cet aujourd'hui qui répond aux figures antérieures, déchiffrées et reçues (et au mouvement desquelles on s'est converti). L'opération différenciante et critique porte alors sur l'expérience présente de la communauté ecclésiale, non que cette expérience soit en elle-même sans valeur (cf. le *sensus fidelium*), mais elle est en même temps toujours menacée de succomber simplement aux tendances du temps. Aujourd'hui comme hier, le geste de la foi, historique et traditionnel, sera dirimant au gré de son avènement même, et requiert une critique et un jugement en prise sur cet avènement. Ajoutons que le regard porté sur l'expérience de l'Eglise — dans sa diversité locale — s'inscrit lui aussi dans une gestuelle de la différenciation : de même que le croyant doit être décentré de lui-même et converti à des figures passées, de même, il doit être décentré et converti aux réalités présentes de l'Eglise.

La foi et la théologie chrétiennes demeurent ainsi placées en pleine temporalité, sommées de témoigner là d'une Parole toujours nouvelle et en même temps toujours fidèle à elle-même : une Parole foncièrement eschatologique mais qui opère en ce temps et en ce lieu, une Parole toujours inattendue mais qui prend en charge l'aujourd'hui du monde, ses interrogations et ses espoirs, une Parole toujours étonnante mais qui ne disqualifie jamais le présent, pas plus au nom d'un avenir (ou d'un ailleurs) qu'au nom d'un passé. La foi et la théologie chrétiennes témoignent d'une nouveauté, inexplicable et pourtant là, d'une recréation, *ex nihilo* et pourtant intra-temporelle. On doit même dire, probablement, en dernière analyse, que c'est dans la mesure où la vérité dont témoigne la foi est radicalement nouvelle et inexplicable qu'elle doit faire choc au cœur de notre présent, et que c'est dans la mesure où elle est là radicalement incarnée, grevée d'opacité et de contingence, qu'elle ne peut que faire figure d'irruption nouvelle, inexplicable, sans raison.

On touche ici la fine pointe de notre propos : d'où vient la critique ? de quoi s'autorise-t-elle ? et que vise-t-elle ? La critique est le plus souvent, pour nous, hommes modernes, le fait de la liberté et de la négativité [13]. On fait face à l'affirmation [14] et, extrinsèquement, on la juge. Or, en régime de foi et de théologie, c'est le *fait* même de l'affirmation, dans ce qu'il a de plus fort, de plus irréductible, de plus incontournable, qui est source de critique : parce qu'il est, de soi, engendrement de différences. Parce que la vérité est liée à l'avènement contingent d'une affirmation éminemment positive, d'une affirmation première et dont les traits particuliers apparaissent irréductibles, elle s'impose comme ce que je ne saurais rejoindre, mais qui peut m'interpeller ; comme ce qui résiste à toute appropriation, mais qui peut me mettre en mouvement ; comme ce qui échappe aux jeux dialectiques de la liberté, mais qui peut la fonder. La foi et la théologie récusent le caractère premier et dernier d'un modèle où le même et l'autre, l'affirmation et la négation seraient subsumés dans l'espace homogène de la raison qui passe de l'un à l'autre et les met en relation : elles témoignent d'une expérience plus profonde, celle selon laquelle une identité première fait choc, s'impose — oblige et propose — un choc qui est non surmontable comme tel, mais qui provoque à une réponse analogue en forme de correspondance ou d'écho, ailleurs et à distance. La différence n'est pas ici donnée en forme de contraire ou d'opposition ; elle n'est jamais formelle et extrinsèque. La différence est première : elle naît de l'incontournable altérité que constitue une vérité en forme d'affirmation positive en sa

---

13. Hegel restera le témoin privilégié d'une *vérité de la liberté*, et en ce sens témoin privilégié des temps modernes.

14. Condition « malheureuse » que Hegel a justement tenté, à sa manière, de dépasser.

chair même et, *à ce titre*, créatrice d'autres positivités — affirmées —, différentes *et* analogues [15].

V. NÉCESSITÉ D'UN CANON

On a pu, parfois, opposer tradition et canon, continuité d'un développement ou d'une histoire et clôture d'un texte donné une fois pour toutes. On a pu, aussi, les penser en termes d'adjonction, complément ou addition. On voulait ainsi faire droit au double aspect de la vérité chrétienne que signalent l'existence et du canon et de la tradition, mais sans les articuler l'un à l'autre d'une façon assez rigoureuse. On a pu aussi, à l'inverse, délibérément subordonner un des deux termes à l'autre, que ce fût pour réduire la tradition à la répétition d'un texte qu'il faut toujours à nouveau retrouver dans sa pureté originelle (par-delà l'écart historique ou la déchéance des temps), ou que ce fût pour insister sur la priorité de fait et de droit de la tradition, dont les textes canoniques ne seraient qu'un produit dérivé ou qu'un moment d'expression [16].

Or, tradition et canon signalent une double caractéristique de la *même* vérité chrétienne, et il faut ici à la fois valoriser la *différence* des deux termes et leur nécessaire *articulation*.

Les paragraphes qui précèdent ont souligné la réalité de la tradition. Ils ont attiré l'attention sur le fait d'une histoire inscrite dans une temporalité qui n'est pas celle d'une pure répétition (mais qui est lieu de nouveauté et de création), une temporalité ouverte : ouverte sur et par un à-venir et ouverte en son amont. On marquait ainsi, dès l'abord, que l'expression de la vérité chrétienne est et sera toujours incarnée, aux prises avec un temps et un lieu précis, marquée de combats humains (idéologiques, sociaux, culturels, religieux) contingents. La vérité est toujours celle d'un témoignage et d'un témoignage toujours repris (l'on ne saurait donc la dessertir de ses lieux d'avènement), les textes bibliques compris qui, eux aussi, renvoient à un passé qu'à la fois ils réinterprètent et dont ils vivent, mais qu'ils ne rejoignent ni n'oblitèrent.

Et pourtant. La manière même selon laquelle on a présenté et pensé jusqu'ici la tradition oblige à parler d'un canon, requiert bel et bien un

---

15. On touche là, probablement, le point de résistance que représente le moment de l'*analogie* à l'égard d'une *dialectique* de type hégélien ; sur ce débat, cf. *Analogie et Dialectique* (P. GISEL et Ph. SECRÉTAN édit.), Labor et Fides, Genève, 1982.

16. Sur ces débats, cf. notamment P. LENGSFELD, *Tradition, Ecriture et Eglise dans le dialogue œcuménique*, Orante, Paris, 1964.

moment qui soit celui d'un achèvement et d'une clôture. Pourquoi ? Essentiellement du fait même de ce qui caractérise le plus centralement la tradition chrétienne : à la fois la référence constitutive à une transcendance à jamais autre [17] *et* le caractère radicalement particulier de son expression positive. Le témoignage chrétien, en ce sens, ne saurait relever du jeu que noueraient une vérité d'origine (archaïque) et un « oubli » historique ou humain ; il n'émarge pas non plus à la problématique d'un dévoilement initiatique ou gnostique. Il en appelle bien plutôt, foncièrement, à un acte d'*institution* (au cœur du temps), donc à un vouloir contingent de Dieu (pensé en termes d'histoire, de personne ou de vie) et à une prise en charge singulière du monde. L'institution est marque de rupture, ou de nouveauté. A ce titre, elle requiert un discours sur la loi (avec le sceau de son décret) et sur l'alliance (avec la structuration de son espace de vie). Elle est à la racine des figures historiques qui en disent la réalité (et en marquent en même temps le retrait). Le témoignage chrétien renverra dès lors, de bout en bout, au geste instaurateur d'une *révélation* : proposition de vérité inscrite au cœur du monde et critique des idoles.

Le canon marque, au cœur même de la tradition, l'irréductibilité d'un moment du « tranché », d'un moment de jugement et d'instauration. Ce moment fait écho à un geste d'institution. Doublement même. D'abord en ce qu'il tranche dans la multitude des possibles humains et dans le foisonnement de la vie. Il accompagne et sanctionne un geste d'élection et de clôture ; seul ce moment d'un canon permet que soient de fait proposés à l'humanité un monde concret et une histoire effective qui aient valeur d'exemplarité : un monde concret (et donc, en ce sens, *fini*) un monde orienté (et qui exige donc, pour être lu, reçu et habité, le détour des signes déposés dans l'espace d'une *Ecriture* [18]). Il y a là geste d'institution — deuxièmement — dans la mesure où le moment du jugement se donne sans explication préalable (sans justification externe), sans autre raison à faire valoir que l'espace ordonné qu'il ouvre historiquement et qu'il commande en avant de lui.

Notons bien qu'en ces différents sens, le geste de jugement et d'instauration est, *de soi*, marque d'achèvement : l'exemplarité proposée est finie dans la mesure même où elle est singulière et fait d'institution ; dans cette mesure également, elle peut valoir comme vis-à-vis, parabole d'altérité, interpellante tout en restant à distance, provocante en sa consistance même.

Il faut bien souligner ceci : en l'absence du geste d'institution

---

17. On a parlé plus haut de « pré-origine » et donc, pour la tradition historique examinée, d'une condition déterminée par une première passivité.

18. Cf. à ce sujet, S. Breton, *Ecriture et Révélation*, Cerf, Paris, 1979.

évoqué ici, la tradition dont on a parlé serait d'un tout autre type. Elle serait développement de type romantique, à partir de racines immémoriales, et ne ferait pas droit (présentement) à la possibilité de nouveautés, de ces ruptures et de ces recréations qui ne cessent d'en scander le jeu des reprises successives. Elle serait ainsi tentée de se présenter comme tirant valeur de ses propres forces, fermée à tout à-venir — à toute surprise et à tout nouvel étonnement — et masquant l'altérité même dont elle a pour mission de témoigner, altérité qui de toujours la précède et qui à jamais la surplombe (la juge et la recrée).

Le canon propose donc, dans sa clôture et sa cohérence propre, un jeu exemplaire de figures qui valent comme proposition de vie et de monde. C'est à dessein qu'on parle ici d'*exemplarité*. Il s'agit en effet de bien marquer que le jeu et les figures proposées ne sont pas, comme tels, d'une autre nature que la nôtre : la clôture du canon ne circonscrit pas un lieu et un temps sacrés. Dans le canon, une histoire des hommes se trouve manifestée, racontée et confessée. La clôture du canon permet le vis-à-vis d'un paradigme : l'histoire racontée apparaît irréductiblement particulière — tant dans sa texture que dans sa mise en perspective —, mais la dramatique qu'elle met à jour entend valoir comme dramatique inhérente à toute histoire humaine.

On doit dire, par suite, que la foi et la théologie ne disposent pas d'un objet d'étude réservé : c'est le monde et l'histoire de tous [19] qu'elles interprètent ; mais ce monde et cette histoire sont lus et reçus par la foi et la théologie en fonction d'une problématique propre qui fait apparaître, au cœur du monde et de l'histoire, des enjeux spécifiques [20]. On remarquera en outre que cette problématique ne relève pas de principes d'analyse abstraits, mais qu'elle est elle-même reçue et déchiffrée au niveau d'une histoire antécédente dont des textes disent la trame concrète et une structuration propre. La théologie témoigne ainsi que le savoir humain ne saurait s'épuiser dans l'universalité ou le pur descriptif : nul savoir du monde, en dernière analyse, sans l'exemplarité des figures qui le mettent en œuvre et nul savoir du monde sans prise en charge responsable et active qui s'engage face à des figures antécédentes.

La foi et la théologie travaillent en pleine pâte humaine, au cœur du monde profane et public. Elles ne connaissent pas d'autre lieu ni d'autre temps, précisément du fait que l'origine et la fin dont elles témoignent échappent radicalement au temps et à l'espace, n'en sont ni le prolongement ou l'amont, ni le ressort organique (vital). La foi et

---

19. « L'histoire des nations » (celle d'Adam et celle du nouvel Adam).

20. C'est en fonction d'Abraham, « père des croyants » (figure particulière et élective) que l'histoire d'Adam est reprise : à la fois lue et portée à son achèvement véritable.

la théologie sont toujours à nouveau renvoyées (et même converties) à la réalité concrète et séculière, de peur qu'elles n'attentent à l'altérité (« pré-originaire ») dont elles vivent. Mais, au cœur du monde de tous (au plus intime du monde et de l'humanité, non en ses frontières secrètes ou réservées), elles sont aux prises avec le « commencement » et la « nouveauté » : l'advenir du monde comme création de Dieu, perpétuellement reprise et perpétuellement menacée.

Au cœur de la temporalité et de l'espace, la foi et la théologie désignent finalement un moment de suprême responsabilité : le moment où l'on *répond* (dans la liberté et la reconnaissance) à des figures données (on y répond en correspondance, active)[21]. La foi et la théologie seront elles-mêmes, dans cette perspective, l'occasion de nouvelles propositions de monde et l'occasion de nouveaux textes, analogues à ceux dont elles vivent, à ceux qu'elles sanctionnent au gré même de leur propre différence (loin de les oblitérer, elles vivront d'y renvoyer, discontinûment mais dans la fidélité) ; la foi et la théologie se refuseront à n'être que geste de « délégation », comme si elles devaient principalement s'effacer pour en appeler, ailleurs, à une légitimation plus forte que ce dont elles vivent présentement.

La nécessité d'un canon tient donc finalement au caractère même de la tradition évoquée au cours des paragraphes précédents : tradition d'une prise en charge du monde très profondément inscrite en sa chair même et reprenant là sa dramatique la plus intime ; tradition de part en part historique, donc tradition scandée de discontinuité et de ruptures ; tradition qui, enfin, vit d'un renvoi à ce qu'elle n'est pas et ne saurait être. On rencontrerait donc, en ces matières, comme une correspondance entre, d'une part, l'écart nécessaire — et fécond — qui sépare l'altérité de Dieu et la tradition qui répond de son œuvre, et, de l'autre, le jeu d'écarts surpris entre les figures différentes et concrètes qui scandent cette tradition en sa texture même. Or, le fait du canon répond justement à la double nécessité et d'un écart originaire et d'une inscription dans la chair du monde. Le canon marque cette double nécessité par son caractère achevé, clos, fini : inscription incontournable d'une différence (en ce sens : d'un appel à être). Parce que le canon est achevé, il signale en effet à jamais, au cœur du monde, un éclatement et une brisure (le monde n'est pas totalité harmonieuse, évidente, réconciliation universelle sans passage obligé par l'élection, la particularité et le jugement) ; mais le canon témoigne, du même coup, de l'émergence possible et effective — là aussi : à jamais et au cœur du monde — de positivités faites de la densité d'un présent et d'une singularité. L'achèvement du canon

21. Ou en analogie, à distance (écart et proportion).

signale que le maximum de positivité s'accorde — paradoxalement à première vue — du maximum de clôture. L'achèvement du canon renvoie ainsi à la réalité de la *personne* (réconciliation de l'être et du sujet)[22] ou du *nom*, au niveau de l'humanité certes, mais au niveau de Dieu également : c'est de par son nom que Dieu est suprêmement existant (et « fondement » et créateur), non parce qu'il récapitulerait tout l'« étant » par simple addition[23].

22. Comme de la passivité et de l'activité.
23. D'où, justement, un jeu de ruptures (et donc passage par la particularité, élective) et de reprises (en singularité), ruptures et reprises accompagnant un jeu foncier de symbolisation, justement attesté — et cristallisé — par et dans le fait Ecriture.

BIBLIOGRAPHIE

P.-M. BEAUDE, *l'Accomplissement des Ecritures,* Cerf, Paris, 1980.
S. BRETON, *Ecriture et Révélation,* Cerf, Paris, 1979.
Y. CONGAR, *Diversités et communion,* Cerf, Paris, 1982.
ID., *la Tradition et les traditions* (t. 1. *Essai historique* et t. 2. *Essai théologique*), Fayard, Paris, 1960 et 1963.
J. FEINER, « Révélation et Eglise, Eglise et Révélation », in *Mysterium salutis,* vol. 3., Paris, Cerf, 1969, chap. VI (avec bibliogr.).
Cl. GEFFRÉ, *Un nouvel âge de la théologie,* Cerf, Paris, 1972.
P. GISEL, *Vérité et Histoire. La théologie dans la modernité : E. Käsemann,* Beauchesne-Labor et Fides, Paris-Genève, 1977 (notamment chap. II).
F. LEENHARDT, *l'Eglise,* Labor et Fides, Genève, 1978.
ID., « Sola Scriptura ou Ecriture et Tradition » (1960), in *Parole — Ecriture — Sacrements,* Delachaux et Niestlé, Neuchâtel, 1968.
P. LENGSFELD, *Tradition, Ecriture et Eglise dans le dialogue œcuménique,* Orante, Paris, 1964 (avec bibliogr.).
ID., « la Tradition dans le temps constitutif de la révélation », in *Mysterium salutis,* vol. 2, Cerf, Paris, 1969, chap. III (avec bibliogr.).
H. DE LUBAC, *l'Ecriture dans la tradition,* Aubier, Paris, 1966.
K. RAHNER, K. SCHELKLE, E. SCHILLEBEECKX, etc., *Exégèse et Dogmatique,* Desclée De Brouwer, Paris, 1966.
K. RAHNER, J. RATZINGER, *Révélation et Tradition,* Desclée De Brouwer, Paris, 1972.
K. RAHNER, K. LEHMANN, « Kérygme et dogme », in *Mysterium salutis,* vol. 3, Cerf, Paris, 1969, chap. VIII, pt II (avec bibliogr.).
E. SCHILLEBEECKX, *Révélation et Théologie,* CEP, Bruxelles, 1965.
J. ZIZIOULAS, *l'Etre ecclésial,* Labor et Fides, Genève, 1981.

CHAPITRE III

Théologie et vie ecclésiale

par JEAN-MARIE TILLARD

SOMMAIRE. — I. De la Parole reçue à l'« intelligence de la foi » : le sensus fidelium entre accueil de la Parole et témoignage, une expérience selon l'Esprit. A) Ce que la théologie reçoit du sensus fidelium. B) La théologie donne des critères de discernement. C) Indéfectibilité de l'Eglise. II. Du « ministère » des théologiens au magistère doctrinal. A) Le ministère des évêques et celui des théologiens. B) La place du magistère : 1. histoire des formes du magistère ; 2. l'infaillibilité.

Intimement liée à la foi ecclésiale et inséparable d'elle — puisqu'elle n'existe qu'à son service — la théologie, de toute école, se soumet à ce que l'on a appelé « la condition dynamique du fait de croire ». En effet, depuis les débuts de son histoire, le Peuple de Dieu ne se contente pas de « recevoir » la Parole qui fonde sa foi. Selon l'expression réaliste de l'évangile johannique, le croyant « fait la vérité » (Jn 3, 21). La réflexion théologique trouve là l'un de ses principaux champs d'exercice.

I. DE LA PAROLE REÇUE A « L'INTELLIGENCE DE LA FOI »

Entre accueil de la Parole et témoignage

L'expérience chrétienne de la « vérité » ne s'identifie en rien à une connaissance purement spéculative du Dieu de Jésus-Christ, de son dessein sur l'humanité, des voies qui mènent au salut. Elle s'accomplit, en effet, dans une « communion » dont l'agent est l'Esprit du Seigneur. Le « reçu » de la foi — par lequel on dit « oui » au contenu du kérygme apostolique, en étant certain de ne pas se tromper — se dépasse dans un « perçu ». Et seul ce dernier permet de « rendre témoignage » à la vérité. Entre l'accueil de la Parole et le témoignage, se situe une zone mystérieuse de « connaissance » par connaturalité ou connivence qui inscrit la personne elle-même dans l'Evangile. Car elle ne se contente pas de répéter ce que la première génération apostolique a transmis. Elle l'annonce en s'y impliquant, à la façon de Simon-Pierre dans l'évangle johannique : « Nous avons reconnu que tu es le saint de Dieu » (Jn 6, 69). Ce passage de la Parole « accueillie » à la Parole « attestée » est essentiel. Il constitue la garantie de l'authenticité de l'annonce chrétienne du salut : l'Eglise ne redit pas une leçon, elle transmet ce qui fait sa vie.

Une expérience selon l'Esprit

Mais ce commentaire de la Parole par la Vie se trouve porteur de nombreuses harmoniques de compréhension, d'intelligence de cette Parole. Il n'équivaut en rien à une ré-affirmation fanatique qui n'aurait de propre qu'une certaine intensité de passion. Il le tient de l'Esprit. C'est pourquoi, lorsque — de la façon que nous préciserons — la théologie s'applique à déceler, approfondir et critiquer la qualité de vérité que recèle cette expérience de la foi, elle ne s'éloigne pas de sa mission. Car la Parole dont elle a charge ne se limite pas au document, à l'Ecriture. Elle saisit tout ce que Dieu révèle par son Esprit. Donc, à la fois ce qu'il a dit en son Fils Jésus-Christ (« après avoir, à maintes reprises et sous maintes formes, parlé jadis aux Pères par les prophètes », He 1, 1) et ce qu'il manifeste de lui dans le Peuple qui accueille cette Parole. L'intelligence de la foi n'est parfaite que par cette double attention.

L'Ecriture elle-même confirme ce que nous venons de dire. Paul parle d'une sagesse, donnée par l'Esprit de Dieu, qui conduit à une connaissance de l'intérieur des mystères de Dieu, en communiquant, en quelque sorte, la pensée du Christ (1 Co 2, 6-16). La tradition johannique est encore plus explicite. L'évangile johannique présente l'Esprit de vérité comme celui qui doit guider les disciples vers une perception plus profonde du mystère de Jésus, en leur manifestant fidèlement ses implications (Jn 14, 26 ; 16, 12-15). En « demeurant en Jésus », ils découvriront les richesses de vie, les virtualités cachées, le sens profond de la Vérité qu'il est. Bien plus, faisant sans doute référence aux grands textes d'Ezéchiel (36, 27) et de Jérémie (31, 33-34) sur l'Alliance nouvelle, la première épître johannique va jusqu'à affirmer « vous n'avez pas besoin qu'on vous enseigne » (1 Jn 2, 20. 27) : les fidèles portent en eux-mêmes un *sens* de la vérité, un « instinct » sûr qui permet de la reconnaître, parce qu'ils demeurent dans le Christ. La Parole s'est intériorisée. Au contenu des mots, l'expérience du Christ apporte des harmoniques qui en ouvrent la signification.

Le sensus fidelium

Cette marge vécue, cet espace de vérité entre la Parole reçue et ce qu'elle devient par la puissance de l'Esprit, s'exprime grâce à ce que l'on appelle le *sensus fidelium*. Celui-ci relève moins du contenu des mots que de l'expérience de l'Evangile dont il représente comme le commentaire par la vie. Il est une perception de la réalité de l'objet de foi normalement plus intuitive que raisonnée, venue de l'Esprit Saint. Négativement, il donne le flair permettant de sentir, sans pouvoir parfois le justifier rationnellement, que telle opinion, telle pratique ne concordent pas avec la Vérité du Christ Seigneur. Il appartient donc à la vérité évangélique en tant qu'explication, au registre de la vie, de la Parole accueillie.

Cette explicitation apporte une dimension essentielle à l'intelligence de la foi. De là, d'ailleurs, vient l'importance de l'expérience des saints, trop oubliés par la théologie (peut-être à cause du style irritant de l'hagiographie) , alors qu'ils sont par leur vie les meilleurs exégètes de la Parole. Il faut en outre déplorer que, souvent, on restreigne le *sensus fidelium* à l'opinion de ceux et de celles qui se trouvent sans fonction hiérarchique. Il s'agit en fait, d'une harmonique de la foi présente dans le corps ecclésial tout entier. Le *sensus fidelium* n'équivaut pas à ce qu'on appelle la « foi populaire » [1].

Le *sensus fidelium*, lié à l'Esprit et au baptême, constitue l'un des fils majeurs de la Tradition. Sur lui, en effet, se greffe le *consensus* des Pères ; en outre le magistère ne s'exerce qu'en symbiose avec lui. Aussi revient-il à la théologie d'en faire un de ses champs d'intérêt principaux. L'un des drames de la théologie occidentale des derniers siècles est, précisément, de l'avoir oublié.

---

1. Sur tout cela on pourra lire notre longue étude, J.-M.R. Tillard, « le Sensus fidelium, réflexion théologique », in *Foi populaire et Foi savante*, Cerf, coll. « Cogitatio Fidei », n° 87, Paris, 1976, pp. 9-40. Pour les bases bibliques, renvoyons à trois ouvrages fondamentaux : J. Dupont, *Gnosis, la connaissance religieuse dans les Epîtres de saint Paul*, Louvain, 1949 ; L. Cerfaux, *le Chrétien dans la théologie paulinienne*, Cerf, coll. « Lectio divina », n° 33, Paris, 1962, pp. 431-469 ; I. de la Potterie, *la Vie selon l'Esprit*, Cerf, coll. « Unam Sanctam », n° 55, Paris, 1965, pp. 85-105, 126-144.

Pour une vision plus historique, voir John Henry cardinal Newman, *Pensées sur l'Eglise*, trad. A. Roucou-Barthélemy, Cerf, coll. « Unam sanctam », n° 30, Paris, 1956, pp. 402-439 ; G.H. Joyce, « la Foi qui discerne d'après saint Thomas », *RSR*, t. 6, 1916, pp. 433-455 ; S. Harent, « Note sur l'article précédent », *ibid.*, pp. 455-467 ; J. de Guibert, « A propos des textes de saint Thomas sur la foi qui discerne », *RSR*, t. 9, 1919, pp. 30-44 ; C. Dillenschneider, *le Sens de la foi et le Progrès dogmatique du mystère marial*, Rome, 1954.

En regard du *sensus fidelium*, la fonction de la théologie est double. Elle a d'une part à se mettre à son école pour y découvrir les harmoniques qui ouvrent le sens de la Parole ; elle a, d'autre part, à se mettre à son service pour lui rappeler les lignes essentielles hors desquelles la foi risque de dévier ou de se confondre avec les fruits d'une imagination souvent créatrice d'illusions. Elle reçoit de lui ; elle lui fournit des critères de discernement.

A) CE QUE LA THÉOLOGIE REÇOIT DU SENSUS FIDELIUM

Du *sensus fidelium*, la théologie reçoit la marge débordant les contours nets des concepts dans lesquels la Tradition traduit et transmet le contenu de la Révélation. Certes, ce « plus que l'énoncé » relève d'une connaissance d'un type spécial dont, on le sait, Blondel a finement analysé la nature[2]. Mais la théologie ne peut laisser hors de son attention cette mystérieuse « science de Dieu » acquise par l'expérience de la communion avec le Christ. Elle sait, en effet, que, selon la formule de Thomas d'Aquin, « l'acte du croyant ne se termine pas à un énoncé mais à la réalité » (actum autem credentis non terminatur ad enuntiabile sed ad rem : IIa IIae , q. 1, a. 2, ad 2). Son objet étant le Dieu de la foi, elle doit s'efforcer de considérer tout ce qui la renseigne sur celui-ci. Terrible tâche !

Dans cette ligne, trois domaines surtout doivent, à notre avis, retenir l'attention. Ce sont :

— le discernement du désir de l'Esprit Saint en ce qui se cherche à travers la *praxis* des croyants fidèles à la fois à leur conviction chrétienne fondamentale et aux requêtes de la vie,

— le flair « spirituel » conduisant le Peuple de Dieu à « recevoir » telle ou telle doctrine ou à la « non-recevoir » (même si elle a été formulée par un concile ou par quelque autre instrument de ce qu'on appelle depuis quelques siècles le magistère),

— le langage symbolique ou mythique dans lequel la liturgie et la « foi populaire » expriment ce qui ne peut se traduire en concepts rationnels.

Nous allons expliciter quelque peu chacun de ces trois points :

1. Qu'il y ait une vérité en gestation dans la vie du Peuple de Dieu,

---

2. Voir la pénétrante présentation de la pensée de Blondel que donne Y.M.J. CONGAR, *la Tradition et les traditions*, tome 2. *Essai théologique*, Paris, 1963, pp. 123-136.

cela vient de la nature même de celui-ci. La Parole de Dieu, aussi bien dans l'Ancien que dans le Nouveau Testament, explique une réalité à l'œuvre et en progrès. Et cette économie se prolonge dans l'Eglise. Car il faut que la Bonne Nouvelle — toujours la même — rencontre chaque génération, chaque culture, et s'y incarne. Or l'humain évolue.

On le perçoit surtout, mais pas uniquement, à un certain plan de l'agir moral. Le Nouveau Testament fournit certes des normes d'éthique chrétienne. Mais il dépend alors souvent d'une conception de l'humain qui est celle du contexte environnant. De cela, le *sensus fidelium* a l'intuition. Il inspire même des attitudes concrètes opérant le passage vers d'autres critères de fidélité à l'esprit évangélique que ceux qui dépendent d'une culture à son déclin. Nous en avons plusieurs exemples : attitude face à la justice collective, à la propriété privée, à la place du corps, à la fonction de la femme. Mais cela se vérifie aussi à un plan plus dogmatique : regard porté sur le sacrement de pénitence, exigences concernant le lien entre baptême et foi, perception du rôle du laïcat, insistance sur l'Eglise comme « communion » plus que comme hiérarchie. La réflexion doit viser à déceler la Parole qui germe peu à peu dans l'humus même de la vie du Peuple de Dieu. Et, une fois reconnu que tel accent, tel désir, tel mouvement viennent vraiment de l'Esprit de Dieu, il lui faut les intégrer à sa recherche.

2. *Le sensus fidelium* n'a pas seulement cette fonction prospective, mettant en marche vers un avenir. Il joue aussi dans la vie du Peuple de Dieu un rôle important de discernement. Car il saisit, par une sorte d'intuition, ce qui, dans le fourmillement des doctrines ou des opinions, répond à l'Evangile, un peu comme d'instinct l'homme vertueux voit que telle action est honnête, telle autre, non.

Les théologiens médiévaux, pensant surtout à chaque croyant pris individuellement, affichaient sur ce point un optimiste exagéré que Thomas d'Aquin nuancera à la fin de sa carrière (IIa IIae, q. 2, a. 6, ad 2, ad 3). D'ailleurs, au plan collectif, l'apparition d'hérésies et de schismes attirant des chrétiens de bonne foi incite à se montrer fort nuancé en ce domaine. Nous verrons plus loin pourquoi. On ne saurait pourtant nier que — un peu à la façon dont les « pauvres de Yahweh » ont, à une période cruciale, sauvé la foi d'Israël — c'est par le *sensus* évangélique de la communauté ecclésiale comme telle que la foi chrétienne se maintient dans la fidélité à la vérité. Cela peut devenir plus évident dans des cas de crise : Newman a souligné le rôle historique de la communauté au moment où ses chefs flirtaient avec l'erreur. Mais les recherches œcuméniques actuelles ont permis de constater que c'est là un phénomène quasi constant, s'actualisant dans ce qu'on appelle « la réception ».

Qu'entendre, en ce contexte, par « réception » ? Simplement la démarche par laquelle le corps ecclésial, jugeant qu'il y *reconnaît* sa foi, *fait sienne* une règle de foi, une précision doctrinale, une norme qu'une instance d'Eglise a déterminée. Il ne s'agit pas d'un acquiescement pur et simple mais de l'accueil que justifie l'harmonie entre ce qui est proposé et ce que l'on « sait » de la foi (souvent plus d'instinct que de science explicite). Un peu comme à Chalcédoine le Concile a « reçu » la lettre du pape Léon parce qu'il y reconnaissait la foi de Pierre, ou comme, (en sens inverse) les protestants refuseront de « recevoir » Trente parce qu'ils n'y reconnaîtront plus la foi biblique. Alors, il ne s'agissait que d'une instance ecclésiale face à une autre instance ecclésiale, d'un bloc ecclésial face à un autre bloc. Or le même processus vaut lorsque toute la communauté ecclésiale se trouve en cause face à une détermination de sa foi, venue de quelque source autoritaire.

A l'endroit de ce qui concerne la foi, les baptisés ne peuvent être purement passifs. Ils ont l'Esprit ; ils sont membres du Corps du Seigneur. Non seulement ils ont le droit d'être entendus, mais leur réaction devant ce qui est censé se rattacher à la foi des Apôtres doit être prise très au sérieux. Car la foi apostolique n'existe que portée par l'Eglise entière, dans la puissance de l'Esprit. La hiérarchie n'en a pas, à elle seule, la responsabilité. Et si, dans la tradition catholique, la « réception » d'un concile par l'évêque de Rome est nécessaire, cela ne dispense pas de sa « réception » par toute l'Eglise. Rappelons que, dans ce cas, il s'agit moins d'un jugement proprement rationnel que de la perception du lien entre le contenu de la décision et le bien concret de l'Eglise. La « réception » ne crée pas la vérité ! Elle n'est pas non plus ce qui rend légitime une décision. Par elle, le Peuple de Dieu met son sceau sur ce que les autorités ont déclaré : il atteste que l'Eglise y « reconnaît » son bien. Qu'une décision légitime ne soit pas « reconnue », elle perd son crédit. Ce fut le cas de plusieurs conciles.

La théologie manquerait à sa fonction, surtout en contexte œcuménique, si elle ne s'appliquait pas à détecter, en s'appuyant sur l'histoire, les divers niveaux de « réception »[3]. Et lorsqu'un bloc

---

3. Sur la « réception », on lira surtout deux articles de Y. CONGAR, « La réception comme réalité ecclésiologique », *RSPT*, n° 56, 1972, pp. 369-403 ; ID., « Quod omnes tangit ab omnibus tractari et approbari debet », in *Revue d'histoire du droit français et étranger*, t. 36, 1958, pp. 210-259. On lira aussi, sur le problème précis de la « réception » des conciles, P. FRANSEN, « l'Autorité des conciles », in *Problèmes de l'autorité*, Cerf, coll. « Unam sanctam », n° 38, Paris, 1962, pp. 59-100, et l'intéressant ensemble paru (en anglais et en allemand) sous le titre *Councils and The Ecumenical Movement*, coll. « World Council Studies », n° 5, Genève, 1968. Egalement, A. GRILLMEIER, « Konzil und Reception, methodische Bemerkungen zu

ecclésial comme tel refuse de « recevoir » ce qu'un autre bloc considère important, voire essentiel, il lui faut, avant de se prononcer sur la vérité en question, chercher les raisons de ce refus. Il se pourrait — le travail œcuménique le découvre souvent, non sans surprise — qu'elles soient attribuables à d'autres causes qu'au *sensus fidelium*.

3. La théologie, qui se propose de présenter les implications de la foi dans son rapport à Dieu et à l'homme, trouve dans le *sensus fidelium* une autre expression, bien typique, du contenu de la Parole. Elle le perçoit, cette fois, dans un langage qui rejoint celui des grandes religions : langage indirect plus que direct, mythique plus que rationnel, et pourtant porteur de vérité profonde. Après avoir été celui d'une large portion de la tradition biblique — qui est bel et bien la transmission du *sensus* que le Peuple élu a de son expérience de l'Alliance avec Yahweh, plus que l'exposé d'une doctrine sur Dieu — ce langage est aujourd'hui celui de la liturgie et de certaines manifestations de la « foi populaire ».

La liturgie « dit la foi », selon le vieil adage *lex orandi lex credendi*. Cependant, elle le fait sous un mode qui se traduit mal en concepts. Il s'agit d'une démarche collective, tissée de symboles, pétrie de sentiment, ne dédaignant pas de puiser au vieux fonds mythique où l'homme dit sa situation d'une façon que les concepts précis ne peuvent cerner, passant par la poésie et la musique. Parfois même, le geste l'emporte sur la parole : on se prosterne pour adorer, dans le silence. Et cet entrelacs de signes et d'attitudes, s'il dit autrement la foi que les confessions verbales, la dit souvent d'une façon plus prégnante. Il y a, par exemple, plus de « vérité » dans le fait de se trouver ensemble *hic et nunc* à l'eucharistie, partageant le pain et la coupe, que dans la simple affirmation « en Jésus-Christ Dieu a refait la communion ». Ce « plus » ne vient pas seulement de l'être-ensemble qui actualise la vérité. Il vient aussi du symbolisme mis en œuvre, avec son enracinement dans l'histoire biblique et, plus largement, dans le tréfonds de l'histoire humaine. Quand, dans la nuit pascale, l'Eglise bénit l'eau baptismale, elle dit le salut en le reliant à l'Exode à travers la mer Rouge, au déluge, à la création et, par-delà ces évocations, à toute la mythique de l'eau que déjà la Bible assumait.

---

einem Thema der ökumenischen Diskussion », in *Theologie und Philosophie*, t. 45, 1970, pp. 321-352. Pour le cas de Chalcédoine, il faut lire le rapport « le Concile de Chalcédoine, son histoire, sa réception par les Eglises et son actualité », in *Irénikon*, t. 44, 1971, pp. 349-366, à compléter par *The Ecumenical Review*, t. 22, 1970, pp. 348-423.

On replacera cet ensemble sur l'horizon de l'infaillibilité de l'Eglise comme telle, fort bien présenté par G. THILS, *l'Infaillibilité du peuple chrétien « in credendo »*, *Notes de théologie post-tridentine*, Paris - Louvain, 1963.

A son tour, la « foi populaire » exprime dans des formes, d'ordinaire empruntées au trésor millénaire des religions, parfois polluées de trop de connivences avec un certain folklore, souvent inspirées par le sentiment plus que par un souci d'orthodoxie, l'intuition chrétienne de la destinée humaine et de son rapport avec Dieu. Elle le fait souvent en sacralisant les moments cruciaux de l'existence. Il est regrettable que le renouveau liturgique catholique, trop rivé sur les expressions conceptuelles, n'en ait pas assez tenu compte. Car ainsi se traduit, par-delà les doctrines, le lien entre l'attachement à Dieu et la vie. Ce qui donne à la foi son terreau, fabriqué par « deux mille années de confrontation de (ses) enseignements avec les réalités vécues »[4]. La densité d'humanité de la foi, trop reniée par la Réforme et implicitement mise en cause par la distinction superficielle entre foi et religion, perce ici. Et ainsi émerge le lien précieux entre la foi et ce qui, depuis la nuit des temps, fait durer l'humanité. Mais cette émergence n'a rien de la précision tranchée d'une idée ou d'un concept... Il faut la décrypter sous un fouillis de rites, de coutumes, de traditions.

Il revient à la théologie de tenir compte de ce décryptage. Ne serait-ce que parce que ce mode d'expression est sans doute le plus conforme à la transcendance même de ce que la foi véhicule. Il faut résister à la tentation de ne considérer comme « vrai » que ce qui est historiquement et scientifiquement contrôlable. Le mythe — et tout ce qui s'y rattache — exprime lui aussi, à sa façon, la vérité des choses et des situations. Certes, il ne décrit pas, ne relate pas. Pourtant il cerne ce qui a authentiquement rapport avec la réalité profonde de l'homme et du monde. Il la rejoint dans ce qui la constitue au-delà de l'histoire et de ce qui tombe immédiatement sous le sens. A un titre spécial, cela vaut de sa relation avec le divin, le transcendant. Car alors, il fait « intuitionner » la dimension cachée. Bien plus, il permet de suggérer la réponse aux questions devant lesquelles la science reste muette : questions du sens, du pourquoi, du but. Et c'est bien cette réponse non descriptive mais toujours interprétative qui interpelle l'homme dans sa liberté.

Notons que les dogmes mariaux, difficile obstacle œcuménique, doivent sans doute être lus dans cette perspective. Ils sont nés d'un courant de vie et de dévotion du peuple fidèle. Pour reprendre la belle image de M. Blondel, ils représentent au cœur de cet ensemble « quelques parcelles du lingot de vérité qui ne saurait être jamais complètement monnayé »[5]. Il nous semble de plus en plus que leur

---

4. J. Fourastié, *Ce que je crois*, Paris, 1981, p. 198.
5. Cité par Y.M.J. Congar, *la Tradition et les traditions*, tome 2, p. 123.

sens ne peut se révéler que si on les lit dans le contexte même d'où ils sont extraits. Alors ils deviennent lourds de signification. A la théologie de le montrer[6].

Inséré par son baptême dans la communauté ecclésiale et participant à la vie d'une Eglise locale, le théologien est d'ailleurs lui-même (souvent à son insu) habité par les questions de la foi populaire. Et même si souvent certaines d'entre elles le gênent, la solidarité avec sa communauté lui interdit d'en faire l'économie. Il se trouve, en outre, associé à toute la recherche humaine et évangélique de cette communauté, à ses inconforts, à ses réactions instinctives face à ce qui lui apparaît, jusque dans les événements ou les problèmes les plus quotidiens, lié à la foi.

Bien plus, le théologien est, plus profondément encore, porteur de l'expérience de sa propre vie d'homme et de chrétien. Il n'est pas que cerveau et pensée. Ses propres luttes pour la fidélité à l'Évangile, ses joies et ses échecs, sa connaissance de la portion où il s'inscrit, le tissu des confidences qui habitent sa mémoire, ses amitiés et ses aversions, tout cet ensemble constitue un matériau important pour sa recherche. Et surtout cela donne à son regard intellectuel une profondeur qui n'est pas uniquement celle de l'intelligence, mais comme l'a si bien dit Pascal, aussi celle du cœur.

B) LA THÉOLOGIE, A SON TOUR, DONNE DES CRITÈRES DE DISCERNEMENT

Le *sensus fidelium* n'est pas, dans la vie de l'Eglise, une réalité échappant à l'ambiguïté de la situation chrétienne. Puisqu'il naît de l'Esprit, mais sur la base de l'accueil de la Parole, il n'est authentique que s'il demeure à l'intérieur de celle-ci. Il l'exprime et l'explicite mais en étant sans cesse mesuré par elle. Il y a là un cercle que, seul, le respect des divers ministères à l'intérieur du Corps du Christ permet de surmonter.

Nous avons déjà constaté que le *sensus fidelium,* tout en gardant droit l'attachement radical à l'Evangile, pouvait, de bonne foi, glisser vers l'erreur. Indéfectible, à long terme, dans sa tension vers le Christ, il ne se dirige pas nécessairement ni toujours, s'il est laissé à lui-même, vers

---

6. On lira sur cette question du langage mythique ce que dans la seconde partie de cet ouvrage, nous disons de la *sacramentalité* et du *sacrement.* Lire aussi Mircea ELIADE, *Aspects du mythe,* Paris, 1963; A. VARAGNAC et M. CHOLLOT-VARAGNAC, *les Traditions populaires,* coll. «Que sais-je?», Paris, 1978. Des idées intéressantes dans P. ROQUEPLO, *l'Energie de la foi,* Paris, 1973.

les bons objets. Et donc s'il faut tenir qu'il est effectif dans chaque baptisé fidèle à la grâce et qui « demeure en Jésus Christ » — qu'il soit ministre ou laïc — on doit cependant ajouter qu'il se trouve conditionné par les diverses fonctions et les ministères que l'Esprit fait éclore au service de tout le Peuple de Dieu pour la vie de grâce dont précisément il est le *sensus*, l'instinct. Puisqu'il jaillit de la foi et que celle-ci vient de la Parole telle que Dieu l'a révélée historiquement en Israël et, éminemment, en Jésus Christ, il lui faut se référer aux authentiques objets de celle-ci. La tradition protestante a raison de rappeler vigoureusement la transcendance normative de la Parole révélée et la nécessité pour la vie de foi (donc aussi pour le *sensus fidelium*) de toujours se situer dans l'emprise de cette Parole. Autrement on ouvre la voie aux illuminismes.

Ici intervient la théologie dans son service d'intelligence de la foi. Elle vise, dans la *conspiratio* de tous les charismes et de toutes les fonctions, à fournir à l'Eglise la précision objective du contenu de foi qu'appelle l'exercice droit et bénéfique du *sensus fidelium*. Peu importe pour l'instant de savoir quel est, en tout cela, son rapport au magistère hiérarchique. Et, d'entrée de jeu, récusons l'objection qui voit là une mise en tutelle, une domination de la « classe intellectuelle », un retour « à l'autorité des scribes de l'Ancien Testament, autorité que ne saurait supporter l'Evangile de Jésus Christ »[7]. Il se pourrait fort bien que cette « prépondérance » soit le revers de la déficience d'autres groupes, abdiquant trop aisément leur « responsabilité doctrinale » ou la comprenant mal.

Tout dépend du lien entre la « vie dans l'Esprit » et la « Parole révélée dans l'Esprit ». L'Esprit amène le croyant à l'expérience de ce que la Parole révèle. Car c'est lui qui a inspiré les Ecritures transmettant la révélation de la Parole. Le *sensus fidelium* ne se confond donc pas avec une libre interprétation personnelle de l'Ecriture. Il s'enracine dans la Parole telle qu'annoncée, « reçue » et comprise par l'Eglise, sur la base objective de ce que disent les Livres Saints. Certes, ceux-ci sont l'expression de l'expérience du groupe apostolique. Mais — de là l'apostolicité de l'Eglise — la situation de la Tradition vivante postérieure au témoignage apostolique, consigné dans l'Ecriture, est toute de dépendance face à ce donné scripturaire. La théologie se doit, parmi ses fonctions, d'assurer et de garantir cette dépendance, au service de l'authenticité de l'expérience chrétienne. Elle s'acquitte de sa tâche surtout à deux plans.

---

7. Comme le dit F. DUMONT, « Remarques critiques pour une théologie du consensus fidelium », in *Foi populaire et foi savante*, pp. 56-59, en s'appuyant sur A. DUPRONT, « le Concile de Trente », in B. BOTTE et alii, *le Concile et les conciles*, Paris, 1960, pp. 222-223.

1. Tout d'abord, de façon critique, la théologie évalue, juge, à la lumière de l'Ecriture, de la Tradition vivante, de l'harmonie avec l'ensemble de la doctrine chrétienne, ce que le *sensus fidelium* — dans les trois domaines surtout que nous avons scrutés — exprime avec vigueur et ténacité. Il lui faut aider l'Eglise à discerner s'il s'agit d'une simple opinion prenant place dans le pluralisme ecclésial mais sans nécessairement toucher l'ensemble, d'une déviation s'expliquant par un contexte de crise ou une méconnaissance du donné de foi, d'un élément à ce point cohérent avec le donné que tout pousse à y reconnaître un désir de l'Esprit. Pensons, par exemple, à l'origine de l'ouverture œcuménique dans l'Eglise catholique ou à l'évolution de la doctrine sociale depuis le milieu du siècle dernier. Si, dans ces cas, le jugement ultime appartient aux responsables hiérarchiques, il reste que ce sont les théologiens — à ne pas réduire aux seuls professeurs de théologie ! — qui patiemment clarifient les enjeux, aident à répondre aux objections, signalent ce qu'il faudrait corriger, analysent les malaises. Et cela en se tenant, certains du côté de ceux qui préconisent l'attitude ou l'idée en cause, d'autres du côté de ceux qui, ayant la responsabilité du maintien de l'Eglise dans la foi traditionnelle, se montrent au départ plus hésitants. L'histoire du dogme de l'Immaculée Conception est fort éclairante sur ce point, tout comme de nos jours la percée d'une théologie de la libération.

Il revient également aux théologiens de défricher le terrain pour qu'on puisse chercher avec plus de clarté comment les inconforts de toute une partie du Peuple de Dieu en certains domaines — domaine de la vie sexuelle par exemple — peuvent trouver une issue. Joug pesant mis sur les épaules du magistère [8] ? Injustifiable prétention de régler les problèmes des autres ? Tout au contraire, service fraternel rendu dans la fidélité à l'Esprit distribuant les fonctions pour le bien de tout le Corps du Christ.

2. Mais la théologie sert aussi à un autre plan le *sensus* du peuple chrétien. Elle l'aide à connaître avec plus de lucidité et de précision — grâce aux moyens scientifiques dont elle dispose — le sens authentique de l'Ecriture, la vraie portée des définitions conciliaires, les flottements de la Tradition sur des points que spontanément on penserait acquis, les ambiguïtés des affirmations courantes, les domaines où les conditions de culture ont imposé leur marque sur le donné, les points exigeant une révision des positions du passé, etc. L'absence de ces questions et de ces recherches serait pour une église condamnation à un lent étouffement. En effet, le *sensus fidelium* lui-même ne saurait faire fi de l'intelligence de la foi.

8. F. Dumont, *op. cit.*, p. 60.

Ce qu'ici la théologie apprend à l'Eglise ne représente pas autre chose — si cette théologie est fidèle à sa fonction — qu'une aide pour une connaissance meilleure de la Parole sur laquelle se fonde toute expérience authentiquement chrétienne. Car, comment entrer en relation d'amitié avec Dieu sans sombrer dans l'illusion, si l'on connaît mal les traits de son mystère ? Or il ne les a révélés que dans l'histoire et son Peuple les a transmis dans les documents que, précisément, la théologie a mission de scruter. Rien de plus opposé à l'authentique *sensus fidelium* que les « certitudes » individuelles d'un certain pentecôtisme. Et rien de plus contraire à la vie de foi que les fondamentalismes rivés à la lettre plus qu'au sens. Servante du sens, la théologie est instrument de vie.

C) L'INDÉFECTIBILITÉ DE L'ÉGLISE

Dans cette relation au *sensus fidelium*, la théologie, on le notera, se met immédiatement au service de l'indéfectibilité de l'Eglise. C'est l'un des biens les plus précieux de la tradition anglicane d'avoir sans cesse souligné ce lien entre ce que nous appelons ici *sensus fidelium* et l'indéfectibilité.

Par indéfectibilité on entend le fait suivant : à cause de la fidélité de l'Esprit jamais l'Eglise, malgré ses fautes et ses erreurs, ne s'éloigne à ce point de l'Evangile qu'elle cesserait d'être l'institution de salut que Dieu a donnée à la Pentecôte. Il s'agit donc de beaucoup plus que de l'infaillibilité, celle-ci ne portant que sur la fidélité de l'enseignement. Sa foi peut presque s'éclipser, parfois se mêler d'erreurs, souvent se montrer hésitante et même vaciller, en dépit de tout le Peuple de Dieu ne glissera pas — si proche à certains moments soit-il de l'ultime marge — hors du chemin du salut, du moins si on le prend globalement et selon une portion de temps assez ample. L'Esprit de Dieu agit en lui. Et le *sensus fidelium*, avec son flair, son *phronèma*, son « instinct » (*instinctus*), sait — aidé en cela par ceux qui lui redisent le sens des affirmations de la foi traditionnelle — percevoir les bornes à ne pas dépasser tant au plan de la pensée qu'à celui de l'action. Qu'on se rappelle l'exemple analysé par Newman (voir ci-dessus). Par lui, l'Esprit maintient l'Eglise dans la référence fidèle à Jésus Christ, à travers les drames, les tentations, les défaillances de toute sorte.

II. DU « MINISTÈRE » DES THÉOLOGIENS AU MAGISTÈRE DOCTRINAL

L'Église est un corps structuré. Mais cette structuration ne saurait être conçue essentiellement selon le schéma pyramidal, tributaire d'un certain christomonisme, selon lequel la réalité ecclésiale serait suspendue à une connaissance du mystère chrétien communiquée d'abord à la hiérarchie. Elle est un corps dans et par une « communion » de charismes et de fonctions, mis en communication ou en tension bénéfique par l'Esprit du Seigneur.

A) LE MINISTÈRE DES ÉVÊQUES ET CELUI DES THÉOLOGIENS

Dans cette « communion » des dons et des ministères, la Parole de Dieu se trouve impliquée à plusieurs titres et à plusieurs niveaux. Cela, depuis les temps apostoliques : prédication des Apôtres dans le feu de l'Esprit (Ac 2, 14-36), annonce de l'Evangile aux païens (1 Co 2, 1-5), entretien tout personnel entre Philippe et l'eunuque (Ac 8, 35), didascalie prolongeant sans doute l'enseignement des Rabbis (Ac 13, 1 ; Rm 12, 7 ; 1 Co 12, 28 ; Ep 4, 11 ; He 5, 12), prophétie (Ac 11, 27 ; 13, 1 ; 15, 32 ; 19, 6 ; 21, 9-10 ; Rm 12, 6 ; 1 Co 12, 10), exhortation (Rm 12, 8 ; Tt 1, 9), interprétation des langues (1 Co 12, 10), dispensation de la parole de vérité à la communauté (2 Tm 2, 15), discernement de ce qui est conforme ou non à la saine doctrine (Tt 1, 9 ; 3, 10 ; 1 Th 5, 21), aide à la croissance de la foi (2 Th 3, 10), jugement sur des situations conflictuelles (Mt 18, 15-18), expression de l'action de grâces ou de la supplication dans la prière (1 Co 14, 15-19), confession de foi (Rm 10, 9). Tous ne ne font pas tout. Et ces diverses facettes du service ecclésial de la Parole ne sont pas confiées simplement à quelques personnes qui les cumuleraient au profit de tous. Chacun, selon son charisme, peut être appelé à telle ou telle activité de la Parole de foi. Pourtant, ceux que l'Esprit charge d'une responsabilité particulière concernant l'ensemble de la communauté — l'*épiskopè* exercée soit individuellement soit collectivement par ceux qui peu à peu deviendront les évêques et leurs collaborateurs immédiats, les presbytres — ont, face à cet ensemble, un rôle propre. Quiconque a compris la place de la Parole dans la vie chrétienne, n'en est guère surpris. Ils ont pour mission d'abord d'attester avec autorité la foi héritée des Apôtres, ensuite de veiller à ce que la diversité des fonctions portant sur la Parole tourne au profit de la foi et non à sa perversion, enfin de transmettre fidèlement le dépôt.

En ce sens, la chaire de l'évêque (sa *cathedra*), sur laquelle il succède à tous ceux qui l'ont précédé dans cette église, est chaire de vérité. Et celui qui s'y asseoit devient, dans cette Eglise, maître de vérité évangélique. Il porte la foi reçue des Apôtres, en communion avec tous ses frères évêques. L'autorité de la vérité qui fait l'Eglise brille sur sa *cathedra*. Parce que pasteur du Peuple que nourrit la foi des Apôtres, il est « docteur ». La Parole de la *cathedra*, qu'il a reçue et qu'il transmet dans sa prédication, son enseignement, ou par les décisions des conciles auxquels il prend part, a valeur normative dans la mesure où elle assure le lien entre la foi vécue aujourd'hui et celle annoncée par la communauté apostolique. Son autorité vient de là. Remarquons que si l'on reconnaît à la *cathedra* de Rome, sanctifiée par le martyre de Pierre et de Paul, une place spéciale parmi les chaires épiscopales, on reconnaît du fait même un poids spécial à la Parole prononcée de cette *cathedra*, au sein de la « communion » des églises.

Toute différente est la chaire de celui que nous appelons le « théologien ». Et l'autorité que peut avoir l'enseignement de celui qui l'occupe n'est pas du même type que celle venant de la *cathedra* épiscopale. C'est l'autorité attachée à la science et à la compétence qui s'y déploie. Le contenu de cet enseignement doctoral se trouve soumis à tous les aléas de la recherche scientifique, de la qualité de l'information, de l'influence du milieu culturel, de la vigueur intellectuelle de l'enseignement. Il n'a la garantie *absolue* (avec l'autorité conjointe) d'appartenir à la « parole de foi » que lorsque la *cathedra* épiscopale ou bien l'assume dans son propre enseignement ou bien le « reçoit ». L'histoire des conciles est éclairante sur cette « réception ». Au concile de Nicée, Athanase n'est encore que diacre. A Trente, l'influence des théologiens est considérable. Vatican II consacre l'importance de leur fonction, tout en faisant saisir sur le vif comment l'autorité de leur science ne devient « *l'*enseignement de l'Eglise » — et non simplement « enseignement de l'Eglise » — que dans la mesure où les pasteurs responsables de celle-ci accueillent et « reçoivent » ses conclusions. Car ces pasteurs ont, précisément, à juger, dans l'Esprit, de l'homogénéité *des* « enseignements » avec « *l'*enseignement » de la foi reçue des Apôtres. Il arrive qu'ils les intègrent dans le poids d'autorité de la Parole apostolique. En d'autres circonstances, ils ne se prononcent pas. Parfois, ils les déclarent incompatibles avec la foi. Telle est leur mission : « garder » le donné apostolique.

On devine que ce qui, dans des cas comme Trente ou Vatican II, s'accomplit en une harmonieuse *conspiratio* des évêques et des théologiens, peut parfois, au contraire, virer au conflit. Deux raisons l'expliquent.

1. La première de ces raisons tient à la nature même des deux fonctions en cause, toutes deux requises par la vérité de la foi, mais sur des registres différents. La fonction de l'évêque porte essentiellement sur le maintien du lien avec la foi apostolique, la cohésion entre ce qu'on confesse aujourd'hui et ce que tous ceux qui ont enseigné sur sa *cathedra* n'ont cessé de tenir. Il entend servir l'autorité de la Tradition, de la vérité venue des origines. En ceci consiste son « magistère » : rappeler, garder et transmettre ce que l'Eglise croit. Sa préoccupation est donc moins l'intelligence de la foi que son affirmation et son maintien. Il regarde surtout vers l'origine et la pureté de la Parole de foi. D'une certaine façon, sa visée est plus pragmatique que contemplative. Et s'il guide son église dans la confrontation avec le monde ambiant, c'est moins pour ouvrir la foi aux questions capables d'en renouveler certaines perceptions que pour lui permettre de se transmettre. Le théologien, lui, cherche avant tout l'intelligence du contenu de la foi. Il vise à savoir, de façon critique, le poids de vérité des affirmations traditionnelles, à évaluer la densité des doctrines, à vérifier les équilibres, à confronter les traditions, à analyser les langages, à déceler le sens authentique des propositions de foi.

Or, la démarche du théologien apparaît souvent au pasteur quelque peu risquée, voire corrosive. Elle peut, en effet, ébranler des certitudes acquises, en montrant la fragilité ou la relativité de leurs fondements. Pensons aux réactions devant la percée de l'exégèse scientifique ! Il lui arrive aussi de souligner qu'en leur interprétation de la vérité révélée, ceux qui exercent l'autorité sont parfois trop dominés par une philosophie qui n'appartient pas au donné de foi comme tel. Enfin, il établit souvent une hiérarchie de vérités — sur la base de l'Ecriture et de la grande Tradition — qui ne recouvre pas exactement celle qu'enseigne l'évêque, sur sa *cathedra,* au nom de la fidélité à cette Ecriture et à cette Tradition. De là, parfois, pour la hiérarchie, une crainte : ne va-t-on pas, au nom de la science, malmener ce qu'elle a mission de « garder » ? D'autant plus qu'elle sent, quoi qu'en disent certains textes, que sa fonction et celle du théologien sont complémentaires, donc qu'elle ne peut ni se mettre à la remorque des conclusions de celui-ci, ni réduire la théologie à une fonction de simple auxiliaire au service de ses vues. Magistère de l'évêque et magistère du théologien existent tous deux au service du Peuple de Dieu. Leur relation mutuelle doit être de *conspiratio,* ce qui dit tout autre chose qu'une pure *subordinatio,* même si seul le premier est nécessairement lié à un « ministère ordonné ».

2. Nous touchons ici à la seconde des raisons expliquant la tension entre hiérarchie et théologiens. Le théologien, de par sa fonction, se trouve avec le Peuple de Dieu à la fois dans une relation immédiate et

dans une relation indirecte reconnaissant la responsabilité de ceux qui assurent l'*episkopè* (c'est-à-dire la garde de l'Eglise dans la fidélité à sa vocation et à ses origines).

Il est clair, en effet — si l'on porte un regard d'ensemble sur la Tradition — qu'il n'y a pas dans l'Eglise un seul charisme de vérité, celui de la hiérarchie, auquel toutes les fonctions concernant la Parole de Dieu devraient obligatoirement se raccrocher. Il y a, au contraire « communion de charismes ». L'objet de la recherche du théologien n'est donc pas la Parole en tant qu'interprétée par la hiérarchie mais la Parole révélée *comme telle*. S'il lui revient de transmettre, en l'expliquant, l'enseignement de la hiérarchie, ce ne saurait être en faisant l'économie d'une comparaison avec le sens objectif du donné de foi. Sa fidélité à son service de la Parole l'oblige à souligner inséparablement, d'une part l'autorité objective de la doctrine enseignée, d'autre part ses limites ou ses aspects contestables. Il lui faut même parfois, ayant de graves réserves sur des points précis, les exposer après les avoir justifiées. Son obéissance est à la Parole de Dieu avant d'être aux ministres hiérarchiques qui la proposent. Ainsi, d'ailleurs, il sert le *sensus fidelium*, de la façon que nous avons ci-dessus présentée. Car l'Esprit de Dieu le suscite non pour la diffusion de la « parole hiérarchique », mais pour le service de la Parole, ce qui est fort différent. Or, si les ministères ordonnés — l'expression est plus juste que ministères hiérarchiques — ont à veiller sur la Parole, ils n'ont pas pour autant à en dicter l'interprétation. Ils ne peuvent intervenir que lorsqu'ils ont la conviction — dans leur « prudence pastorale » — que telle ou telle position ou bien ruine la foi (et alors ils la condamnent) ou bien la traduit d'une façon qui répond à un besoin évident (et alors ils l'assument). Mais la question jaillit : comment s'éclaire leur prudence pastorale ? Simplement par l'*instinctus* de l'Esprit donné avec leur fonction, conféré avec l'ordination sacramentelle ? Certes non.

Sans nul doute, qu'ils le veuillent ou non, les ministres ordonnés sont guidés — en plus de l'*instinctus* de l'Esprit — dans leurs décisions concernant la foi par une certaine théologie. Le danger devient donc qu'ils ne confondent cette théologie avec la foi. Or celle-ci admet plusieurs théologies, parfois aussi divergentes dans leur regard que celles d'Alexandrie et d'Antioche aux premiers siècles, de l'école thomiste et de l'école suarézienne dans la scolastique, de l'école romaine et de l'école allemande au XIXe siècle. La responsabilité du théologien face à la hiérarchie, dans le service qu'il est appelé à lui rendre, doit consister, pour une large part, à briser ce monolithisme de la théologie inspiratrice. Dans ce but, il a à lui présenter les questions nouvelles, les nuances que les sciences historiques obligent à apporter, les commentaires sans lesquels, souvent, une affirmation véhiculée depuis quelques siècles perdrait toute autorité. Une de ses tâches essentielles consiste aussi, sans nul doute, à faire remonter les inconforts et les désirs du *sensus fidelium*, en les lisant à la lumière de tout le donné de foi, afin que la parole des ministres s'en nourrisse.

On le voit, dans la *conspiratio* des pasteurs et des théologiens, ni l'un ni l'autre des deux ministères ne peut prétendre qu'il possède la vérité. Ils représentent deux formes complémentaires du service de la foi. L'un — qui doit demeurer perméable aux requêtes de la compétence et de la science de l'autre — assure avant tout la « traditio », la cohérence de l'enseignement d'aujourd'hui avec le témoignage apostolique, norme inspirée de la vérité telle que révélée en Jésus Christ. L'autre — qui doit demeurer à l'écoute de ce que le premier prescrit dans sa prudence pastorale — s'efforce de déceler le sens de cette vérité révélée et d'en manifester la crédibilité. L'un vise l'unité du Peuple de Dieu, dans la foi, en tous lieux et en tous temps. L'autre vise la connaissance la plus juste possible de ce que Dieu dit et veut dans la Parole qui fonde la foi. Par leur convergence, l'Eglise vit dans la vérité[9].

B) LA PLACE DU MAGISTÈRE

Parlant de la fonction des ministres hiérarchiques à l'endroit de la Parole, nous avons évité l'expression « *le* magistère ». Nous avons eu soin d'utiliser ce mot en le joignant à un complément : magistère de l'évêque, magistère du théologien.

C'est que l'expression : *le* magistère, a une lourde histoire. Alors qu'aux premiers siècles l'autorité faisant qu'on adhère à la vérité de foi, et qu'on se soumet à ses impératifs, est celle de cette vérité elle-même, portée par l'Eglise entière, on en arrivera à déplacer l'accent mis sur cette valeur objective de la vérité. L'autorité sera celle qui vient de la position de la personne ou du groupe de personnes qui

9. Sur ce problème du lien entre hiérarchie et théologiens, on lira d'abord Y. Congar, « Pour une histoire sémantique du terme *magisterium* », in *RSPT*, n° 60, 1976, pp. 85-98 ; Id., « Bref historique des formes du « magistère » et de ses relations avec les docteurs », *ibid.*, pp. 99-112. Puis, A.L. Descamps, « Théologie et Magistère », in *ETL*, t. 52, 1976, pp. 82-133 ; Cl. Dagens, « le Ministère théologique et l'expérience spirituelle des chrétiens », in *NRT*, t. 98, 1976, 530-543 ; M. Flick, « Due funzioni della theologia secondo il recente documento della Commissionne theologia internationale », in *Civiltà cattolica*, t. 127, 1976, pp. 472-483 ; R.E. Eno, « Ecclesia docens : Structures of Doctrinal Authority in Tertullian and Vincent », in *Thomist*, t. 40, 1976, pp. 96-115. On complétera par D. Van den Eynde, *les Normes de l'enseignement chrétien dans la littérature patristique des trois premiers siècles*, Gembloux-Paris, 1933 ; et par la lecture du dossier de l'affaire Hans Küng dans *DC*, n° 77, 1980, pp. 71-83, 282-283, 627-630.

enseigne la vérité, la rappelle, la « définit ». De la priorité du donné de foi, on passe à celle des personnes ayant mission de veiller sur lui. Certes, la Tradition a toujours accordé une attention particulière à la pensée de l'évêque, du primat, de l'évêque de Rome, à cause de la fonction de celui qui se prononce. Mais ce n'est pas encore une exclusive. C'est surtout avec la contre-Réforme que le blocage s'amorce. La référence au poids de la hiérarchie devient capitale pour amener l'Eglise à accepter un point de doctrine. Ce qui mène à distinguer Eglise enseignante et Eglise enseignée. La première prendra peu à peu une certaine autonomie face à l'autre, se coupant de l'attention à la vérité que celle-ci aussi porte et atteste. Vers la fin du XVIIIe siècle on dira d'elle qu'elle est *le* magistère. Et d'elle seule.

1. Histoire et formes du magistère

Le terme désigne l'ensemble des pasteurs — avec une insistance spéciale sur l'évêque de Rome — en tant qu'il cumule l'autorité réglant tout le domaine de la fidélité de l'Eglise à la Parole. Par une sorte de monopole, *le* magistère détient, dans cette vision, la concentration des responsabilités de tous les « magistères » (magistère épiscopal, magistère du théologien). Parce que le pouvoir de magistère devient l'un des pouvoirs de la hiérarchie, le magistère du théologien ne peut s'exercer que par la délégation *du* magistère (une *missio canonica*), sa fonction principale étant de justifier et appuyer les affirmations *du* magistère. Dès que celui-ci s'est prononcé, les controverses ne peuvent d'ailleurs que s'éteindre [10].

Bien plus, on distinguera dans les actes *du* magistère deux niveaux. L'un est celui du magistère extraordinaire s'exerçant dans des circonstances très précises, lorsque le maintien de l'Eglise dans la vérité l'exige : il faut indiquer, dans des situations cruciales du type de celles qui commandent Nicée et Chalcédoine, ce sans quoi on n'est plus dans la foi révélée. L'autre niveau est celui du magistère ordinaire. Il s'agit de l'enseignement courant des évêques et surtout de l'évêque de Rome. Or, dès qu'il s'agit du magistère ordinaire de ce dernier, les confusions naissent. D'une part, en effet, on fait refluer sur lui beaucoup des attributs du magistère extraordinaire : toute parole du pape, tout document venant de la curie romaine seront considérés comme porteurs d'une « autorité souveraine », les encycliques auront a priori plus de poids que la déclaration d'une conférence épiscopale, et malheur au théologien qui ose s'en distancer.

---

10. Voir l'encyclique *Humani generis* de Pie XII, en 1950, textes dans *DS*, 3884-3886). Car il a maîtrise sur toute la doctrine.

D'autre part, les textes du magistère ordinaire — spécialement les encycliques — seront souvent des textes théologiques, marqués surtout par une école, l'école romaine. Il y a donc confusion et, par suite, absorption même du magistère théologique par *le* magistère, surtout considéré dans celui que Pie XII appelait le *supremus in Ecclesia Magister,* l'évêque de Rome [11]. Cette vision, non traditionnelle, du magistère ordinaire, doit être revue à la lumière d'une théologie sereine du primat de la vérité et du magistère de l'Eglise comme telle [12].

2. L'infaillibilité

La question du magistère extraordinaire renvoie à celle de l'infaillibilité. De fait, la Tradition ecclésiale a reconnu que certaines déclarations des conciles œcuméniques exprimaient avec une sûreté garantie par l'Esprit du Seigneur la vérité sur Jésus Christ et le salut. De là, l'importance des dogmes de Nicée et de Chalcédoine, quoi qu'il en soit du besoin de les « relire » que plusieurs, aujourd'hui, ressentent. Peu de groupes ecclésiaux refusent de reconnaître que l'Esprit du Christ — selon la promesse de Mt 28, 20 — assiste ceux qui ont mission de garder l'Eglise dans la vérité et, pour cela, d'enseigner celle-ci. On admet donc que, lorsque la fidélité à la foi apostolique se trouve gravement menacée, cette assistance peut s'exprimer par des déclarations dogmatiques, marquées par une qualité particulière de certitude. Car, selon l'expression de Luther, « supprimez les formulations de foi, vous avez supprimé le christianisme » [13]. La reconnaissance d'une infaillibilité dans l'Eglise ne fait pas problème à la majorité des grandes traditions ecclésiales.

Mais la Tradition catholique (romaine) met l'accent sur la localisation dans certaines instances hiérarchiques de ce pouvoir de prononcer, si les circonstances l'exigent, un jugement *infaillible.* Certains ministres ont le pouvoir d'assurer, en le garantissant, que telle proposition exprime vraiment la vérité. Alors que les traditions réformées refusent toute précision permettant de prévoir qui, en certaines situations et à certaines conditions, sera chargé de déclarer la

---

11. *AAS* 46, 1954, 314-315.

12. On lira sur cela : A. VACANT, *le Magistère ordinaire de l'Eglise et ses organes,* Paris, 1899 ; M. CAUDRON, « Magistère ordinaire et infaillibilité pontificale d'après la constitution *Dei Filius*, in *ETL.*, t. 36, 1960, pp. 393-431. On situera ces études dans l'ensemble présenté par Y. CONGAR, « Pour une histoire... » et « Bref historique... » ; et A.L. DESCAMPS, « Theologie et... ». Compléter par P. NAU, « le Magistère pontifical ordinaire au premier concile du Vatican », in *RT,* 62, 1962, pp. 341-397.

13. *De servo arbritrio,* 1225 ; Weimar 18, 603 : 28-29.

vérité de façon *infaillible* (c'est-à-dire qui ne peut tromper ni se tromper), la tradition catholique va plus loin. Elle tient que l'épiscopat universel en communion avec l'évêque de Rome, et l'évêque de Rome en communion de foi avec l'épiscopat universel et par là avec la foi universelle des chrétiens, sont les instances ecclésiales par lesquelles s'exerce alors l'assistance de l'Esprit. Ils ont la compétence voulue pour donner un jugement — toujours marqué, certes, par les conditions de temps et de lieu, traduit dans un langage toujours limité et inadéquat, mais néanmoins garanti quant à son *sens* déclarant ce qui appartient à la foi chrétienne et ce qui ne lui appartient pas.

On notera que l'infaillibilité ne s'applique à l'enseignement (et à lui seul) *du* magistère que dans les cas bien précis où il engage explicitement son autorité en un jugement portant « sur la foi ou les mœurs ». Lorsqu'il s'agit de l'évêque de Rome, on ne peut donc parler sans nuances d'infaillibilité de la personne mais, ce qui est fort différent, de l'infaillibilité que peuvent avoir certains de ses jugements. L'évêque de Rome n'est pas, en effet, l'incarnation d'une autorité doctrinale qui, comme telle, serait « infaillible » de façon habituelle, ce qui conférerait à toutes ses déclarations touchant à la foi un poids ou tout au moins une saveur d'infaillibilité. L'infaillibilité dont *peut* jouir l'évêque de Rome est un secours, une assistance — ni une inspiration, ni une révélation — l'empêchant de tomber dans l'erreur *lorsqu'*il prononce pour toute l'Eglise un jugement *solennel* sur la vérité évangélique (*DS* 3074). C'est dire que l'attribution d'une autorité contraignante et solennelle aux actes du magistère ordinaire représente une extension indue de l'infaillibilité ministérielle. Seuls sont infaillibles certains jugements, dans les conditions précisées par Vatican I, sur des points mettant en cause la vérité du témoignage apostolique [14].

C) MAGISTÈRE, THÉOLOGIE ET SENSUS FIDELIUM

Il est clair que le théologien rencontre, en sa recherche et son intelligence de la vérité, les propositions où les responsables de la vie ecclésiale ont, dans les circonstances cruciales, parfois décisives, dit la

---

14. On lira sur l'infaillibilité, vue sous l'angle qui nous concerne ici, G. THILS, *l'Infaillibilité pontificale, source, conditions, limites,* Gembloux, 1968 ; *Eglise infaillible ou intemporelle ?* coll. « Recherches et Débats » n° 79, Paris, 1973 ; E. SCHILLEBEECKX, « le Problème de l'infaillibilité ministérielle », in *Concilium,* n° 83, 1973, pp. 83-102 ; Y. CONGAR, « Après *Infaillible ?* de Hans Küng : bilans et discussions », in *RSPT,* n° 58, 1974, pp. 243-252 ; H. KÜNG, *Infaillible ? une interpellation,* Paris, 1971.

foi d'une manière qu'ils voulaient exacte et fidèle, assurés que, quoi qu'il en soit des conditionnements historiques, dans leur jugement ministériel s'objectiverait la promesse de la présence de l'Esprit. Bien que ce jugement soit nécessairement coulé dans des formules marquées par une époque et un contexte, donc contingentes, la Tradition y a vu une norme de la foi surtout lorsque l'autorité en cause était celle d'un concile œcuménique. On ne saurait en faire l'économie.

L'autorité du jugement du magistère hiérarchique marque donc la recherche du magistère théologique, lorsque celui-ci a reconnu que les conditions requises pour une authentique infaillibilité au sens de Vatican I étaient satisfaites.

Mais cette « réception » par le théologien n'implique pas qu'il n'ait dorénavant comme fonction qu'à commenter la proposition qui livre le jugement du concile ou de l'évêque de Rome, ou qu'à la monnayer dans un langage adapté à aujourd'hui. L'herméneutique des formules dogmatiques lui revient. Elle est nécessaire à la foi.

En effet, l'intelligence du contenu de tout jugement, même s'il se veut « autoritaire », est déterminée d'abord par le contexte de sa formulation. La problématique à laquelle on désire fournir une réponse conditionne sa vérité. Très souvent même, l'alternative que l'on veut exclure explique le langage adopté. Ce que, par exemple, Vatican I dit de la primauté romaine est pour une large part marqué par les erreurs que le concile entend endiguer : la vérité du jugement officiel ne se jauge donc pas en dehors du contexte « pastoral », historique, concret, qui rend compte de la formule finale. Un recueil de « réponses en soi » — comme Denzinger — ne suffit pas, aujourd'hui, à la foi. Le théologien est de ceux qui ouvrent le sens objectif des énoncés en les lisant dans la lumière de leur problématique. Il a pour cela à situer la réponse dogmatique dans la question pastorale. Ici, le progrès des sciences historiques peut l'amener à déceler et proposer des variantes du sens communément reconnu comme le sens obvie de telle ou telle proposition « définie ».

En outre, il arrive que le contenu d'une proposition de foi, garanti par l'infaillibilité, ait été mal perçu par le Peuple de Dieu. C'est ainsi que les énoncés de Vatican I sur la primauté romaine et l'infaillibilité pontificale sont tombés dans un contexte de surévaluation de la personne du pape et l'ultramontanisme. Si bien que, dès le départ, on en a gauchi l'application. La mission du théologien consiste ici à démasquer les exégèses tendancieuses. En contexte œcuménique, cette démarche s'impose, par exemple, non seulement pour ce qui a trait à la fonction de l'évêque de Rome mais aussi pour une certaine interprétation des déclarations de Trente sur l'Eucharistie, passées par le filtre de la contre-Réforme.

Il faut également souligner que — déjà dans le Nouveau Testament

— il est impossible d'absolutiser une formulation. Même au niveau du kérygme, il existe un pluralisme d'expressions. Elles se réconcilient par leur visée unique. Au théologien de dégager cette unité de visée sous des positions à première vue divergentes. Thomas d'Aquin a, disions-nous, montré que l'acte de foi ne s'arrête pas à la formule de foi mais à la *res,* Dieu lui-même, que vise le langage toujours limité, incapable de dire adéquatement cette *res* (IIa-IIae, q. 1, a. 2, ad 2). C'est d'ailleurs pourquoi le théologien doit, parfois, chercher une nouvelle formulation, évitant les mots piégés, traduisant le sens de la « formule de foi » d'une façon plus cohérente avec l'Eglise d'aujourd'hui. Ainsi, dans l'accord de Windsor sur l'Eucharistie (1971), les théologiens anglicans et catholiques sont parvenus à exprimer la foi traditionnelle sans employer le mot transsubstantiation et pourtant sans trahir ce que Trente avait affirmé.

Comment, dans cette difficile entreprise, le théologien saura-t-il qu'il n'égare pas le Peuple de Dieu dans des chemins sans issue ? En demeurant à l'écoute du *sensus fidelium,* mais aussi en recherchant toujours la fidélité aux origines, sous la lumière de la grande Tradition. La doctrine infaillible ne peut pas transformer l'Eglise en autre chose que ce que l'Esprit a planté à la Pentecôte. Elle ne peut pas non plus se montrer à ce point tributaire des contextes historiques, imbibée par les appels du monde, qu'elle cesse d'être une parole prophétique inquiétant celui-ci[15].

---

15. L'ouvrage de James DUNN, *Unity and Diversity in The New Testament* n'a pas encore été traduit. Sur les conditions et les limites concrètes de toute infaillibilité, on consultera l'ensemble publié sous la direction de E. CASTELLI, *l'Infaillibilité, son aspect philosophique et théologique,* Paris, 1970 ; voir aussi l'édition de l'intéressant colloque *Eglise infaillible ou intemporelle ?* coll. « Recherches et Débats », t. 79, Paris, 1973 (surtout les textes de C. LANGLOIS, pp. 63-78, 79-91 ; A. JAUBERT, pp. 93-101, 102-114). L'ensemble édité par H. KÜNG, *Fehlbar ? Eine Bilanz,* Zurich, 1973 n'a pas, à notre connaissance, été traduit en français. (Les études de W. Kasper, H. Häring, O.H. Pesch sont éclairantes.) Joseph HOFFMANN, « l'Infaillibilité pontificale : formulation d'un dogme ou genèse d'une idéologie », in Travaux du CERIT dirigés par M. Michel, *Pouvoir et Vérité,* Cerf, Paris, 1981 ; *Concilium,* n° 176.

B. BRANCHES DE LA THÉOLOGIE

Dans cette section, il s'agit d'introduire à quelques problèmes majeurs dans l'étude et la pratique de la théologie sans viser à l'exhaustivité.

On remarquera toutefois qu'il ne faut pas comprendre le chapitre intitulé « Théologie dogmatique » comme excluant la théologie morale au sens où l'on privilégierait les énoncés sur les mœurs. Dogmatique et Morale sont toutes deux théologie de la foi en acte, au service des croyants affrontés au même monde en devenir. Les problèmes spécifiques de théologie dogmatique sont évoqués dans les chapitres correspondants des deux tomes suivants et le quatrième tome est précédé d'une Introduction détaillée à la théologie morale. Il en est de même pour la Pratique dans le cinquième tome.

Chaque auteur présente ces problèmes majeurs avec son génie propre. L'un termine son exposé en s'engageant personnellement sur de nouvelles voies de recherche, l'autre développe davantage une méthodologie, d'autres enfin tentent l'évaluation d'une évolution ou la description d'un vaste champ d'études. Cette diversité fait aussi partie de la pratique de la théologie, comme nous l'avons indiqué dans la Préface.

CHAPITRE PREMIER

Théologie biblique

par PAUL BEAUCHAMP

SOMMAIRE. — Préambule. I. Conditions : A) Statut de la théologie biblique ; B) La théologie biblique et son milieu. II. Les données : A) Les composantes de la connaissance biblique : 1. histoire, 2. anthropologie, 3. sciences du langage ; B) Une encyclique et un concile. III. Problématique : A) Le sens plénier ; B) L'herméneutique ; C) Nouvelle herméneutique ; D) Clé de voûte. IV. Ouverture. Bibliographie.

PRÉAMBULE

Sans doute, les principes de la théologie biblique ne doivent pas contredire les principes de la théologie tout court. Mais ces derniers principes n'étant nulle part gravés sur la pierre dans une version commune à tout homme ni même à tout chrétien, celui qui parle de théologie biblique doit d'abord faire savoir comment il comprend la théologie tout court.

1. *La théologie est une entreprise de la connaissance qui cherche Dieu*. Je veux dire par là qu'une théologie est jugée à mesure de la connaissance de Dieu qu'elle apporte : la meilleure théologie est celle qui donne la meilleure connaissance de Dieu. Le principe que je viens d'énoncer peut être considéré comme premier.

2. Toute recherche s'appuyant sur une hypothèse, la nôtre est que Dieu s'étant fait connaître dans ce qui n'est pas lui, il faut *prendre pour aller vers Dieu le chemin qu'il a pris pour aller vers nous*, et c'est aussi notre deuxième principe. Il faudra donc chercher Dieu dans le monde et dans l'homme. Un chemin existe : Dieu Autre imprime son altérité dans le monde. Entre le monde et l'homme, entre l'homme et l'homme, entre l'homme et la femme, la parole prend place pour appeler à la vérité. Dans la parole, le Dieu séparé est séparant afin de créer dans le vieux monde le monde nouveau qui vient à lui.

3. *Connaissance* de Dieu. Le rapprochement de ces deux termes (« connaissance » et « Dieu ») est une donnée permanente à travers les deux Testaments et dans toute la tradition qui les a repris. Mais « connaissance » comprend beaucoup de niveaux et de modalités. Il existe une connaissance qui domine son objet. Or quand son objet est un... sujet, cette connaissance échoue. Devant tout sujet, la connaissance a une loi : respecter. Mais il existe un faux respect, qui consiste à respecter la distance plus qu'à respecter l'autre. S'il arrive que le sujet théologien s'absente lui-même, la perspective manque. Nous formulons à partir de là un troisième principe : la fin de la théologie étant la connaissance de Dieu, *le commencement de la théologie est la décision du théologien comme sujet.*

4. Ce qui procède de la décision du sujet théologien n'est pas « subjectif ». Est subjectif ce qui relève des particularités individuelles, dans leur impuissance à sortir d'elles-mêmes — impuissance partiellement subie par tous.

Le « subjectif » isole le sujet. Mais un sujet n'est pas tout. Et même tous les sujets ne sont pas tout. Il existe un monde et il n'est de décision que prise par un sujet dans un monde. Ceci constitue l'horizon de la décision pas seulement pour l'agrandir mais aussi pour la limiter. Une décision est prise dans une condition. Mais manifester sa condition ce n'est pas, pour un théologien, traiter sa condition comme si elle donnait des consignes. C'est seulement être vrai envers sa condition et, ainsi, l'ouvrir. *La vérité du sujet envers sa condition est le quatrième principe d'une théologie.*

De ce principe découlent deux *corollaires* : Le premier s'applique particulièrement à la théologie chrétienne : la condition du sujet théologien inclut sa solidarité avec ceux qui témoignent de Dieu. Le principe est logiquement antérieur à la foi chrétienne ; celle-ci seulement l'amplifie. Une théologie de la Bible doit correspondre à l'état de l'Eglise et à sa position dans le monde.

Le deuxième est que, pour être dite théologique, cette entreprise de connaissance doit être de la plus haute qualité possible, en fait de connaissance, et se situer à l'intérieur des efforts intellectuels de sa propre époque.

Ces principes eux-mêmes soulèvent une question : commencer un exposé sur la théologie biblique en énonçant les principes d'une théologie « tout court » n'est pas un parti absolument évident. La connaissance de la Bible ne va-t-elle pas être déterminée à l'avance par des positions théologiques déjà choisies ? On répondra qu'un minimum de théologie préalable est toujours là. La Bible est toujours reçue en fonction d'attentes ou de refus de Dieu antérieurs à sa lecture. L'homme est responsable de lui-même dès ce moment antérieur : des règles pour ce moment sont donc légitimes.

Mais l'essentiel est ailleurs : la Bible apportant une révélation, est-il logique de chercher une vérité sur Dieu en dehors d'elle ? Disons-le d'abord : bien que la question soit difficile, elle a toujours été et sera toujours résolue par la pratique. Personne n'a jamais cherché dans la Bible la définition de ce qui est sensé, que ce soit sur Dieu ou sur tout autre sujet. Tout le monde a même toujours recouru à des critères que la Bible elle-même ne donne pas, même en matière très relevée. Inversement, on peut voir tous les jours quels inconvénients proviennent d'aborder la Bible sans avoir remédié à la déficience de tels critères. Pourtant, ce rappel à la pratique ne suffit pas puisque la difficulté est souvent d'être logique même avec sa propre pratique.

En fait, le langage de la Bible sur Dieu suppose un espace où résonne la parole de révélation. Révélation suppose mise en présence réelle de deux sujets consistants : le destinataire n'est pas supposé privé de pensées, ni de pensées justes, concernant ce Dieu qui se révèle à lui. C'est même précisément au sujet déjà connaissant que s'adresse la révélation. Prenons un cas dans la Bible. Un prêtre des Madianites (non des Hébreux) a pour gendre Moïse. Un lieu sacré existe au Sinai (loin du pays d'Israël). Moïse est supposé connaître le Dieu d'Abraham. Tout cela précède la révélation du Nouveau, de YHWH, qui se donne comme le Même que le Dieu d'Abraham. Il se donne ainsi non comme un plein comblant un vide, ni comme un complément s'ajoutant à un inachevé, mais comme celui qui fonde tout, à commencer par ce qui le précède. Nous apprenons ainsi que révélation implique la nécessité d'un événement, qu'il n'y a pas d'événement sans préalable et que ce préalable n'est pas le négatif de l'événement.

A cette condition seulement, la révélation chrétienne peut être fidèle à son caractère anti-ésotérique. Révélation fait plus que supposer et trouver altérité : elle la pose et la promeut, l'accroît : elle incite tout homme à se conquérir une vérité autonome sur Dieu. *La révélation* met en marche la connaissance, pousse tout homme à dire *ce qui ne lui est pas révélé*. Cette nécessité est enregistrée dans la Bible elle-même. La révélation par excellence — la Torah elle-même — est faite pour être reconnue comme Sagesse. Selon le Deutéronome, dès que la Torah peut, sans être modifiée, faire reconnaître un peuple comme sage, il en résulte qu'elle brille aux yeux des Nations (Dt 4,6 s.). Cette sagesse, par ailleurs, exista dès qu'il y eut des hommes (Pr 8, 22-31) et ne saurait être inapte à se rencontrer avec la révélation. Elle est son préalable, mais aussi son répondant, que requiert la Bible elle-même. La Bible veut être connue par ce qui ne provient pas d'elle : c'est exactement à quoi répond la théologie biblique, en situant cette connaissance à son niveau le plus essentiel.

I. CONDITIONS

A) STATUT DE LA THÉOLOGIE BIBLIQUE

Toute activité théologique est modifiée par son statut dans la société des théologiens et par la place qui lui est faite dans les institutions. La place de la théologie biblique est indécise ; son territoire ne bénéficie pas d'un découpage inconstesté.

De toute manière, un chantier s'ouvre dans ce qui reste après une exégèse trop peu théologique et une théologie trop peu biblique. Mais, ne l'oublions pas, il faudrait critiquer aussi une exégèse « trop » théologique et une théologie « trop » biblique. Notre propos, ici, sera avant tout de chercher à quelles conditions saines une exégèse peut être théologique et une théologie peut être biblique.

Recenser et classer ce qui s'est appelé ou aurait pu s'appeler « théologie biblique » à travers les âges dépasserait certainement les limites et servirait mal la finalité, surtout pratique, du présent chapitre. Il sera plus simple et plus profitable d'expliquer comment on en est venu à parler de théologie biblique, maintenant, sur une durée assez brève, mais saisissable : celle d'une ou deux générations de travailleurs. Ce sera l'esquisse d'une « archéologie » de la connaissance biblique. On entend par là une identification de ses couches telles qu'elles se maintiennent encore, superposées dans les esprits. Attribuer telle approche à une couche « archéologique » ne signifie donc pas, de soi, qu'elle est périmée. Ce terme invite plutôt à interroger toute théologie sur les sciences qui la nourrissent. La théologie biblique, en effet, répond (comme elle le peut) à l'appel d'une cohérence de toutes les connaissances bibliques entre elles et dans leur rapport avec la vie. Son développement suppose donc une écologie richement équilibrée. Tout — ou presque — va dépendre de ce qu'elle trouve à son amont. Les étudiants ont donc tout avantage à savoir qu'il ne faut pas être trop pressé de faire de la théologie biblique.

B) LA THÉOLOGIE BIBLIQUE ET SON MILIEU

Malgré ces perspectives d'abondance, une réduction des préalables à quelques traits essentiels reste possible. Ou même, à la rigueur, à un trait essentiel : la ligne de départ de la théologie biblique est la lecture biblique. Ligne de départ, donc plus qu'un préalable. Et comme la lecture biblique est ligne de départ aussi pour l'exégèse, la théologie biblique remonte aux sources de l'exégèse et ramènera l'exégèse à ses sources. Lecture : nous désignons ainsi le point de naissance d'un groupe à la Bible. Or il y a ou il n'y a pas lecture. Nous n'employons donc pas le mot dans le sens où il irait de soi que, pour étudier la Bible, il faut la lire. Bien au contraire, parce que la Bible a souvent donné l'impression d'être étudiée sans être lue (ou lue sans être lue, comme on peut écrire sans écrire), « lecture » a pris depuis peu des résonances nouvelles. Un traité de la lecture biblique serait même, sans doute, plus urgent qu'un traité de théologie biblique. Car lire doit s'apprendre. D'un mot : lire, c'est vouloir laisser venir, dans le silence qui entoure les décisions, le texte biblique comme l'appel d'un monde pas encore complètement né qui demande à naître à notre monde. Deux règles, à défaut d'un traité : 1. lire c'est tout lire, 2. lire c'est relire. Car la deuxième fois qu'on lit, on lit tout dans ce qu'on lit. C'est sans prix... mais c'est aussi pourquoi la deuxième lecture n'est que le commencement du renouvellement.

L'exégèse (qu'il n'est pas question de décrire ici en détail) remplit sa tâche la plus spécifique par le commentaire. Ce genre d'écrit fournit les connaissances requises pour dissiper les obscurités ou les malentendus. Fonction formulée ici en termes négatifs, pour deux raisons. D'abord pour faire ressortir son caractère impératif : il existe une barrière séparant le lecteur et le texte et la première obligation est de ne pas la nier. Le commentaire est donc une condition *sine qua non*. Ce serait par une fierté mal éclairée qu'on voudrait ne pas demander ce service ou ne pas le rendre. Deuxième raison : si le commentaire est auxiliaire, c'est seulement pour que le texte soit souverain. Beaucoup de malaises de l'exégèse ne cachent pas d'autre mystère : elle se porte mal quand la lecture est malade. Mais (de Saussure s'en plaignait dès son temps) tout, en matière de sens et de langage, est « toujours plus compliqué que cela », même quand déjà ce n'est pas simple. De toute manière, on n'en reste jamais au face à face du texte et du commentaire. En tant qu'elle est commentaire, l'exégèse introduit une discontinuité. Elle interrompt le cours du texte. Il y a inéluctablement malaise et lutte, après quoi le texte, étant, au moins de droit, le plus fort, l'exégèse est finalement interrompue par lui. Il faudra donc rétablir ailleurs des continuités et pouvoir jouir du cours ininterrompu d'une parole sur le texte. Autrement dit, le commentaire, de soi, n'est pas un texte — mais la nécessité qu'un nouveau texte naisse est irrépressible.

A ce point de vue, tout exposé continu du rapport d'un texte biblique avec la foi chrétienne d'aujourd'hui est œuvre de théologie biblique. Mais il naît et il doit naître, avant ce niveau, toute sorte de discours sur la Bible. Certains sont continus. D'autres le sont à peine. Ainsi un des traitements les mieux déterminés académiquement s'appelle « Introduction à la Bible » (dispensée par des manuels ou par l'enseignement oral). Il regroupe, à des fins pratiques, les connaissances relatives à l'histoire de la littérature biblique (authenticité, datation avec bref rappel des circonstances, parfois genre littéraire). Ainsi sommes-nous orientés à travers le « monde biblique ».

Que la théologie biblique soit inconcevable sans la connaissance du « monde biblique », cela ne veut pas dire que l'exégèse et les autres traitements du texte soient finalisés par la théologie biblique, en constituent des parties dont cette dernière aurait ensuite à faire la synthèse : de telles constructions pyramidales sont imaginaires ou plutôt on ne les imagine même plus. Mais cela veut dire que l'emplacement de la théologie biblique est celui où le plus grand nombre raisonnable de données sera accueilli, ampleur qui non seulement se concilie avec la brièveté et l'économie, mais les exige absolument. Explicitons très clairement, dès maintenant, de quel espace nous parlons : une théologie biblique serait vouée à l'échec si elle se contentait de recenser et de clarifier les assertions de la Bible ayant Dieu pour objet. Elle se mettrait ainsi en discordance avec la spécificité de la Bible. Sans doute, l'homme parle de Dieu dans ce livre mais la proposition biblique la plus reconnaissable (acceptée ou non) est que Dieu, dans ce livre, parle de l'homme et du monde, ou que Dieu y parle l'homme et le monde. Cette inversion de problématique (si peu obvie qu'elle demande à être longuement explorée) doit se répercuter sur tout le projet d'une théologie biblique. Ainsi se trouvent légitimés l'écartement et peut-être même la dispersion de ses sources. On pourrait dire que la théologie biblique n'a pas de point de vue, puisque justement le point de vue des autres connaissances bibliques est à reconnaître par elle.

II. DONNÉES

A) LES COMPOSANTES DE LA CONNAISSANCE BIBLIQUE

Restant à ce qui précède la théologie biblique, nous distinguerons trois domaines de connaissances : l'histoire, l'anthropologie, les sciences du langage.

1. Histoire

Avec l'avènement de l'âge moderne, les exégètes les plus célèbres ont pratiqué une critique historique dont l'objet principal était d'examiner la *crédibilité* de la Bible en tant que récit, tâche soudainement devenue énorme. L'histoire exerce ses principaux effets en théologie de manière décisive, mais indirecte : la divergence entre le texte biblique et le texte de l'historien moderne donnant sa version des mêmes faits (même quand il ne compte pas parmi les plus radicaux) pose nécessairement la question de l'interprétation, celle de l'herméneutique, dont nous aurons à traiter plus à loisir. Mais, à un niveau plus immédiat, une théologie biblique descriptive prit naissance à cette époque.

C'est pour ainsi dire à l'ombre de l'histoire des faits que certains étudièrent aussi l'histoire des idées. Elle s'exerça d'abord (dans la mesure où c'était faisable) sur le milieu culturel et religieux qui entoure et déborde les écrits canoniques. La tâche principale consistait à repérer, définir, classer, énoncer aussi distinctement que possible les idées de ce temps en tenant compte de leur différence avec les nôtres. Ainsi furent dressés par Lagrange ou Bonsirven, par exemple, ces grands répertoires des idées des époques bibliques tardives, travaux que, plus d'une fois, il reste indispensable de consulter[1]. L'application du même traitement aux auteurs canoniques avait quelque chose de plus nouveau. Liée au style purement descriptif, l'instauration délibérée (sinon toujours méthodique) d'une distance renouvelle le

1. M.-J. LAGRANGE, *le Judaïsme avant Jésus-Christ*, Gabalda, coll. « Etudes Bibliques », 1931 ; J. BONSIRVEN, *les Idées juives au temps de Notre-Seigneur*, Bloud et Gay, coll. « Bibliothèque catholique de sciences religieuses », n° 8, 1934 et, du même auteur : *le Judaïsme palestinien au temps de Jésus-Christ. Sa théologie*, Beauchesne, 1935.

regard[2]. Grâce à elle, on évite d'introduire toutes les idées chrétiennes même dans les passages de l'Ancien Testament qui paraissent s'y prêter le plus et on s'abstient de trouver dans le Nouveau Testament les idées de la dogmatique postérieure. Mais ce style d'« histoire des idées » pose des questions : quelle différence y a-t-il entre « fait », « idée », « expression » ou « parole » ? Quel est le statut d'une « idée » ? Peut-on seulement « décrire » les grandes décisions qui font l'homme ? Faut-il leur trouver une cohérence, mais comment y parvenir si l'on tient absolument à jouir du choc de la distance ?

Personne ne peut renoncer à chercher la relation des idées avec les faits : la croyance en la résurrection, par exemple, a elle-même une histoire et elle n'est pas séparable de l'expérience du martyre au temps des Maccabées. Mais s'il est possible et fécond de percevoir ce lien intuitivement, il est assez difficile, par contre, de donner une véritable fécondité théologique à cette perception. En particulier, promettre d'« expliquer » les idées par les faits, c'est s'exposer à décevoir en se contentant, trop souvent, de simples juxtapositions.

2. Anthropologie

Vouloir expliquer est une chose, vouloir comprendre en est une autre. Pour la compréhension, les choses font sens par leur cohérence : celle-ci se révèle « du dedans » à la sympathie (« empathie ») ou à l'intuition. Plutôt qu'un changement de niveau qui déclencherait l'explication, l'esprit ainsi orienté cherchera, pour les textes, un englobant qui sera par exemple une culture, entendue comme une manière entière d'être homme, et non seulement comme l'adhésion à des idées. La distance qui nous sépare de ces totalités ne fut certes pas niée avec l'entrée de l'anthropologie dans les connaissances bibliques, mais les travailleurs intellectuels furent favorisés pendant un certain temps d'une robuste confiance dans leurs capacités à émigrer mentalement au pays de « l'homme biblique » (c'était d'ailleurs le temps où l'homme occidental commençait à moins se plaire à lui-même). L'opposition entre « Jérusalem et Athènes » ou « pensée biblique » (voire « sémitique ») et « pensée occidentale » entre alors dans la liste de ces schémas dont l'autorité indiscutée protège la zone nécessaire aux travaux.

Cette attitude participatrice et partiale, efficace dans cette mesure

---

2. Pour un traitement commun des auteurs canoniques et des autres, par une théologie « descriptive » dont l'auteur n'est pas extérieur à ce qu'il décrit, voir Annie JAUBERT, *la Notion d'alliance dans le judaïsme aux abords de l'ère chrétienne,* Seuil, coll. « Patristica Sorbonensia », n° 6, 1963.

même, a besoin d'une saisie directe. L'« homme biblique » se donnera à comprendre au niveau du sensible, c'est-à-dire des images et des mots eux-mêmes. Là prirent leur origine beaucoup de travaux sur la cosmologie et sur le symbolisme de la Bible. La Bible baigne dans le riche milieu qu'explore l'histoire des religions. Plutôt que les institutions, on étudiera les mythologies, coutumes populaires, rites. La fin suprême du chercheur est devenue la découverte de totalités originales, parfois reconstruites avec beaucoup d'ampleur[3].

La Bible ne pense pas seulement « autre chose », mais elle pense « autrement ». De difficiles questions de théologie biblique profitent de cette vue. Ainsi l'indétermination du personnel et du collectif, avec la *Corporate Personality,* selon W. Robinson, dont les positions sont incessamment reprises et trop peu renouvelées depuis[4]. Une école exégétique, dans les pays scandinaves et en Angleterre, reconstitue l'ensemble « mythes et rites » de l'Israël primitif, ensemble conjectural dont le tracé s'appuie sur l'existence de systèmes mythico-religieux comparables dans le monde antique. L'idée directrice est qu'Israël ne peut avoir différé autant qu'il le voulait de l'humanité de son temps. De ces travaux, il reste la probabilité qu'un système religieux (mais lequel ?) non directement décrit dans la Bible ait joué un grand rôle dans l'Israël ancien[5].

Dans la mesure où ces approches se sont succédé l'une à l'autre, on pourrait dire que l'approche anthropologique a conduit depuis « l'histoire des idées » jusqu'à une vision globale de l'homme biblique : cet enrichissement est sensible dans beaucoup de travaux menés entre les deux guerres mondiales. On peut seulement regretter que n'ait pas été aussi approfondie l'étude des institutions, par lesquelles s'articulent, dans une société, les différences[6]. Peu à peu cependant, l'accent nouvellement placé sur les sciences du langage pourrait orienter les esprits dans cette direction.

3. J. PEDERSEN, *Israel. Its Life and Culture,* Oxford, University Press et Copenhague, Branner — vol. 1 : 1926 ; vol. 2 : 1940. Cette œuvre de beaucoup de sève, qui tient debout, donne une idée des distances qui séparent souvent l'approche anthropologique, à cette époque, et la théologie.

4. H. WHEELER ROBINSON est revenu plusieurs fois sur cette question, notamment dans « The Hebrew Conception of Corporate Personality », in *Zeitschrift für die Alttestamentliche Wissenschaft*, t. 66, 1936, pp. 49-61. Exposé et bibliographie dans J. DE FRAINE, *Adam et son lignage,* Desclée De Brouwer, 1959.

5. Etat de la question et débats : J. DE FRAINE, *l'Aspect religieux de la royauté israélite. L'institution monarchique dans l'Ancien Testament et dans les textes mésopotamiens,* Analecta Biblica, t. 3, Rome, 1954.

6. Sur ce sujet, la meilleure nomenclature critique reste R. DE VAUX, *les Institutions de l'Ancien Testament,* Cerf, t. I : 1957 ; t. II : 1960. Pour un procès d'une théologie coupée d'une analyse des sociétés, voir N.K. GOTTWALD, *The Tribes of Yahweh,* SCM Press, Londres, 1980, 916 p.

3. Sciences du langage

Beaucoup de vocations exégétiques naissent en découvrant que le sens de mots très simples : « Tu aimeras », « Justice » ou « Foi » s'écarte peu ou beaucoup, dans le système biblique, du sens que nous lui donnons dans notre système sans même le savoir, mais qu'il tient à nous de les revêtir aujourd'hui de ce sens nouvellement découvert. Le principe de distance et le principe d'intuition se rejoignent fortement dès qu'il s'agit des mots. Mais la cohérence des langages est d'une vigueur et d'une qualité toutes particulières. Le système verbal, en vertu même de son autonomie, traverse les niveaux différents de la réalité. Il en résulte deux conséquences. D'abord, un mot n'est rien sans les ensembles verbaux. Si excellents que soient les travaux de lexicographie biblique menés dans le style classique des dictionnaires, ils peuvent difficilement rendre compte de ces ensembles. Plus souple, la notion empirique de « thème » a servi à présenter ensembles et contextes[7]. Ensuite, il est périlleux de trop isoler une sphère théologique dans le langage : ce reproche a été fait au célèbre *Dictionnaire théologique du Nouveau Testament* de G. Kittel[8].

On peut dire que les travaux de théologie biblique les plus nombreux sont constitués aujourd'hui par les essais de thématique biblique qui, à partir du matériau linguistique des ensembles verbaux (pas toujours assez considérés comme ensembles) tiennent compte des niveaux de signification. Généralement sous forme de monographies, on y trouve de plus en plus la volonté d'honorer le principe énoncé par James Barr : « Le langage non religieux de la Bible a autant d'importance théologique que son langage religieux[9]. »

L'originalité du fait linguistique tient à ce que distance et intuition y sont non seulement rejointes, mais dépassées dans l'actualisation : au moins pour la communauté croyante, il n'y a pas seulement connaissance, mais usage aujourd'hui même des termes bibliques étudiés. De toute part, grâce au caractère concret du langage, des questions fondamentales surgissent de son étude. Ainsi, étant admis que la particularité culturelle joue un tel rôle dans la révélation

---

7. Le *Vocabulaire de théologie biblique,* sous la direction de Xavier Léon-Dufour, Cerf, 1962, 1970², est un répertoire de *thèmes,* dont le but est de relier anthropologie et théologie.

8. G. Kittel édita le *Theologisches Wörterbuch zum Neuen Testament* à partir de 1933 ; il fut traduit en diverses langues, dont l'anglais et l'italien. Il existe seulement quelques fascicules en français.

9. *Sémantique du langage biblique,* Aubier-Montaigne, Bibliothèque de Sciences religieuses, 1971, p. 16. L'original anglais était paru dix ans plus tôt ; la traduction apporte quelques compléments bibliographiques.

biblique, que faudra-t-il conclure du fait que la Bible a traversé des cultures différentes ou opposées et, finalement, du fait que la Bible parle deux langues, le grec et l'hébreu, ceci dès l'intérieur du canon catholique de l'Ancien Testament ? Cette dualité est-elle un accident ? Dans bien des travaux, la question n'est sensible que sous forme de malaise.

Il est évident que les trois démarches ici distinguées n'ont cessé de s'entrecroiser, excepté le cas de chercheurs particulièrement unilatéraux. Le trait le plus commun à chacune des trois, et le plus naturel, est de considérer que les deux autres relèvent de son ressort. Ce qui est vrai, c'est que toute innovation va de pair avec un changement de frontière. Ceci s'est vérifié entre les deux guerres, avec la rencontre des sciences du langage et de l'anthropologie culturelle. A partir de Gunkel, l'école « formiste » (*Formgeschichte*) se veut au service de l'histoire, mais son fruit principal est d'intéresser aux formes prélittéraires. Son hypothèse est d'expliquer leur fixité par l'emplacement institutionnel (dit *Sitz im Leben*) de leur production, dont le côté esthétique est pris en compte. Les Scandinaves s'intéressent à la tradition orale (B. Gerhardsson, *Memory and Manuscript,* 1964). En France, M. Jousse a fait remonter aux origines et jusqu'à Jésus la forme verbale, le geste corporel, la fonction de transmettre un enseignement de vie. Inversement, A. Robert [10] privilégie le poste du scribe et l'écriture anthologique, marquant le stade terminal du livre biblique.

Finalement, le plus important, pour situer un chercheur, n'est pas le nom de l'unique discipline sous laquelle il présente ses travaux, mais l'emplacement qu'il occupe toujours sur la grille formée par plusieurs. A partir de ces emplacements si multiples, souvent originaux, il est constant que des biblistes se prononcent sur des questions de théologie. Ceci n'est pas très étonnant puisque cet intérêt fondamental est, dans la plupart des cas, ce qui les orientait. Une atmosphère est créée : l'histoire est un remède contre les conformismes, l'anthropologie préserve les biblistes du danger d'un piétisme confiné, les maintient attentifs aux réalités séculières. Un enthousiasme indéniable a caractérisé toute une période de découvertes. Période d'autonomie aussi, et un peu de sursis. Dans l'enseignement théologique, d'autres que les exégètes (ceci est plus particulièrement vrai dans les milieux catholiques) restaient immédiatement confrontés aux décisions urgentes de la foi. Or c'est un peu la question de la décision qui va se poser dans une phase nouvelle. Un « monde biblique » bien reconstruit dans sa cohérence propre, si attirant soit-il, cela permet-il au croyant de tenir le discours de foi qui demande à naître ?

---

10. De A. ROBERT, l'article « Littéraires (Genres) », in *DBS*, t. 5, 1957.

B) UNE ENCYCLIQUE ET UN CONCILE

Le sommaire contenu dans les quelques paragraphes qui précèdent ne dépassait guère la Deuxième Guerre mondiale. Si l'encyclique de Pie XII *Divino afflante Spiritu*, du 30 septembre 1943, marque une grande date, c'est d'abord parce qu'elle dresse un bilan essentiellement positif de ce que nous venons de décrire. En même temps, des orientations sont données et celles-ci, venant de l'instance supérieure du magistère catholique, ne pouvaient pas ne pas toucher directement la théologie et elles la touchèrent.

Exhortation à la prudence théologique, mais surtout protestation contre « ce zèle peu prudent qui regarde tout ce qui est nouveau comme à combattre ou à suspecter », consigne d'« adapter les études bibliques aux besoins du temps », ce document eut un effet tonique puissant. Il lance un appel vibrant à toutes les sciences modernes, dont il dresse plusieurs listes comme par exemple « histoire, archéologie, ethnologie... ». Toutes se concentrent vers un but, la connaissance des énoncés bibliques. De ceux-ci, le support est le texte primitif qui « a plus d'autorité et de poids qu'aucune version, même la meilleure, ancienne ou moderne ». La Vulgate latine se trouve ainsi reléguée à l'arrière-plan[11]. L'exégèse tient tout entière (ou presque... nous le verrons) dans une seule tâche : « s'appliquer à discerner et à déterminer le sens des mots bibliques qu'on appelle sens littéral ». Il est difficile que l'attention ne soit pas attirée par cette insistance sur « mots », à une époque où les travaux de lexicographie tenaient tant de place, mais l'idée centrale est celle de *sens littéral*. L'expression n'est pas à prendre dans son acception quotidienne (elle ne veut pas dire : « sens matériel », « littéralement »), ni même tout à fait dans son acception traditionnelle (qui fut souvent la même que notre acception quotidienne). Est « littéral » le sens que « l'écrivain a eu l'intention de mettre », le sens dans lequel un effet historique a été cherché au moment de l'écriture du texte. Le sens « littéral » est tout, sauf obvie.

L'histoire garde donc le rôle prédominant que l'âge moderne lui a donné. L'exégèse doit reconstruire un cercle lointain : époque, culture, « conditions de vie » — et un cercle plus proche du texte : le « caractère particulier de l'écrivain sacré ». L'optimisme scientifique partagé par l'encyclique est frappant. Mais, sans que le nom d'une

---

11. Vatican II reviendra sur la question de la version grecque de l'Ancien Testament (Septante) pour dire que « l'Eglise, dès le commencement, la fit sienne » (*Dei Verbum*, n° 22). Il en donne pour motif la volonté d'assurer aux fidèles de ce temps un large accès aux Ecritures. Le Concile ne contredit donc pas l'Encyclique, soucieuse d'affirmer l'autorité principale du texte original.

discipline particulière lui soit très clairement donné, la démarche recommandée avec plus de force que toutes les autres est la connaissance des *manières* de parler. Faute de connaître « la manière, forme et art de raisonner, de raconter et d'écrire », propre à chaque livre et supposée différente de ce qui nous est habituel, rien de sérieux ne peut être trouvé sur la vérité de la Bible. Impossible de dire plus fort à quel point la Bible parle « autrement ». En ce sens, l'accent est mis sur l'anthropologie. On se déplace de l'histoire des événements vers l'histoire de la manière de raconter les événements, mais on espère beaucoup de ce déplacement pour le bénéfice de l'historien lui-même : il pourra montrer ainsi la véridicité biblique sans contrevenir aux normes de sa propre science. Pareil souci reste au premier plan, même s'il n'est pas seul à cette place.

On comprend le soulagement et la reconnaissance que cette encyclique rencontra. C'est justement pourquoi ce qui fut retenu d'elle en resta, assez souvent, à ce qu'on vient de lire. Pourtant ce résumé est incomplet. Il lui manque deux prolongements, qui ne frappèrent peut-être pas autant les esprits, pour des raisons que nous espérons faire apparaître. D'abord, le but *premier* assigné à l'exégèse ne fait pas de doute : c'est l'interprétation théologique. Celle-ci est exigée à plusieurs reprises des exégètes aussi bien dans leur recherche que dans leur enseignement, qui doit être tourné vers *« le sens dit littéral et, avant tout, théologique »*. Il s'agit de beaucoup plus que de finalité lointaine. Il s'agit clairement du contenu principal. Si ces injonctions réitérées s'imprimèrent moins dans les esprits, c'est probablement que l'encyclique, plus diserte qu'il n'est d'usage en matière d'opérations scientifiques, ne disait pas très clairement, malgré cela, par quelle voie la connaissance des genres littéraires servirait la théologie elle-même. On voyait bien comment elle servirait à l'histoire : le rapport avec la théologie, étant moins perceptible, se grava moins bien dans les mémoires, bien qu'il fût donné comme le principal. De toute manière, le document, fruit et trace de débats qui durent être animés, reste incomplètement unifié.

La *deuxième* dimension risquait plus encore d'échapper à l'attention, car elle était en discontinuité avec une apologie du sens littéral qui, s'inscrivant dans la configuration du savoir de cette époque, avait été reçue partout avec ferveur. Cependant, des voix, pas toutes inconnues puisqu'on y comptait celle de Claudel, avaient au nom de leur désir d'une interprétation mystique et spirituelle, dénoncé une science biblique pourtant circonspecte et soutenue par la papauté : l'encyclique les blâme avec rigueur. Elle reconnaît que « certes, tout sens spirituel n'est pas à exclure de l'Ecriture Sainte ». Ici, encore, « sens spirituel » est pris dans une acception technique que nous expliquerons. Même ainsi, le ton réticent de cette concession aurait de quoi surprendre si l'on oubliait que le sens spirituel est ensuite légitimé par l'encyclique, en des termes qui font comprendre l'expression. Est dit « spirituel » le sens voulu par Dieu, en tant que le vouloir de Dieu dépasse celui de l'écrivain et produit des effets à proportion de ce dépassement : « Le passé (il s'agit de l'Ancien Testament) a signifié d'avance, d'une manière spirituelle, ce qui devait arriver sous la nouvelle alliance de la grâce. » Le magistère ne pouvait pas faire autrement que confirmer ce point. D'abord parce qu'il est majeur dans la doctrine. Ensuite, et tout autant, parce que la liturgie fait, de ce « sens spirituel », un usage quotidien qui est norme pour la foi. Mais l'encyclique entend visiblement faire comprendre que la manière dont la liturgie en use n'est pas à prendre en modèle trait pour trait. Elle maintient le principe, souhaite que les applications soient révisées, est surtout très sensible à tout ce qu'on perd en allant trop vite et directement au « sens spirituel » voulu par Dieu, sans s'arrêter à ce que l'homme a voulu. Mais, ici encore et davantage, en se prononçant courageusement contre ce mauvais usage du sens spirituel et voulant soutenir l'élan d'une science moderne encore fragile, le magistère fournit peu de clarté sur le bon. Il donne cependant une directive : puisque minimiser le sens spirituel serait un défi à la tradition, l'exégète lui-même est invité à étudier les Pères de l'Eglise pour qu'advienne une heureuse conjonction entre les deux sciences, ancienne et moderne. Mais la rebuffade que s'étaient méritée les agresseurs de la science moderne est ce qu'on retint, non sans détriment pour le reste. Le reste, c'est-à-dire la nécessité de faire ressortir de toute la Bible une théologie et même de trouver un sens voulu par Dieu seul, à distinguer du sens littéral et reliant l'Ancien et le Nouveau Testament. Le trouver, ce serait mettre l'exégèse d'accord avec la lecture quotidienne que l'Eglise fait de la Bible, et les passages de l'encyclique qui mettent cette lecture en valeur ne sont pas les moins accentués.

L'histoire du XXe siècle est le principal facteur du changement qui va de l'enseignement de l'encyclique à celui du Concile. Conscience plus grande chez les catholiques de l'apport des réformés et relations accrues avec ceux-ci, bilan des atrocités subies par le peuple juif et de leur portée pour notre foi — telles sont les deux données principales pour ce qui nous concerne ici. En outre, comparé à une encyclique destinée surtout aux exégètes, un concile œcuménique prend nécessairement un angle plus large. Il lui fallait relier plus explicitement encore exégèse et théologie et même il devait traiter de cette relation dans une perspective intrégrant le plus grand nombre possible d'apports.

Le débat sur « Ecriture et Tradition » mettait les Pères du Concile absolument au cœur de la question de la théologie biblique et de son rapport avec l'ensemble de la théologie chrétienne. Insister, comme le fait *Dei Verbum*, sur la parité, sur l'union étroite, inséparable, de la Sainte Tradition et de la Sainte Ecriture, refuser leur dissociation en termes si énergiques, cela revient à rapprocher nécessairement les études scripturaires des urgences proprement théologiques. Cette modification (accordée avec des relations plus fraternelles entre les Eglises) se traduit par deux formules de *Dei Verbum*. « L'étude de l'Ecriture Sainte doit être comme l'âme de la théologie. » Avec cette exhortation (qui n'est pas nouvelle), vient une proposition plus circonstanciée : « Il appartient aux exégètes » de travailler en sorte que « par leurs études en quelque sorte préparatoires, mûrisse le jugement de l'Eglise ». On comprend clairement que l'exégèse ainsi invitée est celle qui reste attentive « à l'unité de toute Ecriture » et « selon l'analogie de la foi ». Elle est, de ce fait, déjà en théologie, aussi n'est-elle plus regardée comme une marge de celle-ci et c'est à un dialogue direct avec lui que le magistère la convie.

L'« unité de l'Ecriture » et l'« analogie de la foi » conduisent aux deux points principaux où le Concile, comparé avec l'encyclique, apporte quelque nouveauté. D'abord, le « sens spirituel » de l'Ancien Testament est valorisé, cette fois, sans embarras. La constitution *Lumen Gentium*, sur l'Eglise, appelle Adam « figure » du Christ, voit l'Eglise « annoncée et figurée dès l'origine du monde », lit l'histoire d'Israël comme « préparation et figure... » Ces textes emploient le terme « figure » dans son sens traditionnel : figure n'est pas seulement schéma ou idée renvoyant à une réalité qui ne serait que céleste ou future. La figure est au contraire ce par quoi une *réalité* du passé signifie déjà un avenir et y tend par sa réalité même. Or pour que ceci soit pensable, quelque chose de ce qui est anticipé doit déjà être vécu dans la « figure ». Ensuite, avec la déclaration *Nostra Aetate* du 28 octobre 1965, mais non sans lien avec ce premier point, le Concile tourne son attention vers le peuple juif d'aujourd'hui et déclare que c'est « en scrutant le mystère de l'Eglise » qu'il trouve « le lien qui relie spirituellement le peuple du Nouveau Testament avec la lignée d'Abraham ». Il n'est pas indifférent que précisément ce document voie le salut de l'Eglise « préfiguré mystiquement » par l'Exode d'Israël (*« salutem Ecclesiae... mystice praesignari »*). La réalité du peuple juif se trouve ainsi située par le Concile sur l'axe qui rejoint l'exégèse et la théologie. Il en résulte, à titre de conséquence pratique, que « la connaissance et l'estime mutuelle » entre chrétiens et juifs devront naître « surtout d'études bibliques et théologiques ». Par ces paroles dont la portée ne sera mesurée qu'à mesure de leur application, un champ nouveau se trouve ouvert à l'exégèse théologique.

III. PROBLÉMATIQUE

Des voies s'ouvrirent à la théologie biblique. C'était son heure. Elle recevait un double élan : à partir des intérêts universels de la recherche contemporaine, à partir des orientations choisies par l'Eglise pour sa propre tâche. Le Concile était une nouveauté et il en suscita d'autres. Le progrès théologique ainsi lancé a ouvert diverses portes. Mais nous commencerons par décrire un accès qui, dès le temps de l'encyclique, avait déjà été exploré.

A) LE «SENS PLÉNIER»

Ce terme, qui ne figure pas dans *Divino afflante Spiritu,* indique la direction d'une recherche qui doit beaucoup à cette encyclique et, en même temps, la prolonge. L'encyclique insiste avant tout sur le sens littéral à fixer pour chaque texte ou pour chaque livre. Le « sens plénier » est celui qui, élargissant le sens littéral supposé étudié, situe chaque texte ou chaque livre dans la Bible entière, en tant que, comme ensemble, elle comporte un sens. Le sens littéral « respecte strictement l'horizon historique et idéologique qui limite le message de chaque auteur [12] » mais l'évidence, l'usage traditionnel de la Bible et son usage quotidien par les fidèles viennent rappeler que si les textes n'ont pas, à proprement parler, « changé de sens » depuis leurs origines, ils ont été lus sans cesse, à travers l'histoire, selon un sens qui n'était pas le « sens littéral historique » lui-même. Ce processus a non seulement commencé dès les temps bibliques pour les lecteurs bibliques, il a même suscité d'abord dans le canon de nouveaux textes qui étaient relectures des premiers.

Dans cette perspective, on appellera « sens plénier » d'un texte celui que manifeste le parcours complet de ses relectures, sans oublier que la manifestation totale est causée, à la fin du parcours, par la révélation du Christ. Parler de « sens plénier », c'est donc maintenir les droits d'une autre dimension que celle d'un retour au moment originel. C'est, du même coup, honorer la demande d'une lecture théologique de la Bible en fournissant un moyen d'y répondre. Pratiquement, tous les travaux qui ont étudié les grandes catégories bibliques (élection, salut, rédemption, messianisme, peuple de Dieu) en fonction des résonances que les mots ou séries de mots recevaient des contextes historiques successifs, ont voulu traduire un sens qui était « plénier »

---

12. P. Grelot, *la Bible parole de Dieu,* Desclée, 1965, p. 319.

dans la mesure (variable) où il parcourait une large portion de la Bible ou sa totalité en tenant compte du relief historique de ses phases. Programme écrasant, qui a pourtant stimulé l'étude. Il s'est établi une sorte de consensus pour voir dans le « sens plénier » la meilleure forme de sens théologique. Cette perspective a inspiré un grand nombre de bons travaux de théologie biblique, impossibles à énumérer ici. Elle a remédié à un certain danger d'étroitesse. Elle n'a pas complètement prémuni contre l'excès inverse. En effet, elle a recouvert généreusement par une dénomination unitaire une réalité non seulement immense mais contrastée. Elle servit donc à faire naître de nouvelles questions. En voici quelques-unes.

Tout ce qu'on découvre de nouveau à propos d'une réalité, quelle qu'elle soit, ajoute un sens nouveau aux textes anciens ou très anciens qui s'y réfèrent. Cette nouveauté s'ajoute après le moment de la découverte, mais pourquoi avons-nous l'impression que le texte ancien lui-même y participe ? C'est qu'il paraît avoir été guidé par une réalité qui *était déjà* ce que nous découvrons maintenant. Nous savons pourquoi l'auteur parlait ainsi et lui-même ne pouvait le savoir : la réalité, non sa conscience, déterminait ses mots. On a voulu voir quelque chose de magique dans cette expérience, pourtant assez banale. Le sens plénier de la Bible en est-il seulement un cas particulier ? Ou bien la découverte du Christ, si elle est nouveauté radicale, oblige-t-elle à reprendre tout le problème ? Il est significatif que l'hésitation ait porté notamment sur l'existence d'un sens plénier dans le Nouveau Testament. En voici un exemple possible : y a-t-il un « sens plénier » de la parabole du semeur ? Avant l'évangéliste, le sens (prélittéraire) historique correspond à l'effet voulu par le Jésus historique prépascal. Au niveau synoptique, le sens correspond à l'effet cherché dans et par la communauté. Après cela, on pourra supposer que la même parabole du semeur est historiquement sous-jacente à la parole johannique : « si le grain ne meurt... » Celle-ci devient alors une relecture du texte synoptique, mais reflue sur lui pour lui donner un « sens plénier » qui deviendra légitimement un élément de notre lecture de la parabole. Mais à quelles conditions ? Toute lecture de la Bible par un théologien pourra-t-elle s'inspirer de l'exemple johannique, auquel cas le « sens plénier » cessera d'être un sens historique, effectivement né à l'intérieur de la Bible ?

Des réponses variées, sagaces plus d'une fois, furent apportées à ces interrogations. Mais le contraste entre la trop vaste accolade du sens plénier d'un côté et, de l'autre, l'excès des subdivisions, était le symptôme d'un manque et semblait réclamer l'intervention d'une pensée qui opère au niveau de la différence elle-même. L'ancienne division patristique et traditionnelle des sens de l'Ecriture ne faisait-elle pas plus grand cas des discontinuités ?

En réalité, la notion de « sens plénier » s'est élaborée dans une atmosphère de pensée qui privilégiait le continu et ramenait volontiers la différence à une « variation » de celui-ci. Or la recherche biblique situe son objet dans le temps historique. Et une présentation d'un sens plénier sur une ligne continue qualifie le temps historique comme progrès. La pensée du progrès donne moins d'importance aux crises qu'à un développement qu'on incline à décrire comme « lent » ou même « insensible ». N'est-ce pas une manière de le désigner comme l'idée invisible qui soutient la recherche à titre de conviction préalable ? Ou est-ce une manière de le voiler, alors qu'aucun chercheur ne devrait rougir de ses présupposés ? Mais il est tentant de les garder en réserve pour que leur revienne tout le poids et l'autorité d'une conclusion de la science. Or une recherche répond seulement aux questions qu'on lui pose et tout le problème de la théologie biblique consiste en cela. On peut bien admettre qu'une description à la fois précise et inspirée par une idée soit œuvre de théologie biblique, parce que celle-ci peut s'étager sur plusieurs niveaux. Mais on n'est pas encore, avec cela, au niveau de recherche de la vérité qui doit être celui d'une théologie tout court. Il ne suffit pas, pour s'en rapprocher, qu'une idée soit vérifiée par les faits. Il faut aussi qu'elle soit vérifiée au niveau où les idées le sont, qui est celui de la pensée comme telle. Une idée doit être critiquée aussi par des idées. A cette condition l'idée de progrès montrerait à la fois son ampleur et ses limites, celles de sa place dans une constellation de concepts accueillant un minimum de complexité.

B) L'HERMÉNEUTIQUE

Si surprenant que cela soit, le terme d'« herméneutique » surprit plus d'un exégète, quand il devint, en France, d'un emploi fréquent, vers la fin du deuxième Concile du Vatican. Ce mot classique (l'herméneutique est le corps des principes qui régissent l'interprétation), qui avait tous ses titres de noblesse, trouva quelquefois les exégètes réservés ou même narquois. Non sans raisons. L'un était fondé à dire : « Je n'interprète pas, j'explique. » Et un autre : « Je n'interprète pas, mais j'allie le savoir rigoureux avec la sympathie afin de comprendre. » S'avouer interprète, c'est se montrer soi-même. Or, dans l'enthousiasme qui, aux grands moments de l'anthropologie, faisait partir à la recherche du différent « autre » (l'homme biblique), il se cachait un peu l'idée que le différent « soi » pourrait se faire oublier. Mais le sursis a pris fin. L'invitation à l'entrée en scène du sujet-exégète use alors de deux noms. « Appropriation », pour traduire l'allemand *Aneignung* ou acte de faire sien le message du texte.

« Actualisation » (version collective ou historique du même souci) fut plus populaire chez nous. Le terme opposait le message biblique comme passé, à notre actualité. En même temps était impliquée, comme une évidente conséquence de la foi, la possibilité que l'un passe dans l'autre. C'est ce qui justifiait l'appel à actualiser. L'histoire, l'anthropologie sous ses diverses formes, les sciences du langage peuvent récuser cet appel. La théorie du « sens plénier » a-t-elle vraiment bien décidé dans quelle mesure ce sens relevait de la juridiction de la science ? L'exégèse hésite. Elle a assez dit que le texte biblique ne peut pas être actualisé *sans* elle. Va-t-elle dire qu'il ne peut pas être actualisé *par* elle ? Et alors, par qui ?

Le philosophe y contribue, dès lors qu'il a déjà ouvert la porte de l'herméneutique avec Dilthey, Gadamer et, plus près de nous, Ricœur. Quelques-uns, parmi les philosophes croyants, se portent volontaires pour un dialogue avec l'exégèse et des rencontres s'instituent, frayant une voie sans laquelle il n'est pas, finalement, de théologie biblique[13]. La question de l'herméneutique (développée dans d'autres pages de cette Introduction) n'est pas à reprendre ici pour elle-même, mais il y a lieu de montrer comment elle a déterminé l'entrée en théologie biblique. Ce n'est pas un partenaire unique que l'exégèse trouve pour le nouveau dialogue, mais plusieurs : les circonstances du Concile et son message ont ménagé des rencontres décisives avec la théologie biblique protestante déjà constituée. Un texte d'un philosophe introduit le lecteur français à cette nouvelle situation. C'est la préface écrite en 1968 par Paul Ricœur pour *Jésus. Mythologie et Démythologisation* (traduction du *Jésus* de Rudolf Bultmann — 1926 — accompagné d'une série de conférences du même auteur). Bultmann adopte les conclusions les plus radicales de la science historique et — corrélativement — formule la foi en Jésus-Christ, lequel est appelé « acte eschatologique de Dieu », dans les termes les plus radicaux, excluant tout appui pour cette foi au nom de cette foi elle-même. Le couplage de ces deux radicalités (écarter le « faux scandale » de la mythologie, tenir le « vrai scandale » de la foi, commente Ricœur) est l'essence du message bultmannien et permet de saisir en quoi il fait œuvre de théologie biblique. Ce n'est pas

---

13. Paul Ricœur a expliqué pour quelles raisons le philosophe cherche dans l'exégète un interlocuteur privilégié en matière de religion. C'est qu'il est insatisfait des conceptions théologiques de Dieu « d'où ont été évacués les traits spécifiques qui tiennent aux formes de discours ». L'exégèse a pour fonction « de ne pas séparer les figures de Dieu des formes de discours dans lesquelles ces figures adviennent » (« la Paternité. Du fantasme au symbole », in *l'Analyse du langage théologique. Le nom de Dieu (Actes du Colloque de l'Institut de philosophie de Rome)*, Aubier, 1969, p. 233.

seulement ni peut-être principalement dans les travaux présentés sous ce nom. C'est dans le fait de confronter la Bible à ce qui diffère d'elle, à deux égards. Elle est confrontée, premièrement, à un critère qu'on peut trouver en elle bien qu'elle-même ne puisse pas suffire à le désigner comme tel. Il s'agit du kérygme, essence de l'Evangile et plus précisément *annonce* de la foi sous sa forme la plus simple. Ce kérygme est appréhendé selon la lecture luthérienne et sert de principe de jugement plus encore que d'organisation pour comprendre tout le donné biblique. La Bible est, deuxièmement, confrontée à un principe qui lui est complètement étranger, la conception scientifique moderne de la nature, qui la veut réglée sur des lois ne souffrant aucune contradiction. Ces lois ne peuvent être satisfaites que par le projet bultmannien d'une abolition absolue de tout ce qui s'apparente au mythe.

Bultmann met donc en œuvre plusieurs actualisations : 1. celle de la Bible par la tradition luthérienne, 2. celle de la Bible *et* de la tradition luthérienne par la revendication de l'empire absolu des lois de la science sur la marche du monde. Projeter une reprise de la lecture biblique à un niveau aussi fondamental et dans un esprit aussi ennemi des diversions, c'est projeter, sinon réussir, une théologie biblique. Cette fois, la différence entre le théologien d'une certaine époque et l'homme de la Bible est lisible entièrement à découvert ; la possibilité d'une rencontre entre les deux mondes s'appuie sur le strict minimum de ressemblance nécessaire au concept d'homme, minimal en extension, mais maximal en intensité. Si ce projet a appelé et appelle des critiques aussi graves que celles qu'il véhicule lui-même contre la théologie reçue, c'est à l'honneur de sa franchise dans l'énoncé de ses présupposés. Le caractère grandiose et central du projet, la détermination et l'économie de son style expliquent son retentissement et c'est précisément le respect dû à une telle qualité qui oblige à ne pas taire l'étendue du désaccord qu'il suscite.

Pour s'expliquer sur cette œuvre, il faudrait un très long parcours, retraçant les influences antérieures à celle de Heidegger, que Bultmann mentionne. L'époque ouverte par Kant a déjà enregistré une solution de continuité entre ce qu'une science apporte et ce qui fonde la liberté de l'homme. Kierkegaard a situé cette liberté dans la décision à prendre en face de l'absolu, offert dans l'instant de Jésus-Christ, instant capable de se faire toujours à nouveau contemporain, mais comme instant.

Ensuite, le contraste entre la Bible et la science donne son urgence à la question de la vérité de la Bible. Bultmann la pose en termes d'interpellation atteignant un sujet en son centre de décision. Situé tout proche du jaillissement premier de l'école de l'histoire des formes issue de Gunkel, il l'utilisera (avec toutes les autres ressources de la critique) pour trouver les traces positives de l'interpellation originelle. Ceci pose diverses questions. D'abord les formes qui relèvent de la méthode de Gunkel restent générales et institutionnelles. Or le rapport de l'interpellation unique et absolue avec ce véhicule risque bien de rester extrinsèque. A un autre point de vue, le lecteur d'aujourd'hui peut se sentir désorienté. Il s'est habitué, en effet, sous l'influence de courants indépendants de la théologie, à distinguer dans tout fait de communication entre l'*énoncé* (ou contenu) et l'*énonciation* (acte ou événement de parole) et il s'est exercé à comprendre le premier en fonction du second. Il tend à faire porter ce déplacement de la lecture sur la totalité d'une œuvre, puisqu'il s'agit d'une conversion du regard plus que d'un choix particulier. Bultmann, lui, rompait avec la préoccupation d'utiliser le livre comme matériel pour acquérir un savoir positif et neutre de ce que fut Jésus, projet commun à une lecture conservatrice et à une lecture libérale, congédiées par lui d'un seul geste. Mais l'événement de parole reste encore l'objet d'une recherche positive de l'historien, comme si celui-ci pouvait retrouver l'absolu à la suite d'un tri, après avoir écarté le relatif. Comme si l'énonciation était seulement une partie du texte. Il y a donc comme une oscillation au sujet de la pertinence de l'histoire pour la théologie. Si Gunkel n'était pas assez théologien et s'attardait volontiers dans l'anthropologie, Bultmann ne l'est-il pas trop, ou, du moins, trop vite ? Un peu à la manière dont le dictionnaire de Kittel tendait à proposer une sémantique immédiatement théologique, Bultmann concentre et resserre à l'extrême ses pôles d'intérêt. Or la révélation cesserait-elle d'être absolue, si elle *habitait* vraiment le lieu, la forme, l'institution, le peuple ? Certes, cette théologie donne toute sa stature à l'élément séculier et autonome de l'humain dans le monde, mais c'est pour lui opposer la Parole de Dieu absolue, dans un rapport où l'absolu garde encore une forme objectivée, représentée. « Parole » n'est pas pôle d'une véritable structure, mais dimension qui demande la réduction sinon l'abolition de tout le reste. Les principales difficultés de cette théologie biblique se situent au niveau de sa capacité à être pensée.

Ainsi la Parole divine du kérygme critique le donné biblique. La science des réalités de ce monde le critique aussi. Bultmann porte aussi loin qu'il peut ces deux critiques. La corde tirée par cette double énergie se tend jusqu'à la limite. Le besoin très humain d'une détente peut expliquer qu'on ne soit pas allé plus loin, excepté les cas de rupture, d'ailleurs assez nombreux. Mais ce n'est pas tout : c'est au nom de la critique qu'il y a nécessité à rester plus longtemps sur le donné lui-même que Bultmann ne l'a fait. C'est au nom de la liberté qu'on doit se garder de faire d'une critique, même négative, l'instrument d'une théologie, même négative. Il y a « parole » mais, comme le remarque Ricœur, il y a « langue ». Commentons : la parole « a lieu ». Il y a événement, mais il y a aussi corps, comme lieu de la parole qui dure. En fait, la critique s'est exercée dans les groupes où Bultmann avait parlé et elle incite à une nouvelle prise en considération de la totalité biblique. Nous n'avons pas ici à traiter ces moments tout récents comme des étapes dont nous connaîtrions le terme. Notre visée est seulement d'aider le lecteur à repérer les thèses qu'il rencontrera dans les travaux contemporains : il est souhaitable qu'il perçoive chacune d'elle comme un poste dans une série de relais. On pourrait dire que, jusqu'à Bultmann inclusivement, nous n'avions pas encore quitté l'archéologie de notre matière : nous entrons maitenant dans sa problématique en ce qu'elle a de strictement contemporain.

Pour décrire l'époque post-bultmanienne, l'image des fragments du vase brisé qu'on recolle est sans doute à écarter. Si les fragments du témoignage biblique peuvent être à nouveau rassemblés, c'est sans doute que son unité n'était pas complètement brisée. D'ailleurs, il n'est pas non plus ici-même à notre disposition sous forme d'unité compacte. Mais le retour à la totalité biblique s'explique tout simplement, rappelons-le, par la persistance du Livre et de sa lecture dans les Eglises de diverses confessions, donc dans un cercle qui déborde celui des théologiens et l'inclut. Condition non suffisante, mais indispensable à de nouvelles découvertes.

Disciple de Bultmann, Käsemann opère un changement sans rupture. Il reconnaît dans les premières communautés la nécessité « de ne pas seulement prêcher le kérygme de Jésus, mais aussi de le raconter ». Il est permis de voir dans cette phrase, publiée en 1960 dans « les Débuts de la théologie chrétienne » [14] un tournant décisif. Le récit entre en théologie. Mais la « nécessité » dont il s'agit n'est pas celle qui relie un type de discours isolé à une fonction isolée dans la communauté. Elle relie les types de discours *entre eux*. On assiste donc à la naissance d'une structure, c'est-à-dire d'une articulation présentant le minimum de complexité initiale pour pouvoir se développer ensuite dans la compréhension exégétique. La vérité de l'annonce d'une nouveauté exige la reviviscence du passé dans le récit. Mais l'exigence d'articulation ne s'arrête pas vite. Récit et annonce s'appuient tous deux sur les dimensions du commencement (*archè*) et de la fin (*eschaton*), autrement dit sur l'architecture des apocalypses. Mais les apocalypses, que sont-elles d'autre qu'une relecture de toute l'Ecriture, mettant en œuvre la typologie ? On ne peut pas aller plus loin en extension : toute la Bible est rejointe dans la pertinence de

14. E. KÄSEMANN, *Essais exégétiques,* Neuchâtel, 1972, p. 188. L'article repris dans ce recueil date de 1960.

l'annonce ! A partir d'une constatation — « sans les Evangiles, l'*Evangelium* ne demeure pas ce qu'il est » *(ibidem)* —, la « typologie » en vient à restaurer même la prise en considération de l'Ancien Testament. Or, notons-le, ceci n'a d'autre but que l'actualisation. En effet, l'actualisation du kérygme dans un instant toujours renaissant peut bien être voulue et l'on peut bien admirer ou critiquer celui qui la veut (on a parlé du « décisionnisme » bultmannien), elle ne peut pas être *effectuée*. Seul le récit apporte cette possibilité, avec ce que Käsemann appelle « toujours à nouveau raconter » *(ibidem !)*. Ainsi une seule page de Käsemann, d'autant plus remarquable qu'elle ne se donne pas l'allure d'un recommencement dramatique, contient tout le programme d'une théologie biblique qui suivrait les voies de l'énonciation. Et ces voies sont aussi les voies de l'écriture comme telle, à distinguer de la parole, puisqu'il est difficile de comprendre l'apocalypse sans l'écrit, sans le Livre, et que « l'apocalypse est la mère de la théologie chrétienne ». Il serait facile de prouver et il n'a échappé à personne que réhabiliter l'apocalypse était une révolution dans les milieux où s'exprimait ce projet.

De l'enchaînement que nous soulignons (d'un trait beaucoup plus appuyé que chez l'auteur), rien ne permet de conclure qu'une totalité unitaire est rétablie ; ce serait vouloir ignorer ce à quoi Käsemann tient tant, la pluralité et même le conflit des formes de la foi, dès l'origine. La discontinuité reste affirmée et défendue, comme signe que le monde ne se referme pas sur ce que Dieu lui a donné.

C) NOUVELLE HERMÉNEUTIQUE

Le style bultmannien commandait une sorte de rétrécissement de ce qui était théologiquement pertinent dans la Bible, en même temps que l'intensité de cette théologie forçait l'attention. L'accent était mis avant tout sur l'individu. Aujourd'hui, les problèmes ne sont pas moins radicaux mais ils concernent si directement le sort de toute l'humanité à travers la faim, les tortures, les guerres et les mensonges qu'une nouvelle herméneutique doit nécessairement naître. Si l'herméneutique est la condition pour la rentrée de la Bible en théologie, c'est que l'herméneutique règle notre rapport aux témoignages du passé. Actualiser, c'est donc aujourd'hui confronter la Bible avec une réalité où se concentrent toutes les révisions de l'essence humaine. C'est aussi s'apercevoir que la Bible saisit l'essence humaine à ce niveau radical.

Puisque la théologie est œuvre de vérité du sujet théologien envers sa condition, quelques mots situeront notre parcours dans le présent. En l'honneur du « récit », nous avons voulu « raconter » la théologie biblique. Ce récit n'est pas terminé et n'aura pas de dénouement. Notre présent est seulement ce qui prépare notre décision. Des éléments du présent, nous pourrons tirer de quoi tracer la forme d'une décision.

Rappelons les éléments :

a) Dans l'Eglise que le théologien catholique reconnaît pour sienne, le Concile, en matière biblique, ne devrait pas faire oublier l'encyclique de Pie XII ni *vice versa*. Danger de resserrement à ne connaître que le « sens littéral historique », danger d'évasion de l'autre côté.

b) L'œcuménisme est aussi notre présent. Au début du siècle, dans un article sur « la Théologie biblique et son enseignement dans les séminaires » (*Recrutement sacerdotal*, 1907) le P. Ferdinand Prat écrivait : « Bien loin d'être une nouveauté, la théologie biblique fut la forme première de la théologie » et pourtant « elle est peu connue en France » où, dit-il, les ouvrages catholiques de théologie biblique sont aussi rares qu'à l'étranger. Cela sous-entendait une parenté beaucoup plus étroite, chez les protestants, entre la théologie et l'exégèse. Aujourd'hui, nous venons d'insister longuement (quoique sommairement encore) sur une théologie biblique protestante, parce que c'est seulement en prenant au sérieux la théologie biblique que l'on peut prendre au sérieux l'œcuménisme et inversement. Trop fréquemment, les catholiques risquent de mal percevoir que les enjeux théologiques de l'exégèse protestante ont un relief très accentué même quand le terrain étudié paraît ne relever que de l'histoire ou de la critique littéraire purement positives. Techniquement, les présupposés mais aussi les modalités culturelles rendent difficile l'accès des exégètes provenant d'autres groupes : on a tendance, dans l'enseignement et dans les publications, à les aborder seulement en fonction de leurs résultats. Il y a quelque chose de faux dans cette hâte utilitaire, même quand son prétexte est de ne retenir que le scientifiquement incontestable. La plupart des exégètes ne sont pas seulement des commentateurs, mais des auteurs et surtout, quand ils font œuvre de théologie biblique, ce ne peut être qu'à titre d'auteurs. On comprend le découragement du public : combien de littératures faudra-t-il ajouter à celle de la Bible ? Cet obstacle est notre présent.

c) Revenir à l'apocalyptique, c'est s'intéresser aux formes tardives de la Torah et du même coup réviser des préjugés enracinés chez les chrétiens de toute confession. Mais l'apocalypse est liée aussi au martyre du peuple de cette *Torah*. La réalité du martyre du peuple juif, la confrontation contemporaine de peuples entiers avec la mort (situation qui tourne les chrétiens de ces peuples vers les pages des apocalypses), la relation entre la vérité de l'individu et ces situations collectives : telles sont les données qu'une nouvelle herméneutique se doit de faire entrer en théologie biblique. La nature de l'herméneutique apparaît bien là, puisqu'on peut encore attirer l'attention sur l'apocalypse biblique comme témoignage d'un peuple martyr et paraître ne pas s'occuper d'actualité !

Ceci prépare la forme de la décision :

La forme de la décision s'inscrit dans le cadre que se donne aujourd'hui la pensée humaine là où nous sommes. Retenons ceci : on peut appeler « nouvelle herméneutique » celle qui pose un préalable nouveau. Avant de savoir quelle herméneutique adopter, elle veut demander *pourquoi* l'herméneutique a pu être oubliée. Ou bien pourquoi elle a pu se présenter comme une liste d'axiomes présidant à la critique sans être eux-mêmes critiqués. De telles listes relèvent de la légitimation d'une démarche scientifique, pas vraiment de sa fondation. Au lieu de « nouvelle herméneutique », on pourrait donc dire « méta-critique » pour désigner ce qui survient aujourd'hui de différent.

La forteresse qui subit le nouvel assaut est le domaine du conscient. Ceci nous concerne très directement : la théologie biblique peut être définie de plusieurs manières, mais notamment comme étant l'étude du rapport de la Bible avec la réalité, étude menée par des hommes qui s'interrogent sur ce que « réalité » veut dire. Or c'est, pendant une longue période, dans le domaine du conscient que les sciences bibliques (elles n'étaient ni les seules ni les premières à le faire) ont voulu circonscrire, limiter, protéger ce rapport. L'axiomatique de l'exégèse d'alors est gravée en bonne place. Selon l'encyclique de Pie XII, « Il n'échappe à personne que la règle suprême de l'interprétation » consiste à chercher « ce que l'auteur a voulu dire » [15]. La nouveauté d'une « deuxième » herméneutique consiste à relever les mots « Il n'échappe à personne » comme l'écran sous lequel quelque chose va échapper. L'axiomatique s'étant donné le statut périlleux de l'évidence, on ne s'est même pas aperçu qu'on avait lu autre chose que ce que le pape avait écrit, puisqu'on a lu : « ce que l'auteur *(sait qu'il)* a voulu dire ». Comme si savoir et vouloir étaient la même chose, voilà cette règle herméneutique transgressée : on se met à donner la conscience de l'auteur comme le lieu du sens.

Il ne s'agit pas du tout d'admettre un réductionnisme, complice des

---

15. *Enchiridion Biblicum*, Rome, 1956, p. 257 : *neque enim quemquam latet summam interpretandi normam eam esse, qua perspiciatur et definiatur quid scriptor dicere intenderit...*

tentations de minimiser la conscience. Il s'agit de reconnaître que le savoir peut, par abstraction, s'identifier à la conscience. Il ne le peut pas s'il retrouve ses liens avec le vouloir. Or limiter le lieu du sens à la conscience conduit à chercher dans la Bible ses idées ou des reflets positifs du monde extérieur. Par contre, en retirant le rôle directeur à « idée » pour le donner à « parole » (comme la nouvelle théologie réformée y a beaucoup contribué), on est déjà sur la voie de la nouvelle herméneutique, parce que « parole » naît là où vouloir et savoir s'unissent. Autrement dit, « parole » situe la vérité dans un rapport de l'avant et de l'après que la conscience ne peut dominer parce que ce rapport implique le corps. Cette implication a besoin de la nouvelle herméneutique pour être développée. Le rapport de la parole au corps est à explorer *et* dans le sens individuel *et* dans le sens collectif de *corps*, le corps étant dans les deux cas constitué par son rapport au commencement et à la fin.

La méta-critique considère la traversée de la conscience par la parole comme une aventure, où l'homme joue son corps individuel et son corps social. Parmi les principales forces qui ont contribué à faire percevoir ceci, il faut compter la psychanalyse et le marxisme. On a dit que tous deux présentaient la critique sous forme de « soupçon ». Forme nouvelle en effet, où la vérité n'est plus seulement l'absente ou la disparue, mais la séquestrée : elle est *ce que quelqu'un cache*. Ici encore, comme on a pu s'en apercevoir aussi en matière biblique, ces courants (marxiste ou freudien) se sont alliés avec un positivisme seulement aggravé. Mais il n'y a pas lieu, pour s'en garder, de quitter le terrain d'une critique vraiment nouvelle. Traiter la vérité comme « cachée », ce peut être reprendre de manière féconde la question du mythe. Surtout, désigner la vérité comme ce que quelqu'un cache, c'est admettre que la faute ait quelque chose à voir avec la névrose du corps individuel et avec cet abus de la conscience, l'idéologie opprimant le corps social par un discours légitimant la force en disant autre chose. C'est déplacer la question de l'erreur vers celle du mensonge. C'est faire de la question de la vérité une question éthique. Or ceci doit entrer dans la nouvelle herméneutique.

Avec ce déplacement vers l'éthique, on n'a encore rien fait si l'on n'a pas répondu à la question qu'il soulève : comment éviter le moralisme ? On ne refusera pas de trouver la réponse dans les Ecritures. Celles-ci s'adressent à quiconque, au nom du « soupçon » ou autrement, dénonce le mensonge : « Tu es sans excuse, qui que tu sois, toi qui juges. Car en jugeant autrui, tu juges contre toi-même : puisque tu agis de même, toi qui juges... » On se doute que l'Epître aux Romains (2,1) ne propose pas comme remède de relativiser la faute des uns par la faute des autres. Elle interpelle celui qui dénonce le mensonge de l'homme en lui demandant pourquoi il ne le sauve pas et donc fait pire. A ce dénonciateur, elle demande non ce qu'il sait, mais ce qu'il fait. Comme la seule manière de dépasser le moralisme est de reconnaître que la morale ne peut se fonder sur elle-même, on rappellera au dénonciateur qu'il n'y a pas de transgression sans mensonge, pas de loi sans vérité, pas de vérité sans récit, pas de récit sans foi. Il s'agit plus que jamais, dans ce que nous venons de dire, de théologie biblique, en tant que celle-ci a plus à offrir qu'une méta-critique.

En effet, la Parole, repère et colonne de cette théologie, naît depuis le commencement du corps individuel et collectif avec le récit, avec le poème, avec ce que la Bible appelle « figure ». En face d'une démythologisation qui propose une table rase, il faut demander comment la Bible critiquerait le mythe victorieusement si elle n'avait vraiment rien de commun avec lui ? Cette zone initiale de la parole où commence la vérité dans l'homme sans que l'homme y soit encore présent met déjà en jeu la dimension éthique de l'homme et, à proprement parler, son salut. Celui-ci se joue non seulement par la Parole, mais dans elle, à l'intérieur de ce dispositif de signes où l'homme *peut* se perdre et *peut* se sauver. La décision de la théologie biblique consiste à trouver l'homme pas seulement dans sa décision, mais dans le lieu de sa décision. Ainsi sera rejointe, dans un esprit œcuménique concret, la préoccupation de la Réforme de ne pas laisser tomber dans l'oubli la place qu'a tenue dans la fondation de notre foi le débat de saint Paul avec le système de signes appelé « Loi ». On pourrait ainsi porter remède à l'obturation qui empêche exégèse et théologie biblique de s'irriguer. Le souvenir de notre itinéraire nous y aide. Ayant éclairé le texte par ce que « l'auteur a voulu dire », le magistère catholique a maintenu que s'exprime aussi dans le texte un autre sens voulu par la volonté de Dieu : ce sens dépasse ce que veut l'auteur comme la volonté de Dieu dépasse celle de l'auteur. La réduction du sens à la conscience est responsable de l'extrinsécisme qui sépare deux volontés et deux sens par un vide anthropologique obligeant la théologie à procéder par diktat ou à fuir. Etant admis au contraire que la vérité *de l'homme* ne peut être enfermée dans sa conscience, on cherchera le sens à tous les niveaux qu'il traverse et qui peuvent être rassemblés dans le concept de corps, compris comme nous l'avons dit plus haut. Il faudra pour cela que le théologien admette que Dieu soit présent au corps : la Bible a pu l'y préparer. Le concept de création ne dit pas autre chose, celui de sacrement en tire les conséquences.

La face constructrice de la nouvelle herméneutique se dessine à la fois, comme il convient, hors du champ théologique et en lui. Elle explore cette extension de la Parole dans tout le corps. Comme la notion de Parole a été élevée au niveau d'une catégorie fondatrice, ainsi celle d'Ecriture ou de texte résulte de la prise en considération de l'espace-temps, du corps individuel et social. Ce rapport corporel est étudié par la « sémiotique », terme heureusement encore marqué, dans son usage nouveau, par ses origines médicales, car le texte est aussi un « symptôme », d'où l'importance qui revient aujourd'hui à l'étude du style, comme signe du non-dit.

L'école formiste a mis les biblistes sur la voie de ce nouveau domaine, tout en retardant son accès par d'étroites limitations. Elles sont à mettre en question. Toute forme est à traiter comme une modalité de l'existence, ce qui ne peut se faire qu'en élargissant chaque forme vers des catégories plus larges : il s'agit, en définitive, du rapport de raconter, supplier, commander, louer, etc. avec vivre. Le lien qui articule ces formes entre elles est le même qui les anime de vérité.

C'est par ce chemin que, ces temps-ci, la question de l'énonciation a pris toute son ampleur en s'ajustant à la question du canon. Le canon a-t-il une organisation et celle-ci transmet-elle ce que « veut » le peuple porteur de la parole ? La question de l'unité du canon (interviennent ici les recherches de Sanders ou de Brevard Childs) ne peut être traitée sans celle de son histoire. Elle se pose en termes nouveaux, encore à éclaircir, mais non sans espoir d'une issue. Il faut reconnaître, en faveur de Käsemann, que le canon n'est pas à confondre avec la prétention qu'il y ait déjà unité des formes de foi qu'il rassemble, mais sans doute faut-il aller plus loin que ce qui reste encore une constatation. Il paraîtrait régressif de choisir, par voie d'exclusion, une des formes de foi associées dans le recueil des Evangiles et des Epîtres : ce serait faire du canon un simple accident. Il semble plus fécond de voir dans le canon un signe d'avenir : avenir que toutes les formes désignent ensemble parce que, déjà, elles ont ensemble contribué à faire l'Eglise. Cela est vrai, plus que tout, du point central et crucial du canon qui est l'articulation des deux Testaments. Choisir ce point comme le lieu qui commande toute la théologie biblique est la décision principale vers laquelle notre récit nous a conduits.

D) LA CLÉ DE VOÛTE

En 1956, un exégète catholique parmi les plus respectés, le P. Roland de Vaux, ouvrait à Strasbourg le congrès d'exégèse de l'Ancien Testament par ces mots : « Il n'y a pas une théologie de l'Ancien Testament séparée d'une théologie du Nouveau Testament : il n'y a qu'une théologie biblique, fondée sur les deux Testaments qui contiennent tous les deux la parole de Dieu. L'élaboration de cette théologie biblique est le terme dernier de nos études[16]. » L'orateur précisait bien qu'il se situait au niveau de la théologie, distinguée clairement par lui d'une « histoire des doctrines ou une histoire de la religion de l'Ancien Testament », dont il affirmait qu'elles aussi étaient légitimes et nécessaires et pouvaient rester séparées. Distinction utile, parce que ferme et modérée. Quelques années plus tard, G. von Rad concluait sa magistrale *Théologie de l'Ancien Testament* par cette phrase : « Ici se dessine le but encore plus lointain de nos efforts, une théologie biblique qui surmontera le dualisme entre une théologie de l'Ancien et une théologie du Nouveau Testament arbitrairement séparées. Il est difficile de se représenter quelle apparence aura cette théologie biblique[17]. »

Cette convergence frappante entre un catholique et un protestant s'entoure d'autres signes. Une certaine image de l'avenir nous est tracée par la relecture des dernières années. L'importance de la question des deux Testaments apparaît dans le chemin que font les uns vers les autres les exégètes de chaque Testament. Visible dans les publications, on souhaite qu'il le soit autant dans l'organisation de l'enseignement. Les changements apparaissent sur le terrain de la recherche positive, qui est toujours corrélative, en le disant ou sans le dire, des soucis théologiques. Ainsi, on a longtemps cherché l'arrière-plan du Nouveau Testament dans le judaïsme immédiatement antécédent, ce qui est strictement indispensable, mais on ne se demandait pas, ce faisant, comment le Nouveau Testament trouvait ou ne trouvait pas ainsi son lien avec une tradition de révélation non réductible peut-être, mais sûrement relative à celle de l'Ancien Testament. Or se le demander est la condition d'un traitement théologique du problème. Il est clair aujourd'hui que les recherches sur l'« Intertestament » vont de pair avec une réflexion épistémologique sur le statut du Livre. Les conséquences théologiques sont toutes proches. L'horizon théologique a été marqué aussi par l'exploration de l'exégèse patristique selon le rapport des deux Testaments. Les travaux du P. Henri de Lubac sur Origène, maître indépassé, et sur plusieurs siècles de théologie chrétienne, s'inscrivent dans le programme tracé par *Divino afflante Spiritu* et fondent la certitude que le « sens spirituel » appartient au cœur de la tradition théologique. Pourquoi n'est-il plus possible de le chercher *comme* les Pères le cherchaient, cette question a tenu une place importante dans les discussions des exégètes, y compris ceux de la Réforme.

Mais le plus remarquable est sensible dans les liens qui se tissent entre les questions que le passage en théologie soulève dans l'exégèse

16. « A propos de la théologie biblique », in *ZAW*, t. 68, 1956, p. 225.
17. Tome 2, p. 378.

de l'un ou de l'autre Testament. Bultmann et G. von Rad, ayant fait tous deux passer en théologie leur exégèse d'un Testament, il était prévisible qu'au moins par disciples interposés, ils se renvoient l'un à l'autre leur expérience. Plusieurs articles de Bultmann avaient traité la question de la pertinence de l'Ancien Testament pour la foi chrétienne [18]. Leur subtilité, qui les rend impossibles à résumer, vient tout simplement (s'il est permis d'être moins subtil) de ce que la conception bultmanienne trouve, à accepter l'Ancien Testament comme parole de Dieu, un obstacle qu'elle ne veut pourtant pas faire sauter complètement. Une perspective qui se veut résolument théologique ne peut aller, semble-t-il, jusqu'à ce degré de rupture avec la tradition.

Von Rad intervient dans une discipline qui a déjà un passé, très bien décrit pour le lecteur français par Edmond Jacob dans sa propre *Théologie de l'Ancien Testament* (1968). G. von Rad renvoie lui-même à ses prédécesseurs, comme L. Köhler, admirable d'équilibre et de brièveté, Eichrodt qui a le mérite d'avoir tenté de demander à la Bible elle-même le principe d'organisation de sa théologie (le concept d'alliance tel qu'on le comprenait alors), Edmond Jacob lui-même. L'originalité de von Rad est de s'appuyer sur l'école formiste en théologie. Il ne cherche pas à identifier de nouvelles « pensées » de la Bible mais se met sur la trace institutionnelle des « événements de parole » fondateurs (H. Wolff prolongera cette recherche d'un kérygme de l'Ancien Testament). L'hexateuque tout entier (les cinq livres de la Loi plus celui de Josué) lui paraît fondé « sur de très anciennes affirmations de foi », qui constituent (formellement parlant) comme une cellule-mère de ce qui va suivre, une forme anticipée de la totalité, déjà une sorte de canon. Mais la nature de l'Ancien Testament veut que ce noyau initial soit examiné dans la *durée*. D'où l'importance accordée à la langue, aux milieux. D'où une atmosphère qu'on se permettra ici de qualifier d'humanisme théologique, pénétrant et attirant. Le concept de « tradition » englobe celui de forme. Au lieu de « forme » comme simple occasion d'un kérygme théologique, nous trouvons un lieu de fidélité dont l'existence même est pertinente pour la foi et la théologie. Mais l'identité à soi-même ne pouvant suffire à une révélation, l'accent est mis sur la ré-interprétation charismatique, principal concept instrumental de la théologie de von Rad. Il y voit le modèle de la typologie pratiquée par le Nouveau Testament. Les vues longuement développées dans le dernier chapitre constituent un des

---

18. Dans le recueil *Foi et Compréhension,* vol. 1, Seuil, 1970 : « la Signification de l'Ancien Testament pour la foi chrétienne », pp. 349-374 et (d'un point de vue moins ample) « Prophétie et Accomplissement », pp. 548-573. Pour la controverse entre Conzelmann et von Rad, voir la bibliographie à la fin du présent chapitre.

apports contemporains les plus importants à la théologie biblique, comprise comme plus haut.

Il faut reconnaître que la relation entre la discontinuité et la continuité garde une allure indécise, trop marquée d'empirisme. Le mérite d'un théologien est souvent de maintenir ensemble des nécessités ; le faisant, il empêche le front de se rompre, mais il ne gagnerait la partie que si, allant plus loin, il les unissait, trouvant là une liberté nouvelle. Aussi des objections assez véhémentes lui vinrent de Conzelmann, disciple reflétant les côtés les plus intransigeants de Bultmann. Comment, en sacrifiant trop à la continuité, maintenir la nouveauté radicale de Jésus-Christ ? D'un point de vue catholique, mais avec modestie parce que la tâche est difficile à mener à terme, nous croirions que von Rad aurait gagné, en effet, à être plus radical mais en poussant jusqu'au bout les deux termes. La place qu'il fait à la Sagesse, élément capital de continuité, est celle du canon de la Réforme et elle est trop réduite (malgré l'addition d'un petit ouvrage supplémentaire) [19] pour qu'un véritable choc entre les deux éléments, continuité et discontinuité, puisse se produire. L'enjeu christologique est capital : si Jésus-Christ n'est pas radicalement nouveau, mais tout aussi bien si son essence unique n'est pas en rapport unique avec la totalité de l'histoire du commencement à la fin, la confession de foi du Nouveau Testament devient difficile à maintenir : sa condition est un paradoxe qui, on le voit, redouble le paradoxe (simple) de la nouveauté. Il n'est pas surprenant que la théologie de von Rad ait joué un rôle important dans les théologies systématiques subséquentes. Il n'est pas surprenant non plus que, tout récemment, un exégète de l'Ancien Testament, A. Günneweg, ait déclaré que le rapport des deux Testaments était la principale question de la théologie chrétienne [20]. Le même exégète s'efforce à concilier l'apport de Bultmann avec un nouveau type de « typologie existentielle ». Il n'est pas sûr que cette conciliation soit possible sans d'importantes révisions, mais il est remarquable que la proposition ait pu être faite. Répétons-le : un réexamen des sens patristiques de l'Ecriture a pour première condition qu'on prenne complètement au sérieux ce qui nous sépare de leur culture. Ceci fait, deux constatations paraissent s'imposer : 1. le « sens spirituel » a précisément pour fonction de donner à la discontinuité toute la place qui lui est due et que le sens plénier lui trouvait avec peine, 2. c'est dans le creuset des sens patristiques de l'Ecriture que s'est formée notre théologie dogmatique.

---

19. *Israël et la Sagesse*, Labor et Fides, Genève, 1971 (*Weisheit in Israel*, 1970).

20. A.H.J. GÜNNEWEG, *Vom Verstehen des Alten Testaments. Eine Hermeneutik*, Vandenhoeck und Ruprecht, Göttingen, 1977, p. 7.

On ne voit pas comment le « rajeunissement » de la théologie que le Concile a non seulement suscitée mais réclamée pourrait partir d'ailleurs que d'une nouvelle herméneutique biblique.

IV. OUVERTURE

La théologie biblique franchit aujourd'hui le seuil des intentions et peut mettre en œuvre les moyens qui lui sont offerts. Nous voudrions ici proposer pour elle un point de départ et l'ouverture d'un itinéraire qui prend ainsi un aspect plus personnel. Nous le ferons en termes généraux, comme il convient pour ce qui est inachevé. Toutefois, une partie de notre exposé a déjà été développé ailleurs [21] : le contexte où nous le reprenons ici, grâce au « récit » qui vient de s'achever, aidera, nous l'espérons, à situer notre effort dans le prolongement et dans la concertation de plusieurs autres.

Voici notre point de départ. L'articulation de l'Ancien et du Nouveau Testament n'est pas un préalable à la connaissance de Jésus-Christ, mais est intérieure à cette connaissance et il s'agit de connaissance de l'essentiel. L'exposition de ce fait doit mettre en valeur l'autonomie de l'Ancien Testament. Il est donc difficile d'affirmer qu'il n'y a qu'« une seule théologie biblique », celle des deux Testaments. En restant au niveau théologique, il semble que, de l'intérieur du projet nouveau, doive naître la volonté d'illustrer que le passage d'un Testament à l'autre est aux sources de l'acte de foi en tant qu'il est acte de liberté (étant admis que liberté n'est pas incertitude). Mais l'hypothèse voudrait se détourner de certaines inconséquences. Les points centraux du Nouveau Testament pourraient difficilement être considérés comme marginaux dans l'Ancien : on n'aurait alors que juxtaposition. Mais un alignement obtenu par contrainte purement externe tomberait dans l'indistinction. La peur d'aligner par annexion, la peur de marginaliser, toutes ces peurs sont nombreuses et leur pression se fait sentir dans maintes tentatives et plus encore dans le fait de ne rien tenter. Mais un projet issu d'une foi non contrainte doit pouvoir se risquer hors de ces peurs : si le témoignage de l'Ancien Testament est pour cette foi une nécessité vitale, à elle de montrer ce qu'elle en reçoit. Aux destinataires de se prononcer. Il est essentiel à sa

---

21. Sur la portée des diverses classes d'écrits de l'Ancien Testament et de leur interrelation pour une théologie, voir P. BEAUCHAMP, *l'Un et l'Autre Testament. Essai de lecture*, Seuil, 1977. Sur le concept de figure, et le rapport d'une interprétation figurative avec l'histoire, voir P. BEAUCHAMP, *le Récit, la Lettre et le Corps. Essais bibliques*, Cerf, coll. « Cogitatio Fidei », n° 114, 1982, chap. II et III.

proposition, en effet, de *s'adresser* aux destinataires, s'exposant pour cette raison même à surprendre ceux qui ne savaient pas que leur décision pût jouer un rôle.

Le franc-parler, signe de l'accomplissement des Ecritures

La règle de cette proposition est le *franc-parler,* terme qui demande quelque explication. L'appellerons-nous « technique » ? Il l'est dans la mesure où il veut seulement donner l'équivalent de *parrèsia,* pris au grec du Nouveau Testament : langage du « fils » et de « l'homme libre », affranchi par Dieu. Ce langage est par lui-même le signe que les Ecritures sont accomplies. Le tenir est une condition pour que soit respectée la distinction de plusieurs niveaux, celui des rigueurs imposées par les lois du texte et les barrières du commentaire, celui des décisions prises en compte par une instance extérieure au texte (sont extérieurs : le groupe du lecteur, le lecteur). La théorie de ce langage s'est exprimée dans le dernier Concile : « Ce n'est pas de la seule Ecriture Sainte que l'Eglise tire sa *certitude* sur tous les points de la révélation [22]. » Ainsi se trouve bien désignée, non pas une zone de vérités logées à l'écart du texte, mais la place de la décision où s'exprime le franc parler *(parrèsia).* Toute la révélation fût-elle en clair et point par point dans le texte, le texte ne saurait lui donner cette « formalité » de la certitude, qui relève de l'énonciation. Or c'est elle seule qui assure l'animation des énoncés, et, par l'animation, la cohérence et la possibilité d'un acte de pensée. Il est incompatible avec la foi comme certitude libre qu'elle laisse enfermer sa parole dans le statut du commentaire (biblique ou autre). L'Eglise s'exprime à un niveau aussi souverain que le texte lui-même : l'unité (si chère au Concile) d'Ecriture et de Tradition reste morte aussi longtemps qu'elles ne sont pas « relevées » dans la parole. Unité, parole, « *relevance* » surgissent au même point. C'est pourquoi, notons-le en passant, il paraîtrait malavisé de lire les déclarations du même Concile sur « l'Ecriture Sainte comme âme de la théologie » comme si cette place était donnée à la science exégétique purement et simplement. La Bible est une chose et l'exégèse en est une autre. Si quelque chose d'autre que la Bible doit être l'âme de la théologie chrétienne, disons que c'est sa lecture (au sens défini plus haut).

Le *franc-parler* est une instance hors texte, c'est pourquoi il convient que la théologie biblique s'appuie sur une instance de même nature, en tant qu'elle rejoint le texte, tout en le dépassant. La jonction des deux Testaments est un fait qui, par sa nature même, indique hors du Livre

22. *Dei Verbum,* 9.

un autre lieu que le Livre, en quoi les Livres s'articulent. On peut considérer ce lieu comme la clé de voûte de la notion de canon. Que le peuple juif possède un canon qui, à certains égards, est le même que le nôtre pour l'Ancien Testament signifie l'autonomie de ce livre, de ce peuple, de cette foi. Quant au canon catholique, il ne faut ni exagérer ni minimiser les conséquences de son extension plus large. Au moins faut-il noter qu'elles sont assez cohérentes entre elles : plus grande importance de l'élément sapientiel, reconnaissance d'un judaïsme d'expression grecque avec celui d'« expression hébraïque ou araméenne », insertion du « moment » apocalyptique dans son contexte d'histoire grâce au Livre des martyrs d'Israël (les Maccabées), mise en valeur de l'époque tardive et de ses contiguïtés de contenu avec le Nouveau Testament accordant valeur théologique au lien de celui-ci avec le judaïsme immédiatement antécédent. Les problèmes soulevés par les modalités du canon restent donc foisonnants, mais ils ne mettent pas en danger la décision de prendre le principe canonique comme principe de lecture. Par le fait canonique, l'instance hors texte s'introduit du dehors du livre dans le livre pour exprimer, dans sa certitude, l'énonciation du peuple porteur du livre.

La Loi et les Prophètes, les deux premières classes d'écrits

Aucune méthode ne peut fonctionner si l'instance d'énonciation ne trouve pas, dans le livre lui-même, un élément qui soit pour elle un « bon conducteur ». Une théologie biblique doit s'appuyer sur le niveau de la manifestation textuelle, ou « surface », et ceci d'autant plus énergiquement qu'elle veut quitter ce niveau. Il est donc indiqué, en restant dans l'allure de l'exégèse moderne, de s'attacher aux « manières » de parler. Ceci serait impossible à concilier avec ce qui précède si le « canonique » restait indifférencié. Choisir un point de départ simple était recommandé et d'autant plus qu'on avait l'intention et l'obligation de le complexifier davantage. Encore fallait-il qu'il s'y prête. « Canon » ou, dans un langage équivalent, « Bible » étant le point de départ le plus simple, on peut considérer « Loi » et « Prophètes » comme étant la subdivision qui suit immédiatement : il s'agit de deux canons dans le canon. Ceci donne l'immense avantage d'inscrire dans la totalité biblique une différence génératrice de sens (ce que, en linguistique, on nomme une « opposition ») : on demandera donc à la relation loi/prophètes de fournir une des clés principales du livre. Le statut de ces classes d'écrits est à la fois plus universel et plus radical que celui des « genres littéraires ». Les termes « Loi » et « Prophètes » recouvrent des instances dont la liste joue le rôle d'expression d'une totalité et leurs contenus — au niveau du livre comme à celui de la société — sont réellement « opposables ».

La loi, récit et commandement : la figure

En descendant encore vers le plus complexe (descente faite pour comporter beaucoup de degrés), il faudra explorer comment et sous quelles formes variables, pouvant rejoindre le niveau qui intéresse l'école formiste, « Loi » articule récit et commandement. Le commandement signifie le caractère inaccompli du récit : pareille articulation indique le moyen de fonder le statut de « figure » communément attribué à la Loi par la tradition plus qu'aux autres parties de l'Ecriture. Alors que la figure (comme récit inaccompli et comme loi) garde une certaine généralité, la prophétie dévoile les figures en les portant vers le particulier, vers le non-substituable. Le livre des prophéties est le livre des accomplissements : loi et prophètes s'opposent comme archétypes à histoire. Ainsi se trouve posé un théorème essentiel à la théologie de la Bible : *la différence entre la figure et l'accomplissement passe dans le premier Testament lui-même avant de passer entre les deux Testaments.* Ainsi se trouve remplie, dans notre théorie, la place que tenait, dans celle de von Rad, le principe de la réinterprétation charismatique. L'homologie des deux principes n'empêche pas leur différence.

La Sagesse, troisième classe d'écrits qui reprend les deux premières

A partir de ces deux parties du Canon, se développe une autre opposition. Loi et prophéties sont des interpellations : il y a donc place en face d'elles pour la parole de l'interpellé. Une « tierce » classe d'écrits accueillera ce qui n'est ni prêtre (Loi), ni prophète : le peuple et l'individu qui le rassemble (Roi). Dieu parle, par la Loi et les Prophètes, au peuple : dans les écrits qui restent, le peuple parle en son propre nom. Les écrits de « Sagesse » (au sens le plus large de cette catégorie) sont prépondérants dans cette tierce classe. Elle joue un rôle stratégique : celui d'une réception qui devient transformation. Ce qui reçoit Loi et Prophètes ne les transforme pas autrement qu'en les rapprochant. Ainsi, ce qui est avant Loi et Prophètes conduit ces deux classes d'écrits plus loin que chacune d'elles en les unissant.

Ce mouvement présente un côté logique, lequel n'a de substance que pris avec son côté vérifiable. On s'éloignera, en suivant ce dernier, de l'écueil des simplifications abusives. Il faut tout de même noter que quelques garanties ont été prises dès le point de départ. Le danger réside plutôt dans l'axiome qui réglait l'école formiste : « Au commencement était le simple. » Nous avons adopté l'inverse : « Au commencement était le complexe » et cela nous a conduits a reconnaître dès le début, deux Testaments, Loi et Prophètes, récit et commandement. Si nous parvenons à nous rapprocher de l'Un, ce sera toujours au lieu où deux se joignent. Pour le moment, ces mots simples : « unir Loi et Prophètes » dans la Sagesse, ces mots simples désignent ce qui ne l'est pas, à savoir les ramifications infinies du travail par lequel le peuple récepteur a transformé (ceci par ses agents spécifiquement sapientiels) Loi et Prophètes, mais l'un par l'autre, en les rapprochant. Il n'était pas possible à « Peuple » de recevoir « Loi » et « Prophètes » sans qu'il les unît. Il les a unis en les réécrivant. Processus bien concret dont le livre est la trace. Car il ne s'agit pas seulement d'une troisième classe d'écrits, puisque Sagesse englobe les autres, comme fait le Livre qui les contient et dont elle est l'agent. Le postulat théologique à l'œuvre dans cette enquête n'a rien (à condition qu'on le reconnaisse comme théologique) de téméraire : il pose que ce mouvement de réécriture est trace de l'œuvre de Dieu et qu'il est unifiant à ce titre. Le mouvement vers l'unité des Ecritures est donné comme signe de la présence de Dieu. C'est un mérite pour la théologie d'être prudente, ce n'en est pas un d'être timide. L'Un est au terme.

L'unité est donnée avec la fin : l'Apocalypse et l'arrêt du livre

Or *il s'agit ici d'histoire*. Ce ne serait pas le cas si tout devait être absorbé dans la Sagesse. Mais si Loi et Prophéties sont attirées par leur unité, celle-ci n'est en rien le résultat d'une réflexion de sages, d'une « pensée » englobante à la disposition du « penseur ». Leur unité est donnée avec leur fin. Il revient à la fois à l'analyse et à l'interprétation de faire lire comment et par quels signes Loi et Prophètes, à mesure qu'ils s'unissent, sont présents à l'avance à leur propre fin et l'anticipent. Par exemple, Loi et Prophétie prennent une allure de ralentissement et de retour sur elles-mêmes qui coïncident avec l'approche du grand tournant de l'exil, première expérience de la fin. Ici, le style est un symptôme du corps historique. On comprend à travers tout cela que, si la théologie biblique a une fonction, elle est de formuler en termes pensables un autre postulat qui n'est pas non plus téméraire (ou qui ne l'est que comme l'est tout postulat de la foi) : que Loi et Prophète offrent une vérité tournée vers l'avenir. Pas de théologie biblique là où ceci n'est pas exposé.

Avenir, ceci dit, pourrait se donner comme une représentation positive indéterminée, écueil où viendrait sombrer la théologie biblique. Il y aurait dilution de l'histoire sous prétexte de sa gloire. Or, s'il y a histoire, c'est que *Fin est d'abord arrêt,* terme mis à un monde. Anticipée en Loi et Prophétie, la fin est donnée comme imminente et universelle dans les apocalypses, qui n'appartiennent à aucune des trois classes d'écrits parce qu'elles les groupent, pour être l'essence redoublée du livre. Elles constituent un des passages obligés de toute théologie biblique, passage si décisif d'ailleurs que les efforts pour l'éviter sont parfaitement compréhensibles et presque excusables. L'apocalypse fait de la totalité du livre comme un tout arrêté, signe qu'il va finir, ce qui entraîne qu'elle l'ouvre à une interprétation toute nouvelle ; elle dit : ce livre est un autre livre. Par cette relecture, le risque a été pris de désigner, mais dans ce temps-ci, le moment de la fin d'un monde, qui sera suivi du commencement d'un monde radicalement autre. En Daniel, la désignation particulière, donnée par Jérémie, du temps de la fin de l'exil est portée à l'absolu universel. Aux Livres des Martyrs d'Israël (Maccabées), l'annonce de ce commencement absolu qu'est la résurrection est prise dans les mots du cantique de Moïse !... Cette rencontre de la fin et du commencement n'est pas imaginaire ; elle n'est pas immédiatement réelle non plus : elle est présente comme la substance de l'épreuve. Un peuple éprouve son martyre et cette présence du peuple comme tel est une des voies par lesquelles peut se vérifier la permanence de l'élément sapientiel comme porteur de la rencontre de Loi et Prophètes. Ici encore et surtout, il s'agit d'histoire mais plus encore il s'agit du défi à l'histoire le plus radical qui soit. Ce livre de foi où l'instauration du politique a joué un rôle s'achève dans la proximité de la mort d'un peuple. Le temps peut, dans ces conditions, n'être plus rien d'autre que la différence qui sépare la survie temporaire et l'élimination totale. C'est le « temps compté », d'où tant de chiffres. Temps et existence du peuple se mesurent ensemble : c'est alors que le rapport de l'individu et de la collectivité se présente comme la toute première question.

L'apocalypse désigne un point de saturation de l'Ecriture. Arrêt de la Loi et des Prophètes est aussi bien sentence de la Loi et des Prophètes, que fin d'une histoire de péché. La problématique de l'expiation est en place dans ce contexte. Il s'agit donc de mort, cette mort qu'une fixation de la pensée sur le continu empêche de prendre en compte. Mais le commencement est là, lui aussi, comme promis par Loi et Prophètes, au niveau (devenu radical) de la victoire sur le péché et sur la mort. L'apocalypse donne, pour toute la Bible, lecture du mouvement des termes vers leur terme, soit des mots vers la radicalité de leur sens, autre manière de dire « justice ». La difficulté de lecture des apocalypses vient de ce qu'elles se mettent à la mesure de la lecture de toute la Bible, si on veut la prendre comme tout, ce qui suppose non qu'un lecteur la domine mais au contraire que quelqu'un soit traversé par sa fin. Quelqu'un : fin du juste, l'Unique, ou fin des justes (d'un peuple juste) ? Ceci reste indécidé.

Indécidé. Le passage à la manifestation de la radicalité du sens (apocalypse est cela) suppose qu'elle n'a pas toujours été là. L'apocalypse dévoile que les mots se sont posés sur plusieurs sens, les ont traversés, vont vers leur terme. Ils ont connu (et peuvent connaître encore) un statut indécidé. La principale difficulté, à l'âge moderne, des théologies de l'Ancien Testament, a été de faire droit à cet ambigu («figure») dont la science ne peut décider, mais qui ne déroute pas l'acte de pensée et, au contraire, l'alimente. On va vers le *franc-parler* : c'est qu'on n'y a pas toujours été. Cette indécision de la figure n'est pas, de soi, mensonge, mais elle le rend possible et l'abrite, installant par là le péché dans l'histoire. Peut-on faire une histoire de la justice, montrer comment la victoire de la justice s'inscrit dans le temps collectif (peuple martyr) et advient comme plénitude des temps ? Si la réponse est oui, alors une théologie biblique est possible. Cette plénitude des temps où advient la justice tient par deux conditions (d'où se déduisent des normes pour la théologie de la Bible) : pouvoir être proposée à l'acte de penser, n'avoir aucune cause. Si les apocalypses sont un passage obligé de la théologie biblique, c'est qu'il n'est pas possible, sans elles, de donner un contenu aux termes de «plénitude des temps».

Le Nouveau Testament

Ceci pourra servir de point de départ à un exposé théologique du Nouveau Testament. Mais notons d'abord que la démarche à suivre pour une lecture théologique du Nouveau Testament gagne à adopter des règles qui valent pour les deux Testaments. A savoir : faire d'abord un inventaire correct, en sorte qu'aucun massif important, aucun ensemble de problèmes ou de faits qui s'impose à l'attention au moins par sa quantité, ne soit laissé de côté dans la reprise théologique de la lecture. Impensable, par exemple, qu'une théologie de la Bible fasse une place moindre que la Bible elle-même à la question de la plénitude des temps, au rapport de celle-ci avec le don de l'Esprit, à la décision à prendre envers la Loi mosaïque, à la question de l'élection d'Israël, à la qualification nuptiale de l'union de Dieu et de son peuple, et ainsi de suite. Ceci admis, le chemin de cette théologie doit être celui de l'énonciation biblique elle-même, pour y montrer le rapport entre l'objet et la manière. Le message sera donc pris, comme tout témoignage le demande, à partir de sa forme. Ici encore, inventaire puisque forme égale complexité et pluralité de formes. Ce système est nécessaire pour que le sens soit dégagé, de la relation qui existe entre les formes. Mais cette relation n'est pas simple harmonie ou synthèse, réconciliation effectuée dans l'esprit d'un observateur extérieur : la relation se manifeste dans l'histoire elle-même. Le rapport entre les livres s'inscrit dans l'histoire du livre. Histoire du livre dont les difficultés d'établissement sont tout particulièrement ardues quand il s'agit de la courte période du Nouveau Testament, ce qui rejaillit sur la théologie biblique. Enfin, le foyer de la théologie de la Bible sera une théorie de l'accomplissement des Ecritures comme signe de l'universalité, liée à l'avènement de la plénitude des temps. Ou encore : comme lieu que rien n'explique, excepté l'avènement de Dieu comme souverain (Royaume de Dieu). Nous avons dit, en commençant, que le principe de la théologie biblique était la connaissance de Dieu, mais en le lieu où il se fait connaître. Or Dieu ne se montre comme Dieu que là où rien ne l'explique, principe qui n'a rien de commun avec la recherche des formes miraculeuses du surnaturel : il s'agit en effet vraiment d'un « lieu », que Dieu révèle en même temps qu'il s'y révèle.

Reprise des subdivisions de l'Ancien Testament

Le canon du Nouveau Testament ne porte pas, en son intérieur de livre, l'inscription de sa propre division, alors que l'Ancien la déclare comme Loi et Prophètes. Toutefois, si les catégories canoniques de l'Ancien Testament ne présentent rien d'artificiel, il faut s'attendre à ce qu'elles gardent valeur dans le Nouveau. Les catégories fondamentales ici rejointes resteront, en effet, le récit archétypal avec la loi fondatrice (Evangiles), l'actualisation de l'une et de l'autre (Epîtres) dans une histoire. Ainsi le rapport entre ce qui est normatif et ce qui est « normé » (au point de vue du livre) reste intelligible pour une structure commune aux deux Testaments. Ce parallélisme ne doit pas étonner : il n'est que le rebondissement d'un autre étonnement, venant de ce qu'il y ait encore un Livre pour le Nouveau Testament. Sans doute, le Nouveau Testament pourrait se contenter d'apporter le récit du fondateur et sa loi, laissant les premières fondations pour une période qui serait absolument homogène à la nôtre. Il y aurait bien deux livres, mais ils seraient moins parallèles : la réalité telle qu'elle est doit être reçue avec tout son enseignement. A savoir que, là où le Christ n'a pas donné naissance à une Eglise, aucun avènement des temps nouveaux n'a eu lieu.

Le récit évangélique

Les Evangiles, et ceux-ci précisément en tant qu'ils sont récits et pas seulement rappels des volontés de Jésus, constituent un élément vital dans la réalité nouvelle. Récit, c'est-à-dire énoncé représentant le sens de la « durée de Jésus-Christ » (pas seulement de son « instant »), du corps de Jésus-Christ (pas seulement de sa « parole »), de son chemin (et pas seulement de son terme, mais de son commencement et de sa fin, puisqu'il est corps). L'effacement du récit évangélique sous prétexte d'annoncer le seul Jésus-Christ crucifié amènerait à l'absurdité de parler non de « tombeau vide » mais, finalement, d'une croix vide : or la croix a porté un corps et nous est laissée avec l'inscription d'un nom et d'un titre. *Qui* est crucifié ? C'est la question.

Le type de récit mérite d'être analysé, pour qu'apparaisse son rapport avec la figure. On notera 1. son caractère individuel. Tout en se distinguant de ce qu'on appelle une « biographie », son schéma est bien la *totalité* de ce qui est arrivé à Jésus-Christ et c'est à ce titre qu'il doit être pris. Sans quoi la « plénitude des temps » absorberait le caractère « insubstituable » de l'individu alors qu'elle doit le promouvoir. 2. Ceci entraîne la place faite à la catégorie de corps, à différents niveaux individuel et inter-individuel : récits de naissance, importance massive des guérisons, localisations, récits de repas, rapports inter-corporels de toute sorte, rapports homme et femme, éléments de rite et de sacrements. 3. Ce récit présente en même temps un caractère universel, par rattachement de Jésus aux commencements cosmiques (baptême) et aux commencements historiques d'Israël (récits des patriarches repris dans les « enfances ») : inscription de nombreux récits dans les figures bibliques de la Torah et du cycle prophétique (Elie et le cycle galiléen).

Reprise et récapitulation des figures universelles

Ainsi, une des fonctions du récit est de montrer en Jésus-Christ reprise et récapitulation des figures universelles *et* de celles de son peuple, en tant que figures. Car si l'Ancien Testament est traversé par la ligne qui sépare figure et accomplissement, en sorte qu'il porte accomplissement de ses propres figures, s'il est (pour ce motif) durée et (étant durée) doit se dire en récit, il en va de même du Nouveau Testament, qui n'accomplit pas les figures sans les reprendre. Il contient donc, lui aussi, ces figures qui, aujourd'hui, nous sont rendues présentes (inséparablement) par le récit et par les sacrements. Ces figures s'accomplissent par leur disparition et Jésus-Christ prend bien la figure en tant qu'elle disparaît. Le rapport des figures avec le péché, qui est de nature non pas ontologique, mais historique, montre la victoire du Christ sur l'injustice.

Mais les Evangiles jouent plus complètement encore le rôle d'une « Loi » en ce qu'ils contiennent à la fois le récit fondateur et les commandements que le récit fonde. Comme dans l'Ancien Testament, les commandements sont le moment d'ouverture vers l'accomplissement du récit comme figure. De même, la Loi du Christ prend forme de commandements (« mes commandements », disent avec force Matthieu et Jean). Mais, comme dans l'Ancien Testament aussi, ces commandements gardent encore un statut de figure, dans la mesure où ils restent généraux, anhistoriques, archétypaux. En cela ils sont ambigus (tout donner, tendre la joue, ne pas prévoir), ne posant la question de leur propre ambiguïté que par leur caractère extrême.

Loi et prophétie : la croix

Cependant, nous nous attendons à voir le pôle de la Loi visité par le pôle qui lui est opposé. La Loi, en effet, est marquée d'un caractère prophétique en ce qu'elle est relayée à l'intérieur d'elle-même par son propre accomplissement historique. La Loi, en tant qu'elle est celle du Christ, ne peut s'accomplir que par la croix du Christ : seule la croix, en effet, accomplira les exigences du « sermon sur la Montagne » selon Matthieu, par exemple. Or Jésus annonce ce qu'il accomplit : il est prophète de lui-même. Il lève en cela sa propre ambiguïté. Finalement, la croix est son écriture, son « acte » prophétique autographe, écriture du Fils. Il y a lieu d'examiner par quelle voie la croix accomplit à la fois la Loi de l'Ancien Testament, les prophéties de l'Ancien Testament, les figures qui constituent le récit de la vie de Jésus et les commandements qui s'y articulent, les prophéties de Jésus lui-même enfin le concernant, prophète se prophétisant. Cette saturation d'accomplissements se donne à lire dans l'écriture de la croix. Insistons ici sur la rencontre en elle des deux lignes du récit et de l'obligation : le récit contenant surtout le rapport au *bien* (comme bonheur, dans le jeu de vie et mort), et la loi le rapport à la *justice*. Le terme est rejoint lorsque la victoire sur la mort est donnée en même temps que la victoire sur le mal : en même temps et en même lieu victoire historique et victoire éthique. Ainsi ce schéma peut, à la fois, fonder une morale de la liberté et mettre sur la voie vers des termes énonçables sur la résurrection, recevable seulement par la foi mais bien en ce monde.

Les Epîtres

Dans le noyau des épîtres, formé par les parties certainement authentiques de Paul, les signes d'une activité prophétique sont reconnaissables. De même que les principaux prophètes nous sont connus par eux-mêmes (mais Abraham seulement par d'autres), ainsi (Jésus nous étant connu par des témoins), Paul nous parle de Paul, « en direct » et se pose en cela comme prophète. Son autorité ne vient pas des apôtres, même s'il est de nécessité absolue que les apôtres la reconnaissent. Comme les prophètes de l'Ancien Testament, il produit son écriture autographe devant la communauté, écriture de l'encre et écriture qui marque son propre corps. Prophète, il lui revient la tâche surhumaine de déclarer le moment par excellence de l'actualisation en proclamant les conséquences de l'avènement de la plénitude des temps sur le statut de la Loi mosaïque, ce que Jésus n'avait pas fait complètement. Or, même dans le radicalisme de cette nouveauté, les liens de Paul au temps prépascal n'ont pas besoin d'être dits pour être impossibles à rompre. Ils sont, en réalité, clairement dits : ce n'est pas par Paul que vient la « tradition » du corps du Christ, et son témoignage sur la résurrection doit être associé à d'autres : « soit eux, soit moi, voilà ce que nous prêchons et voilà ce que vous avez cru » (1 Co 15,11). Prophète, mais aussi législateur pour les Eglises, Paul n'instaure pas dans cette fonction un commencement absolu. Pour apprécier l'œuvre de Paul, la question est de déterminer, dans la loi qu'il donne aux Eglises, les origines non seulement prépascales, mais proprement juives, qui la déterminent. Ici intervient une des questions principales posées par les écrits du Nouveau Testament : quelle place tient, dans l'événement christique, le peuple christique qui précède et suit immédiatement le Christ. Ce groupe, qui a été l'objet de riches enquêtes scientifiques au niveau historico-culturel, doit maintenant être pris au niveau de son statut théologique, ce qui, nous l'avons vu, est différent. Celui-ci fera intervenir une dimension proprement sapientielle.

L'hypothèse voulant que la rencontre entre les classes d'écrits ne soit pas le résultat (déroutant pour la classification) d'une confusion empirique, mais de la réception des écrits par le peuple (porteur de « Sagesse ») peut frayer quelques chemins. Nous avons vu que Paul, prophète, est dépendant d'un peuple. Les Evangiles de Jésus sont tout pénétrés de l'Eglise. Les apôtres et disciples (Pierre notamment) y jouent un rôle surprenant, qui correspond à la préoccupation hiérarchique des narrateurs. Il faut remonter, par la critique historique, derrière le récit, pour trouver une communauté aux assises et aux contours moins simples. Dans la forme, le récit est modelé par sa fonction comme « dire-fondateur » du peuple croyant. Le contre-coup du message sur ses destinataires transforme, ici encore, tous les écrits. Retenons-en quelques cas : la relecture johannique des traditions précédentes, intégrant massivement le discours ecclésial, la reliure lucanienne par laquelle une continuité s'instaure entre l'époque fondatrice (Evangile) et l'époque fondée (Actes), procédé qui renvoie presque à deux aspects du modèle deutéronomique. Enfin, les écrits deutéro-pauliniens insistent sur le caractère achronique du peuple, plérôme universel, maintenant ensemble « les deux », les Juifs élus et les Nations élues.

La coïncidence de Jésus et de l'Esprit dans l'Eglise

Ici encore, ces faits (dont un grand nombre relève des acquisitions scientifiques admises, le plus souvent en dépit des protections de la théologie) sont, peut-on dire, à la recherche de leur statut théologique. En vue de cela, il faut se demander si les données ne fournissent pas déjà une indication : répartition entre Evangiles et Epîtres d'une part, interpénétration du temps de Jésus et du temps de l'Eglise d'autre part. Il y a là marque d'un double avènement des « derniers temps », mais aussi de l'unité des deux temps de l'avènement. Le donné du Nouveau Testament n'est en aucune manière Jésus-Christ seul, avec l'Eglise accessoirement, et cette dualité est à traiter comme donnée première, comme complexe fondateur. Plutôt que Jésus fondateur de l'Eglise, il faut donner l'unité des deux, Jésus et l'Esprit, comme fondatrice. Si l'on pense que, partout où il est question de l'Eglise, c'est de l'Esprit qu'il est question, et inversement, on s'intéressera à l'hypothèse selon laquelle le Nouveau Testament, comme écrit, a pour clé la coïncidence de Jésus-Christ et de l'Esprit dans l'Eglise. Il n'y aurait alors aucun artifice à dire que le thème ultime de la théologie de la Bible est la manière dont le Dieu origine de tout se révèle et se donne tout entier dans le Fils et dans l'Esprit. On peut garder cette hypothèse à distance, mais il faudra alors se demander pourquoi l'énoncé central du dogme de notre foi en serait en même temps le plus inaccessible, particulièrement dans une œuvre de théologie biblique. De toute manière, une théologie de l'accomplissement des figures désigne comme seul lieu possible de celui-ci Jésus-Christ *et* l'Eglise.

Etrangement, on quitterait le Nouveau Testament avant son terme si l'on s'en tenait à voir en lui le livre de l'accomplissement. Une théologie biblique doit faire place aussi à une autre catégorie et il n'est pas besoin, pour cela, de sortir des classes d'écrits du Nouveau Testament.

Les Apocalypses et l'orientation vers l'inaccompli

Le Nouveau Testament contient lui aussi ses apocalypses. Pas plus que dans l'Ancien Testament, ce genre n'est limité à un seul livre. Non seulement, ce genre se déploie dans tel ou tel discours attribué à Jésus (Mt 24 ; Mc 13 ; Lc 21...) mais la doctrine paulinienne de la Loi n'est pas intelligible hors d'une représentation des phases du dessein de Dieu, laquelle est apocalyptique dans son esprit. Deux remarques suffiront au sujet de l'ensemble des apocalypses.

1. L'émergence d'une apocalyptique propre au Nouveau Testa-

ment fournit-elle les mêmes indications que pour l'Ancien Testament relativement à la clôture du Livre ? Le lien du genre avec le martyre du peuple (vérifié ici par le lien des apocalypses synoptiques avec la chute de Jérusalem en 70) invite à chercher dans quelle mesure le Nouveau Testament est, en son noyau, le monument laissé par un groupe indispensable à la constitution et à la structure de l'Eglise, le groupe des témoins d'Israël, appelés à attester que Dieu a visité son peuple et à inviter les Gentils à participer à la promesse. Cela conduit sur les traces de quelques déchirures, voie où la théologie peut servir de stimulant puissant pour l'histoire : a) la déchirure que saint Paul laisse voir en prévenant les chrétiens issus de la gentilité contre le péril d'un mépris de l'« olivier franc » ; b) celle qui termine l'œuvre lucanienne, en laissant pressentir l'époque où il n'y aura plus que des « Grecs » dans l'Eglise par disparition de cette Eglise où « les deux » en font un seul et où il n'y a plus « ni Juif ni Grec ».

2. Certains aspects de l'apocalypse dite johannique confirment ces vues, dans la mesure où s'y trouvent mis en relief la dualité structurelle de l'élément provenant d'Israël rejoignant l'élément provenant des Nations dans le « mystère » de l'Eglise.

C'est dire que les Apocalypses nous orientent vers l'inaccompli. Maintenant n'est « pas encore la fin » mais, pour elles, l'absence de cette fin est éprouvée sous forme de souffrances collectives. Patience dans la Loi au temps de Daniel, comme signe de l'inaccompli, patience dans la foi aujourd'hui. Il s'agit donc d'une théologie de l'incomplétude, celle-ci n'étant pas indétermination, puisque précisément une théologie de l'accomplissement a permis de la mesurer. Il s'agit de fonder une présence du chrétien à « ce qui manque encore aux souffrances du Christ ». Disons, en un langage de liturgie dont le modèle est si fréquent dans les apocalypses, que cette théologie s'inscrit dans les prières pour la patience et pour la paix qui séparent le « Notre-Père » de la communion dans nos eucharisties. Le chemin des apocalypses étant l'ouverture biblique pour participer à l'histoire, nous devrions sans doute rougir d'une théologie de la Bible qui ne serait pas une théologie du « peuple témoin », donc une théologie d'après Auschwitz, d'après Galilée, d'après l'Inquisition, d'après les ruptures, dans ce que l'Evangile désigne comme « faisant la paix ». Tenant les gages de cette paix, mais ne l'ayant pas faite encore.

BIBLIOGRAPHIE

N.B. Les ouvrages traitant des règles de l'exégèse sont plus nombreux que ceux consacrés à la théologie biblique. Plutôt que d'établir une distinction tranchée, nous relevons les travaux dont la visée théologique est plus marquée, sans toujours suivre l'ordre chronologique : ce qui traduit le mieux la problématique des années récentes sera souvent mis au premier plan.

I. ORIENTATIONS ET NORMES MODERNES DE LA THÉOLOGIE BIBLIQUE

1. Exégèse « technique » et théologie

F. DREYFUS, « Exégèse en Sorbonne, exégèse en Eglise », in *Revue biblique,* t. 82, 1975, pp. 321-359 ; « l'Actualisation à l'intérieur de la Bible », *ibid.,* t. 83, 1976, pp. 161-202 ; « l'Actualisation de l'Ecriture », *ibid.,* t. 86, 1979, pp. 5-58 ; 161-193 ; 321-384.

J. BARR, *Fundamentalism,* SCM Press, Londres, 1977.

G.F. HASEL, « Théologie de l'Ancien Testament à la recherche d'une méthodologie », in *Bulletin de théologie biblique,* t. 2, 1972, pp. 179-200.

P. GRECH, « Problèmes méthodologiques contemporains dans la théologie du Nouveau Testament », in *Bulletin de théologie biblique,* t. 2, 1972, pp. 263-282.

H. J. KRAUS, *Die biblische Theologie. Ihre Geschichte und Problematik,* Neukirchener Verlag, 1970.

2. Questions doctrinales d'ensemble

P. GRELOT, *Sens chrétien de l'Ancien Testament. Esquisse d'un Traité dogmatique,* Desclée, Bibliothèque de théologie. Théologie dogmatique, n° 3, 1962.

P. GRELOT, *la Bible, Parole de Dieu,* Desclée, Bibliothèque de théologie. Théologie dogmatique, n° 5, 1965.

P. BENOIT, *Exégèse et Théologie,* coll. « Cogitatio Fidei, » n° 30, t. III, Cerf, Paris, 1968, pp. 1-156.

K. RAHNER, « Biblische Theologie und Dogmatik », in *LThK,* 1958, col. 449-451.

Concilium, nº 158, 1980, tout le fascicule.
H. Cazelles, *Ecriture, Parole et Esprit,* Desclée, Paris, 1970.

II. SCIENCE ET THÉOLOGIE DANS LEUR RAPPORT AVEC LA BIBLE : QUELQUES MAÎTRES

P. Antin, *Essai sur saint Jérôme,* Letouzey et Ané, 1951.
Dom Jean Leclercq, *l'Amour des lettres et le Désir de Dieu. Initiation aux auteurs monastiques du Moyen Age,* Cerf, Paris, 1957, pp. 70-87 : la lecture biblique.
M.-J. Lagrange, *Au service de la Bible. Souvenirs personnels,* Cerf, coll. « Chrétiens de tous les temps », nº 22, Paris, 1967.
G. Baron, *M. Jousse. Introduction à sa vie et à son œuvre,* Casterman, 1965.
P. Grelot, « Annie Jaubert », in *les Quatre Fleuves,* nº 12, 1981, pp. 137-151.
H.J. Kraus, *Geschichte der historisch-kritischen Erforschung des Alten Testaments von der Reformation bis zur Gegenwart,* Neukirchen, 1956.
P. Gibert, *Une théorie de la légende. Hermann Gunkel et les légendes de la Bible,* Flammarion, 1979.

III. THÉOLOGIE DU RAPPORT DES DEUX TESTAMENTS

1. Sources patristiques

H. de Lubac, *l'Ecriture dans la Tradition,* Aubier, 1966.
H. de Lubac, *Histoire et Esprit. L'intelligence de l'Esprit d'après Origène,* Aubier, coll. « Théologie », nº 16, 1950.
Origène, *Traité des principes.* Introduction, texte critique, traduction... par H. Crouzel et M. Simonetti, Cerf, coll. « Sources chrétiennes », nºs 252, 253, 268, 269, 1978-1980.
J. Guillet, « les Exégèses d'Alexandrie et d'Antioche, conflit ou malentendu ? », *Recherches de science religieuse,* nº 34, 1947, pp. 257-302.
S. Augustin, *De l'utilité de croire,* Desclée De Brouwer, « Bibliothèque augustinienne », nº 8, 1951, pp. 208-301.
P. Jay, « Saint Jérôme et le triple sens de l'Écriture », in *Revue des Etudes augustiniennes,* t. 26, 1980, pp. 214-227.

2. Théorie traditionnelle des sens de l'Ecriture. Sens « plénier »

J. Coppens, *les Harmonies des deux Testaments. Essai sur les divers sens des Ecritures et sur l'unité de la révélation,* Casterman, Cahiers de la Nouvelle Revue théologique, nº 6, 1949.
H. de Lubac, *Exégèse médiévale. Les quatre sens de l'Ecriture,* 4 vol., Aubier, Théologie nºs 41, 42, 59, 1959-1964.
J. Gribomont, « le Lien des deux Testaments dans la théologie de saint Paul. Notes sur le sens spirituel et implicite des Saintes Ecritures », *ETL,* t. 22, 1946, pp. 70-89.

3. Reprises contemporaines : l'Ancien Testament et la foi chrétienne

H. CAZELLES, *Naissance de l'Eglise. Secte juive rejetée,* Cerf, coll. « Lire la Bible », n° 16, 1968.
Signifiance de l'Ancien Testament pour la foi chrétienne = Recherches de science religieuse, n° 63, 1975, tout le fascicule.
P.-M. BEAUDE, *l'Accomplissement des Ecritures. Pour une histoire critique des systèmes de représentation du sens chrétien,* coll. « Cogitatio Fidei », n° 104, 1980.
P. BEAUCHAMP, *l'Un et l'Autre Testament. Essai de lecture,* Seuil, 1977.
C. WESTERMANN, *Essays on Old Testament Interpretation,* « The Preacher's Library », Londres, SCM Press, 1963 (traduit de l'allemand : *Probleme alttestamentlicher Hermeneutik,* Munich, Kaiser, 1960).

4. Débat autour de l'œuvre théologique de von Rad

G. von RAD, « Offene Frage im Umkreis einer Theologie des Alten Testaments », in *ThL,* t. 88, 1963, pp. 401-416.
H. CONZELMANN, « Fragen an Gerhard von Rad », in *EvTh,* t. 24, 1964, pp. 113-125.
G. von RAD, « Antwort auf Conzelmanns Fragen », *ibidem,* pp. 388-394.
E. JACOB, *Théologie de l'Ancien Testament,* p. XIII indique d'autres documents de la même controverse.

IV. UNE « NOUVELLE HERMÉNEUTIQUE » ET SES PRÉSUPPOSÉS

1. Bases linguistiques

J. BARR, *Sémantique du langage biblique,* Aubier-Montaigne, Bibliothèque de sciences religieuses, 1971 (traduit de l'anglais : *The Semantics of Biblical Language,* Oxford University Press, Londres, 1960).
Linguistica Biblica. Interdisziplinäre Zeitschrift für Theologie und Linguistik, Bonn, E. GÜTTGEMANNS éditeur, paraît depuis 1970.

2. Sémiotique

Groupe d'Entrevernes, *Signes et Paraboles. Sémiotique et texte évangélique,* postface de A. Greimas, Seuil, 1977.
Sémiotique et Bible. Bulletin d'études et d'échanges publié par le Centre pour l'analyse du discours religieux, paraît à Lyon depuis 1975, J. DELORME directeur...
Paul RICŒUR et le Centre de phénoménologie, *la Narrativité* (Phénoménologie et Herméneutique), CNRS, 1980.

3. Théorie du livre et problème du canon

A. PAUL, *l'Impertinence biblique. De la signification historique d'un christianisme contemporain.* Desclée, coll. « Théorème », 1974.

A. PAUL, *le Fait biblique. Israël éclaté. De Bible à Bible,* Cerf, coll. « Lectio divina », n° 100, 1979.
J.A. SANDERS, *Identité de la Bible. Torah et Canon,* Cerf, coll. « Lectio divina », n° 87, 1975 (anglais : *Torah and Canon,* 1972).
B.S. CHILDS, *Introduction to The Old Testament as Scripture,* Fortress Press, Philadelphia, 1979. (Notamment l'introduction, pp. 1-106, et son importante bibliographie.)

V. REMARQUE FINALE

Nombreux sont les exégètes qui ont consacré une grande partie de leur production à des études directement théologiques : la liste de leurs travaux serait inépuisable. Quant aux « théologies » de l'Ancien ou du Nouveau Testament, nous n'en donnerons pas de liste, ayant mis l'accent sur les questions de méthodologie. Retenons, pour leurs éminentes qualités, G. von RAD, *Théologie de l'Ancien Testament,* vol. I. *Traditions historiques,* Labor et Fides, Genève, 1963 et vol. II. *Traditions prophétiques, ibidem,* 1967 (remarques méthodologiques pp. 284-368 de ce volume) ; E. JACOB, *Théologie de l'Ancien Testament,* Delachaux et Niestlé, Neuchâtel, 1968 (2e édition), avec sa très riche bibliographie.

Les tâches d'une théologie du Nouveau Testament sont fort difficiles. On trouvera une première esquisse bibliographique dans R. SCHNACKENBURG, *Présent et Futur : Aspects actuels de la théologie du Nouveau Testament,* Cerf, coll. « Lire la Bible », n° 18, 1969. Du même auteur : *Règne et Royaume de Dieu. Essai de théologie biblique,* Orante, coll. « Etudes théologiques », n° 2, 1965. M. MEINERTZ, *Theologie des Neuen Testaments,* Hanstein, Bonn, 1950. Un abrégé accessible avec W.G. KÜMMEL, *Theologie des Neuen Testaments nach seinen Hauptzeugen, Jesus, Paulus, Johannes,* Vandenhoech u. Ruprecht, Göttingen, 1969. La *Théologie du Nouveau Testament* de Bultmann existe en allemand et en anglais. R. MARLÉ, *Bultmann et l'interprétation du Nouveau Testament,* Aubier, coll. « Théologie », n° 33, 1966 (2e édition) : exposé des vues de Bultmann par un théologien catholique. E. KÄSEMANN, *Essais exégétiques,* Delachaux et Niestlé, Neuchâtel, 1972 (parution en allemand : 1960 et 1964), malgré un certain caractère fragmentaire, présente des contributions importantes, selon des vues dont la reprise synthétique a été faite par P. GISEL, *Vérité et Histoire. La théologie dans la modernité : Ernst Käsemann,* Beauchesne, coll. « Théologie historique », n° 41, Paris, 1977.

CHAPITRE II

Théologie historique

par YVES CONGAR

SOMMAIRE. — I. L'histoire, entrée dans une tradition. A) « Théologie historique » : questions de vocabulaire ; B) Avantages d'une connaissance de l'histoire. Eveil au sens historique. II. L'histoire de l'Eglise : A) L'histoire ; B) Objet et contenu de l'histoire de l'Eglise ; C) Nature ou statut de l'histoire de l'Eglise. III. Histoire des dogmes. IV. Histoire des institutions et droit. V. Patrologie ou patristique. VI. Histoire de la liturgie. VII. Histoire de la spiritualité. VIII. Histoire et œcuménisme. Conclusion.

I. L'HISTOIRE, ENTRÉE DANS UNE TRADITION

Tous les plans de rénovation des études théologiques élaborés depuis vingt ans recommandent de pénétrer dans les questions de dogmatique ou d'éthique par la voie de leur genèse. Le décret de Vatican II sur la formation des prêtres, *Optatam totius*, leur fait écho [1]. Il y a longtemps qu'Aristote avait dit qu'on comprend mieux une réalité quand on connaît sa genèse (*Polit.* I, II, 1). Il ne s'agit pas d'une simple chiquenaude initiale : il s'agit du principe qui, donnant à une réalité sa spécification, est actif dans tout son devenir. On peut penser à l'« information » des généticiens, à l'A.D.N. qui programme un vivant. Il s'agit de comprendre l'être, la vie, la foi de l'Eglise ou du Peuple de Dieu à partir du chemin qui l'a mené là depuis ses origines. Comment et pourquoi en est-on là ? C'est un peu comme si un

1. Voici son texte (nº 16 § 3) : « La théologie dogmatique sera exposée selon un plan qui propose en premier lieu les thèmes bibliques eux-mêmes. On montrera aussi aux séminaristes l'apport des Pères d'Orient et d'Occident pour une transmission et un approfondissement fidèles de chacune des vérités de la Révélation. On fera de même pour la suite de l'histoire du dogme, en tenant compte également de sa relation avec l'histoire générale de l'Eglise. » En note, on citait ce passage de l'encyclique *Humani generis* de Pie XII, 12 août 1950 : « par l'étude des sources les sciences sacrées rajeunissent sans cesse, tandis que la spéculation qui néglige de pousser au-delà l'étude du donné révélé, l'expérience nous l'a appris, devient stérile. »

Français voulait comprendre la France et se comprendre lui-même comme Français à partir de la formation du territoire, des idées, de la culture et des arts, des luttes extérieures et intérieures, des institutions, qui ont abouti à ce dont nous avons hérité et vivons. Nous sommes en effet pris dans une histoire. Nous sommes précédés, nous sommes des héritiers. Nous affleurons un moment dans cette suite de vivants qui continuera après nous, où d'autres seront les héritiers de ce que nous avons hérité et, si peu que ce soit, accru.

Il y a un passé des espèces animales, des plantes, de la terre. En ce sens il y a une histoire de la terre et des plantes. On peut déchiffrer et décrire la suite des changements qui les ont affectées. Mais il n'y a vraiment histoire que là où il y a mémoire et une suite d'actes s'enchaînant dans le temps. Cela exclut qu'il y ait histoire dans le monde des anges [2]. Il peut y avoir une histoire d'un individu, celle des changements qui ont affecté sa vie ou sa pensée. Mais ce qu'on appelle l'Histoire suppose une vie sociale. Il y aura une histoire du Peuple de Dieu, et donc aussi des idées dont il vit.

On pourrait en douter au nom de la transcendance de la révélation et de la grâce du Saint-Esprit. Que ces réalités surnaturelles ne passent pas avec ce qui passe, c'est ce qui assure au Peuple de Dieu son unité et son identité à travers l'espace et le temps. Mais ces réalités sont entrées dans l'histoire et ont été, elles sont toujours, reçues par des hommes qui, eux, sont situés dans le temps et dans un espace géographique et culturel. Ces réalités ont été reçues par des vivants et de façon vivante ; elles ont été pensées, vécues dans des projets, des actes, des entreprises. Bien plus, personne ne peut ignorer aujourd'hui le rôle qu'a joué la pensée biblique pour faire prendre conscience de l'histoire comme telle entre un début et une fin [3]. Ainsi l'unicité de la révélation et de la grâce s'est combinée avec la variété de leurs effectuations concrètes : d'où l'aspect proprement *social* de ce trésor qui, depuis son origine en Israël, dans les prophètes, en Jésus-Christ et les temps apostoliques, est venu jusqu'à nous et constitue, pour nous, un acquis, un point de départ [4]. Le donné d'origine m'arrive vécu à longueur de siècles et en bien des espaces culturels, par un peuple structuré, l'Eglise. C'est un riche héritage. Nous le trouvons dans

---

2. S. Bonaventure dit de l'Eglise militante : « in tempore nascitur et procedit, non sicut angeli, qui subito creati sunt et simul firmati » (*Coll. in Exaemeron* XXII, 3, éd. Quaracchi V, p. 348).

3. Cf P. Gibert, *la Bible à la naissance de l'histoire au temps de Saül, David et Salomon,* Fayard, Paris, 1979.

4. Cet aspect *social* avait été remarquablement bien expliqué, au temps des discussions menées au début du siècle, par le Père B.-M. Schwalm, « les Deux théologies, la scolastique et la positive », in *RSPT*, 1908, pp. 674-703.

notre berceau le jour de notre baptême, mais il faut nous en rendre conscients, puis possesseurs : entrer en jouissance de cet héritage. C'est, au plan chrétien, comparable à la culture dont nous héritons en naissant dans notre pays. Elle est là. Il faut nous l'approprier.

Ce n'est pas uniquement une affaire de lectures et d'étude. Il y a d'autres voies pour entrer dans une *tradition* — car c'est cela. La vivre, en faire les gestes, se laisser imprégner et façonner par son esprit[5]. Mais nous nous attachons ici à l'aspect d'étude et de savoir.

A) « THÉOLOGIE HISTORIQUE. » QUESTIONS DE VOCABULAIRE

On nous a indiqué comme titre « Théologie historique ». Cette expression s'est répandue depuis le début de notre siècle[6]. Elle a l'avantage de s'appliquer à un champ très large. Mais elle pose des questions quand on presse le sens des mots et qu'on se réfère aux discussions qui ont rempli, chez nous, le premier tiers du siècle : bibliographie dans l'art. « Théologie » du *DTC*, XV, 471. Ces discussions avaient un contexte : l'introduction des disciplines historiques et des méthodes comparatiste et critique dans les sciences religieuses, ce qui a été une des causes de la crise moderniste. Quel était le rapport entre, d'une part ce que l'histoire critique atteint et permet de tenir, et d'autre part les affirmations de la foi, qu'interprète et systématise la théologie ? Quel est le statut exact de ces disciplines apparentées, quelles sont les différences entre Histoire des dogmes, Théologie positive, Théologie historique, Histoire des doctrines, de la théologie, Histoire de l'Eglise, du christianisme, des religions ?

---

5. Voir ce que nous avons écrit : *la Tradition et les traditions*. II. *Essai théologique*, Paris, 1963, ou, plus bref, *la Tradition dans la vie de l'Eglise*, coll. « Je sais, je crois », Paris, 1963.

6. Les professeurs (jésuites) de la Faculté de théologie de l'Institut catholique de Paris avaient programmé en 1904 une « Bibliothèque de théologie historique » en 66 volumes de 350 à 500 pages. Le titre a été repris par le même éditeur, Beauchesne : 55 volumes édités à l'été 1980. En Allemagne des collections catholiques d'histoire de l'Eglise commencées à Munich en 1899 et à Breslau en 1902 ont pris, respectivement en 1921 et 1922, le titre de « Studien zur historischen Theologie » ; chez les protestants la collection publiée à Göttingen s'appelle depuis 1929 « Beiträge zur historischen Theologie ». A. Ehrhard soulignait la plus large ampleur de la « théologie historique », son caractère englobant par rapport à ses différentes branches ou sections. Il envisage le problème, qui est pour lui un faux problème, d'un décalage et d'une opposition entre affirmation dogmatique et preuve historique : « Die historische Theologie und ihre Methoden », in *Festschrift Sebastian Merkle*, hrg v. W. Schellberg, Düsseldorf, 1922, pp. 117-136.

Histoire des doctrines est plus large que Histoire des dogmes, car cette dernière ne fait l'histoire que des doctrines qui deviendront des dogmes, soit au sens strict (aboutissant à une formule précise : par exemple celles des conciles de Nicée, de Chalcédoine, de Vatican I), soit au sens large (il existe un dogme de la Rédemption, mais qui n'a pas fait l'objet d'une formule). La vie doctrinale de l'Eglise est beaucoup plus large. L'histoire de la théologie n'en serait qu'une partie, car des éléments de doctrine non théologisés existent dans la vie pastorale, dans la vie culturelle, etc. Epistémologiquement, tout cela est de la pure histoire. Nous consacrerons un paragraphe particulier à l'Histoire de l'Eglise. Nous y retrouverons la question qui se pose déjà pour ces diverses disciplines historiques : étant donné leur objet, le fait d'être ou de n'être pas croyant, voire catholique, intervient-il dans la qualité du travail, dans sa valeur scientifique ?

La question que pose « Théologie historique » tient au substantif. Si on le prend en son sens formel, il désigne un savoir dans la foi, qui suppose qu'on se réfère à des critères dogmatiques. Ce sens est en place dans la catégorie « théologie positive ». C'est *de la théologie,* c'est l'activité par laquelle le théologien étudie la matière documentaire, biblique et historique, dont se nourrit son élaboration des mystères de la foi ou de la vie surnaturelle de l'Eglise. Cette théologie tient compte des critères qui qualifient ces documents, critères qui ne viennent d'ailleurs pas seulement du « magistère », mais aussi du sens chrétien, de l'expérience et des appels de la communauté ecclésiale, de l'accord enfin des membres reconnus du monde théologique. Or la théologie historique est le fait de membres du monde théologique ; elle vise à alimenter, au moins indirectement, le travail théologique. Mais elle n'est que matériellement théologique ; elle n'est pas formellement de la théologie au sens de la « théologie positive ». Elle est plutôt une branche de l'histoire de l'Eglise, sous la forme de monographies dont l'objet intéresse les idées et représentations. Le projet des professeurs de l'Institut catholique (cf. n. 6) se présentait comme « une grande œuvre consistant en monographies et études spéciales sur la théologie des maîtres, sur le mouvement de la théologie et des idées théologiques ». Nous acceptons le vocable de théologie historique en ce sens. Depuis ce projet du début du siècle, la matière s'en est élargie et diversifiée. Nous aurons à considérer une dizaine de domaines pour une recherche historique au service de la théologie. Il s'agit là d'un choix pratique en fonction de cette *Initiation* : en voulant articuler histoire et théologie du point de vue de la pratique de la théologie, notre intention n'est pas de faire de la théologie la « regina scientiarum » en niant l'autonomie de l'histoire. Il s'agit de montrer comment l'étudiant se doit de surmonter un cloisonnement universitaire pour faire de la théologie.

B) AVANTAGES D'UNE CONNAISSANCE DE L'HISTOIRE. EVEIL AU SENS HISTORIQUE

Dans son *Introduction à l'Histoire* (1945), Louis Halphen énumérait les bénéfices obtenus par la pratique de l'histoire : modestie, équité dans les jugements, prudence opposée à toute hâte intempestive, doute raisonné et raisonnable, bon sens et mesure. Ce sont les fruits d'une ascèse intellectuelle. Celui qui connaît et pratique l'histoire remplace les trucages ou les camouflages apologétiques par un culte inconditionné du vrai. Attaqué par les sciences critiques, le catholicisme du XIXe siècle a souvent recouru à une apologétique de justification à tout prix, qui faisait dire à l'abbé Huvelin : « L'apologétique ordinaire ne vaut rien ; elle est souvent ingénieuse, mais toute fausse. Ce sont des figures géométriques, elles ont une grande régularité, elles n'ont aucune réalité » (Lettre de mai 1886 à Fr. von Hügel). Or ce qui est vrai est vrai, ce qui a été, a été. Il faut à la fois le reconnaître et le comprendre dans *sa* perspective et *son* contexte.

Au point de précision dans la documentation et l'analyse où l'histoire religieuse est arrivée aujourd'hui, une information sur son travail peut susciter et nourrir une acuité du regard, et donc de l'intelligence. Nous pensons surtout aux études portant sur ce qu'on appelle l'histoire contemporaine, c'est-à-dire de la période allant de la Révolution à nos jours : c'est *notre* histoire, c'est la formation de *nos* problèmes et de *notre* situation. Voir par exemple *l'Histoire religieuse de la France, XIXe-XXe siècles. Problèmes et Méthodes*, sous dir. Jean-Marie Mayeur, Beauchesne, 1975. S'il existe un danger, ce serait celui qui est inhérent à tout processus d'analyse un peu poussé, à savoir de dissoudre l'assurance, la cohérence, la légitime naïveté de notre représentation. Le problème est général dès qu'on se livre à un examen critique. C'est celui de retrouver une seconde naïveté, informée et adulte. Pour cela, il est bon d'accompagner l'étude par une vie de charité et par la célébration doxologique des mystères (liturgie).

C'est un tel bienfait de voir clair ! Précisément, la connaissance de l'évolution et de la position d'une question permet de voir clair, d'apprécier la valeur des présupposés et des arguments mis en œuvre dans telle question à telle époque, puis le sort qu'ils ont eu, les conséquences qu'ils ont entraînées. Ainsi on peut se situer lucidement. Pensons, par exemple, à l'attitude prise dans un sens ou dans l'autre par les catholiques en 1848, en 1851 (coup d'Etat de Louis-Napoléon Bonaparte)[7]. Insistons sur la connaissance des contextes pour

7. Abondance d'études : les livres classiques de Lecanuet, Brugerette, Capéran, Dansette ; puis M. Prélot et F. Gallouédec-Genuys, *le Libéra-*

apprécier, soit des entreprises devenues étrangères à notre mentalité, comme les Croisades ou l'Inquisition, soit des crises comme celle du jansénisme avec la condamnation des Cinq propositions et la bulle *Unigenitus*[8], soit des actes du « magistère » comme le Syllabus de Pie IX et le dogme de 1870[9]... Une connaissance de l'histoire apporte la solution de bien des difficultés et permet de trouver la « seconde naïveté », celle d'un adulte informé.

Certains ont d'instinct le goût et le sens de l'histoire, mais il existe des lectures ou des expériences aptes à les éveiller et à les nourrir. Nous entendons par « avoir le sens historique », avoir conscience que tout ce qui vient des hommes change, que textes et gestes sont datés, ont un contexte, prennent place entre ce qui les a précédés et les conditionne et ce qui les suivra et qu'ils conditionnent. On ose à peine conseiller des lectures, tant les conditions varient d'une personne à l'autre. Voici quelques suggestions :

L'idéal serait de faire soi-même une expérience, et donc une recherche diachronique sur un thème. Les « séminaires » s'y prêtent. Tel exposé historique sur une matière qui intéresse la vie serait très parlant. Deux exemples : a) J.T. NOONAN, *Contraception et Mariage. Évolution ou contradiction dans la pensée chrétienne,* Cerf, 1969, 723 p. — b) Le chemin entre le Syllabus (8 décembre 1864) et la Déclaration conciliaire sur la liberté religieuse *Dignitatis humanae personae* (7 décembre 1965). Voir par exemple R. AUBERT, « l'Enseignement du magistère ecclésiastique au XIXe siècle sur le libéralisme », in *Tolérance et communauté humaine* (collectif), Casterman, 1951, pp. 75-103 ; R. AUBERT, E. BORNE, M.-D. CHENU, *Recherches et Débats* n° 50, mars 1965 ; J. COURTNEY MURRAY, « Vers une intelligence du développement de la doctrine de l'Eglise sur la liberté religieuse », in *Vatican II. La liberté religieuse,* coll. « Unam Sanctam », n° 66, Paris, 1967, pp. 111-147.

Ce n'est pas par un prurit d'érudition que nous recommanderons ici

---

lisme catholique, Colin, Paris, 1969 ; P. PIERRARD, *1848... Les pauvres, l'Évangile et la Révolution,* Paris, 1977.

8. Etude de mentalité du (des) milieu : Lucien GOLDMANN, *le Dieu caché,* Paris, 1955. — Restitution du contexte circonstantiel de la condamnation des Cinq propositions : travaux de J. Orcibal, L. Cognet et surtout L. Ceyssens : cf. R. AUBERT, « l'Histoire de l'Eglise, une clé indispensable à l'interprétation des décisions du magistère, » in *Concilium,* n° 57, 1970, pp. 85-94.

9. Voir par exemple, outre R. AUBERT, *le Pontificat de Pie IX,* Paris, 2e éd. 1962 ; Y. CONGAR, « l'Ecclésiologie de la Révolution française au Concile du Vatican, sous le signe de l'affirmation de l'autorité », in *l'Ecclésiologie au XIXe siècle,* Paris, 1960, pp. 77-114 ; V. CONZEMIUS, « Pourquoi la primauté pontificale a-t-elle été définie précisément en 1870 ? », in *Concilium,* n° 64, 1971, pp. 65-72.

la démarche qui consiste à faire l'histoire de l'histoire (historiographie). C'est parce qu'il est très instructif de voir comment et pourquoi on a présenté tel grand homme ou telle tranche d'histoire de telle façon, puis de telle autre. On voit pourquoi, sous l'influence de quelles préoccupations, de quels intérêts, ou tout simplement en raison de quelle ignorance on a, à tel moment et en tel lieu, compris et présenté les choses de telle sorte. On peut, dès lors, averti, se bien situer soi-même. Une telle histoire de l'histoire a été faite avec fruit pour quelques grandes causes. Nous en indiquons des exemples en note [10]. Cette recherche s'avère particulièrement féconde en œcuménisme. Elle permet, en les éclairant, de liquider certains points de blocage et de réaliser cette libération-purification, cette *catharsis* dont parle H.I. Marrou [11]. De plus, l'historiographie nous fait mesurer les limites d'une conception positiviste de l'histoire et nous rend plus attentif au rôle de l'imaginaire, à l'interprétation et à la situation de l'historien dans la reconstruction du passé et l'élaboration de l'histoire.

10. Fr. Dvornik pour Photius (Paris, 1950). — Pour l'épisode de Canossa, 1077, H. Zimmerman, 1975 (cf. *RHE*, 1978, pp. 88-90). — Pour le catharisme, Et. Delaruelle, « Cathares en Languedoc, » in *Cahiers de Fanjeaux*, n° 3, 1968, pp. 19-41. — Pour Luther, voir notre article « Luther vu par les catholiques », in *RSPT*, t. 35, 1950, pp. 507-518, repr. avec ajout in *Chrétiens en dialogue*, Paris, 1964, pp. 437-451, et R. Stauffer, *le Catholicisme à la découverte de Luther*, Neuchâtel et Paris, 1966. — Pour le Concile de Trente, H. Jedin, *Das Konzil von Trient. Ein Ueberblick über die Erforschung seiner Geschichte*, Rome, 1948 (cf. *RSPT*, t. 35, 1950, pp. 399 ss.). — Pour la Saint-Barthélemy, 24 août 1572, Ph. Joutard, J. Estèbe, E. Labrousse, J. Lecuir, *la Saint-Barthélemy ou les résonances d'un massacre*, Neuchâtel, 1976. — Pour les camisards, Ph. Joutard, *la Légende des Camisards*, Paris, 1972. — Pour 1789, M.D. Halévy, *Histoire d'une histoire*, Paris, 1939. — Enfin, pour l'histoire des religions, cf. L. Bouyer, *le Rite et l'Homme*, Paris, 1962, pp. 27 ss.

11. *De la connaissance historique* [livre conseillé], Paris, 1954, pp. 273 ss. : « La prise de conscience historique réalise une véritable catharsis, une libération de notre inconscient sociologique, un peu analogue à celle que sur le plan psychologique cherche à obtenir la psychanalyse... C'est très sérieusement que j'invoque ici son parallèle, dans l'un et l'autre cas nous observons ce mécanisme à première vue surprenant par lequel « la connaissance de la cause passée modifie l'état présent » ; dans l'un et l'autre cas, l'homme se libère du passé qui jusque là pesait obscurément sur lui, non par l'oubli, mais par l'effort pour le retrouver, l'assumer en pleine conscience de manière à l'intégrer. C'est en ce sens que l'on a souvent répété, de Goethe à Dilthey et à Croce, que la connaissance historique libère l'homme du poids de son passé. Ici encore l'histoire apparaît comme une pédagogie, le terrain d'exercice et l'instrument de notre liberté. »

II. L'HISTOIRE DE L'ÉGLISE

Après avoir présenté brièvement le mouvement contemporain en matière d'histoire, nous préciserons l'objet ou l'extension de l'histoire de l'Eglise, puis sa nature ou son statut. Enfin nous présenterons les principales réalisations en notre langue.

A) L'HISTOIRE

Il n'est pas question de rappeler toutes les façons de concevoir et d'écrire l'histoire depuis l'antiquité. Rappelons seulement celles que nous avons connues. Dans l'Eglise, sans méconnaître des œuvres très valables et même remarquables (L. Duchesne, F. Mourret, A. Dufourcq...), on a pratiqué trop souvent une exaltation de la papauté, un dessein apologétique de nuance triomphaliste. En histoire séculière dominait une sorte de positivisme : les faits, l'hitoire détaillée des guerres, des traités, des règnes et des crises de succession, ce que F. Simiand a dénommé « histoire événementielle ». Représentants : Ch. V. Langlois, Ch. Seignobos. Volontiers on cherchait l'accident, le hasard qui déjoue les prévisions et les enchaînements. Mais Marc Bloch et Lucien Febvre ont fondé ce qu'on appelle l'école des *Annales* (1929), qui avait été précédée par l'œuvre d'H. Pirenne et la *Revue de Synthèse* de H. Berr [12]. On vise à une histoire totale ; on considère que l'histoire humaine n'est pleinement vraie que sociale, sur base économique (sans matérialisme de type marxiste). Son matériel ne consiste pas seulement dans les documents écrits mais aussi dans la compréhension des faits économiques, des mouvements sociaux, des mentalités collectives. Plus récemment de nouvelles branches se sont affirmées, comme l'histoire sérielle ou quantitative (P. Chaunu entre autres), l'histoire de l'imaginaire, etc. : cf. *la Nouvelle Histoire* sous la direction de J. Le Goff, Roger Chartier et Jacques Revel, Paris-Metz, 1978.

---

12. *Annales d'Histoire économique et sociale.* Aujourd'hui *Annales économies-sociétés-civilisations.* — Manifestes : M. BLOCH, *Apologie pour l'histoire* ; L. FEBVRE, *De 1892 à 1933. Examen de conscience d'une histoire et d'un historien,* leçon inaugurale au Collège de France, repr. in *Combats pour l'Histoire,* Colin, Paris, 1953 ; F. BRAUDEL, *la Méditerranée et le Monde méditerranéen à l'époque de Philippe II,* Paris, 1949. On peut prendre une idée des aspects ou sections du travail historique aujourd'hui dans l'article « Histoire » de l'*Encyclopædia Universalis,* t. 8, pp. 423-433 (bibliographies).

L'historiographie religieuse a suivi un mouvement semblable [13] : voir, comme exemple, *l'Histoire religieuse de la France XIXe-XXe siècles. Problèmes et Méthodes*, sous dir. J.M. Mayeur, Beauchesne, 1975.

B) OBJET ET CONTENU DE L'HISTOIRE DE L'EGLISE

La façon de les concevoir n'a pas dépendu seulement de celle de voir l'histoire en général, mais aussi de mouvements internes de l'Eglise et de la manière dont elle se comprend elle-même, ce qui entraîne une manière de voir « les autres » et son rapport avec eux. Dans une Eglise qui se voit elle-même avant tout comme « société, société complète, société inégale ou hiérarchique », on aura une histoire strictement limitée à l'Eglise catholique, où non seulement les autres Communions sont traitées comme des déviances, de façon critique, mais où les mouvements internes non conformes à la ligne officielle ne seront pas valorisés ; on aura une histoire où la papauté et ses actes seront mis au centre et loués, voire exaltés (« on ne fait pas le *bilan* d'un pontificat, on en fait l'éloge »), etc. Par contre une Eglise qui se voit elle-même avant tout comme le Peuple de Dieu dans l'itinéraire des hommes s'intéresse à la vie de tout le corps, à sa « base » ; elle voit l'Eglise en rapport, non de domination, mais d'échanges avec le monde, la culture, etc. C'est pourquoi les Histoires de l'Eglise les plus récentes tendent à être des histoires du Peuple de Dieu, à faire place aux mouvements de spiritualité et de dévotion, aux expressions culturelles, à la religion vécue : c'est pourquoi bien des pages relèvent aussi de la sociologie religieuse.

Le mouvement va même plus loin. Beaucoup demandent une histoire *du christianisme* [14]. Les jeunes Eglises, le protestantisme, l'Orthodoxie, voire les Eglises nestoriennes et « monophysites » y auraient leur place [15]. On demande une histoire où les « hérésies » et les

---

13. Dans son article « Nouvelles frontières de l'histoire de l'Eglise », in *Concilium*, n° 57, 1970, pp. 59-74, G. ALBERIGO écrit : « C'est dans cette perspective qu'il a été mis fin au privilège longtemps attribué à l'histoire politique et diplomatique et qu'on est parvenu à apprécier plus correctement l'élément communautaire comme objet propre de la science historique, à reconnaître l'interdépendance économique des différents aspects de la réalité, à intégrer les éléments psychologiques, doctrinaux et spirituels longtemps considérés avec défiance par le positivisme historique » (p. 67).

14. Ainsi K.S. LATOURETTE, *2000 ans de christianisme*. On peut lire L. GÉNICOT, in *RHE*, t. 65, 1970, pp. 68-80 ; E. POULAT, in *Rivista di Storia d. Chiese in Italia*, t. 25, 1975, pp. 422-440.

15. De telles requêtes sont surtout le fait de savants protestants. Citons G. ARNOLD, *Unparteyische Kirchen- u. Ketzerhistorie. Vom Anfang des Neuen Testaments bis auf das Jahr Christi 1688*, Francfort, 1729 (Hildesheim, 1967) ;

« schismes », où les mouvements de dissidence, les « chrétiens sans Eglise » [16], les vaincus de l'histoire, et non plus seulement les dominants, auraient leur place. Et aussi les oubliés : travailleurs, paysans, en partie les femmes... Les principales de ces réalités, celles du moins qui durent, sont traitées actuellement dans ce qu'on appelle « Konfessionskunde », ecclésiologie comparée [17]. Est-il possible de tout rassembler dans une histoire ? Cela ne dépasse-t-il pas les possibilités raisonnables ? Du moins devra-t-on traiter de façon plus positive, et comme des réalités éventuellement importantes, des choses comme, par exemple, les mouvements populaires plus ou moins anti-ecclésiastiques du XIIe siècle [18], le hussitisme, etc.

L'histoire du christianisme a été parfois écrite (ou projetée !) sous le signe de l'expansion de la foi (Latourette), de la Parole de Dieu (Rupert de Deutz † 1135), de façon plus rigoureuse, comme l'histoire de l'explication de la Parole de Dieu identifiée aux Ecritures canoniques [19]. Mais n'est-ce pas supposer que l'Ecriture serait le seul moyen par lequel Dieu entre en communication avec nous ? Ebeling répond en incluant dans l'exposition de l'Ecriture l'action, la souffrance, le culte et la prière, les décisions personnelles, l'organisation et jusqu'à la politique ecclésiastiques. On récupère à peu près tout, mais sous le signe souverain de la Parole de Dieu. L'histoire des

---

K.S. LATOURETTE, *History of Expansion of Christianity*, New York, 1937-1945 ; E.G. LÉONARD, « Nécessité et Directives d'une conception nouvelle de l'histoire de l'Eglise, » in *Etudes de théologie et d'action évangélique* de la Faculté libre de théologie protestante d'Aix-en-Provence, t. 2, 1941, pp. 119-140 ; ID., *Histoire du Protestantisme*, PUF, 1950, 2e éd. 1956 ; ID., *la Réformation (Des origines à 1564) ; l'« Etablissement » (1564-1700) ; Déclin et Renouveau (XVIIIe — XXe siècles)*, 3 vol., PUF, 1961-62 (cf. J. BUDILLON, in *Istina*, t. 9, 1963, pp. 319-330) ; J. CHAMBON, *Was ist Kirchengeschichte ? Massstäbe u. Einsichten*, Göttingen, 1957 ; E. BENZ, *Kirchengeschichte in ökumenischer Sicht*, Leyde, 1961. Dans une large mesure, cette position de savants protestants répond à la volonté de ne pas tout faire commencer à la Réforme, mais d'assumer l'héritage chrétien de la vieille Eglise.

16. Titre de l'ouvrage de S. KOLAKOWSKI, Gallimard, 1969.

17. Du côté catholique celle, documentée, de K. ALGERMISSEN a été écrite sous une nouvelle forme, plus organiquement distribuée, par H. FRIES et al., Paderborn, 1969. Citons la *Konfessionskunde* de Fr. HEYER, avec une large collaboration, Berlin, 1977. Il n'existe rien de comparable en français.

18. Quelques pages dans notre *l'Eglise de S. Augustin à l'époque moderne*, Cerf, coll. « Hist. des dogmes », III/3, Paris, 1970, pp. 198-214 (bibliogr.).

19. Propos de G. EBELING, *Kirchengeschichte als Geschichte der Auslegung der Hl. Schrift*, Tübingen, 1947 (repr. in *Wort Gottes u. Tradition*, Göttingen, 1964, pp. 9-27) ; comp. K.D. SCHMIDT, *Grundriss der Kirchengeschichte*, Göttingen, 1954 ; H. BORNKAMM, 1949, et H. KARPP, 1949, cités par ALBERIGO, art. cité *supra* (n. 2) p. 73 n. 15 ; A. BENOÎT, *l'Actualité des Pères de l'Eglise*, Neuchâtel-Paris, 1961, pp. 43-52.

missions relève de l'histoire générale de l'Eglise. Il serait même dommageable qu'elle prenne son autonomie. C'est pour des raisons pratiques de documentation spécifique, éventuellement de connaissance des langues, qu'elle constitue, de fait, une section propre de l'histoire du peuple de Dieu, avec ses collections et ses revues.

C) NATURE OU STATUT DE L'HISTOIRE DE L'ÉGLISE

Des auteurs catholiques, dont plusieurs ont fait leurs preuves comme historiens, ont soutenu que l'histoire de l'Eglise est une discipline théologique, non seulement par sa matière, mais par son statut de science. Cette position a été tenue surtout en Allemagne et au premier chef par H. Jedin, l'historien classique du Concile de Trente[20]. Voici comment il justifie sa position : « L'objet de l'histoire de l'Eglise est le développement dans le temps et dans l'espace de l'Eglise instituée par le Christ. *Puisque c'est un savoir fondé sur la foi qui lui fournit son objet, lequel n'existe que dans la foi,* elle est une discipline théologique et se différencie ainsi d'une histoire de la chrétienté. » Le paralogisme éclate. La phrase soulignée (en italique) est une définition du traité théologique de l'Eglise, mais les historiens ont une autre approche. Cete institution et communauté divine est faite d'hommes, et ses institutions surnaturelles (révélation, sacrements, ministères) existent, visibles, dans l'histoire. Elles sont accessibles à une description par un observateur qui les saisit dans leur visibilité et leur existence concrète, historique. Bien sûr, ce sont des réalités

---

20. H. JEDIN, « Die Aufgabe des Kirchengeschichtsschreibers », in *TThZ*, t. 61, 1952, pp. 65-78 ; « Kirchengeschichte als Heilsgeschichte », in *Saeculum*, n° 5, 1954, pp. 119-128 ; « Die Stellung der Kirchengeschichte im theologischen Unterricht », in *TThZ*, t. 76, 1967, pp. 281-297 ; « Kirchengeschichte als Theologie, » in *Seminarium*, t. 25, Rome, janv. 1973, pp. 39-58 ; « l'Histoire de l'Eglise : Théologie ou histoire », in *Revue internat. Communio*, n° 4, nov.-déc. 1979, pp. 38-45 ; G. GIERATHS, *Kirche in der Geschichte*, Essen, 1959 ; J. WODKA, « Das Mysterium der Kirche in Kirchengeschichtlicher Sicht », in *Mysterium Kirche*, hrg. v. F. Holböck u. Th. Sartory, Salzbourg, 1962, pp. 347-477 (pp. 368, 374-80, 419 ss.) ; H. DICKERHOF et G. DENZLER, 1969, cités par ALBERIGO, art. cité (n. 2), p. 72 n. 14, assez proche de notre position ; H. GROTZ, « Der wissenschaftstheoretische Standort der Kirchengeschichte heute », in *ZKTh*, t. 92, 1970, pp. 146-166. — On se réfère parfois comme antécédent à J.A. MÖHLER († 1838), mais celui-ci a été surtout intéressé à voir et faire voir une idée organique de l'unité de l'Eglise en dépendance de ses principes intérieurs. Du côté protestant, omettant les références allemandes à H. Karpp (1949), M. Geiger (1953), J. Chambon (1957), W. Zeller (1971), citons J. ELLUL, « Note problématique sur l'histoire de l'Eglise », in *Foi et Vie*, t. 47, 1949, pp. 297-324.

surnaturelles et ce qu'elles sont à ce niveau relève de la foi, sauf que des *signes* de cette surnaturalité sont parfois accessibles dans cela même qui existe historiquement et se voit. L'apologétique met en œuvre ces signes pour faire passer de l'Eglise qui se voit à l'Eglise objet de foi. Elle bénéficie pour cela des directives de la théologie et, par ce biais, relève du domaine théologique. Ce n'est pas le cas de l'histoire : pas plus que celui de la sociologie religieuse. L'historien lui-même saisit le caractère surnaturel de l'Eglise au moins dans les affirmations qui en sont posées par cette Eglise. Ce sont là pour lui des *faits* qu'il doit incorporer comme tels à son analyse et à son exposé. Il en fait en quelque sorte la phénoménologie. Il peut cependant, comme historien, exprimer le sentiment que certains faits, certains traits de la vie de l'Eglise sont d'un autre ordre que ceux de la société profane : par exemple François d'Assise, l'héroïsme des grands saints, Lourdes... Il ne porte pas de jugement doctrinal. Ce jugement, effectivement, revient à cette science de la foi qu'est la théologie. Nous sommes donc d'accord, contre Jedin — que nous estimons hautement comme historien — avec d'autres historiens tels que R. Aubert (voir *infra)*, G. Alberigo (p. 65 de l'art. cité *supra,* n. 2) et V. Conzemius[21]. Du reste, quand on lit un exposé comme celui de J. Wodka, on se trouve devant un exposé *d'ecclésiologie* illustré par des faits et des références historiques. Un théologien peut faire de l'histoire, c'est même très conseillé. Un historien n'a pas à recourir à des *critères* de foi et de théologie.

Nous devons cependant compléter tout cela par deux remarques importantes :

1. L'historien qui traite les faits chrétiens doit avoir, sinon une expérience religieuse personnelle, du moins une connaissance sympathique des témoignages de cette expérience. Aussi le croyant est-il, sous certaines conditions, en meilleure conditon que l'incroyant[22]. La condition est une certaine autocritique et, pour atteindre à l'objectivité, la faculté de se distancier de ses propres convictions. Sous cette condition, une telle conviction peut diriger l'attention qu'on donne à tel document, à telle approche du sujet. Cela peut avoir son importance au niveau de la synthèse, de l'équilibre, de l'esprit et des perceptions qui animent l'ensemble. Les positions théologiques générales d'un auteur ont leur impact sur la mise en valeur des documents. Exemple : l'interprétation des prétentions de papes

---

21. « Kirchengeschichte als "nichttheologische" Disziplin », in *ThQ,* t. 155, 1975, pp. 187-197.

22. Voir R. Aubert, « Historiens croyants et historiens incroyants devant l'histoire religieuse », in *Recherches et Débats,* n° 47, 1964, pp. 28-43.

comme Grégoire VII ou Boniface VIII sont-elles plus temporelles et politiques (« *Weltherrschaft* ») que sacerdotales ? Les conciles de Pise, Constance et Bâle ont-ils valeur œcuménique ? (*sic* : les gallicans) ou non ? L'Histoire universelle de l'Eglise catholique de Rohrbacher (29 vol., 1842-1849) est écrite dans une perspective ultramontaine, et a de fait servi le courant ultramontain : faits étudiés dans l'ouvrage de R.F. Costigan, Rome, 1980. En toute hypothèse il est sûr que la reconnaissance et la connaissance *adéquates* de *ce qu'est* l'Eglise relève de la foi et de la théologie. L'histoire, par exemple, n'atteindra jamais à la perception de la valeur eschatologique qui lui est essentielle.

2. Il faut reconnaître l'existence, à différents titres, et l'originalité d'un temps de l'Eglise. Ces titres sont : a) La qualité sacramentelle de ce qu'opère l'Eglise lorsqu'elle actualise un mystère passé, la Pâque du Christ, pour en faire sa vie aujourd'hui en vue de l'eschatologie. Cela échappe à l'histoire. b) Les événements de grâce, par les « missions », soit visibles, soit invisibles, du Verbe et de l'Esprit. L'ensemble de ces événements constitue l'histoire du salut, qui est plus large que l'histoire de l'Eglise, car elle est coextensive à l'humanité. Certes, plusieurs faits de grâce sont manifestes dans leurs signes ou leurs effets : à ce titre, ils pourraient être notés par l'historien. Mais la plupart sont secrets. « C'est l'histoire de la foi, de l'espérance et de la charité dans le monde qui est l'histoire véritable, authentique, de l'Eglise. La décrire n'est pas possible, car ce n'est que pour une moitié qu'elle surgit dans la dimension historique extérieure ; pour l'autre moitié, qui est beaucoup plus importante, elle demeure cachée dans les âmes, dans l'intériorité du Royaume de Dieu. On voit les impulsions qui transforment le monde, mais on ne peut pas établir scientifiquement leurs causes comme on le fait pour les causes terrestres. Une seule prière inconnue, une seule souffrance cachée unie à celle du Christ peut avoir ouvert de vastes champs d'efficience visible. Certes, le Saint-Esprit dans l'Eglise est un facteur historique, mais pas intra-historique[23]. »

Histoires de l'Eglise en français

Histoire de l'Eglise, commencée sous la dir. de A. Fliche et V. Martin. 24 vol., Bloud et Gay, 1938 s.

Daniel-Rops, 6 tomes aux titres littéraires parfois un peu

23. H.Urs von Balthasar, *De l'intégration. Aspects d'une théologie de l'Histoire*, Desclée De Brouwer, 1970, p. 131.

triomphalistes, depuis *l'Eglise des Apôtres et des Martyrs,* 1948, jusqu'à *l'Eglise des Nouveaux Apôtres* et *Ces chrétiens nos frères,* 1965.

A. Latreille, J.-R. Palanque, E. Delaruelle, R. Rémond, *Histoire du catholicisme en France,* 3 vol., Spes, 1957, 1960, 1962, (souci de faire une histoire du peuple chrétien).

J. Daniélou, H.-I. Marrou, *Nouvelle Histoire de l'Eglise.* I. *Des origines à S. Grégoire le Grand* (604), Seuil, 1963 (même remarque). Continuée sous dir. R. Aubert : II. *le Moyen Age,* 1968 ; III. *la Réforme et la Contre-Réforme* (1500-1715) ; IV. *le Siècle des Lumières,* 1966 (excellent) ; V. *l'Eglise dans le monde moderne* (1848 à nos jours), 1975.

H. Jedin, *Handbuch der Kirchengeschichte,* Herder, 7 vol. (achevé en 1979). Nous citons exceptionnellement cet ensemble allemand en raison de sa valeur, celle en particulier du dernier volume.

2 000 ans de christianisme, 10 vol., Société d'histoire chrétienne (et Hachette), 1975-1976. (Nombreux collaborateurs. Remarquable illustration. Souci de montrer le répondant *actuel* de chaque grand moment. Malheureusement coûteux.)

Les compte rendus et la bibliographie de la *Revue d'histoire ecclésiastique* (Louvain, 1900 s.) sont inestimables.

III. HISTOIRE DES DOGMES

Dogma, mot grec que nous avons transposé en « dogme », signifie décret (cf. Lc 2, 1), maxime, mais aussi opinion. Depuis le XVIIIe siècle, on entend par « dogme » l'énoncé d'une vérité contenue dans la Révelation et que le magistère de l'Eglise propose à croire en une formule authentique, soit par un jugement solennel, soit du moins par son magistère ordinaire et universel ou dans la foi qu'elle professe et célèbre (cas du « dogme » de la Rédemption, ou même de l'Eglise, par exemple). Le dogme au sens précis du mot est donc moins étendu que les doctrines chrétiennes. On mêle parfois les deux domaines, ainsi la *Dogmengeschichte* publiée par Herder depuis 1951 et dont une partie importante paraît en traduction aux Editions du Cerf depuis 1966. Que les doctrines chrétiennes soient objet d'histoire, c'est assez évident. Les dogmes le sont aussi, les points de doctrine qu'ils formulent n'étant parvenus que progressivement à l'état de maturité et de précision du « dogme », le plus souvent à la suite de formulations où l'Eglise ne reconnaissait pas l'expression de sa foi et qu'elle rejetait comme « hérésie » ou erreur. L'orthodoxie ne préexiste qu'à l'état de sens de la foi, de conviction priée et vécue ; c'est le heurt avec ce qui propose autre chose qui la fait se mieux déclarer : une vérité n'est définie que quand elle a été violée, a dit Newman, dont l'*Essai sur le développement de la doctrine chrétienne* (1845, puis 1878 ; nouv., trad. M. Lacroix, DDB, 1964) demeure un classique. Bien sûr nous disposons aujourd'hui d'autres études sur ce sujet[24].

Au point de vue de son statut épistémologique, l'histoire des dogmes comporte une nuance par rapport à ce que nous avons dit de l'histoire de l'Eglise. C'est en effet l'histoire d'un processus souvent complexe et sinueux, au cours duquel se sont produites éventuellement des interventions régulatrices, voire normatives, de l'Eglise, et au terme duquel se trouve une telle intervention normative. Certes tout historien, même non croyant ou non catholique, peut et doit reconnaître ces interventions, les décrire. L'historien catholique travaille sous le présupposé d'une homogénéité de sens depuis les origines, si peu explicites soient-elles, jusqu'au terme, à travers les moments du processus. On a élaboré une distinction entre tradition purement historique et tradition dogmatique[25]. Cela est particulièrement à sa place s'agissant des dogmes modernes de 1854, 1870 et 1950. Le danger pourrait être de faire influencer la recherche purement historique par un critère d'orthodoxie : exemple, l'ouvrage, du reste remarquable et encore utile, de L. SALTET, *les Réordinations. Etudes sur le sacrement de l'Ordre*, Paris, 1907.

Nous n'avons pas à traiter ici des problèmes théologiques soulevés par le développement du dogme : causes et voies de ce développement, façon de le concevoir, moyens de vérifier son homogénéité et conditions d'une telle démarche. (Voir *supra* : Claude GEFFRÉ, « Pluralisme des théologies et unité de la foi »).

Les interventions du magistère sont de poids ou de valeur fort inégaux. Un recueil comme le Denzinger, même avec les indications historiques de son édition par Schönmetzer, risque d'être trompeur à

24. Voir L. de GRANDMAISON, *le Dogme chrétien. Sa nature, ses formules, son développement*, 2e éd., Beauchesne, 1928 ; H. RONDET, *Les dogmes changent-ils ?* Fayard, coll. « Je sais, je crois », 1960 ; Y. CONGAR, *la Foi et la Théologie*, Desclée, 1962, pp. 54 ss., 93 ss. Très conseillé : W. KASPER, *Dogme et Evangile*, Casterman, 1967. Renvoyons aussi au § 5 de la déclaration de la Congrégation pour la doctrine de la foi *Mysterium Ecclesiae*, du 24 juin 1973, qui unit une forte reconnaissance de l'historicité des formules et une affirmation de leur valeur permanente : *DC*, n° 1636, 15 juillet 1973, pp. 667-68. Texte important.

25. Voir notre *la Tradition et les traditions*, I. *Essai historique*, Paris, 1960, pp. 263-270. On peut toujours lire avec profit M. BLONDEL, « Histoire et Dogme. Les lacunes philosophiques de l'exégèse moderne », in *la Quinzaine*, janv. et févr. 1904, repr. in *les Premiers Ecrits de Maurice Blondel*, Paris, 1956, pp. 149-228.

cet égard[26]. Les textes ont besoin d'herméneutique. Nous ne connaissons pas actuellement de critériologie théologique qui soit de niveau avec ce que permettent et, tout à la fois, exigent l'état des recherches historiques, la sociologie de la connaissance et la remise en ordre des valeurs ecclésiologiques. Vatican II a réouvert le chapitre de la vie conciliaire de l'Eglise. Dans le domaine des études également, Hefelé-Leclercq reste très utile[27], mais il existe une nouvelle collection[28], et de nouvelles études historiques ont été faites sur Lyon II[29], sur Constance[30], sur Florence[31], sur Trente[32], sur Vatican I[33], enfin sur les conciles anciens et sur le rapport entre Pape et Concile[34]. On a montré que la formule « Anathema sit » des canons n'implique pas nécessairement que la proposition condamnée soit *hérétique*, et qu'en toute hypothèse le terme « hæresis » avait au moyen âge, et encore à Trente, un sens plus large qu'aujourd'hui[35].

Cette dernière remarque vaut pour l'ensemble des textes anciens. Les mots n'y ont pas toujours le même sens ou, en tout cas, le même

---

26. Voir notre « Du bon usage du "Denzinger" », in *Situation et Tâches présentes de la Théologie,* Cerf, 1967, pp. 111-133.

27. *Histoire des Conciles d'après les documents originaux,* 8 tomes en 16 vol., Paris, 1907-1921, complétés par t. IX (P. Richard, 1930-31), X (A. Michel, 1938) et XI (Ch. de Clercq, 1949).

28. *Histoire des Conciles œcuméniques,* sous dir. G. Dumeige, en 12 vol. Paris, 1963 ss.

29. *1274 Année charnière,* C.N.R.S., 1977. Cf. notre article : « 1274-1974. Structures ecclésiales et conciles dans les relations entre Orient et Occident », in *RSPT*, t. 58, 1974, pp. 355-390. Le pape Paul VI a appelé ce concile, non « œcuménique », mais « le sixième des conciles généraux tenus en Occident » : Lettre au card. Willebrands, 5 octobre 1974 (*DC* du 19 janv. 1975, p. 63). Il n'existe pas de liste *officielle* des conciles œcuméniques.

30. Etudes surtout allemandes ; en français du P. De Voogt : discussion sur la portée exacte du décret *Haec Sancta*. Voir notre *l'Eglise de S. Augustin à l'époque moderne,* Cerf, 1970, pp. 314-327 et les *Bulletins* de la *RSPT* depuis celui de N. Walty en 1967, pp. 732-760.

31. J. Gill, *le Concile de Florence,* trad. M. Jossua, Paris, 1970.

32. H. Jedin, *Geschichte des Konzils von Trient,* 3 vol., Fribourg, 1949-1979 ; trad. fr. du seul premier vol. : *le Concile de Trente,* I. *la Lutte pour le concile,* Desclée, 1965.

33. R. Aubert, *le Pontificat de Pie IX*, et le vol. de la coll. Dumeige. Nombreuses études allemandes sur la minorité au concile : voir nos *Bulletins* de la *RSPT*.

34. Sur l'idée qu'on s'est faite du concile depuis Nicée, J. Sieben, *Die Konzilsidee der alten Kirche,* Paderborn, 1979. Très importante étude de W. de Vries, *Orient et Occident. Les structures ecclésiales vues dans l'histoire des sept premiers conciles œcuméniques,* Cerf, 1974. Nous suivons les études historiques sur pape et concile dans nos *Bulletins* de la *RSPT* surtout depuis 1970.

35. Références dans notre *l'Eglise une, sainte, catholique et apostolique* (*Mysterium salutis* 15), Cerf, 1970, p. 88.

contenu ou les mêmes connotations qu'aujourd'hui. *Sacramentum* est loin de signifier toujours ce que nous entendons par « sacrement » [36]. *Ecclesia*, chez S. Augustin, signfie « la communauté chrétienne ». L'épithète d'*immaculata* attribuée à la Vierge Marie ne signifie pas, au XIIᵉ siècle (S. Bernard, Guerric d'Igny) ce que nous entendons par « Immaculée » avec le dogme de 1854. Malheureusement on a, au moyen âge et même dès l'époque patristique, attribué un contenu juridique répondant à l'idéologie politique du Bas-Empire à ces termes de l'Ecriture : *potestas, dare potestatem, gubernator, imperium, subiectum,* etc. [37]. Jean Scot Erigène a traduit par « sacra potestas » le mot *hierarchia* du Pseudo-Denys qui, chez cet auteur, n'avait pas ce sens. Il s'avère donc que, selon le mot de L. Ganshof, la philologie est « la mère nourricière de l'histoire ». Une meilleure connaissance du sens des mots, une plus grande exigence de vérité historique, ont inspiré, de nos jours, des révisions critiques de certains acquis ou de certains jugements du passé.

On voit de suite l'intérêt de ces moyens de connaissance pour atteindre à une plus grande vérité et pour le travail œcuménique. Mgr André Pangrazio, évêque de Gorizia, a, dans son intervention du 25 novembre 1963 au Concile, insisté sur l'aspect historique en œcuménisme [38]. Cela l'a conduit à proposer le thème de la « hiérarchie des vérités » que le décret *Unitatis redintegratio* a incorporé (nº 11) à son exposé et qui s'avère être d'une grande fécondité.

Nous disposons, outre du vieux TIXERONT (*Histoire du Dogme catholique*, 1912-14, réédité 1930), des volumes de la *Dogmengeschichte*, de nombreuses monographies, de la brève mais dense *Histoire du Dogme catholique* de R. DRAGUET (Paris, 1941), de J.N.D. KELLY, *Initiation à la doctrine des Pères de L'Eglise*, Paris, 1968. Enfin les bons articles de Dictionnaires proposent une histoire du dogme dont ils parlent.

IV. HISTOIRE DES INSTITUTIONS ET DROIT

Il ne s'agit dans ce paragraphe ni de définir l'Eglise comme institution, ni de préciser son type propre d'institutionnalité (on se

---

36. J. de GHELLINCK, *Pour l'histoire du mot "Sacramentum"*, Louvain, 1924 ; et cf. *LThK*, 2ᵉ éd., t. IX, col. 225.

37. Cf. W. ULLMANN, « The Bible and Principles of Government in The Middle Ages », in *La biblia nell' alto medioevo*, Spolète, 1963, pp. 181-228.

38. Texte dans *Discours au Concile Vatican II*, édit. Y. Congar, H. Küng, D. O'Henlon, Cerf, 1964, pp. 199-202.

reportera sur ce point à la section de l'ecclésiologie qui en traite). Trop souvent, la notion d'institution reste vague, excessivement large. G. Le Bras dit : « une structure durable, agencée pour la vie collective »[39]. Cette définition pourrait s'appliquer à l'*organisation*, valeur moins rigoureuse que l'institution, mais elle comporte la note, essentielle à celle-ci, de durée. Le mot d'ailleurs est parent de *instaurare, stare*. Selon certains théoriciens[40], l'institution est une fondation, engageant l'avenir, qui s'oppose au contractuel, même si celui-ci aboutit à une corporation. En ce qui concerne l'Eglise, l'institution est inséparable de processus instituants tels que la confession de foi et les sacrements[41]. D'ailleurs, l'histoire de plusieurs institutions (sacrements, papauté par exemple) touche à l'histoire des dogmes et elle pourrait n'être qu'une part de l'hitoire de l'Eglise considérée sous un angle documentaire et juridique propre. Ainsi le concept d'institution ne doit pas être emprunté à une conception philosophique, notamment positiviste, du droit, mais au mystère même de l'Eglise : c'est ce sens propre à l'Eglise qui convient seul au premier niveau dont nous parlerons plus bas.

En même temps, le théologien ou juriste-théologien veillera à ne pas confondre droit et norme juridique ou légale. En effet, le droit dans l'Eglise est à la fois confessant et juridique. Le baptême, par exemple, est à la fois confessant, épiclétique, ecclésial et juridique. On ne peut donc pas réduire le droit à la loi sous peine d'identifier ce qui est institution dans le mystère même de l'Eglise à la volonté du législateur (Depuis 1917, le droit canon provient, dans l'Eglise catholique, d'une source législatrice unique, le pape, puisqu'il procède d'une codification et non pas d'une compilation à partir de différentes sources.) Pour reprendre ainsi l'exemple du baptême, on remarquera qu'il est autant instituant (l'Eglise) qu'institué.

Pour plus de clarté, on peut distinguer plusieurs niveaux

---

39. *Institutions ecclésiastiques de la chrétienté médiévale* (« Fliche et Martin », XII), Paris, 1964, p. 9.

40. G. Renard, *la Théorie de l'institution. Essai d'ontologie juridique*, Sirey, 1930 ; *l'Institution*, Paris, 1933 ; P. Caron, « Il concetto di "institutio" nel diritto della Chiesa », in *Il diritto ecclesiastico* 70, 1959, pp. 328-367.

41. Sur la mise en place de cette définition théologique par rapport à d'autres : M. Bergmann, « l'Institution », in *Verbum Caro*, n° 80, 1966, pp. 42-66. Pour une réflexion proprement théologique : H.-M. Legrand, « Grâce et Institution dans l'Eglise : les fondements théologiques du droit canonique », in *l'Eglise : institution et foi*, Bruxelles, 1979 et A. M. Rouco-Varela, « Grundfragen einer katholischen Theologie des Kirchenrechts », in *Archiv für katholisches Kirchenrecht*, t. 148, 1979, pp. 341-352. Sur l'historicité des institutions et leur réforme : *Lumen Gentium*, n° 48, 3 et *Unitatis Redintegratio*, n° 6.

qualitativement différents [42] dans les institutions en rappelant que seul le premier s'applique pleinement à la conception théologique de l'institution tirée du mystère de l'Eglise. Au premier niveau se situeraient les institutions reçues de l'Eglise apostolique : Ecriture, sacrements (baptême et eucharistie en premier lieu), ministère apostolique et ministère de Pierre... Ces institutions de droit divin existent concrètement dans l'histoire, où leurs formes concrètes dépendent en effet de l'histoire : le droit divin des institutions existe concrètement en des formes de droit humain [43]. Penser aux liturgies eucharistiques, aux formes qu'a prises la papauté... Le second niveau, plus organisationnel, est encore plus relatif. C'est celui des institutions ecclésiastiques, celles que l'Eglise s'est données pour vivre sa vie et exercer sa mission. Mettons-y les conciles — car, si la conciliarité est essentielle à l'Eglise, les conciles, dont il a existé plus d'une forme, sont des créations d'Eglise —, les rituels, la vie religieuse et ses règles, les confréries, la dîme, le cardinalat, les services et ministères non ordonnés...

Le troisième niveau est celui des institutions temporelles de l'Eglise, souvent appelées « institutions chrétiennes » [44] : écoles, hôpitaux, corporations et organisations économiques, Etat du Vatican (comme appui temporel du ministère du pape).

Toutes les réalités que nous avons nommées ont été et sont étudiées dans une histoire étonnamment riche. La connaissance de cette histoire importe grandement à une étude et à une élaboration sérieuse de la théologie morale et dogmatique. Il est impossible, sans cela, de faire une bonne théologie, par exemple, de la fonction papale ou du sacrement de l'Ordre, ou bien de voir les enjeux de la question des ordinations anglicanes, ou la valeur des décisions du Concile de Constance (1414-1418).

Il existe peu d'instruments pour une étude, en deçà du niveau des spécialistes. L'*Histoire des Collections canoniques en Occident depuis les Fausses Décrétales jusqu'au Décret de Gratien*, de P. Fournier et G. Le Bras, Paris, 2 vol., 1932, est plus à consulter qu'à lire. En revanche, le t. XII de Fliche-Martin (*supra* p. 243) est très suggestif :

---

42. Cf. la distinction souvent reprise par P.-A. Liégé, par exemple dans « Place à l'institution dans l'Eglise. Légitimations doctrinales », in *l'Eglise : institution et foi*, Bruxelles, 1979, pp. 173-193. Notons que le titre « Place à l'institution dans l'Eglise » ne doit pas être compris au sens où l'Eglise pourrait exister antérieurement aux processus (institutions) qui la font exister.

43. Notre article : « jus divinum », in *RDC*, t. 28 (décembre 1928 : Mélanges J. Gaudemet), pp. 108-122.

44. Cf. *Esprit*, octobre 1967, pp. 575 ss.; sur le Vatican comme Etat et comme organisation : P. Poupard, *Connaissance du Vatican*, Beauchesne, 1974.

il montre l'organisation et la vie du peuple chrétien, mais, malheureusement, sans étudier les rapports entre la liturgie et le droit. Pour prendre connaissance de ce qui règle ou touche le droit de l'Eglise on peut voir P. Andrieu-Guitrancourt, *Introduction à l'étude du droit en général et du droit canonique contemporain en particulier*, Sirey, 1963. La deuxième partie du livre IV, p. 568 s., résume l'histoire de la constitution du droit ecclésial à partir de ses sources diverses à travers les siècles. Une *Histoire du droit et des institutions de l'Eglise en Occident*, sous la direction de G. Le Bras (†) et J. Gaudemet paraît aux éditions Cujas (16 vol. parus à ce jour). Nous avons aussi des histoires de la papauté et de ses auxiliaires (Curie)[45]. Le mieux est encore de faire soi-même une recherche sur un point comme, par exemple, la pratique et la théologie des ordinations[46]. Ne pas oublier que l'Eglise ne se limite pas à l'Occident ni au monde latin.

V. PATROLOGIE OU PATRISTIQUE

On distingue (en principe) les « Pères » et les « écrivains ecclésiastiques » : les premiers se recommandent par la doctrine, ils sont reconnus comme autorités par l'Eglise. Mais la distinction n'est pas toujours nette : Tertullien et Origène sont plus que des auteurs ecclésiastiques... Et d'incontestables « Pères » ont pu tenir des erreurs (Irénée : son millénarisme). On définit communément les Pères par ces critères qui sont à prendre cumulativement : orthodoxie de la doctrine, antiquité, sainteté de vie, approbation par l'Eglise, surtout par l'Eglise romaine, dans la communion de laquelle les auteurs ont vécu et sont morts[47].

---

45. Pour une vue d'ensemble, V. MARTIN, art. « pape », in *DTC*, t. XI, col. 1878-1944. Sur le point précis du rôle qu'ont joué les *Fausses Décrétales*, rôle tout à fait majoré par Döllinger, nous avons présenté, in *RSPT*, t. 59, 1975, pp. 279-288, l'étude exhaustive de H. Fuhrmann. Sur le rôle actuel de la papauté et les structures organisationnelles de l'Eglise en ses différents niveaux, M. DORTEL-CLAUDOT, *Eglises locales, Eglise universelle. Comment se gouverne le peuple de Dieu*, Cholet, 1973 (bonne bibliographie ; un peu d'histoire ; envisage aussi les Eglises orientales). Voir aussi le n° 108 de *Concilium* (octobre 1975) : *Renouveau ecclésial et Service papal à la fin du XXe siècle* (pp. 55-64, notre article historique sur les titres donnés au pape) ; *Lumière et Vie*, n° 133, 1977 : *le Pape et le Vatican*.

46. Voir H. LEGRAND, *infra* : « Ecclésiologie. »

47. Renvoyons à notre *la Tradition et les traditions*, II. *Essai théologique*, Paris, 1963, pp. 191-206 (et 323-327) ; le n° d'avril-juin 1969 de *Seminarium*, revue éditée par l'Œuvre des vocations ecclésiastiques, Congrégation pour l'Education catholique, Rome.

Ils ont écrit, parlé et agi dans l'Eglise, ils en sont aussi les fils (« Ecclesiam docuerunt quod in Ecclesia didicerunt » : S. Augustin, *Op. imp. c. Iul.* I, 117). Ils ne sont docteurs et « pères » en elle que dans la mesure où leur enseignement est conforme à son sentiment, non par des positions, s'il en est, qui leur seraient particulières et personnelles [48]. Mais ils méritent le nom de « pères » parce qu'ils ont eu la mission et la grâce de déterminer quelque chose dans la vie de l'Eglise. Dès l'époque subapostolique et celle des Apologistes, des hommes comme S. Irénée ont formulé la foi contre les hérésies. Mais entre le Concile de Nicée (325) et la fin du ve siècle, l'Eglise, libre d'organiser sa vie dans le cadre de l'Empire, a dû déterminer les assises de sa foi, les formes de sa liturgie, les règles de sa vie canonique. Des hommes qui furent de grands esprits, des saints, le plus souvent des évêques, lui ont été alors donnés pour cette œuvre : les Pères [49]. Ils ont par leur labeur déterminé quelque chose dans la vie de l'Eglise. Quand nous confessons la divinité du Christ, S. Athanase et S. Hilaire, qui ont souffert pour cette cause, le font en nous, ainsi que les conciles de Nicée, Ephèse, Chalcédoine, S. Léon, et plus tard S. Maxime le Confesseur et le concile de 680-81. Quand nous confessons la divinité de la troisième Personne, S. Basile et le concile de 381 le font en nous. De même les liturgies qui portent leur nom sont encore notre prière, les *Règles* de Basile et de Benoît encore notre législation. Nous sommes la descendance de ces hommes, ils sont à l'origine de la famille à laquelle nous appartenons. Il ne faut pas les sortir de l'histoire : ils sont de leur temps, de leur culture. Il est nécessaire de les étudier historiquement et critiquement. Mais c'est comme témoins de la Tradition qu'ils nous apportent beaucoup. La démarche intéressante, celle qui peut nous procurer le bénéfice du « ressourcement », la fraîcheur et la vie des sources, n'est pas d'extraire de leurs écrits quelque « dicta probantia », quelque sentence hors tout contexte appuyant une « thèse » scolaire : ce qu'a été trop souvent le « probatur ex traditione » des manuels. Il faut prendre les Pères plus intégralement et organiquement comme des porteurs de la Tradition. Ils nous communiquent l'esprit du christianisme, le sens de l'Eglise : le « sensus Ecclesiae » comme instinct profond et vie, bien au-delà d'un conformisme [50]. La Tradition fait une synthèse organique des données

---

48. Ainsi l'augustinisme en matière de péché originel, grâce et prédestination ; les *Anathématismes* de S. Cyrille d'Alexandrie.

49. Nous conseillons à ceux qui le peuvent d'acquérir et de bien regarder la *Synopsis Scriptorum Ecclesiae Antiquae ab A.D. 60 ad A.D. 460* : éd. Willy Rousseau, Uccle (Belgique), 1954. Présentation G. Dumeige.

50. Exemplaire est le rôle joué par la découverte des Pères chez un Newman, un Möhler (plus tard un Scheeben), ceux qui, précisément, ont

dispersées de la Révélation et des réalités ecclésiales. Les Pères — et cela leur est commun malgré leur grande diversité ; ce n'est pas pour rien qu'on dit au pluriel et collectivement « les Pères » — ont ce génie de toujours tout ramener au centre : Dieu qui, en soi-même, est Trinité, s'est fait homme pour que l'homme devienne divin. Cela explique que les Pères ne parlent pas de l'Eucharistie, par exemple, sans parler de l'Incarnation, de l'Eglise, de l'Esprit, de l'homme à l'image de Dieu...

Bossuet parle de « cette pure substance de la religion..., cet esprit primitif que les Pères ont reçu de plus près et avec plus d'abondance de la source même »[51]. Il ne faut pas trop idéaliser, comme on l'a fait parfois pour une idée un peu romantique d'« Eglise indivise » ; mais c'est un fait : les Pères ont œuvré en un temps où jouait encore une immédiateté entre l'Eglise et ses sources propres. En sa doctrine, qui avait souvent le style de la catéchèse et où étaient entrés peu d'éléments non bibliques, l'Eglise restait riche du spécifique chrétien. La grâce des Pères fit qu'elle demeura en cet état, malgré l'importance de l'élément hellénistique déjà absorbé par la théologie et le culte, alors même que leur vocation était d'opérer le passage des Catacombes à la publicité de l'Empire, à ses pièges, aux honneurs, à la culture, à une organisation plus développée. Les Pères l'ont dû foncièrement au fait qu'ils ont été avant tout occupés à expliquer les Ecritures canoniques. Ils ont été ces « divinarum librorum tractatores, Scripturarum tractatores » dont parle S. Augustin[52]. Il est vrai qu'ils n'ont pas joui de *toutes* les ressources de nos méthodes exégétiques et que parfois ils allégorisent d'une façon que nous ne suivrons pas. Leur don, comme herméneutes, est, là encore, de tout ramener au centre, de tout mettre en rapport avec le « mystère » du Christ, avec la *réalité* de l'histoire du salut centrée sur le mystère (exégèse typologique). La

---

ouvert des voies à la pensée théologique au XIXe siècle. Pour notre époque, voir le *Catholicisme* du P. de Lubac, 1938. Au moment où il publiait son *Saint Athanase,* Möhler écrivait à son ami Lipp, évêque de Rottenburg : « Tu me trouveras changé sous plus d'un rapport. Autrefois tu voyais en moi bien des choses hésitantes, d'autres dont les contours étaient mal dessinés. Maintenant, si tu pouvais descendre dans mon intérieur, tu y remarquerais un changement complet dans les idées religieuses. De Jésus-Christ je ne connaissais autrefois que le nom, je n'en avais que l'idée ; aujourd'hui, une voix me dit au fond de moi-même qu'il est le véritable Christ, ou du moins qu'il veut le devenir en moi. L'étude sévère des Pères a éveillé en moi une quantité de choses ; j'y découvre le christianisme complet, plein de vie et de fraîcheur... »

51. *Défense de la Tradition et des saints Pères,* IV, 18.

52. *De lib. arb.* III, 21, 59 ; *De Trin.* II, 1, 2 ; *Serm.* 270, 3. Dans son *De doctrina christiana* 4, 6, écrit repris dans la pleine maturité de son exercice du ministère, Augustin présente le prêtre comme « scriptorum tractator et doctor ».

constitution *Dei verbum* de Vatican II recommande (nº 23) l'étude des Pères d'Orient et d'Occident pour une meilleure intelligence des Ecritures.

Une nouvelle section de recherche est actuellement vivante, en liaison avec l'étude des Pères : l'histoire de l'exégèse [53]. C'est un immense domaine dans lequel il existe déjà de très nombreuses études, des monographies, des collections savantes [54]. Le Vetus Latina Institut de l'abbaye de Beuron (R.F.A.) rassemble, dans un fichier tenu à jour, les centaines de milliers de citations bibliques latines des huit premiers siècles. Chez nous, A. Benoît et P. Prigent ont créé, près de la Faculté protestante de théologie de Strasbourg, un Centre d'analyse et de documentation patristique, qui met sur fiches toutes les citations ou allusions bibliques des auteurs anciens [55].

Ce fait même, et la collaboration qu'il engage, sont un signe de l'intérêt œcuménique de la patristique. Dans la mesure où ils ont conscience que le christianisme n'a pas commencé au XVIe siècle mais que son existence depuis les apôtres est leur histoire et leur héritage, les protestants s'intéressent aux Pères. Les Anglicans ont toujours excellé dans leur étude. Pour les Orthodoxes, les Pères sont une référence vivante essentielle. On voit l'immense valeur de la patrologie en œcuménisme [56]. Vatican II doit en grande partie sa grande valeur à cet égard au fait qu'il a renoué, par-dessus la Contre-Réforme et même le moyen âge, avec les grandes inspirations des Pères.

Comment les étudier ? On peut le faire, soit en suivant le fil de l'histoire, soit en suivant un sujet, un thème, dans son développement : c'est ce que font la *Dogmengeschichte* de Herder et bien des monographies. On peut même, sans méthode rigoureuse, suivre les occasions, y revenir souvent, être attentif à ce qui paraît,

---

53. Touchant les ouvrages, les méthodes, on peut voir G. BARDY sur les commentaires patristiques de la Bible, in *DBS*, t. II, col. 73-103 ; C. SPICQ, *Esquisse d'une histoire de l'exégèse latine au moyen âge*, Paris, 1944. Pour l'esprit de cette exégèse, H. de LUBAC, *Exégèse médiévale*. 4 vol., Paris, 1959-1964.

54. Impossible de citer même les principales études. Signalons deux collections chez Mohr, Tübingen : *Beiträge zur Geschichte der biblischen Exegese; Beiträge zur Geschichte der biblischen Hermeneutik*. Cf. *supra*, P. BEAUCHAMP, « Théologie biblique ».

55. Présentation dans *RHPR*, t. 46, 1966, pp. 161-168.

56. Le pasteur André Benoît écrit : « Il serait facile... d'énumérer les points sur lesquels un retour à la théologie patristique pourrait apporter une contribution importante au dialogue œcuménique actuel. Les Pères, témoins de la théologie d'une Eglise une, peuvent être pour nous les aides qui nous permettent d'avancer dans la recherche de cette unité que nous avons perdue. Les études patristiques débouchent nécessairement dans la recherche œcuménique » : *l'Actualité des Pères de l'Eglise*, Neuchâtel-Paris, 1961, pp. 83-84.

vérifier les références que l'on rencontre et se laisser entraîner à lire plus avant...

Nous disposons aujourd'hui d'instruments excellents :

Textes

Les 221 vol. de la *Patrologie latine* (1844-55) et les 161 de la *Patrologie grecque* (1857-66) de Migne, que complète le P. A. HAMMAN.

Corpus Christianorum seu Nova Patrum Collectio, Brepols, 1953 ss.

CSEL (*Corpus Scriptorum Ecclesiasticorum Latinorum.*), Vienne, 1866 ss.

GCS (*Griechische Christliche Schriftsteller der drei ersten Jahrhunderte*), Leipzig, 1897 s.

Sources chrétiennes, Paris, Cerf, 1941 ss. ; plus de 300 vol. Texte original et traduction, avec de remarquables Introductions et notes.

Introductions et manuels

D. GORCE, *Petite Introduction à l'étude des Pères*, Paris, 1948 ; *Pour lire les Pères*, Paris, 1955.

H. TARDIF, *Qu'est-ce que la patrologie ?* Toulouse, 1961.

A. BENOÎT, *Actualité des Pères de l'Eglise*, Neuchâtel-Paris, 1961.

A. HAMMAN, *Guide pratique des Pères de l'Eglise*, Paris, 1967.

B. ALTANER, *Patrologie*, Paris, 1962.

J. QUASTEN, *Initiation aux Pères de l'Eglise*, 3 vol., Paris, 1956-1963 (excellent, mais à actualiser).

J.N.D. KELLY, *Initiation à la doctrine des Pères de l'Eglise*, Paris, 1968.

Quelques publications recommandées
(un tout petit choix !)

G. BARDY, *En lisant les Pères*, 1921, 2e éd. 1933 ; *la Vie spirituelle d'après les Pères des trois premiers siècles*, éd. revue par A. Hamman, 2 vol., Tournai, 1968.

G. L. PRESTIGE, *Dieu dans la pensée patristique*, Paris, 1955.

F. van der MEER, *Saint Augustin pasteur d'âmes*, Colmar, 1955.

P. BROWN, *la Vie de S. Augustin*, Paris, 1977.

VI. HISTOIRE DE LA LITURGIE

Il ne s'agit pas ici de la liturgie pour elle-même, de son contenu, de sa théologie, mais de l'étude de son histoire. Car elle a une histoire. Pie XII, le concile Vatican II, la Présentation générale du Missel romain approuvée par Paul VI (14 février 1969) distinguent, dans la liturgie, ce qui est immuable, étant d'institution divine, et ce qui est sujet à changer[57] : c'est cela qui est objet d'histoire. Cette histoire est connue avec une grande précision grâce aux recherches érudites et à l'édition des textes anciens qui se sont poursuivies avec une précision croissante depuis le XVIe siècle jusqu'à nos jours ; grâce à des travaux comme l'édition des *Ordines Romani* (Louvain, 1931-1956) par M. Andrieu, qui a permis de dater exactement différents rites. Les spécialistes travaillent sur les textes, les éditions critiques, et avec des revues savantes que nous n'avons pas à citer ici.

L'étudiant en théologie dispose d'une revue, *la Maison-Dieu,* et d'ouvrages suffisamment précis, sans technicité trop pesante. Citons tout spécialement :

A. BAUMSTARK, *Liturgie comparée,* 3e éd. revue par B. Botte, Chevetogne (B), 1953.

J.A. JUNGMANN, *Missarum sollemnia. Explication génétique de la messe* (Vienne, 1952³), trad. fr., 3 vol. Aubier, 1951-1954.

A.G. MARTIMORT et al., *l'Eglise en prière. Introduction à la Liturgie,* Desclée, 1961.

A faire ces lectures, les fidèles s'étonnent d'apprendre tant de précisions sur les choses qu'ils pratiquent naïvement. Une attention particulière aux mots, à la langue, est payante.

Quelques exemples nous feront saisir l'intérêt, et même le poids décisif, de l'histoire de la liturgie pour la théologie et pour les réformes qui marquent la vie de l'Eglise : 1. Le fait que, de la fin du IIe siècle à celle du IXe, trente-quatre papes élus alors qu'ils étaient diacres ont été ordonnés évêques de Rome sans passer par l'ordination presbytérale[58], fonde évidemment le caractère *sacramentel* de l'ordination épiscopale : caractère méconnu par les scolastiques, mais reconnu et enseigné par Vatican II (*Lumen Gentium,* n° 21). 2. Les scolastiques même les plus

57. Pie XII, encycl. *Mediator Dei* (AAS 39, 1947, 42) ; Vatican II, const. sur la liturgie, n° 21 ; Préambule de la Présentation générale (Institutio generalis) du Missel romain, 1969. Tant le préambule que la constitution apostolique du 3 avril 1969 approuvant le Missel romain rénové disent ce que cette rénovation doit au travail des historiens en matière de textes liturgiques.

58. Cf. M. ANDRIEU, « la Carrière ecclésiastique des Papes et les documents liturgiques du moyen âge », in *RevSR,* 1947, pp. 90-120.

grands et les plus ouverts manquaient d'informations historiques. Thomas d'Aquin pensait que la matière du sacrement de l'Ordre est la « porrection des instruments » (faire toucher le calice et la patène), et la forme les paroles qui l'accompagnaient, « accipe potestatem... ». Le Décret pour les Arméniens publié par Eugène IV le 22 novembre 1439 dans la foulée du Concile d'union de Florence, s'inspirant parfois ad verbum du *De articulis fidei et Ecclesiae sacramentis* de S. Thomas, avait repris cet enseignement (*DS* 1326). Mais l'histoire montre que jusqu'au IXe siècle en Occident, et toujours en Orient, l'ordination s'est faite par l'imposition des mains. Pie XII en a pris acte et, par la constitution apostolique *Sacramentum Ordinis* du 30 novembre 1947, il a précisé que la matière du sacrement de l'Ordre est bien l'imposition des mains (*DS* 3857-3861). 3. Le dégagement du texte de la *Tradition apostolique* de S. Hippolyte (vers 215 à Rome) à partir d'une traduction latine (texte mutilé publié par Haulee en 1900), de la Constitution de l'Eglise égyptienne (Dom R.H. Connolly, 1916) et de compilations canoniques anciennes, nous a procuré le témoin liturgique le plus ancien que nous possédons [59]. On comprend que la rénovation de la liturgie engagée par Vatican II lui ait emprunté la formule rénovée de l'ordination d'un évêque [60] et l'une des nouvelles Prières eucharistiques, la deuxième.

Les trois Prières eucharistiques qui ont été ajoutées au vénérable Canon romain sont inspirées des formes anciennes. Elles s'expriment dans un climat d'histoire du salut et d'action de grâce pour les dons de Dieu ; elles comportent deux épiclèses. Elles ont eu un impact très considérables dans les Eglises protestantes. Une fois de plus l'esprit de l'« Eglise indivise » et de l'époque des Pères s'avérait d'une décisive valeur œcuménique. Avec les Orthodoxes, un incomparable trésor sacramentel et liturgique nous est commun : les Semaines liturgiques de Saint-Serge (Paris) le manisfestent chaque année au plan scientifique.

Ceux qu'attirerait non seulement l'histoire de la liturgie, mais celle du mouvement liturgique actif chez nous depuis Dom Guéranger, s'intéresseront à lire O. Rousseau (*Histoire du Mouvement liturgique. Esquisse historique depuis le début du XIXe siècle jusqu'au pontificat de*

---

59. Editions (reconstitutions) critiques : G. DIX, *The Treatise on The Apostolic Tradition of St Hippolytus*, Rome-Londres, 1937 ; B. BOTTE, *la Tradition apostolique de saint Hippolyte,* Münster, 1963 ; Sources chrétiennes n° 11 (B. Botte), Cerf, 1946.

60. Constitution apostolique *Pontificalis Romani* de Paul VI, 18 juin 1968, qui se réfère expressément à Hippolyte et ajoute que ce texte est demeuré en usage chez les coptes et les syriens occidentaux. Le n° 94 (1968/3) de *la Maison-Dieu* contient des études sur les nouvelles Prières eucharistiques et sur la constitution *Pontificalis Romani*. Il en donne les textes.

Pie X, Cerf, 1945) et P. Duployé (*les Origines du Centre de Pastorale liturgique* (1943-1949), Mulhouse, 1968).

A l'histoire de la liturgie il faut rattacher :

— l'étude du latin chrétien. Chr. Mohrmann est ici l'initiatrice classique[61] ;

— l'épigraphie et l'archéologie[62] ;

— l'iconologie ou iconographie : car les représentations traduisent visuellement, souvent avec les mêmes symboles, les réalités que la liturgie célèbre. L'art paléochrétien et les icônes orientales sont pleins d'une théologie très profonde[63]. Ensuite, à travers les siècles, les arts plastiques ont exprimé la contemplation poétique. Leur lien avec l'état culturel global est aussi instructif ;

— l'histoire des dévotions, qui relève aussi de l'histoire de la spiritualité ;

— l'histoire de ce qu'on appelle, sans être satisfait de ce nom, la religion populaire[64].

VII. HISTOIRE DE LA SPIRITUALITÉ

Elle fait l'objet d'une discipline particulière. Certes il ne s'agit de rien d'étranger aux mystères qu'étudie le dogme, que célèbre le culte, ni à la vie morale par la grâce du Christ et son Saint-Esprit. Mais il s'agit de cela en tant que vécu, expérimenté, témoigné par des sujets à un haut degré, ou bien qu'une façon socialisée qui a marqué dans l'histoire. C'est un immense domaine, aujourd'hui très travaillé. Nous disposons d'exposés de grande valeur. Ce que le théologien étudie, il voit que cela a été vécu, expérimenté, et comment. Ici comme ailleurs, les études *sur* sont indispensables, mais rien ne vaut la fréquentation directe des auteurs, des *originalia*.

---

61. *Etudes sur le latin des chrétiens*, 3 vol.

62. R. AIGRAIN, « Comment utiliser pour l'histoire les inscriptions chrétiennes ? » in *Revue d'histoire de l'Eglise de France*, 1952, pp. 289-340. Il faut évidemment connaître l'inscription d'Abercius et celle de Pectorius (en grec, la plus ancienne inscription chrétienne de France. Musée d'Autun).

63. O. CASEL, « Ælteste christliche Kunst und Christusmysterium », in *JLW*, t. 12, 1932, pp. 1-86 ; L. de BRUYNE, « la Décoration des baptistères paléochrétiens », in *Miscellanea liturgica L.C. Mohlberg*, I, Rome, 1948, pp. 189-220. Déjà ancien (1903), l'article « Art chrétien primitif », in *DThC*, t. I, col. 1995-2022, par B.S. Bour.

64. F.-A. ISAMBERT, « Religion populaire, sociologie, histoire et folklore », *Arch. Sc. soc. des Rel.*, 1977, 43, p. 161-184 ; COLLECTIF, Ph. ARIÈS et alii, *Religion populaire et Réforme liturgique*, Cerf, 1975 ; V. LANTERNARI, « La Religion populaire », in *Arch. Sc. soc. Rel.*, 1982, 53/1, 121-143.

Dictionnaire de Spiritualité, Paris, Beauchesne, 1937 ss.

P. POURRAT, *la Spiritualité chrétienne,* 4 vol., Paris, 1931-1939.

M. VILLER, *la Spiritualité des premiers siècles chrétiens,* Paris, 1930.

H. BREMOND, *Histoire littéraire du sentiment religieux en France depuis les guerres de religion jusqu'à nos jours,* 11 vol., Paris, 1916-1936.

F. CAYRÉ, *Patrologie et Histoire de la Théologie,* III. *Maîtres modernes de la vie chrétienne,* Desclée, 1943.

Histoire de la spiritualité chrétienne (Aubier). I. L. BOUYER, la *Spiritualité du Nouveau Testament et des Pères,* nouv. éd. 1966. II. J. LECLERCQ, F. VANDENBROUCKE, L. BOUYER, *la Spiritualité du moyen âge,* 1961. III*. L. BOUYER, *la Spiritualité orthodoxe et la spiritualité protestante et anglicane,* 1965. III** L. COGNET, *la Spiritualité moderne,* 1966 (jusqu'à Port-Royal).

J. LECLERCQ, *Aux sources de la Spiritualité occidentale. Etapes et constantes,* Cerf, 1964 ; ID., *Témoins de la spiritualité occidentale,* 1965.

A. VAUCHEZ, *la Spiritualité du moyen âge occidental. VIIIe — XIIe siècles,* PUF, 1975 (excelle à situer la spiritualité dans l'histoire globale ; ne néglige pas la pratique des laïcs).

Et. DELARUELLE, *la Piété populaire au moyen âge,* Bottega d'Erasmo, Turin, 1975 (même remarque. Recueil d'articles riches et suggestifs. Bas moyen âge).

On peut compléter, pour la spiritualité Orthodoxe. Citons, pour une initiation :

V. LOSSKY, *Essai sur la théologie mystique de l'Eglise d'Orient,* Paris, 1944 (devenu classique).

M.J. LE GUILLOU, *l'Esprit de l'orthodoxie grecque et russe,* Fayard, coll. « Je sais, je crois », 1961.

J. MEYENDORFF, *S. Grégoire Palamas et la Mystique orthodoxe,* Seuil, 1959.

A titre de textes originaux assez inégalables : NICOLAS CABASILAS, *la Vie en Jésus-Christ,* trad. S. Broussaleux, Amay, s.d. (1932) ; *Récits d'un Pèlerin russe,* trad. J. Gauvain.

On a parlé d'une spiritualité du laïc, d'une spiritualité conjugale, d'une spiritualité du prêtre diocésain. Ce sont là des distinctions théologiquement discutables, mais l'histoire, qui fait connaître ce qui a été, peut retracer la genèse et le destin de ces essais. Cependant, ils sont trop proches de nous pour que cette histoire soit faite. On peut seulement dépouiller les revues correspondantes.

En se gardant soigneusement du syncrétisme (cf W.A. VISSER'T HOOFT, *l'Eglise face au syncrétisme,* Genève, 1964), on peut s'orienter dans l'étude des spiritualités juive, musulmane, bouddhiste, hindoue. En reconnaissant, d'ailleurs, que, venant d'ici ou de là, la vraie profondeur spirituelle rejoint la profondeur spirituelle. On peut commencer par la Déclaration conciliaire *Nostra ætate*, avec les commentaires du volume *Vatican II. Les relations de l'Eglise avec les religions non chrétiennes*, Cerf, coll. « Unam Sanctam », n° 61, sous dir. A.-M. Henry, 1966. A compléter, pour le judaïsme, par la *Déclaration* de la Commission romaine du 1er décembre 1974 (*DC*, n° 1668 : 19 janv. 1975, pp. 59-61) : « L'histoire du judaïsme ne finit pas avec la destruction du temple de Jérusalem, mais elle s'est poursuivie en développant une tradition religieuse dont la portée... demeure riche de valeurs religieuses. »

Nous ne pouvons ici qu'ajouter quelques titres de qualité :

J.-A. CUTTAT, *la Rencontre des religions*, Paris, 1957.

R.C. ZAEHNER, *Inde, Israël, Islam. Religions mystiques et révélations prophétiques*, Introd. de J.-A. Cuttat, Desclée De Brouwer, 1965.

E. CORNÉLIS, *Valeurs chrétiennes des religions non chrétiennes*, Paris, 1965.

Sur le judaïsme, G.G. SCHOLEM, *les Grands Courants de la mystique juive*, Paris, 1968.

Sur l'Islam, L. GARDET et G. ANAWATI, *Mystique musulmane*, Paris, 1961 ; *Concilium*, Beauchesne, n° 116, sept. 1976.

VIII. HISTOIRE ET ŒCUMÉNISME

La conjonction *et* est ouverte à plusieurs possibilités de relation. Cela peut signifier l'histoire de l'œcuménisme, et même des tentatives de réunion qui l'ont précédé, pourquoi elles ont échoué [65]... Cela peut signifier, à l'intérieur de cela, l'histoire des voies successives d'approche qui ont commandé les relations entre chrétiens désunis [66]. Le Concile Vatican II et ses suites mérite une étude particulière. Mais

65. M. TABARAUD, *Histoire critique des projets formés depuis 300 ans pour la réunion des Communions chrétiennes*, 2e éd., Paris, 1824. L'histoire la plus complète n'existe qu'en anglais : R. ROUSE et St. NEILL, *History of The Ecumenical Movement*, Londres, 1958 ; *The Ecumenical Advance. A History of The Ecumenical Movement*, II. 1948-1968, éd. H.E. Frey, Londres, 1970 (cf. *Irénikon*, 1970, pp. 110-123). G. TAVARD, *Petite histoire du Mouvement œcuménique*, Fleurus, Paris, 1960. G. THILS, *Histoire doctrinale du mouvement œcuménique*, 1955, nouv. éd., Paris-Louvain, 1963.

66. Y. CONGAR, « la Rencontre des Confessions chrétiennes dans le passé et aujourd'hui », in *Parole et Mission*, janvier 1959, pp. 103-123 ; repr. in *Chrétiens en dialogue*, Cerf, 1964, pp. 157-184 ; M.-J. LE GUILLOU, « Des controverses au dialogue œcuménique », in *Istina*, 1958, pp. 65-112.

cela peut signifier aussi le rôle de la connaissance de l'histoire dans le travail œcuménique. Elle peut jouer de trois façons : a) La connaissance et la valorisation de ce qui nous est commun, de l'héritage de l'« Eglise indivise » : Pères, liturgie, mission. b) La connaissance des causes et du développement des déchirures : comment on en est venu là ; qu'ont voulu exactement les contestataires ? Comment les « motifs non théologiques » (culturels, politiques, passions humaines, individus) ont joué avec les motifs doctrinaux, et souvent de façon plus déterminante [67]. La connaissance de l'histoire vraie arrive parfois à faire conclure que la division repose sur de purs malentendus [68]. Ou elle permet de réouvrir une cause dont le dossier avait été mal fait [69]. c) La connaissance de la vie, du statut et du régime, de la théologie, de la spiritualité, de la liturgie qui se sont développés dans les autres communions depuis la rupture : un domaine immense !

On tiendra compte aussi de la collaboration œcuménique de fait en théologie dans nombre d'œuvres contemporaines, de l'exégèse (par exemple la Traduction œcuménique de la Bible, Ancien et Nouveau Testament, Paris 1972 et 1975) à la dogmatique (en particulier les commissions œcuméniques mixtes) [70].

---

67. G.-H. DODD, G.-R. CRAGG, J. ELLUL, *les Causes politiques et culturelles des divisions des Eglises*, Genève (Foi et Constitution), 1952.

68. Pie XII l'a reconnu pour les « monophysites » (qu'on appelle aujourd'hui « préchalcédoniens ») : encycl. *Sempiternus Rex*, 8 septembre 1951 (AAS, t. 43, 1951, pp. 636-637) ; F. Heiler le dit pour les « nestoriens » : *Œkumenische Einheit*, 1948, pp. 15 ss.

69. Ainsi la déclaration commune du groupe mixte de travail entre Eglise catholique romaine et Eglise janséniste d'Utrecht : *DC*, 1967, pp. 24-26.

70. Sur les accords théologiques, par ex : Y. CONGAR, *Diversités et Communion. Dossier historique et conclusion théologique*, Cerf, Paris, 1982 ; J.E. DESSEAUX, *Dialogues théologiques et accords œcuméniques*, Cerf, Paris, 1982.

CHAPITRE III

Théologie dogmatique

par ADOLPHE GESCHÉ

SOMMAIRE. — I. Besoins externes : A) Les sciences humaines ; B) La crise de la métaphysique occidentale ; C) L'histoire ; D) Une nouvelle herméneutique du sens et de la vérité ; E) La praxis et l'action. II. Besoins internes : A) Le mouvement œcuménique ; B) La redécouverte de l'Ecriture ; C) Les rapports entre magistère et théologiens ; D) Les transformations de la théologie fondamentale. Conclusion. Bibliographie.

On voudrait confusément que la théologie dogmatique, chargée d'assurer le service d'intelligibilité de la foi sous son rapport doctrinal, échappât au destin des autres savoirs humains : celui d'être toujours situés et datés, c'est-à-dire marqués par les échéances de l'histoire et les aléas de la culture. Et le rêve d'âges d'or (la patristique grecque et latine, la grande scolastique du moyen âge, la théologie française de l'après-guerre au Concile, par exemple) hante particulièrement nos mémoires et nostalgies. Mais c'est oublier que ces âges d'or (et ce pluriel déjà est significatif), malgré leur incontestable et fascinante réussite, étaient liés à une culture historiquement repérable. Et c'est précisément à cet enracinement qu'ils ont dû, pour la plus large part, leur exceptionnel succès. On ne gagne jamais — les périodes creuses de la théologie en témoignent — à manquer les rendez-vous de l'histoire. Il ne faut donc ni se troubler de ces circuits à première vue déroutants ni redouter, au contraire, les destinées nouvelles qui s'ouvriront toujours.

Certes, et c'est ce qui explique l'embarras, la foi chrétienne demeure et doit demeurer inchangée dans la fidélité à son expérience inaugurale, qui en assure le noyau irrémissible sous peine, tout simplement, de n'être plus elle-même. En dehors de tous les recours à la culture et à ses instruments, la théologie tient en spécificité d'être centrée sur l'Ecriture : *Sacra Pagina, Sacra Doctrina, Theologia dogmatica, Sacra Eruditio, Sacra Scriptura,* etc. sont des termes pratiquement équivalents et interchangeables, et qui montrent bien l'unique lieu référentiel de l'appropriation théologique de la foi. Il n'empêche, toute science humaine, et la théologie en est une, a son lieu marqué dans l'homme, être historique. Et l'on peut même se demander, plus fondamentalement, si la foi elle-même ne se donne pas toujours dans un lieu strictement humain. Certes, Dieu en lui-même, la Révélation dans son avènement christique et la grâce dans sa donalité intrinsèque demeurent toujours les mêmes dans leur transcendance. Mais dans l'économie de don, de pour-nous, qui nous en est faite, et à quelque moment que ce soit, qui donc pourrait nier que ces « choses de la foi » ne se livrent à nous que dans une énonciation (une révélation) épousant les méandres de notre historicité, dans un pensé et un dit ? Il n'y a pas pour l'homme d'autre lieu natal de la réalité que celui de la parole et du langage, où se presse et se configure tout ce qui lui advient, fût-ce de Dieu lui-même. A fortiori en est-il ainsi de la théologie, dont le sort, ainsi que l'a si bien compris un saint Thomas d'Aquin, se joue dans un penser *(cogitatio fidei)* et un dire *(enuntiabile, dicendum)*. Point de connaissance, à quelque niveau que ce soit, qui ne soit marquée par ces conditionnements culturels, hors lesquels elle ne serait qu'atemporalité illusoire et mythique.

Aussi bien voit-on de toujours s'instaurer cet ancrage de la théologie dans la situation générale. Qu'il s'agisse du IVe, du XIIIe ou du XXe siècle, c'est dans les défis du temps comme dans ses ressources propres qu'elle cherche les chemins de sa défense et de son illustration. Au fond — et à condition de bien entendre le mot dans son ingénuité grecque d'instance de jugement, c'est-à-dire moment de discernement et de décision — la théologie s'inscrit presque toujours en situation de « crise » *(crisis)*. Toute grande époque s'annonce par des nouveautés et des mutations, parce que l'histoire est vie. A chaque fois, ces nouveautés et mutations en appellent au discernement, qui en apprécie les défaillances et les richesses, et aux décisions qui en assurent la correction ou l'adoption. L'histoire culturelle est toujours ouverture de besoins nouveaux dont l'aspect dérangeant, souvent plus évident, n'en doit pas dérober la promesse, généralement plus dissimulée, de progrès et d'ascension. A seule condition, pour la théologie, de ne jamais s'y inféoder au point de s'y dissoudre.

Nous verrons ici que ces besoins qui surgissent peuvent être internes ou externes. Internes, lorsque la vie de la foi se trouve interpellée ou secouée par des difficultés ou des chances nées en son propre sein : grandes hérésies des premiers siècles, enjeux du concours de la grâce et de la liberté aux XVIe et XVIIe siècles, discussions sur la transcendance et l'immanence au début du XXe, etc. Externes, lorsque l'Eglise se voit affrontée à des requêtes ou à des découvertes avancées par la profanité : sursaut du paganisme à l'époque d'Origène, avènement de l'aristotélisme au XIIIe siècle, entrée en force de la science au détour des XIXe et XXe siècles. Ces ruptures peuvent bouleverser la théologie, l'entraînant quelquefois en des cuvettes de l'histoire où point l'effondrement ou la désagrégation. Mais elles ont surtout valeur de ruptures qui font sens, permettant à la théologie de partir sur frais nouveaux et dans une promotion de son éloquence. Chaque fois que la théologie a su, et elle le doit, réagir avec sérénité et discernement à ces réclamations et trouver le geste décisif et bienvenu, elle s'est acquis une conquête déterminante et donné une destinée nouvelle.

Nous croyons que l'heure a sonné aujourd'hui d'une destinée à certains égards plus superbe qu'autrefois. Jamais peut-être l'ombre de la conjoncture, hors les murs et dans les murs, ne fut plus inquiétante : l'ère du soupçon marque notre modernité d'un trait incisif. Mais jamais non plus ce mal-être ne s'est révélé aussi incitant à l'audace de percer des avenues prometteuses. Cela, parce que jamais auparavant la connaissance des conditionnements culturels dans lesquels nous opérons, n'aura été si vive et que, paradoxalement, c'est dans l'adieu à l'innocence que se conjuguent les chances d'une nouvelle invention et les beaux risques d'une aventure. C'est du jour où Icare, renonçant à la naïveté d'ignorer les lois de la pesanteur, consentit à en tenir compte, qu'il parvint à défier leur fatalité et à prendre son envol.

I. BESOINS EXTERNES

A) LES SCIENCES HUMAINES

A cet égard, rien n'est peut-être et d'emblée plus significatif que l'irruption et le déploiement des *sciences humaines* dans tous les réseaux de notre modernité. Elles ne sont évidemment pas sans passé. Déjà certaines d'entre elles — l'histoire, le droit, la philologie — ont joué un rôle déterminant en ce qui regarde l'Ecriture (dont la théologie est toujours un commentaire, fût-il spéculatif) en entreprenant une première ébauche de distinction entre autorité divine et autorité humaine. Mais les sciences humaines ont acquis, outre des champs nouveaux (sociologie, anthropologie, etc.), une pertinence et une audience qui ne font que grandir. Elles offrent fondamentalement une analyse des réglementations non soupçonnées du comportement humain, singulièrement dans l'ordre de la connaissance. Et cela, avec une richesse, parfois affolante, de moyens d'analyse. On ne peut pas en refuser les leçons. Elles consistent essentiellement en un déplacement du sujet pensant et triomphant tel que Descartes, précédé par le semi-rationalisme médiéval et poursuivi par l'idéalisme allemand, l'avait posé dans son centre royal de verdict conscient sur toute réalité. La sociologie a détrôné le sujet individuel pour lui substituer, en bonne partie tout au moins, le conditionnement par la complexité sociale : point de savoir qui ne soit marqué par le poids d'allégeances de groupe qu'ignorait le savant se croyant en tour d'ivoire. La psychanalyse a démystifié le sujet-Moi, en lui rappelant un « on » ou un « ça », démasqués comme autrement et combien plus maîtres à bord : point de conscience qui ne soit précédée d'un inconscient et entourée d'un subconscient qui la gouvernent en grande part. Les structuralismes et l'anthropologie culturelle, pour prendre un dernier exemple, sans aller tous jusqu'à proclamer la « mort de l'homme » comme sujet (Foucault) devenu simple objet, n'en déterminent pas moins les mécanismes de construction : des structures, antérieures à la position du sujet comme personne, prévalent pour une large part dans la constitution de son langage et de sa connaissance, dans son appréhension du monde. On est loin du romantisme du sujet qui, de l'historicisme à l'existentialisme encore, réservait une place privilégiée au Je humain.

Certes, pas plus qu'aucune autre discipline, la théologie ne doit se laisser intimider par ces mises au jour, au point de croire avoir perdu le droit à toute autonomie. Et cela d'autant plus que ces sciences nouvelles de l'homme lui reconnaissent elles-mêmes une autonomie (Berger), et qu'elles-mêmes ne sont pas d'ailleurs à l'abri de justes critiques. Bien plutôt doit-elle en accueillir les leçons avec sang-froid scientifique et y voir les chances d'une meilleure maîtrise de son objet. Ces sciences de l'homme jouent au fond, d'une certaine manière, le rôle jadis imparti à la théologie négative : celui de mettre toujours en suspens une tendance naïve à croire posséder son objet dans une immédiateté ou une transparence sans failles. La situation où se trouve aujourd'hui la rationalité, celle de « vérité éclatée » (Ladrière), rappelle opportunément au théologien que son savoir a le caractère fragmenté d'un miroir (cf. 1 Co 13, 12), où ne fait que se réfléchir la gloire de son Seigneur (cf. 2 Co 3, 18) et la perfection du face-à-face (1 Co 13, 12). La théologie ne peut plus, avec la même évidence que jadis, lire son Ecriture et scruter sa Tradition. Des instruments neufs lui réenseignent les limites de ses pouvoirs. Science de la foi, elle ne se confond pas avec elle, ni surtout avec le terme *(telos)* « à découvert » vers lequel elle tend eschatologiquement. Aucune science n'est innocente. Ni à l'égard de ses propres présupposés — même si elle peut et doit en avoir — ni à l'égard des rôles idéologiques qu'on voudrait lui voir jouer. La théologie gagnera en conquête de vérité chaque fois qu'elle décidera, en plus grande lucidité, d'un destin qui la préserve au mieux de toute tentation à un savoir absolu ou transparent. Mon discours est toujours situé par ce que je suis amené à dire, le public auquel je m'adresse et le lieu d'où je parle.

B) LA CRISE DE LA MÉTAPHYSIQUE OCCIDENTALE

Il est un deuxième domaine dans notre modernité où l'on assiste exemplairement à cet ébranlement de la subjectivité naïve. Je veux parler de la crise de la métaphysique occidentale, laquelle s'est livrée à une véritable déconstruction de son propre dessein. Quand on sait l'importance de l'adossement de la théologie à la métaphysique depuis son origine, on ne manquera pas de se sentir ici invité à des révisions importantes. Non pas que la théologie soit restée aveugle aux risques d'inféodation. Les protestations pauliniennes et patristiques contre les sagesses de ce monde en faveur de la folie de la croix, les corrections incessantes de l'aristotélisme entreprises par la grande scolastique en témoignent à suffisance. Mais le mouvement général du gouvernement théologique fut celui d'une « patriotique » confiance dans les ressources de la raison philosophique dont elle fit sa principale auxiliaire (*philosophia, ancilla theologiae*). Et, certes, la théologie ne peut se passer de cette médiation, mais elle ne peut en user dans la méconnaissance des mutations qui affectent le destin de la métaphysique en son propre champ. Cette transformation a pris, on le sait, les chemins de la critique de l'ontothéologie qui pense Dieu comme étant suprême et l'être sous la forme de l'étant, en ne rendant justice ni à Dieu ni à l'être. Annoncée par Kant, poursuivie chez Nietzsche, pratiquement accomplie avec Heidegger, cette critique de l'ontothéologie est à même de nous conduire à une meilleure appréciation de nos présupposés, à une meilleure maîtrise des droits propres de la foi et à une nouvelle aventure de l'Etre dans l'esprit humain. Quand on sait la place de l'*analogia entis* en théologie, on ne peut qu'être en attentive alerte.

En signalant que la métaphysique occidentale avait oublié la différence entre l'Etre (dans sa primordiale et permanente fontalité d'origine) et l'étant (telle forme d'être prise dans telle apparition phénoménale), Heidegger a montré le chemin d'une nouvelle ontologie. L'Etre ne doit pas être déchiffré à partir de l'étant (méta-physique), fût-il l'Etant suprême (onto-théologie), car celui-ci n'a justement pas à être pensé comme un simple étant, mais à partir de lui-même (onto-logie). Le drame de la métaphysique occidentale a été celui de la représentation, au double sens théâtral et diplomatique du terme. Comme si l'Etre pouvait être rendu présent dans un étant, re-présenté dans le regard du sujet qui le ré-fléchit ou dans un concept qui s'y substitue. La philosophie de l'être doit quitter l'ontique (l'étant) pour retrouver l'ontologique (l'être), là où il se dit lui-même, abandonner donc le *Vorstellen* (représenter) où je parle d'avance et à sa place (remarquer toujours le déplacement du sujet), pour laisser parler et pour écouter le *Darstellen* (le présenter de la chose par elle-même déjà là). L'Etre parle lui-même, et c'est donc à *sa* manifestation que nous sommes invités, non à notre préconception.

Cette déconstruction de la métaphysique classique n'est donc pas le moins du monde la destruction d'un projet aussi vieux que le monde et indispensable à sa pensée, mais l'invitation à une reconstruction où l'Etre serait réécouté dans son lieu natal et son automanifestation. L'adieu aux philosophies de la représentation (Ladrière) ne doit pas sonner comme un congé donné à la raison. Bien plutôt invite-t-il à en retrouver l'éclat et la lumière. Les philosophies de la représentation (la métaphysique cosmologique ou anthropocentrique) maintenaient leur objet dans la prison d'un regard spéculaire (miroir), prisonnier d'un sujet qui lui dictait son apparition. Laquelle, au fond, ne pouvait qu'être imaginaire, enfermée dans l'identité, solipsiste, répétitive (re-présentation), méconnaissant l'altérité, la différence (présentation). Il ne s'agit donc pas de renoncer à l'Etre, au contraire, mais de le faire advenir, « autrement » (Lévinas), dans la gloire et la grandeur de sa propre effectuation.

On voit tout de suite — surtout si on pense que dans le mot « Dieu » il y a encore plus que dans le mot « Etre » (Ricœur) —, ce que pareil changement de destin de la philosophie implique pour la théologie spéculative. On sait à suffisance combien elle a lié une grande part de son sort à la métaphysique occidentale, depuis les Pères jusqu'à nous en passant par la gigantesque entreprise scolastique. Il n'est pas question de dénigrer la chose : où en serions-nous si cette haute tâche de rationalité n'avait pas été engagée ? Nous serions condamnés aux perpétuelles tentations fidéistes et fondamentalistes. Les droits de la raison, don de Dieu à l'égal de la révélation et patrie de l'homme en toutes ses régions, sont droits imprescriptibles, hors desquels on précipiterait l'énonciation de la foi dans les sirènes de l'arbitraire et les risques de l'absurdité. Mais il faut reprendre cette tâche sur frais nouveaux, en tenant compte des avertissements donnés et dans une alliance qui ne soit pas allégeance, oubli d'un droit propre à manifester sa vérité d'être.

Au reste, sans nous préoccuper davantage de l'œuvre à accomplir par la philosophie pour se dégager de l'ontothéologie, soucions-nous désormais de guider la théologie hors des sentiers de ce que j'appellerais la *théoontologie*, c'est-à-dire d'une théologie où Dieu est victime des interdits (Bruaire) que lui inflige le théisme philosophique qui n'a réussi qu'à construire un Dieu à notre image et ressemblance. C'est de ce Dieu que les théologiens de la mort de Dieu ont dénoncé la disparition culturelle.

De nombreux efforts sont consentis aujourd'hui pour laisser Dieu être Dieu, tel qu'en lui-même (Ricœur, Urs von Balthasar, Duquoc,

Marion). La théologie, sans renoncer aux indispensables médiations (ici, celles d'une nouvelle ontologie), doit reconquérir ses droits et ceux de sa foi et de son Dieu, en rompant avec la philosophie représentative. Elle doit s'en affranchir en découvrant les chemins qui laissent place à une épiphanie de Dieu. Le vieux mot de révélation retrouve tout son sens. Il est vrai que la théologie ne pourra jamais faire l'économie de concepts. Mais ces concepts doivent connaître leurs limites de pré-jugés sans cesse à déconstruire et se faire mieux reconnaître comme concepts ouverts, puisqu'ils sont pensés dans une perspective eschatologique. Le déclin de la métaphysique occidentale ne sera pas celui de la théologie, si celle-ci, acceptant de se penser hors des discours de représentation, veut bien se méditer dans ceux de *l'avènement*. De l'avènement d'un Dieu qui se montre dans les événements (l'Incarnation en est le paradigme), dans l'histoire et dans le monde, plus que dans le royaume des idées ; dans l'altérité plus que dans l'identité (la règle de l'analogie qui insistait plus sur la différence que sur la ressemblance l'avait bien pressenti) ; dans l'écart, le surcroît et l'excès plus que dans l'immédiateté du regard, de la vision et de la contemplation qui souvent ne voient que leur propre reflet (la théologie de la grâce — gratuité — et de l'*auditus fidei* l'avait bien compris, qui se souvenait que « Dieu, personne ne l'a jamais vu », Jn 1, 18, mais que Jésus en avait parlé : « et c'est ce que j'ai entendu de lui que je dis dans le monde », Jn 8, 26).

C) L'HISTOIRE

Au reste, cette rupture avec les philosophies de la représentation s'accompagne d'un apport considérable venant d'un autre horizon de pensée, celui de l'histoire, — et dont on voit tout de suite ce qu'il peut constituer comme correctif à une vision trop idéelle du destin de la pensée. Ne songeons pas seulement, encore qu'il faille en parler, au rôle joué en théologie par l'essor des sciences historiques au XIXe siècle. Ce concours, d'ordre positif (non spéculatif), a déjà rendu un double service. D'une part, celui de fournir à la théologie, dans sa fonction positive aussi bien que réflexive, cette base d'intégrité que constitue une documentation dûment établie. Si, comme le proclamait Léon XIII, l'Eglise — et nous ajouterions ici : la théologie et l'apologétique — n'a pas besoin de mensonges, il est bien évident que la critique historique, portant sur les sources scripturaires, patristiques, conciliaires et canoniques, a permis à la théologie dogmatique de ne pas s'installer dans la méprise vis-à-vis des faits. D'autre part, et c'est plus important encore, ce recours positif aux leçons de l'histoire a permis à la théologie, non sans difficultés, de ne pas s'installer dans le sommeil chronologique. La discipline historique lui a apporté cette précieuse position de recul, hors laquelle une judicieuse appréciation et mise en situation de son donné est impossible.

Mais il y a plus aujourd'hui, disions-nous, en considérant le plan spéculatif lui-même. Chez plusieurs penseurs en effet (Gadamer, Bruaire, Marrou, Ricœur), le fait historique ne se réduit pas à sa factualité. Il atteint la dignité de l'intelligibilité : il y a dans l'historique, dans le contingent, un facteur de rationalité qui lui permet, non seulement d'être posé, mais de pouvoir être pensé et même d'être intégré dans une rationalité théorique. Le fait historique est porteur de sens et source de vérité, il n'est pas livré à la seule fortuité de la contingence, il appartient à l'émergence même de la vérité, ainsi que l'avait pressenti Hegel. Le réel est transi d'intelligibilité, il ressortit, autant sinon parfois plus que l'idée, au royaume de la pensée, dès lors qu'on le voit non seulement comme événement mais comme avènement, trace mais aussi révélation, recensement mais encore instauration. Il y a une raison historique.

On voit tout de suite l'importance de cette mutation dans l'accueil du donné événementiel si coextensif au fait chrétien. Certes, bien des théologiens de l'après-guerre avaient retrouvé et restitué le sens de l'histoire du salut. Mais ils ne l'avaient pas fait sans une certaine naïveté positiviste et épistémologique qui laissait en panne le passage aux exigences spéculatives de la pensée. Or voici que, avec les auteurs cités, l'histoire n'entre plus seulement, comme avec Pannenberg et Moltmann (déjà en net progrès par rapport au positivisme) dans l'établissement du geste théologique, mais dans sa construction et son élaboration. On assiste ici en effet à l'apparition d'une positivité non simplement positive, mais créatrice. Le donné historique n'est pas seulement un incident de fait, mais un événement de droit, comme l'avait déjà annoncé l'existentialisme (thème de l'historicité de l'homme) : l'historique est lieu de sens et de vérité. C'est ainsi que la Tradition, tant bafouée dans certains mouvements « éclairés », mais dont on sait l'importance en christianisme, n'apparaît plus simplement comme le recueil presque statistique de données, mais comme production axiologique de vérité. Elle est à la fois histoire qui (se) pense et pensée de l'histoire. La tradition n'est pas lettre seulement, mais scène où advient l'esprit. Ce retournement est d'un enjeu décisif. Dès là que l'historique peut être pensé et pensée, on peut surmonter la fameuse aporie de Lessing, au siècle des Lumières, demandant comment des vérités (universelles) pouvaient être suspendues à des événements (particuliers). Nécessité et contingence, dont la contradiction apparente avait tant pesé sur la conscience théologique, en sortent réconciliées. Ce n'est pas seulement l'abstrait qui parle à notre intelligence, mais le concret. Il y a un universel concret (Weil), ou mieux : un concret universalisable, qui a valeur intrinsèque de vérité. L'histoire, les choses parlent. Où l'on voit à nouveau ce déplacement du sujet, dont nous disions qu'il est caractéristique de notre révolution culturelle.

Cette restauration de la noblesse spéculative de l'historique est évidemment capitale pour une théologie qui se veut celle d'une Incarnation, pour laquelle le logos s'est manifesté dans la chair de la contingence. Sans crainte de patoiser et sans réticence devant l'événement devenu avènement, on peut désormais prendre spéculativement au sérieux les manifestations historiques de Dieu. L'Etre parle dans l'histoire. Et l'on peut, du même coup, renouveler la compréhension des attributs concrets de Dieu (amour, passibilité, vulnérabilité), loin des attributions froides et intemporelles de la conceptualisation classique. Dieu peut redevenir le Dieu d'hommes qui en ont fait une expérience historique.

D) UNE NOUVELLE HERMÉNEUTIQUE DU SENS ET DE LA VÉRITÉ

Il est un quatrième domaine où un apport extérieur est devenu décisif pour la théologie dogmatique. Il s'agit de la nouvelle herméneutique. Elle s'illustre en deux directions : celle du sens et celle de la vérité, pour donner à la théologie le destin d'un service de bonne nouvelle.

L'herméneutique est d'abord la mise au jour du sens, puisqu'elle est science de l'interprétation. Mise au jour du sens qui trouve d'entrée de jeu, dans la foi, comme une double complicité, une double élection. D'abord parce que la foi, en tant que message et don de salut, est par elle-même porteuse de signification, donatrice de valeurs et promesse de raisons de vivre. On comprend que l'herméneutique trouve ici un véritable champ d'élection et que la théologie, de son côté, trouve en elle une possibilité de mise en valeur singulière de son propos. A cet égard, une certaine requête de la primauté du sens sur le seul souci de la vérité objective (théologie rationnelle classique) augure d'une singulière fécondité en théologie. Certes, cette promotion du sens devra toujours être contrôlée par la signature de la vérité : il ne suffit pas que quelque chose ait du sens pour que ce soit vrai ; ce serait tomber dans un nouveau piège positiviste, celui du positivisme herméneutique. Mais, sans oublier ce devoir, la théologie dogmatique reçoit de la science de l'interprétation la richesse d'un déploiement de valeurs. Il n'est pas jusqu'au mot « dogme » qui ne retrouve ici sa coloration de *doxa* (gloire, louange) auquel il est apparenté et qui signale son pointage vers les valeurs. Et l'herméneutique trouve un second champ d'élection en théologie du fait que l'écriture de la foi est particulièrement buissonnante en symboles. Cela de par la nature même d'un propos qui ne peut viser l'indicible et visiter l'invisible que par des signes. L'intense effort de déploiement de l'expression symbolique en herméneutique, effort confirmé encore par l'exploration des mythes en psychologie et la promotion des images et métaphores en linguistique, contribuera à une véritable jouvence de la théologie. Les pages consacrées dans ce volume à l'apport des sciences du langage doivent exprimer cette luxuriance du langage religieux, enfin redécouvert comme un langage propre et irréductible. Délivrée d'une trop stricte obédience au concept — dont le service reste indispensable, mais qui avait précipité la basse scolastique dans un jeu vide et lassant — la théologie dogmatique se voit restituer des figurations autrement vives pour donner cours à ses compétences et à ses performances de Parole. Singulièrement, la théologie sacramentaire se trouve rendue à des instruments qui rendent autrement compte que les catégories juridiques (validité, licéité, etc.) de la charge symbolique toujours reconnue aux sacrements (« signes sensibles »). Le symbole donne à penser, disait Ricœur. Je crois, comme je le disais déjà de l'histoire, que nous ne sommes pas loin de pouvoir dire aujourd'hui que le symbole pense et est pensée.

Mais il y a plus encore. L'herméneutique nouvelle ne se borne pas à délivrer le sens. Il importe infiniment de reconnaître qu'elle est aussi à l'œuvre pour arracher la vérité des choses. Elle est en effet mise en œuvre de la réalité qui, en la faisant parler (« Les choses parlent »), en exhibe la vérité. L'herméneutique n'est pas simple monstration de significations, elle est une véritable instauration de logos, une ontologie. Elle se développe en effet comme une entreprise de recherche de la vérité en creusant la chose par une ostension de son logos intérieur. Une fois de plus, nous assistons ainsi à un heureux déplacement du sujet, qui apparente l'herméneutique à une maïeutique. Dans la théologie classique, on cherchait fondamentalement la vérification en faisant appel à des notions extrinsèques au donné, où le sujet connaissant occupait en quelque sorte une position de survol ou de surplomb : l'ontothéologie en est un exemple majeur. Ici, c'est à la chose même (à la *Sache*) qu'on demande de se manifester et de manifester son auto-compréhension. Auto-compréhension qui n'a rien de solipsiste, car, ne se trouvant qu'en elle (« Je suis qui je suis »), elle ne peut se manifester que sous forme de révélation, d'épiphanie, de production (Levinas), où toute ingérence extérieure, quand elle est totalitaire, se présente comme destructive du faire-voir, du laisser-se-voir. Aujourd'hui, c'est en dé-couvrant la rationalité (le *logos*) interne d'une confession de foi qu'on en percevra la vérité propre. Pour ne prendre qu'un exemple, est-il possible de comprendre ce que dit et signifie le dogme christologique de « Jésus, Fils de Dieu », si l'on part d'une préconception de ce qu'est Dieu, si on ne laisse pas advenir au jour ce qui se trouve constellé dans cette confession, et qui exprime une découverte bouleversante et inouïe de Dieu de la part de ceux qui furent témoins d'un retournement de toutes ou presque toutes les idées reçues ?

E) LA PRAXIS ET L'ACTION

Un cinquième champ de la pensée contemporaine vient apporter à la théologie la chance d'un dessein nouveau. Je veux parler de la praxis et de l'action, dont Blondel *(Philosophie de l'action)* a bien montré qu'elle pouvait être lieu original de pensée, et dont notre civilisation, sur le plan social et politique, a un sens aigu. Après avoir parlé d'herméneutique, dont la visée porte sur l'être et son interprétation, il peut sembler curieux de soumettre maintenant notre attention sur l'action, laquelle porte sur un à-faire et sur une transformation. L'opposition n'est qu'apparente, ou plutôt elle ne joue que là où, victime une nouvelle fois des schèmes répétitifs de la représentation, nous imaginons la réalité comme un système totalisé et clos, terminé, où rien ne peut plus advenir et où la vérité s'arrête aux bords de la contemplation. Mais il n'en est rien. « Celui qui pratique la vérité vient à la Lumière » (Jn 3, 21). S'il est déjà vrai que la réalité physique *(phusis, phueïn)* est devenir (Whitehead, Prigogine, Stengers), et n'est pas un donné simplement disponible (Ladrière), mais un donné qui se fait et où peuvent toujours advenir des figures nouvelles, combien cela est-il vrai des choses de la foi ! Dans la logique de la création et de la grâce, surtout si elle est saisie dans une visée eschatologique où, malgré le déjà-là, tout n'est pas encore donné, nous sommes en régime d'appel et d'espérance : « La foi est substance de choses qu'on espère et assurance de choses qu'on ne voit pas » (He 11, 2). L'ordre de la création et de la grâce est celui où toutes choses nouvelles sont à faire (cf. Ap 21, 5). L'action ne vient pas contredire la réalité, mais la porter à son accomplissement. Car la réalité n'est pas système, mais « horizon universel de constitution (...) qui commande (...) une genèse de sens », et « c'est par rapport à un tel horizon que le concept de pratique, et donc d'action, peut être vraiment compris » (Ladrière).

On saisit que, dans pareille perspective, *dogmatique et morale* soient difficilement dissociables. Au reste, ce n'est que dans un passé récent, à partir du XVI-XVIIe siècle, où la casuistique et la controverse sur des questions particulières de l'agir chrétien ont pris une consistance singulière, que ces deux disciplines se sont trouvées dissociées, la dogmatique de son côté ayant pris un tel tour de sécheresse que la morale avait besoin de se conquérir sur propres frais. Mais encore au temps de saint Thomas la réflexion sur l'agir chrétien faisait corps avec celle sur la doctrine de foi. D'ailleurs, si celle-ci est une vertu *(virtus)* tout autant qu'une connaissance, on comprend qu'elle suppose, en sa logique même et pas seulement à titre d'application, une pratique et un comportement. C'est bien du reste dans cette ligne de convergence que tendent à se retrouver aujourd'hui, au-delà de l'affinement des inévitables distinctions de disciplines dues à l'affinement des problématiques, dogmatique et morale *(fides et mores)*. Si la praxis est coextensive à la foi, on comprend que de nouveaux secteurs de la théologie soient apparus, où il est bien difficile de tracer frontière entre dogmatique et éthique : théologies politiques, théologies de la libération, théologies des réalités terrestres, etc., qui tranchera de quelles spécialités elles relèveraient davantage ? Et même des sujets plus traditionnels, tels le péché originel ou la grâce, ne relèvent-ils pas d'une réflexion qui a peu à faire avec ces partages ?

Action et vérité naissent ensemble dans une effectuation historique, réelle et pratique, concrète, loin des discours à portée purement incantatoire, idéelle et abstraite. L'alèthurgie (Foucault), cette intrication du vrai et du faire, s'impose de plus en plus comme le lieu de vérification mutuelle. Celle-ci ne s'opère pas seulement dans le ciel des idées, ce serait idéalisme ; ni davantage dans le seul saut dans l'action, ce serait pragmatisme. La vérité a partie liée avec la praxis et celle-ci a sort commun avec celle-là. L'action, de par sa nature même accordée à un monde qui se fait et où il faut agir, devient à son tour une herméneutique de la foi, s'il est vrai que celle-ci n'est pas seulement contemplation et possession, mais création et compréhension. En un mot : avènement de significations toujours nouvelles en vertu même du vœu créateur et sauveur qui n'a pas laissé un monde en friche, mais où la lieu-tenance de l'homme promeut et accomplit « la silencieuse, infatigable et incoercible espérance » (Ladrière).

II. BESOINS INTERNES

A) *LE MOUVEMENT ŒCUMÉNIQUE*

Parmi les événements internes à l'Eglise, et qui ont eu des conséquences en théologie dogmatique, il faut sans doute mentionner en premier lieu le mouvement œcuménique. De pastoral et volontariste qu'il fut dans ses origines et d'institutionnel et organisé qu'il est aujourd'hui, il est en train de passer par une phase théologique qui n'était sans doute pas prévue. Certes, on eut très tôt recours aux théologiens (voir les « Conversations de Malines »), mais cet appel visait essentiellement à obtenir les travaux utiles au déblocage de certaines positions doctrinales. Jadis traitées dans l'âpreté et l'étroitesse des controverses, elles étaient désormais soumises à une investigation plus irénique. Mais, de ces contacts, les théologiens se sont découvert une « communauté transconfessionnelle » (Mehl) qui dépasse des enjeux de mandat pour aboutir à une prise en charge, sinon commune en tout cas communiante, de problèmes de fond. Pour bien des questions chrétiennes ou du monde, ou ne se soucie guère plus, ou très peu, des différences d'appartenance. Non pas que les confessions chrétiennes n'aient et ne gardent leur spécificité, ni qu'on ne puisse déceler chez tout théologien les traces justifiées de sa fidélité. Mais, fondamentalement, les échanges vont comme de soi. On écoute, de chaque côté, Barth, Rahner, Lonergan ou Evdokimov, pour ne citer que quatre témoins, et, à travers eux, Luther, Thomas d'Aquin, Hooker et Palamas.

Ce n'est pas, répétons-le, que les différentes formes de pensée (*Denkform*) ne restent perceptibles et ne demeurent assignables, mais les convergences et les connivences l'emportent. Soit que certaines de ces différences ne jouent plus parce qu'elles n'apparaissent plus au centre des vrais débats de vie (le *Filioque,* par exemple). Soit, plus profondément, parce que les contrastes se révèlent comme des données hautement valables chez les autres et tant soit peu oubliées chez soi (eschatologie des Orientaux, sens de la Tradition chez les catholiques, prière anglicane, fidélité à l'Ecriture chez les protestants, etc.). Soit, et surtout peut-être, que la valeur d'une théologie s'apprécie essentiellement à sa capacité de service dans le monde (théologies politiques de Metz et de Moltmann, par exemple). Les grandes questions de notre temps, où les Eglises ont un message spécifique de salut, requièrent une urgence et une maturité où les détails internes sont de moindre poids, où les enjeux d'Evangile gagnent en importance. La théologie de controverse, qui a tant pesé dans la conscience post-tridentine, cède actuellement le pas à une théologie de communion. Il n'est pas jusqu'aux richesses du judaïsme et de l'islam qui, dans ce sillage, n'apportent, on le reconnaît, des trésors insoupçonnés.

B) LA REDÉCOUVERTE DE L'ÉCRITURE

Un autre élément interne aux Eglises est la redécouverte de l'Ecriture, surtout chez les catholiques. Le retentissement des recherches exégétiques sur la dogmatique est évident. Sans céder aux mirages du fondamentalisme, en continuant donc de mener la reprise spéculative qui lui est impartie à tâche, la théologie retrouve, dans un plus grand rapprochement avec la Parole inaugurale, le lieu natal privilégié de son entreprise. Une théologie trop conceptuelle et rationnelle se trouvait coupée de l'expérience fondatrice et finissait par tourner en rond dans le jeu solitaire de ses propres instruments, moyens devenus fins. Seule une permanente vigilance sur ses sources vives, pourvu qu'elle ne soit pas grevée par une paralysante nostalgie des origines, peut maintenir la dogmatique hors dérive. Ce ressourcement a eu d'ailleurs l'immense avantage de faire découvrir l'épaisseur culturelle des lieux de vie *(Sitz im Leben)* et de casser ainsi la séquence argumentative classique trop mécanique (Thèse-Ecriture-Tradition-Raison-Conclusion théologique) : l'Ecriture, elle-même tradition et déjà théologie, n'est pas un arsenal où puiser des confirmations ni un monument anhistorique tombé du ciel à feuilleter comme un code. Elle est geste de foi où se recueille une expérience unique et point d'eau toujours actuel d'une authentique éloquence de la théologie.

Mais il ne suffit pas ici, où nous cherchons à percevoir les destinées nouvelles de la théologie, de s'attendrir sur ce dépoussiérage et ce renouvellement de la théologie déjà acquis à suffisance. Il faut être attentif aux changements tout récents, même encore mal assurés, qui surviennent dans l'aventure exégétique elle-même et qui vont retentir dans le champ théologique d'une manière toute nouvelle. Je songe avant tout aux analyses structurales (Greimas, Marin), malgré leurs tâtonnants défauts : en mettant au jour des structures, elles permettent de rejoindre le vœu de systématisation et d'intégration connaturel à la finalité dogmatique. Le structuralisme ouvre les voies à une théologie attentive aux structures de fonctionnement de la vie croyante (Delzant). Je songe aussi aux remarquables travaux de la philosophie analytique du langage (Ramsey, Evans, Austin), avec toute leur attention portée à la densité et à l'originalité du langage biblique et religieux dans sa performance unique. Ce décodage linguistique rend à la théologie l'éloquence et l'assurance d'un vocabulaire spécifique qui touche aux sources mêmes d'une confession de foi, d'un *credo*, d'un *confiteor*, que l'indispensable conceptualisation doit certes servir, mais non point asservir. Je songe même aux commentaires « matérialistes » (Belo, Clévenot), quelles que soient leurs tendances réductrices ou simplificatrices contre lesquelles il se faut mettre en garde. La découverte de strates socio-économiques dans l'inscription scripturaire pourra faciliter le souci théologique de s'adresser à l'homme dans toutes les couches de son être au monde. Je songe encore à tous les déchiffrements psychanalytiques (Dolto, Depreux), en dépit de leur caractère parfois aventureux : les résonances de la psychologie des profondeurs autorisent à développer plus d'une harmonique avec les tréfonds de toujours de la pensée humaine aux prises avec des schèmes immémoriaux dont l'irrationalité ne doit plus faire peur. Je songe enfin aux approches ethno-anthropologiques (Girard). Malgré leur risque (d'ailleurs inexistant chez Girard) d'estomper la spécificité judéo-chrétienne, la découverte de formes culturelles rend davantage possible la conjonction de la théologie avec des attentes profondes de l'homme d'aujourd'hui. On l'aura remarqué, ces approches toutes récentes signalent, une fois de plus, ce déplacement du sujet qui est, décidément, caractéristique de notre modernité. Mais, en prenant leurs distances par rapport à une lecture trop centrée sur l'auteur humain (« ce que l'auteur a voulu dire »), ne renouent-elles pas, fût-ce encore maladroitement, avec l'idée chrétienne que son Ecriture vient d'un horizon plus large, comme situé, pour une part en tout cas, en deçà de la conscience personnelle (Révélation) ? L'impact de ces abords nouveaux est encore malaisé à mesurer, mais ils provoquent la théologie à une restauration de son « à propos » en multipliant les lieux de son habitat. Parole divine et parole humaine ne sont pas en concurrence, en quelque lieu qu'elles résonnent.

C) LES RAPPORTS ENTRE MAGISTÈRE ET THÉOLOGIENS

Il est un troisième domaine interne à l'Eglise où les choses prennent un tour nouveau. Nous voulons parler des rapports entre magistère et théologiens, mais aussi, et pour donner à la question tout son enjeu, du problème de la relation de la théologie au dogme. En ce qui concerne le magistère, il n'est personne, dans la communauté, pour en contester l'incomparable service. La foi n'est pas aux mains du théologien comme un bien propre et qu'il pourrait agencer à sa guise. Mais ce qui se joue aujourd'hui, c'est une conception plus pastorale que juridique de cette nécessité, conception juridique dont c'est une certaine théologie, ayant le positivisme de l'autorité, qui est d'ailleurs largement responsable à partir du XIXe siècle (cf. *infra* : J.M. Tillard). On comprend peut-être mieux aujourd'hui, malgré des heurts évidents, que le rapport sera d'autant plus bénéfique, de part et d'autre du partage des tâches, si la relation mutuelle s'établit dans le même souci pastoral qui donne sens et légitimité à l'un comme à l'autre. Les pasteurs sont en quelque sorte institués à la double charnière du donné de foi à respecter et de sa transmission à assurer d'une part, et de l'écoute des recherches théologiques indispensables et des requêtes de croyants de plus en plus avisés d'autre part. Toutes ces voix doivent être entendues, car elles sont toutes voix de l'Esprit. Si une incontestable crise culturelle de l'autorité point aujourd'hui, elle ne peut être sereinement résolue que si tous, acceptant les règles de la liberté comme de la responsabilité, admettent le primat de la foi en l'unique Seigneur et Maître. Derrière cette passe difficile peuvent se dessiner aujourd'hui, si chacun est intellectuellement généreux et courageusement fidèle, les profils d'un dialogue à quatre voix (l'Esprit, les pasteurs, les fidèles et les théologiens), dont les profits seraient plus que bienvenus pour l'imprescriptible office du théologien.

Mais il y a sans doute, disions-nous, un enjeu allant au-delà de cette occurrence, enjeu latent aux dimensions plus larges : celui du rapport de la théologie au dogme. Le dogme a peut-être été perçu, surtout depuis Trente, de manière trop étroite et crispée. On gagnerait à en élargir et assouplir la fonction. Il ne fait aucun doute que la fonction dogmatique, qui consiste au fond à préserver l'expérience de foi en des formes lapidaires, existe dès le Nouveau Testament (Käsemann, Kasper). Et cette fonction n'a cessé de jouer dans la conscience doctrinale de l'Eglise, surtout lorsqu'elle se trouve pressée par les contraintes de l'hérésie ou les nécessités de la controverse. Cette référence au dogme est donc irrécusable et la théologie dogmatique, comme son nom l'indique, ne peut s'en passer. Mais autre chose est de lier de part en part le sort de cette théologie — qu'on appelle d'ailleurs aussi bien et équivalemment : théologie spéculative, systématique, doctrinale, etc. — aux seuls énoncés en forme canonique. Ceux-ci ont une double fonction. L'une, de forme négative, qui s'exprime chaque fois que l'Eglise a conscience vive que, sans cette dé-finition, la confession chrétienne tout simplement n'est plus confession chrétienne. L'autre, de forme positive, qui s'énonce chaque fois que l'Eglise entend formuler de façon précise et non équivoque, ce qui est constitutif de la droite (*orthos*) confession (*doxa*) ecclésiale.

On le voit, le dogme est tout entier au service de la confession de foi, il en constitue en quelque sorte ce que je nommerais la couverture, cette préservation de sens, mais aux contours bien précis et délimités qui ne doit pas empêcher la théologie d'avancer en site plus profond. Or cette haute mer se situe précisément dans les confessions de foi. S'exprimant en première personne, hautement auto-implicatives (« Je crois » que « tu es le Fils de Dieu ») — la philosophie analytique du langage l'a bien mis en lumière — elles sont, dans le même mouvement, ce que j'appellerais éminemment hétéro-implicatives (« C'est le Père qui te l'a révélé »). C'est dans un deuxième temps qu'intervient la formulation en troisième personne (« Jésus est vrai Dieu et vrai homme »), plus neutre et substituant au vocabulaire de *credo,* de *confitemur,* une terminologie d'enseignement : *dicimus* (Ephèse), *docemus* (Chalcédoine) — les deux types de langage n'étant d'ailleurs pas déliés : *confiteri docemus* (Chalcédoine), *si quis non confitetur* (Constantinople II). La primauté reste donc bien confiée à la confession de foi. Sans nier le rôle du dogme, la théologie doit donc s'ouvrir, au-delà de lui, au mouvement profond de la foi. Au reste, on pourrait suggérer que l'expression même de théologie dogmatique vise surtout à démarquer la théologie chrétienne par rapport à la théologie naturelle et rationnelle, où la foi, précisément, trouve assez mal son compte. La théologie doit séjourner davantage dans le mouvement même de la foi, dans son *Sitz im Glauben,* et en découvrir la rationalité propre.

D) LA TRANSFORMATION DE LA THÉOLOGIE FONDAMENTALE

Cette remarque entraîne d'ailleurs, en une quatrième considération, à dire un mot sur la transformation que devrait connaître la théologie fondamentale. Celle-ci, comme son nom l'indique, vise à fournir les bases de construction du discours sur la foi et, plus généralement, à réunir les conditions auxquelles doit répondre ce discours, d'une part pour être assuré de ses propres fondements, et d'autre part pour être en mesure de définir sa juste légitimité en présence des autres formes de rationalité. C'est ainsi que la théologie fondamentale a surtout pris, depuis ces derniers siècles, une tournure apologétique, soit qu'il s'agisse d'organiser les présupposés de la foi (*præambula fidei*), soit qu'il s'agisse d'en assurer la défense. Cette visée n'est pas à perdre, mais elle est appelée à se corriger.

Au fond, ces présupposés ou ces confirmations, la théologie les cherchait surtout au-dehors et singulièrement dans cette aventure majeure de la raison qu'est la philosophie. En suite de quoi s'est d'ailleurs développée, un peu à outrance, une théologie naturelle, à prétention d'instituer sur Dieu un discours sur seule base des ressources rationnelles. Ce n'est pas que ce dessein n'ait pas réussi, et il faut y voir un heureux souci d'établir, selon le prescript de Vatican I, que l'affirmation de Dieu est accessible à la raison commune. Mais ce dessein a peut-être trop bien réussi dans la mesure où le discours proprement chrétien et différencié sur Dieu s'en est trouvé estompé. Le caractère trinitaire de Dieu, certes reconnu dans son mystère de révélation, a été peu explicité dans son contenu même, avec tout ce qu'il apporte de bouleversant sur le secret de Dieu et de dérangeant par rapport au discours du théisme.

C'est ici que la brèche s'ouvre aujourd'hui. L'attention portée au Dieu de Jésus-Christ montre que la foi est un véritable lieu de découverte spécifique de Dieu, même pour la raison. En d'autres mots, que la foi est, dirions-nous, rationalité, mode propre de raison. Il s'ensuit que les critères de la théologie fondamentale seront de moins en moins recherchés au-dehors, mais de plus en plus à l'intérieur même de la logique de la foi, de son logos — nouveau déplacement du sujet, faut-il le souligner ? Cette affirmation de ce que j'appellerais le droit de la foi, ne vient en aucune manière contredire la proposition vaticane, puisque la foi est ici reconnue comme patrie du logos. Ne retrouvera-t-on pas ainsi un vieux mot de l'apologétique, celui de crédibilité, mais rendu à toute sa pertinence étymologique, dès là qu'on se rend compte que la foi est bien le lieu propre d'un savoir sur Dieu : « Si tu crois, tu verras la gloire de Dieu » (Jn 11, 40) ? C'est bien à un discours spécifique, conquis en site propre encore que non délié insulairement du continent de la raison où il y a plusieurs demeures, que la foi, qui a ses raisons que la (simple) raison ne connaît pas, trouvera la pleine, responsable et salutaire expression de ses droits et de ses devoirs.

CONCLUSION

L'impératif de la théologie dogmatique aujourd'hui, si elle veut répondre aux urgences de l'heure et sauvegarder ses chances d'avenir ? Précisément, celui d'être une théologie responsable et salutaire. Je m'explique.

Responsable à l'égard de la foi, de la raison, de Dieu et de l'homme. Responsable à l'égard de la foi, comme elle l'a toujours été (*cogitatio fidei*). Mais en découvrant mieux, se démarquant avec plus de nuances des sirènes trop tentantes de la théologie naturelle (valable dans son propos, mais dangereuse dans son omniprésence), que son site propre est en cette dimension constitutive de l'homme, en ce que je nommerai cet existential qu'est la foi, où se murmure et s'annonce une vérité nulle part ailleurs accessible. A l'égard de la raison, comme elle l'a toujours fait (*fides quærens intellectum*). Mais en étant plus que jamais attentive à tout ce que ce royaume exige présentement d'ouverture d'esprit à des analyses de déconstruction de la « simple raison » (Kant) et de reconstruction d'une « raison plus large » (Weil) qu'elle ne peut éluder. Responsabilité à l'égard de Dieu, comme ce fut d'évidence sa tâche depuis sa naissance (*theo-logia*). Mais en percevant avec plus d'attention que, pour une part, le sort de Dieu lui est confié en ce destin de montrer avec éclat qu'il est salut et bonne-nouvelle. A l'égard de l'homme enfin, comme ce fut constamment son ambition de relayer ainsi le vœu même de Dieu (*phil-anthrôpia*). Mais en prenant conscience plus vive que le monde d'aujourd'hui, en proie aux désespérances de sa propre mort, a plus que jamais besoin que vive Dieu pour que vive l'homme. La théologie ne pourra plus risquer le luxe d'un discours incantatoire : elle devra servir. Elle devra prendre place dans le concert des discours de l'homme, sans timidité comme sans arrogance, parce qu'elle possède, au cœur même de son annonce de Dieu, une clef d'humanisme. Peut-être même, au moment où pointent certaines anthropologies de la mort de l'homme, aura-t-elle mission de relever ce défi antihumaniste au nom d'une vue théo-iconique de l'homme, inscrite au frontispice de son Ecriture.

Impératif d'être une théologie salutaire, disais-je aussi. La chose peut avoir de quoi étonner quand elle est dite à propos d'un savoir. Et certes, il est bien entendu que, après Dieu, seules la foi et les œuvres en réponse à la grâce, sont salutaires : aucun discours, quelle que soit sa nécessité, n'y peut pourvoir, ce serait tomber dans l'illusion de la gnose. Il n'empêche : puisque discours il faut, ce discours se doit de conduire au plus près d'une invitation au salut, sinon il a perdu ses finalités et n'est « qu'airain qui sonne ou cymbale qui retentit » (1 Co 13, 1). Il s'agit au reste encore d'une capacité responsable de la théologie : être à même de donner, dans l'ordre de la pensée et du dire, toutes ses chances au salut, grâce à des concepts vraiment opératoires et à des énoncés qui donnent droit au dynamisme de la foi. Certes, le salut ne s'accomplit que dans le saut existentiel de la décision en réponse à la grâce. Encore faut-il que ce seuil soit rendu crédible à franchir à la faveur du saut épistémologique de la théologie.

C'est ici qu'on pourrait la voir dans sa singularité. On s'interroge beaucoup aujourd'hui sur la scientificité de chaque science. Et si celle de la théologie dogmatique résidait dans ce que j'appellerais le « principe de salutarité » ? N'est « juste et bon, équitable et salutaire » en théologie que ce qui conduit au salut, et c'est en ce principe, en cette « principauté », que la théologie trouverait le premier mot de sa justification et le dernier, de sa vérification. Concept aux contours bien inexacts ? Mais si c'était la gloire de la théologie, parce qu'elle ne se contente pas du quantifiable et du mesurable, que d'être inexacte ? L'inexactitude (*inadæquatio*) étant au fond la seule forme admissible et possible d'exactitude (*adæquatio*) quand la réalité en cause est précisément une réalité qui dépasse toute mesure, une réalité « inexacte », « ce que l'œil n'a pas vu, ce que l'oreille n'a pas entendu, ce à quoi le cœur de l'homme n'a pas songé (mais que) Dieu a préparé pour ceux qui l'aiment » (1 Co 2, 9). Science dont l'épistèmè serait la salutarité, la capacité de mettre en invite à la démarche de salut. La théologie ne rendrait pas seulement à la foi le service de ne pas la laisser dans le vide théorique. Elle stimulerait les croyants à ne pas se laisser aller à la dérive du vide pratique, soucieuse qu'elle serait de leur rappeler les exigences de comportement et d'agir sur lesquelles ils seront jugés, « sur la terre comme au ciel ».

BIBLIOGRAPHIE

I. OUVRAGES DE RÉFÉRENCE

Actes du Congrès mondial de théologie à Bruxelles, in *Concilum,* n° 60, 1970.
Y.M.-J. CONGAR, « Théologie », in *DTC,* t. XV, 1, 1946, col. 341-502.
Cl. GEFFRÉ, « Théologie », in *Encyclopædia Universalis,* t. 15, 1973, col. 1087-1091.
K. RAHNER, « Essai d'une esquisse de dogmatique », in *Ecrits théologiques,* t. 4, DDB, Paris, 1966, 7-50.
THOMAS D'AQUIN, *Somme théologique,* Ia P., qu. 1, éd. et trad. A.-D. Sertillanges, Paris-Tournai-Rome, 1925.
THOMAS D'AQUIN, *Summa contra Gentiles,* chap. 1-14, éd. Marietti, Tournai, 1927.
T. TSHIBANGU, *Théologie positive et théologie spéculative. Position traditionnelle et nouvelle problématique,* B. Nauwelaerts, Paris, 1965.

II. TÂCHES NOUVELLES

Y.-M.-J. CONGAR, *Situation et tâches présentes de la théologie,* Cerf, Paris, 1967.
G. CRESPY, *Essais sur la situation actuelle de la foi,* Cerf, Paris, 1970.
Cl. GEFFRÉ, *Un nouvel âge de la théologie,* Cerf, Paris, 1972.
Ad. GESCHÉ, « Vrai et Faux Changement en théologie », in *Collectanea Mechliniensia,* 53, 1968, pp. 308-333.
Ad. GESCHÉ, « Mutation religieuse et renouvellement théologique », in *RTL,* 1973, 4, pp. 273-307.
D. DUBARLE, G.-Ph. WIDMER, J. POULAIN, etc., *la Recherche en philosophie et en théologie,* Cerf, coll. « Cogitatio Fidei », n° 49, Paris, 1970.
« Recherches actuelles » coll. « le Point théologique », n° 1-2, Beauchesne, 1971-1972.
Fr. REFOULÉ, « Orientations nouvelles de la théologie en France », in *le Supplément,* n° 105, 1973, pp. 119-147.
Théologie d'aujourd'hui et de demain, Cerf, Paris, 1967.
J.-P. JOSSUA, « l'Ensablement du discours chrétien », in *Christus,* n° 79, 1973, pp. 345-354.

III. LA SCIENCE THÉOLOGIQUE

M.-D. CHENU, *La théologie est-elle une science?* Fayard, Paris, 1957.
M.-D. CHENU, *la Foi dans l'intelligence,* Cerf, Paris, 1964.
M.-D. CHENU, *la Théologie comme science au XIIIe siècle,* Vrin, Paris, 1969.
Y.-M.-J. CONGAR, « le Moment "économique" et le Moment "ontologique" » in *la Sacra Doctrina,* dans *Mélanges offerts à M.-D. Chenu,* Vrin, Paris, 1967, pp. 135-187.
H. DUMÉRY, *La foi n'est pas un cri,* suivi de : *Foi et Institution,* Seuil, Paris, 1959.
C. DUMONT, « la Réflexion sur la méthode théologique », in *NRT,* t. 83, 1961, pp. 1034-1050 et t. 84, 1962, pp. 17-35.
W. KASPER, *Renouveau de la méthode théologique,* Cerf, Paris, 1968.
J. LADRIÈRE, *l'Articulation du sens. Discours scientifique et parole de la foi,* Cerf, Paris, 1970.
B.J.F. LONERGAN, *Pour une méthode en théologie,* Spes-Cerf, Paris, 1978.
J. MACQUARRIE, *Principles of Christian Theology,* Londres, 1966.
J.-P. GABUS, *Critique du discours théologique,* Delachaux, Neuchâtel, 1977.

IV. THÉOLOGIE, ÉCRITURE ET DOGME

H. DENIS, l'*Evangile et les Dogmes,* Centurion, Paris, 1974.
W. KASPER, *Dogme et Evangile,* Casterman, Paris-Tournai, 1967.
L. LABERTHONNIÈRE, *Dogme et Théologie,* Intr. de M.M. D'Hendecourt, Postface de L. Boisset, Duculot, Paris-Gembloux, 1977.
K. RAHNER, « Ecriture Sainte et théologie », in *Ecrits théologiques,* DDB, Paris, t. 7, 1967, pp. 63-75.
K. RAHNER, « Qu'est-ce qu'un énoncé dogmatique ? », in *Ecrits théologiques,* t. 7, 1967, pp. 213-243.
K. RAHNER et K. LEHMANN, « Kérygme et Dogme », in *Mysterium salutis,* t. 3, Cerf, Paris, 1969, pp. 183-284.
Parole et Dogmatique. Hommage à J. Bosc, Paris-Lausanne, 1971.
H. RONDET, *Histoire du dogme,* Desclée, Paris, 1970.
Ed. SCHILLEBEECKX, *Révélation et Théologie,* Cep, Bruxelles, 1965.

V. THÉOLOGIE ET PHILOSOPHIE

« Chemins de la raison, Science, philosophie, théologie », in *Recherches et Débats,* n. 75, Paris, 1972.
Ad. GESCHÉ, « la Médiation philosophique en théologie », in *Miscellanea Albert Dondeyne. Godsdienstfilosofie. Philosophie de la religion,* Duculot, Louvain-Gembloux, 1974, pp. 75-91.
J. LADRIÈRE, « le Langage théologique et le Discours de la représentation », *ibid.,* pp. 149-176.
J. LADRIÈRE, *les Enjeux de la rationalité. Le défi de la science et de la technologie aux cultures,* Aubier, Paris, 1977.
Em. LÉVINAS, *Totalité et Infini. Essai sur l'extériorité,* M. Nijhoff, La Haye, 1961.
Em. LÉVINAS, *Autrement qu'être ou au-delà de l'essence,* M. Nijhoff, La Haye, 1974.

K. RAHNER, « Philosophie et théologie », in *Ecrits théologiques,* t. 7, 1967, DDB, Paris, pp. 37-52.

P. RICŒUR, « Ontologie », in *Encyclopædia Universalis,* t. 12, 1972, col. 94-101.

Savoir, faire, espérer : les limites de la raison, Fac. St-Louis, Bruxelles, 2 vol., 1976.

Alph. de WAELHENS, « Heidegger », in *Encyclopædia Universalis,* t. 8, 1970, col. 281-284.

VI. THÉOLOGIE ET HERMÉNEUTIQUE. LE LANGAGE RELIGIEUX

« *l'Analyse du langage théologique. Le nom de Dieu* », in *Colloques Castelli,* Aubier, Paris, 1969.

« *Débats sur le langage théologique* », in *Colloques Castelli,* Aubier, Paris, 1969.

C. DUMONT, « De trois dimensions retrouvées en théologie : eschatologie, orthopraxie, herméneutique », in *NRT,* t. 92, 1970, pp. 561-591.

J. LADRIÈRE, « la Théologie et le langage de l'interprétation », in *RTL,* t. 1, pp. 241-267, 1970.

J. MACQUARRIE, *God-Talk. An Examination of The Language and Logic of Theology,* Londres, 1967.

R. MARLÉ, *le Problème théologique de l'herméneutique. Les grands axes de la recherche contemporaine,* Orante, Paris, 1968.

I.T. RAMSEY, *Religious Language. An Empirical Placing of Theological Phrases,* New York, 1963.

P. RICŒUR, *le Conflit des interprétations. Essais d'herméneutique,* Seuil, Paris, 1969.

P. RICŒUR, *la Métaphore vive,* Seuil, Paris, 1975.

A. VERGOTE, *Interprétation du langage religieux,* Seuil, Paris, 1974.

H.G. GADAMER, *Vérité et Méthode. Les grandes lignes d'une herméneutique philosophique,* Seuil, Paris, 1976.

H.G. GADAMER,, *l'Art de comprendre,* Aubier, Paris, 1982.

VII. THÉOLOGIE ET SCIENCES HUMAINES

« Chemins de la raison. Science, philosophie, théologie », in *Recherches et débats,* n. 75, 1972.

Y.-M.-J. CONGAR, « Théologie et sciences humaines », in *Esprit,* n° 7-8, 1965, pp. 121-137.

J. GRITTI, *Foi et nouvelles sciences de l'homme,* Centurion, Paris, 1972.

Il. PRIGOGINE, et Is. STENGERS, *la Nouvelle Alliance. Métamorphose de la science,* Gallimard, Paris, 1979.

P. RICŒUR, « Sciences humaines et conditionnements de la foi », in *Dieu aujourd'hui* (Semaine des intellectuels catholiques), Paris, 1969, pp. 147-156.

« Science et théologie. Méthode et langage », in *Recherches et Débats,* n. 67, 1969.

VIII. THÉOLOGIE ET PRAXIS

Cl. Boff, *Teologia de lo politico. Sus mediaciones* (Prologo Ad. Gesché), Salamanque, 1980.

L. Boisset, *la Théologie en procès face à la critique marxiste*, Paris, 1974.

Ad. Gesché, « Un discours sur Dieu pour notre société », in *Faith and Society — Foi et Société — Geloof en Maatschapij*, Louvain-Gembloux, 1978, pp. 41-61.

J. Ladrière, « Vérité et praxis dans la démarche scientifique » in *RPL*, t. 72, 1974, pp. 284-310.

CHAPITRE IV

Théologie pratique et spirituelle

par RENÉ MARLÉ

SOMMAIRE. — I. Les diversifications historiques de la théologie caractère spirituel et pastoral de la théologie patristique, l'introduction d'une nouvelle rationalité : les Sommes du moyen âge, distanciation progressive de la théologie et de la spiritualité, Luther avocat d'une théologie « pratique » en face de la scolastique héritée, la scission de l'édifice théologique, essai de réintégration de la spiritualité dans la théologie, deux exemples récents de théologie spirituelle, un dualisme récusé de nos jours. II. Une nouvelle manière de théologiser : dans le sillage du marxisme ? la théologie comme théorie des pratiques référées à la foi, une des approches du mystère. Bibliographie.

Lorsqu'on parle aujourd'hui de *la* théologie, on semble oublier la diversité des figures qu'elle a prises au cours des siècles. Le nom lui-même de théologie ne s'est ni trouvé ni imposé tout de suite, changeant d'ailleurs en même temps de contenu. Dans les premiers siècles chrétiens il comportait encore trop d'harmoniques mythiques, hérités de son usage dans le paganisme, pour être reçu sans résistance. Pendant longtemps, il a été réservé à la doctrine du Dieu trinitaire et à sa vie interne, par opposition à l'« économie » qui concerne la doctrine de l'action de Dieu dans l'histoire. Les Eglises d'Orient restent généralement fidèles à cet usage. Au moyen âge, et chez saint Thomas lui-même, d'autres termes lui sont souvent préférés : *doctrina sacra, sacra pagina*...

I. LES DIVERSIFICATIONS HISTORIQUES DE LA THÉOLOGIE

Caractère spirituel et pastoral de la théologie patristique

Surtout la modalité du discours de la théologie n'a cessé de se modifier. Pendant tout l'âge patristique, et pendant encore une partie du moyen âge, la forme de ce discours fut avant tout, sinon exclusivement, un commentaire de l'Ecriture Sainte. Ce commentaire, plein d'ingéniosité, traduisant une profonde familiarité avec le texte, y opérant notamment des rapprochements lumineux, s'apparentait davantage à la méditation qu'aux analyses techniques de l'exégèse contemporaine. Sous cette figure la théologie était immédiatement spirituelle, et d'ailleurs aussi pastorale, se développant spontanément en prière ou en exhortation.

L'introduction d'une nouvelle rationalité Les « Sommes » du moyen âge

C'est seulement au milieu du moyen âge, avec la provocation d'une philosophie nouvelle, l'aristotélisme, véhiculé en particulier par les Arabes, dans le cadre aussi d'une nouvelle institution, l'Université, que la théologie manifeste la prétention de revêtir un caractère « scientifique ». Elle est obligée de définir sa figure au milieu des autres expressions du savoir. Les « Sommes » seront une des réponses à cette nouvelle exigence.

L'idée même de « Somme » évoque assez bien le propos, sinon totalitaire, du moins encyclopédique de l'entreprise. La limitation de l'entreprise ne pouvait guère lui venir que de l'extérieur, de l'existence d'autres disciplines (droit, grammaire, arithmétique...). Les auteurs de Sommes eux-mêmes continuaient éventuellement à produire d'autres types d'œuvre, notamment des commentaires d'Ecriture. Mais dans la Somme en tant que telle devait être recueilli, à un degré variable d'élaboration, et aussi éventuellement selon des perspectives qui pouvaient différer (ainsi saint Thomas a-t-il rédigé à la fois une « Somme théologique » et une « Somme contre les Gentils »), l'ensemble de la « doctrine sacrée ». La théologie, destinée à rendre compte de l'ensemble des réalités de la foi, était habilitée à s'approprier pour cela toutes les ressources de ces « sciences humaines » livrées par la culture du temps, et notamment la philosophie, en ses différentes articulations (logique, dialectique, éthique...).

Distanciation progressive de la théologie et de la spiritualité

L'ambitieux propos des Sommes ne devait pas tarder cependant à laisser échapper une partie de ce que drainait la tradition de foi, dont la théologie se doit de rendre compte. La théologie des Sommes, en voulant peut-être trop étreindre, bientôt comme piégée dans le jeu de ses opérations, a vu rapidement se développer en dehors d'elle de substantiels courants de cette tradition, et notamment le courant « spirituel ».

Sans doute, comme nous l'avons déjà dit, elle a varié elle-même ses figures, en fonction d'objectifs divers poursuivis. Et puis elle s'est formulée à l'intérieur de plusieurs « écoles », où elle recevait des « styles différents ». A côté de la ligne aristotélico-thomiste, la ligne augustinienne, par exemple, représentée notamment par les Victorins, puis par saint Bonaventure, produit des fruits plus délibérément « spirituels », en référence plus directe à la *vie* de la foi.

Cependant, cette coexistence d'« écoles » diverses, avec des « styles » ou des « accents » différents dans le traitement des réalités de la foi, allait de plus en plus faire place, à travers de véritables « crises », à des scissions et à des dichotomies. A côté du traitement rationnel, de plus en plus fermé sur lui-même, va se développer un traitement plus exclusivement « mystique », ou « affectif » de ces mêmes réalités. Ces deux traitements correspondent généralement à des lieux institutionnels ou sociaux de production différents. Les couvents ne sont plus les seuls endroits où se cultive une réflexion spirituelle qui semble de plus en plus déserter l'université. Avec la naissance des communes et le développement de la bourgeoisie, une population laïque commence à faire entendre de nouvelles requêtes. De grands auteurs se soucient d'ailleurs des « simples ». Ainsi Gerson (1363-1429) écrit à leur intention sa *Montagne de la contemplation*. Plus généralement, la « théologie mystique » est, pour lui, destinée à tous les chrétiens qui veulent bien seulement s'y ouvrir. Toujours est-il que la théologie universitaire prend toujours davantage, vers la fin du moyen âge, la forme d'une critique, souvent très raffinée, subtile, du langage de la foi et des possibilités du discours relatif à Dieu, et que, parallèlement, se répand un nombre croissant d'œuvres ou opuscules visant à rendre compte, sur des registres divers, de l'*expérience* de foi.

Autrement dit, ce qu'on peut appeler la théologie instituée, dont le fonctionnement est de plus en plus « abstrait », parce que les circonstances l'ont amenée à s'« abstraire » elle-même toujours davantage de la vie du peuple chrétien, n'arrive plus à répondre à la soif de ce peuple, qui cherche alors tout naturellement ailleurs de quoi l'étancher : pèlerinages, dévotions innombrables alors florissantes, retour à l'Ecriture Sainte savourée sans intermédiaire dans de petites communautés ferventes... Un des témoins les plus fameux de cette recherche et de cette « devotio moderna » demeure l'*Imitation de Jésus-Christ*. Mais la recherche spirituelle s'exprime aussi bien dans le surgissement de nombreuses associations de piété (Frères de la vie commune, Frères moraves, béguinages divers...) et dans les œuvres remarquables d'auteurs mystiques (Ruysbroeck, Suso, Tauler...).

Cette situation du moyen âge finissant était porteuse de profonds bouleversements, dont la Réforme ne fut pas le moindre, et auxquels la théologie fut aussi mêlée. Dans tous les domaines la désagrégation de cette complexe et assez remarquable unité qu'avait constituée, un temps, le moyen âge chrétien était maintenant consacrée.

Luther, avocat d'une théologie « pratique » en face de la scolastique héritée

Deux voies de théologie s'affirment désormais en opposition l'une à l'autre, correspondant à l'opposition de deux conceptions de la foi et, finalement, de deux Eglises. Dans le catholicisme la théologie poursuit la voie antérieurement tracée, sous la forme que l'on appelle « scolastique », non sans se soucier de l'enrichir, d'en modifier plusieurs traits, d'en diversifier les éléments. Luther, au contraire, livre combat à cette scolastique héritée, infectée à ses yeux de philosophie païenne, dont Aristote demeure le symbole. « On ne peut devenir théologien qu'en le devenant sans Aristote », écrit-il dans sa *Disputatio contra scolasticam theologiam* de 1517. Alors que dans le catholicisme la théologie continue à garder la forme d'un système intellectuel centré sur les objets conceptuels de la foi, le propos de Luther est d'inscrire l'œuvre théologique dans la subjectivité vivante du croyant. « Seule l'expérience fait le théologien », écrira-t-il encore dans ce sens. Théologie résolument spirituelle donc, mystique pourrait-on dire encore, dans un certain sens du mot, pastorale d'ailleurs aussi, car elle fait retentir, pour la propager, la Parole de Dieu qui appelle à la conversion. Théologie essentiellement « pratique » aussi, si l'on veut, puisque Luther, reprenant un mot dont la signification demeure encore à fixer, déclare lui-même : « La vraie théologie est pratique, et son fondement est le Christ, et sa mort saisie par la foi, tandis qu'aujourd'hui ceux qui ne partagent pas notre sentiment ni notre doctrine la font spéculative. » De fait, saint Thomas n'avait pas voulu que la théologie soit fondamentalement une discipline « pratique ». Il la définissait comme une discipline « plutôt *(magis)* spéculative » (*Somme théologique,* Ia, q. 1, a . 2), sans qu'on puisse être sûr que les mots revêtent exactement le même contenu dans son vocabulaire et dans celui de Luther.

Dans le protestantisme l'intuition de Luther ne fut d'ailleurs pas sur ce point toujours fidèlement gardée. Une nouvelle « orthodoxie » s'est vite constituée, développant à son tour une autre forme de scolastique.

La scission de l'édifice théologique

Dans le catholicisme, c'est l'ensemble du discours chrétien et, plus précisément aussi, celui du discours théologique qui, depuis la désagrégation de l'édifice médiéval, a été amené à se scinder. Nécessité dommageable sans doute, dans la mesure où la division est généralement signe ou facteur de faiblesse. Mais, pour la théologie, condition aussi de survie, du maintien de sa pertinence au moment où, sous la poussée d'exigences et de techniques nouvelles, c'est l'ensemble de la culture qui ne cesse de toujours davantage se diversifier. Ainsi voit-on, à partir du XVIe et surtout du XVIIe siècle, apparaître des œuvres qui se déclarent de théologie « biblique », « dogmatique », « fondamentale », « morale », « positive », « mystique »...

Trois grandes divisions cependant tendent assez généralement à s'imposer : 1. division entre une théologie scolastique, de nature spéculative, et une théologie positive, qui se propose d'exposer sobrement les données de la tradition, que les sciences positives, et notamment l'histoire, permettront de dégager avec toujours plus d'acuité ; 2. division entre théologie dogmatique et théologie morale, cette dernière tendant de plus en plus, notamment chez les jésuites, à s'instituer comme discipline autonome, porteuse de ses principes, en même temps que des applications pratiques qui en découlent ; 3. division, enfin, entre théologie scolastique et théologie mystique, ou affective et qui prendra un jour aussi le nom de théologie spirituelle.

C'est un fait qu'un certain nombre d'œuvres majeures de la pensée chrétienne se formulent, depuis le XVIe siècle, dans des écrits qui ne sont pas de nature théologique, au sens strict du mot : *Exercices spirituels* de saint Ignace de Loyola, écrits de saint Jean de la Croix et de sainte Thérèse d'Avila, de saint François de Sales, pour ne citer que les plus connus.

Essai de réintégration de la spiritualité dans la théologie

La théologie d'école, qui avait un peu oublié les réalités dont parlent ces écrits, celles de l'expérience de l'âme croyante et de son cheminement dans les combats de la foi, ne tarde pas alors à vouloir récupérer ce qui commençait à chercher son expression en dehors d'elle.

Elle pouvait trouver, dans l'histoire, des titres à cette nouvelle entreprise. Dès le VIe siècle, le Pseudo-Denys avait parlé de « théologie mystique ». Dans le cadre de la distinction entre « théologie » et

« économie », la théologie mystique ajoutait à la première une nuance d'intériorité, en développant la connaissance intime, secrète, de Dieu, à partir de l'union avec lui, expérimentée dans la prière. Cette connaissance de Dieu donnée dans la théologie mystique devait être supérieure à celle que procure le seul raisonnement, ou la simple foi, dans la mesure où celle-ci n'est pas encore cultivée dans la contemplation.

Même si le mot parcourt le moyen âge, où le Pseudo-Denys est entouré d'une grande vénération, ce n'est qu'à partir du XVIe et du XVIIe siècle que la théologie mystique se voit attribuer le traitement des questions relatives à la vie spirituelle. Elle est au XVIIe siècle enseignée chez les franciscains et chez les carmes comme discipline théologique indépendante.

Les dominicains, qui sont toujours demeurés soucieux de maintenir à la théologie son unité, ne pouvaient pourtant pas demeurer indifférents aux requêtes nouvelles de la conscience chrétienne. Le propos de plusieurs de leurs théologiens fut ainsi de réinvestir dans la théologie héritée la matière de la vie spirituelle. C'est notamment le cas de Vincent de Contenson dans sa *Theologia mentis et cordis* (1668 ss.).

Les jésuites produisent à la même époque de nombreuses et importantes œuvres spirituelles, dans la ligne des *Exercices spirituels* de leur fondateur : ainsi la *Doctrine spirituelle* de Louis Lallement (publiée après sa mort, en 1694), les *Fondements de la vie spirituelle* de Jean Surin (publiés également après sa mort, en 1674). Ils ne manquent pas de grands théologiens, comme Diego Laynez (1512-1565), Pierre Canisius (1521-1597), Robert Bellarmin (1542-1621) etc., qui produisent aussi des œuvres spirituelles non négligeables. Mais les œuvres théologiques et les œuvres spirituelles de ces derniers se développent sur des registres distincts, de même que, dans la Compagnie de Jésus, l'enseignement de la morale se développe parallèlement à celui de la dogmatique.

Deux exemples récents de théologie spirituelle

Sous son aspect à la fois théorique et pratique la théologie spirituelle a été largement divulguée par un sulpicien français, A.-A. Tanquerey (1854-1932). Esprit encyclopédique, chargé avant tout de la formation des futurs prêtres, puis de ceux qui se préparaient à leur tour à en être les formateurs, Tanquerey s'est fait connaître par la publication de nombreux manuels, ou « Précis », accompagnés souvent d'« Abrégés » pour un public plus large, mais qui tous connurent une très grande diffusion.

Après avoir publié en 1902 une *Synopsis theologiæ moralis et pastoralis* (suivie d'une *Brevior Synopsis* en 1911), qui dessinait une pastorale articulée essentiellement sur les sacrements et leur gestion canonique, il publia en 1923, alors qu'il était supérieur du noviciat des sulpiciens, un *Précis de théologie ascétique et mystique,* suivi en 1927 d'un *Abrégé de théologie ascétique et mystique.* Il s'agissait de rejoindre, au-delà des séminaristes et des prêtres, les laïcs, même les « âmes simples vivant au fond des campagnes les plus reculées », les « pieux fidèles », les « communautés », les « collèges et pensionnats catholiques ».

La théologie ascétique et mystique de Tanquerey est construite sur un schéma fermement défini : exposé des « grandes vérités de foi qui servent de fondement à la vie intérieure » ; déduction de conduites pratiques découlant de ces vérités ; examen des obstacles qui peuvent se présenter sur la route et proposition des types de résistance à mettre en œuvre ; définition de la perfection visée, qui n'est autre que « l'union intime avec Dieu ». « Spiritualité active », souligne l'auteur, où l'effort est sans cesse réclamé, mais où cet effort se sait soutenu par « la grâce de Dieu (qui) donne de saintes énergies pour triompher de tous les obstacles ». On reconnaît là le schéma du catéchisme de l'époque, qui vulgarisait aussi à sa manière la même doctrine spirituelle.

Un autre ouvrage, d'un jésuite cette fois, les *Leçons de théologie spirituelle* (éd. 1955) de J. de Guibert, peut être considéré comme un classique de cette discipline au XXe siècle. L'auteur définit ainsi son objet : « La théologie spirituelle, étant une théologie pratique, se distingue facilement de la dogmatique : celle-ci, science spéculative, étudie les enseignements de la révélation sur ce qu'est le monde surnaturel ; celle-là, comme la théologie morale et la théologie pastorale, étudie les enseignements de cette révélation sur ce qui doit être fait pour atteindre notre fin surnaturelle » (p. 19). J. de Guibert s'emploie alors à distinguer la théologie spirituelle de ces deux autres types de théologie « pratique » que sont selon lui la théologie morale et la théologie pastorale. Alors que la théologie morale, ordonnée en fait avant tout « à la formation professionnelle en vue du ministère de la confession », est « dominée par la catégorie du permis et du défendu » (p. 20), la théologie spirituelle est ordonnée à la définition et à la recherche de la perfection. Quant à la théologie pastorale, même si la recherche de la perfection, celle des fidèles et aussi celles des pasteurs, est incluse dans son propos, sa finalité est davantage professionnelle : rendre le pasteur « plus apte à accomplir sa mission auprès des fidèles » (p. 21). Et de Guibert de proposer alors une définition de la théologie spirituelle : c'est « la science qui, s'appuyant sur les enseignements de la révélation, étudie en quoi consiste la perfection de la vie chrétienne et comment l'homme, ici-bas, peut y tendre et y parvenir. On l'appellera *ascétique* en tant qu'elle nous apprend par quels exercices l'homme, aidé de la grâce, peut appliquer activement ses efforts à acquérir cette perfection. On l'appellera *mystique* en tant qu'elle nous enseigne par quelles grâces, quels dons, quelles voies, Dieu attire l'homme à lui, se l'unit et l'évève ainsi à la perfection ; ou encore, en un sens plus restreint, en tant qu'elle traitera des grâces éminentes de la contemplation infuse par lesquelles les âmes sont puissamment entraînées à cette perfection » (pp. 21-22).

La construction de J. de Guibert, on a pu le remarquer, est édifiée sur de continuels dualismes : dualisme de l'ordre naturel et de l'ordre surnaturel (qui se reflète dans le dualisme de la morale et de la vie spirituelle, la première relevant largement de la raison et portant sur les « préceptes » ou lois, la seconde référée aux « conseils » évangéliques, et se développant elle-même sur une voie « ordinaire » et sur une voie « extraordinaire ») ; mais dualisme non moins fondamendal de la fin et des moyens. Tandis que la théologie dogmatique étudie, pour ainsi dire gratuitement, « les enseignements de la révélation sur ce qu'est le monde surnaturel », la théologie spirituelle, comme ses compagnes, la théologie morale et la théologie pastorale, relève de la « pratique », et porte essentiellement sur les moyens qui permettent de faire passer dans la vie, individuelle ou sociale, les vérités établies dans la théologie dogmatique.

Un dualisme récusé de nos jours

C'est ce dualisme qui fait aujourd'hui difficulté et que l'on s'efforce de surmonter. Cela ne se fait pas sans donner un autre statut à la théologie en général, mais surtout à ces types de théologie qui se préoccupent principalement de l'opération des réalités de la foi au niveau des sujets croyants, que ces théologies se dénomment spirituelles, ou pastorales, ou pratiques...

La théologie s'est vue de nos jours provoquée à une perception renouvelée du rapport de la pratique et de la théorie, caractéristique de l'ensemble de la culture contemporaine. Celle-ci s'est constituée au terme d'une évolution qui a tendu à intégrer toujours davantage la pratique au processus de connaissance. Depuis l'apparition de la science expérimentale, c'est à travers ses interventions actives que l'homme pense pouvoir amener la réalité à se dévoiler. En même temps que la pratique devient ainsi chemin de savoir, la « théorie », qui l'accompagne, change, elle aussi, de sens. Elle n'est plus contemplation d'« idées », qui doubleraient la réalité, comme son exemplaire, et qui pourraient continuer à s'engendrer par le fonctionnement d'une raison fidèle seulement à ses propres lois. La théorie est anticipation, hypothèse provisoire de ce que l'expérience ou, dans le même sens, la « pratique » doivent sans cesse vérifier, transformer et enrichir.

II. UNE NOUVELLE MANIÈRE DE THÉOLOGISER

Dans ces perspectives un nouveau type de théologie va commencer à prendre forme. Cette théologie, pour parler des opérations de la foi au niveau de l'homme, ne se comprend plus comme théologie « appliquée », tout entière dépendante d'une théologie dogmatique constituée antérieurement à elle. Bien loin d'être une annexe de cette théologie, elle pourra et voudra être une des composantes de la recherche théologique dans son ensemble. Elle en sera même souvent un des principaux moteurs, même si elle appelle d'autres approches des réalités de la foi, à l'intérieur d'une féconde concertation.

Cette intelligence nouvelle de la théologie, qu'on va pouvoir dire pratique, est-elle dans la droite ligne de ce que réclamait Luther ? Oui et non. Oui, dans la mesure où elle entend ne pas séparer l'objet de la foi, dont doit rendre compte la théologie, de l'activité du sujet croyant qui en fait l'expérience. Non, dans la mesure où le sujet croyant est, au départ, envisagé par Luther indépendamment de ses opérations sur le monde et sur la société, et comme interpellé immédiatement par la Parole de Dieu.

Chez Schleiermacher encore (1768-1834), que l'on considère souvent comme le père de la théologie pratique aux Temps modernes, et qui faisait effectivement de celle-ci la « couronne de la théologie », cette théologie, bien qu'elle soit liée à la « conduite de l'Eglise » et se veuille nourrie de l'expérience religieuse, demeure largement conçue dans les perspectives idéalistes de l'époque, qui attribuent au savoir universitaire comme tel une prééminence sur celui qui procède effectivement de la pratique. La connaissance n'est pas encore conçue comme un fruit lumineux de la pratique. Ce n'est pas du jour au lendemain que s'impose une nouvelle manière de théologiser.

Dans le catholicisme les voies de cette nouvelle manière de théologiser se sont frayées tout doucement, par l'introduction, de fait, de l'expérience et des soucis pastoraux dans la formation des prêtres qui, depuis plusieurs siècles, a été et demeure encore largement un des moteurs les plus importants de l'activité théologique. Ainsi l'année de « formation pastorale » des séminaristes, après leurs études théologiques de base, et en relation avec une expérience menée au sein d'« équipes pastorales », a suscité un développement de la « théologie pastorale », non plus dans le sens de déductions à opérer à partir des données dogmatiques, ni d'un simple apprentissage d'une bonne gestion des sacrements, mais dans celui d'une prise en considération sérieuse des situations, dans lesquelles, par exemple, le problème de l'incroyance ou de la mal-croyance tient une large place. Cette théologie pastorale se mue alors souvent de plus en plus en « théologie de l'évangélisation », suivant l'évolution que P.-A. Liégé, un des pionniers en cette matière, fut amené à donner progressivement à son enseignement.

Une telle théologie pastorale, où les problèmes de spiritualité, de catéchèse, d'éducation de la foi, ne sont évidemment pas absents, apparaît parfois aujourd'hui relever d'un genre quelque peu hybride. Par le qualificatif de « pastorale » sa finalité est mieux définie que sa méthode. C'est pour mieux marquer l'originalité de la démarche que le terme de théologie pratique, courant déjà depuis un certain temps chez les protestants, se répand dans le monde catholique. Il ne s'agit d'ailleurs là aucunement d'influence confessionnelle, mais plutôt d'un reflux sur la théologie des données culturelles évoquées plus haut, et qui consistent dans une nouvelle évalutation du rapport théorie-pratique.

Dans le sillage du marxisme ?

Sans doute la théologie a-t-elle à se reconnaître quelques dettes à l'égard de la pensée de Karl Marx, qui a contribué plus qu'aucun autre à manifester l'importance décisive de la praxis pour la saisie, y compris pour la saisie intellectuelle, de la réalité. Marx a marqué à ce propos toute la culture contemporaine, et la théologie vivante ne pouvait pas demeurer étrangère à cette influence.

Elle a même parfois été, chez quelques-uns de ses représentants, tentée de se couler dans le schéma marxiste des rapports de la praxis et de la théorie, proposant par exemple des interprétations « matérialistes » de certaines données de la tradition. Certains théologiens de la libération ou de la révolution se sont aussi réclamés de l'analyse marxiste. Cependant, même si la théologie peut bénéficier de l'apport partiel de certaines analyses inspirées du marxisme, celui-ci, en raison notamment de son matérialisme, est impuissant à rendre compte de manière satisfaisante de cette pratique particulière qu'est la pratique spécifiquement humaine de la parole, et tout particulièrement de cet exercice éminent de la parole qu'est la confession de foi, avec l'ouverture de tout le champ symbolique qui y est lié.

La théologie comme théorie des pratiques référées à la foi

La théologie pratique, pas plus qu'aucune autre forme de théologie, ne peut se couler dans le moule d'aucun système. Ses démarches, encore tâtonnantes, et dont la nature la condamne peut-être à se contenter toujours de tentatives partielles, régionales, limitées, consistent à faire apparaître, à travers un certain nombre d'analyses, la structuration originale, la « combinatoire » spécifique, déterminée dans un groupe humain, dans une psychologie, dans un discours..., par la référence à une imprenable Parole à laquelle répond la foi dans sa confession.

Cette théologie est pratique à double titre : elle est l'œuvre d'une opération, qui se déroule sur un « chantier » déterminé ; d'autre part, cette opération, en prise directe sur la réalité et à l'« épreuve » des faits, conduit, à travers le repérage des facteurs en présence et de leur interaction, à ouvrir le champ de l'action, que la liberté remplira.

Une des approches du mystère

Dans ce sens, elle ne peut pas être immédiatement identifiée à une théologie « spirituelle ». Elle en serait plutôt la condition négative, même si elle fait en quelque sorte toucher, dans ses effets, le mystère vivant qui suscite et nourrit la foi.

Est-il, à vrai dire, jamais possible d'étreindre ce mystère dans un discours humain, quel qu'il soit ? N'importe quelle théologie n'a-t-elle pas plutôt à se tenir en garde devant cette illusoire prétention ? Aussi bien, aucune théologie ne saurait faire un absolu d'aucune de ses méthodes ou démarches, qui toutes sont marquées d'incomplétude et appellent leur complément. Le complément de la théologie pratique, telle qu'elle se comprend de nos jours, pourrait être une théologie de type « esthétique », et dans ce sens aussi « spirituelle », jouant en quelque sorte, selon un jeu serré, qui correspond à sa nature de théologie, avec les différents éléments de la tradition chrétienne, à l'intérieur de cette tradition, et jusque dans l'univers particulier de son langage.

BIBLIOGRAPHIE

Sur la théologie spirituelle, son concept et son histoire, on peut se reporter à Joseph de GUIBERT, *Leçons de théologie spirituelle,* Toulouse, 1955, en gardant présente à l'esprit la particularité du point de vue adopté par l'auteur, et sur laquelle nous attirons l'attention dans le corps de l'article.

Des éléments historiques sur la constitution de cette branche particulière de la théologie se trouvent également dans l'article « Théologie » d'Yves CONGAR, dans le *DTC*, tome XV/1, col. 423-424.

Sur l'histoire de la spiritualité et de la mystique, cf. la bibliographie donnée plus haut par Y. Congar.

Sur la théologie pratique, son concept et son histoire, on peut consulter René MARLÉ, *le Projet de théologie pratique,* Beauchesne, Paris, 1979.

Dans ce dernier ouvrage, après une présentation du statut assigné à la théologie pratique par quelques théologiens contemporains (K. Rahner, W. Pannenberg, J. Moltmann, P. Gisel), renvoi est fait à des travaux de quelques représentants de cette discipline (G. Casalis, G. Otto, G. Defois, J. Audinet). Quelques travaux de J. Audinet semblent particulièrement propres à en faire comprendre les démarches, notamment son article « Théologie pratique et pratique de la théologie », dans le volume *le Déplacement de la théologie,* coll. « le Point théologique », n° 21, Beauchesne, Paris, 1977, pp. 91-108, et aussi celui intitulé « Action, confession, raison », paru in *RSR*, t. 65, 1977, pp. 567-578.

On peut voir encore les pages consacrées par V. SCHURR à la théologie pastorale dans l'ouvrage *Bilan de la théologie du XXe siècle,* édité par R. VAN DER GUCHT et H. VORGRIMMLER, Tournai-Paris, 1970, tome 2, pp. 569-626.

En allemand on pourra consulter le *Handbuch der Pastoraltheologie,* édité par Fr. X. ARNOLD, K. RAHNER, V. SCHURR, et L.M. WEBER, Fribourg, 1964 ss. et A. ADAM - R. BERGER, *Pastoralliturgisches Handlexicon,* Fribourg, 1980.

Enfin, le dernier tome de cette Initiation développe une théologie pratique telle qu'on peut l'entendre aujourd'hui.

CHAPITRE V

La pratique de l'interdisciplinarité Deux exemples

I

INCIDENCES DES SCIENCES DU LANGAGE SUR L'EXÉGÈSE ET LA THÉOLOGIE

par JEAN DELORME

SOMMAIRE. — A) Diachronie/synchronie. B) Conditions externes/internes de la signification : 1. l'oral et l'écrit ; 2. le dire et le dit ; 3. la communication et la signification. C) Phrase et discours. D) Pistes de réflexion. Pour aller plus loin.

Le développement extraordinaire des sciences du langage intéresse les biblistes et théologiens voués à l'étude de textes et à l'exploration du sens. Nous privilégierons la *linguistique,* qui étudie les langues naturelles, et la *sémiotique,* qui cherche le comment de la signification quel qu'en soit le canal (langage, mime, image...), mais d'abord et surtout par le langage. Il n'est pas nécessaire de faire l'histoire détaillée des écoles et des recherches récentes pour dégager quelques orientations communes. Elles tendent à modifier notre attitude à l'égard des textes, en faisant passer d'une saisie apparemment intuitive du sens à une élaboration raisonnée de la signification. Cette mutation se fait par une série de déplacements : d'une étude des textes dans l'histoire (dans la *diachronie*) à leur considération simultanée (dans la *synchronie*) ; des conditions externes de la signification à ses conditions inhérentes au langage ; de l'examen des phrases et de leurs liaisons grammaticales et stylistiques à la recherche d'une organisation du discours sous-jacente aux phrases.

A) DIACHRONIE/SYNCHRONIE

Les études bibliques et théologiques sont largement dominées par le souci du sens historique des textes. On les traite comme des documents, qu'il importe de situer dans leur milieu d'origine, leur succession, leurs rapports d'influence et de dépendance. Ils peuvent résulter eux-mêmes d'une élaboration par étapes à restituer. La critique dite « littéraire » vise à reconstruire une évolution dans le temps, une « diachronie ».

Personne ne conteste les progrès réalisés grâce à ces recherches. Et il est clair que la foi chrétienne ne peut s'exprimer sans référence à l'histoire d'Israël, de Jésus, de l'Eglise. Il reste que les origines des textes doivent être en majeure partie reconstituées par l'examen de ce qu'ils sont devenus, tels qu'ils se présentent à la lecture. Il faut d'abord les lire indépendamment de leur histoire. De là une question préalable : qu'est-ce qui les rend lisibles, traduisibles et comparables en dépit de leurs distances dans le temps et l'espace ? Cette question déborde celle de la compétence linguistique et philologique nécessaire pour les étudier dans leur langue originale. Elle renvoie à une organisation du sens logiquement antérieure à sa manifestation dans une langue ou dans un texte donné. Sinon comment le sens transiterait-il d'une langue dans une autre, d'un discours dans un autre ? Cette question est l'une de celles qui fondent la sémiotique : qu'est-ce qui fait qu'une manifestation langagière de sens est *signifiante* ? La réponse exige l'examen de toutes les composantes du langage qui concourent en même temps à l'effet de sens global (étude synchronique).

Cette exigence est bien illustrée par les études évangéliques. Pour établir la diachronie des évangiles à partir de leurs matériaux (traditions et sources), il a fallu les démembrer et séparer les éléments attribuables à un « texte primitif » et ceux qui relèvent d'un ou plusieurs rédacteurs postérieurs [1]. Mais qu'est-ce qui fait tenir le texte avant sa mise en pièces et tel qu'il se donne à lire ? La nouvelle critique rédactionnelle ou rhétorique revendique l'unité du livre en manifestant sa composition littéraire et la continuité de ses thèmes. L'analyse sémiotique structurale va plus loin. En posant que les relations prévalent sur les éléments, elle voit la cohérence du livre se construire à partir de ses structures immanentes. Les matériaux utilisés, les

1. Cf. pour exemple R. Bultmann, *l'Histoire de la tradition synoptique*, trad. A. Malet, Seuil, 1973 ; M.-E. Boismard, *Synopse des quatre évangiles*, t. II et III, Cerf, 1972 et 1977.

formes littéraires variées, les thèmes qui les traversent, forment un tout lié du dedans par une matrice structurale profonde. Ils se mettent à signifier autrement qu'à l'état isolé comme les pierres d'une cathédrale deviennent solidaires, non par la vertu de l'architecte, mais par les forces architectoniques inhérentes à l'édifice.

Ce point de vue autorise une manière de lire originale. A l'attention aux enchaînements qui assurent la continuité du texte dans son déroulement *(lecture syntagmatique)*, on joindra l'attention aux rapports qui s'établissent entre des parties ou des fragments comparables parce qu'ils manifestent des structures homologables en des régions différentes de la chaîne textuelle (lecture *paradigmatique*)[2]. Le prologue de Marc (1, 1-13) par exemple, l'épilogue (16, 1-8) et la digression sur la mort de Jean (6, 17-29) mettent en place un dispositif interprétatif du récit d'ensemble. Ils renvoient au lecteur la tâche que les disciples mis en scène ne conduisent pas à terme : comment comprendre l'action-passion de Jésus ? On pourra comparer de même les paraboles (4, 1-34) et les miracles qui suivent ; cet ensemble et la « section des pains » (6, 30 - 8, 26) ; ou dans cette section les passages qui se font face : rassasiements de foule, épisodes entre Jésus et les disciples en barque, et de façon surprenante la prière de Jésus sur la montagne (reconnaissance secrète en relation avec le ciel) et le refus d'un signe du ciel demandé par les pharisiens (mode exclu d'une reconnaissance publique de la relation terre-ciel). De proche en proche, la signification du livre se constitue dans la synchronie de toutes ses composantes.

Des voies nouvelles s'ouvrent pour la comparaison synoptique des évangiles (leurs différences affectent-elles leurs structures profondes ?), mais aussi de corpus textuels éloignés dans le temps, l'espace ou par le genre littéraire : récits de miracles et paraboles, évangiles et lettres de Paul, livres « historiques », prophétiques et sapientiaux. Ou encore on évaluera les conséquences des trois états de la Bible (texte hébreu, Septante et canon chrétien) pour la lecture de ses écrits : Isaïe par exemple ne se prête pas à la même interprétation selon qu'il est compris dans l'une ou l'autre de ces trois collections.

Et si l'on admet que toute traduction, commentaire ou lecture, modifie le texte-source et engendre un nouveau discours, on cherchera comment les différences touchent aux structures et prennent place dans un système de constantes et de variables à partir d'une matrice commune. L'étude des commentaires, et plus généralement de la

---

2. Cf. J. Delorme, « l'Intégration des petites unités littéraires dans l'évangile de Marc du point de vue de la sémiotique structurale », in *New Testament Studies*, 25, 1979, pp. 469-491.

tradition, en serait renouvelée [3]. Il devient possible de savoir pourquoi les textes bibliques n'engendrent pas n'importe quel type de lecture ou de théologie et de repérer les organisations de valeurs sémantiques qui caractérisent les traditions juive, chrétienne, islamique, ou les diverses synthèses théologiques. En distinguant dans leur développement des états structurels entre lesquels apparaissent des transformations, les analyses synchroniques, loin de se substituer aux recherches historiques, en appelleront de nouvelles [4].

B) CONDITIONS EXTERNES / INTERNES DE LA SIGNIFICATION

L'exégèse classique considère que le sens des textes est à déterminer dans leurs conditions historiques de production et de communication : qui s'adresse à qui ? dans quelles circonstances ? pour quel but ? On cherche à préciser les intentions de l'auteur, les besoins et préoccupations des destinataires originels, les fonctions communautaires qui ont provoqué la naissance ou conditionné l'usage des textes. Les sciences du langage attirent l'attention sur l'organisation signifiante du langage lui-même. L'étude historique des écrits anciens postule une analyse interne préalable. Et celle-ci se trouve aujourd'hui dotée d'instruments qui modifient profondément notre manière de référer les textes à leurs conditions externes de signification.

1. L'oral et l'écrit

La communication orale met en présence les interlocuteurs. Leur situation interfère constamment avec leurs paroles. Leur conversation risque d'être incompréhensible hors de cette situation. Le problème change avec l'écrit, qui se fait lire en l'absence de son auteur et par d'autres que ses premiers destinataires. Il doit investir en lui-même de quelque façon, explicite ou implicite, ses conditions de compréhension. Celles-ci apparaissent à l'analyse de la lettre, et non d'abord des situations extérieures d'écriture ou de lecture.

---

3. Cf. L. PANIER, *Récit et Commentaire* (Tentation de Jésus au désert. Approche sémiotique du discours interprétatif), à paraître chez Klincksieck ; « Sémiotique du commentaire : problématique et procédures d'analyse », in *RevSR* t. 52, 1978, n° 3-4. Au sujet des problèmes de traduction, cf. l'apport des sémioticiens dans *Texte et Prétexte. La traduction de la Bible,* travaux du colloque de Nancy 1977, à paraître dans la coll. des Colloques internationaux du CNRS.

4. On connaît la fécondité pour les historiens des analyses structurales des traditions indo-européennes par Dumézil et des mythes grecs par Vernant et Détienne.

2. Le dire et le dit

L'analyse de la lettre (l'énoncé) peut s'intéresser aux faits dits ou reflétés par l'écrit, ou au fait de les dire (écrire), ou au fait qu'ils sont dits (écrits). Dans le premier cas, elle se met au service de l'histoire et lui demande un éclairage. Le genre littéraire par exemple sera compris comme un facteur de transformation de la vérité historique à rétablir derrière le texte. Dans les deuxième et troisième cas, l'attention se concentre sur l'énoncé comme sur un fait à part entière, mais considéré soit comme acte de parole ou de discours (énonciation), soit comme une lettre fixée, offerte à la lecture.

Insister sur l'énonciation, c'est mettre en valeur, dans le dit, l'acte de dire ou de communiquer. Dans cette ligne, on cherche à préciser les fonctions langagières du texte [5], ses rapports explicites ou implicites à sa situation d'écriture et de lecture [6], ou encore le type d'action qu'il exerce sur la relation entre émetteur et récepteur du message [7]. Plus généralement, on parle de « pragmatique » du texte ou de son « opérativité » [8].

Ces recherches intéressent les biblistes, qui ont l'habitude de lire les textes en situation de communication et comme messages. Elles renouvellent l'intérêt pour l'histoire en ceci que l'historicité de

---

5. Aux trois fonctions d'expression (de l'émetteur), d'appel (au récepteur) et de représentation (du monde de référence) distinguées par K. Bühler (*Sprachtheorie*, Iéna, 1934), R. Jakobson ajoute trois autres fonctions : la relation du message à son code, à son propre énoncé, et à la communication entre les interlocuteurs (*Essais de linguistique générale*, éd. de Minuit, 1963, chap. xi).

6. Cf. E. Benveniste, *Problèmes de linguistique générale*, Gallimard, 1966 (v : « L'homme dans la langue »).

7. J.L. Austin a remarqué que certaines formules, par exemple de promesse, de commandement, réalisent ce qu'elles disent par le simple fait d'être prononcées : ce sont les actes de langage « performatifs » (*Quand dire, c'est faire*, trad. fr., Paris, 1970). A partir de là, J.R. Searle parle de la « force illocutoire » de la parole, qui affecte la relation entre les interlocuteurs (par exemple l'acte d'affirmer, d'interroger, de promettre), distinguée de l'acte « perlocutoire » par lequel l'acte de parole sert à autre chose qu'à dire (par exemple, une promesse peut servir à tromper, à séduire). Le perlocutoire échappe à l'analyse linguistique (*les Actes de langage*, trad. fr., éd. Hermann, 1972).

8. C'est l'américain Ch. W. Morris qui a distingué syntaxe (relations entre les signes), sémantique (relation entre les signes et le signifié) et pragmatique (relation entre les signes et les interlocuteurs qui agissent par eux les uns sur les autres) (*Foundations of The Theory of Signs*, Chicago, 1938). La *Textlinguistik* allemande définit le « texte » par une double composante : linguistique (struture interne de l'énoncé) et sociale (ou jeu social d'actes de communication reconnaissables par des règles).

l'écriture et de la lecture ne leur est pas extrinsèque[9]. Ce sont des événements, individuels et sociaux, de parole, qui s'insèrent dans une histoire, personnelle et collective. Ils renvoient à leurs conditions psychologiques et sociologiques.

Mais ces recherches sont délicates et souvent très empiriques. Elles se vérifient plus facilement à l'oral, dans les phrases isolées ou dans les messages courts, pratiques, dépendant plus immédiatement que les textes longs des circonstances de leur communication. On peut parler de la force « illocutoire », ou « performative », d'un ordre, d'une promesse, d'une interrogation, mais comment appliquer cette notion à un livre ?

Ces recherches, d'autre part, n'ont progressé que parce qu'on a distingué l'opérativité inscrite dans l'énoncé (par exemple dans une formule de promesse ou d'interrogation) et l'opérativité liée à la situation et qui échappe à l'analyse linguistique (par exemple, par politesse, on peut donner un ordre en disant : voulez-vous faire ceci ?). On distinguera la personne à qui s'adresse concrètement cette phrase et le destinataire interne de la question[10]. Celui-ci est inscrit dans l'énoncé comme sujet éventuel d'un vouloir faire, tandis que la première, dans ces circonstances, est interpellée comme sujet d'un devoir faire. On apprend ainsi à caractériser l'énonciation d'après l'énoncé et non seulement d'après ce que l'on peut savoir par ailleurs de son acte d'élocution. On évite de confondre les instances d'émission et de réception impliquées par le texte avec l'auteur et le lecteur « réels », historiques, de ce texte. Pour les textes bibliques, cette distinction permet au lecteur d'aujourd'hui à la fois de prendre ses distances par rapport au destinataire immanent à la lettre et d'en assumer librement le rôle en se l'appropriant. L'opérativité, ce pour quoi le texte est fait, sera reconnue sans confusion avec l'efficatité qu'il tient de sa lecture en situation, qu'il s'agisse des circonstances particulières qui rendent le lecteur plus sensible à tel aspect du message, ou des protocoles qui règlent sa réception ou son usage dans l'Eglise comme texte sacré.

3. La communication et la signification

Ce que nous venons de dire introduit à un débat plus fondamental. Le langage est-il avant tout un instrument de communication ? ne peut-il être compris qu'en dépendance des postes d'émission et de

---

9. Cf. A. PAUL, *le Fait biblique*, Cerf, 1979.
10. Cf. O. DUCROT, « Structuralisme, Enonciation et Sémantique », in *Poétique*, n° 33, 1978, pp. 107-128 (avec bibliographie).

réception qui l'encadrent ? La linguistique de Hjelmslev[11] et la sémiotique de Greimas[12] considèrent que, loin d'être la base ou la règle de la signification, la communication en est une conséquence ou un cas particulier. Nous pouvons lire, par exemple dans un paysage, un annuaire de chemins de fer, un poème, des significations qui ne relèvent d'aucune intention de communiquer. On ne dira pas : il y a sens parce qu'il y a communication, mais : l'énoncé est communicable parce qu'il est signifiant. Cette position se révèle particulièrement féconde pour l'étude des écrits, surtout des écrits anciens. Elle oblige à pousser le plus loin possible l'analyse immanente pour faire apparaître tout le travail de signifiance qui s'y trouve programmé.

Cette discipline rend attentif à la communication telle qu'elle est représentée dans les textes : par les dialogues entre personnages, par les relations entre « je/tu », « nous/vous » dans les épîtres ou les discours d'exhortation ou de persuasion. Mais on sait que les rôles d'énonciateur et d'énonciataire explicites, ainsi manifestés, ne suffisent pas à définir l'énonciation. L'intentionalité du texte, son « vouloir dire », ne procède pas d'abord de la volonté de l'auteur, ni du « je » ou du personnage qui le représente dans l'énoncé. Il émerge d'un « pouvoir dire », déterminé par les structures immanentes de la signification. Celles-ci construisent à l'usage du lecteur un « pouvoir lire » qui conditionne la lecture du texte même par son auteur ou ses représentants énoncés. Quelles structures ? C'est ce qu'il faut encore préciser.

C) PHRASE / DISCOURS

Les progrès exégétiques sont marqués par un mouvement qui les ramène constamment de l'étude de l'histoire à laquelle se réfère ou appartient le texte à l'examen de sa lettre. Celle-ci s'impose à l'attention par les questions de critique textuelle, d'analyse philologique et de traduction qu'elle soulève. Ces questions ont été longtemps débattues dans le cadre de la phrase (vocabulaire, syntaxe). On examine aussi les relations entre phrases, qui représentent un « style » et qui marquent des relations logiques (causalité, finalité...) de plus grande dimension que celles de la phrase (on parlera de « macro-syntaxe »). On reconnaît que l'unité de signification se construit autrement que par la somme des significations des phrases et l'on s'achemine ainsi vers l'idée d'un réseau de relations sous-jacentes entre

---

11. *Le Langage*, trad. fr., éd. de Minuit, 1966.
12. Voir surtout *Du sens*, Seuil, 1970, et *Maupassant. La sémiotique du texte : exercices pratiques*, Seuil, 1976.

unités de sens qui ne correspondent ni aux mots ni aux phrases qui les associent.

C'est l'analyse du récit, issue des travaux du pionnier russe Vladimir Propp [13], qui a inauguré une sémantique, non plus de la phrase, mais du discours, ordinairement composé de plusieurs phrases. On sait maintenant que tous les éléments d'un récit tiennent ensemble grâce à un système de fonctions et d'actants. L'intérêt de cette grammaire dite narrative s'est élargi quand on s'est aperçu qu'elle n'était pas propre au discours narratif. Dans un récit, elle organise non seulement les événements racontés, mais aussi les savoirs des personnages sur ces événements ou les uns sur les autres, par exemple les conflits d'interprétation de l'activité de Jésus dans les évangiles. Cette dimension du savoir est particulièrement importante quand il s'agit d'instaurer un sujet pour faire quelque chose et quand, au terme, l'action accomplie est reconnue et sanctionnée avec les valeurs acquises et les qualités du sujet opérateur. Or ces deux phases du récit donnent lieu à des discours autonomes : le discours de persuasion qui tend à faire acquérir à quelqu'un une conviction ou un vouloir, le discours de sanction ou reconnaissance d'un mérite ou démérite, d'un bienfait ou méfait. La grammaire « narrative » concerne donc des discours qui ne sont pas des récits. Elle régit même le discours scientifique, didactique, théologique, où l'acquisition et la transmission du savoir sont l'enjeu d'une transformation qui obéit aux mêmes règles de cohérence que l'acquisition et la transmission d'un trésor dans un récit [14].

Cette grammaire du discours joue le rôle d'une syntaxe qui régit l'enchaînement logique des éléments dans leur succession. Elle prend en charge des unités de sens de plus grande dimension que les mots, représentées par les situations et actions mises en scène, les qualités et transformations énoncées [15]. Par leurs recoupements, leurs similitudes, leurs oppositions, ces unités sélectionnent, parmi leurs virtualités de sens, des valeurs sémantiques plus élémentaires (les « sèmes »), qui se répètent tout au long du texte sous des figures

---

13. *Morphologie du conte*, trad. fr., Seuil, 1970. Les analyses de contes de Propp ont provoqué la recherche de la grammaire des récits en général, cf. « l'Analyse structurale du récit », in *Communications*, n° 8, 1966, et les recherches de R. Barthes (*S/Z*, Seuil, 1970), de C. Bremond (*la Logique du récit*, Seuil, 1973) et de Greimas (ci-dessus, note 12).

14. Cf. A.J. Greimas, E. Landowski (éd.), *Introduction à l'analyse du discours en sciences sociales*, Hachette, 1979.

15. L'œuvre de Cl. Lévi-Strauss sur les mythes amérindiens est typique d'une analyse sémantique du discours.

variées [16], et qui s'organisent selon une matrice structurale caractéristique. C'est à partir de ce niveau profond que l'on peut parler d'un « monde de sens » interne au texte, toujours distinct du « réel » extérieur, même quand il s'en donne comme l'image. C'est précisément le langage qui organise le monde en monde de sens.

Grâce à ce type d'analyse, les ensembles textuels par lesquels la critique historico-littéraire cherche à atteindre des milieux de pensée (paulinien, johannique, apocalyptique...) seront considérés comme des univers sémantiques en expansion [17]. Plus immédiatement, l'analyse sémiotique influe sur les manières de lire les textes.

La lecture, surtout pour les écrits portés par une tradition religieuse ou culturelle, suit facilement des chemins tracés d'avance et le texte risque de rester prisonnier dans le reliquaire des interprétations reçues. L'analyse peut dégager des voies bloquées. Par exemple, l'image d'un Dieu jaloux du pouvoir de l'homme dans le récit de la tour de Babel provient d'une appréciation négative de la multiplicité des langues. Cette appréciation ne correspond pas à l'organisation des valeurs du texte, où la confusion des langues prévient plutôt les conséquences catastrophiques d'une unité où tous diraient et feraient la même chose. Elle permet la dispersion dans la différence [18].

La lecture procède ordinairement aussi par sélection de mots ou de thèmes qu'elle exploite. Il lui est difficile d'intégrer dans sa compréhension toutes les composantes du texte. Aussi les études d'évangiles s'ingénient-elles à les découper, à les décomposer en fragments ou en couches censées plus intelligibles à l'état séparé. La sémiotique tend vers une lecture qui honore les articulations internes de l'ensemble. Un groupement considéré comme composite comme celui des paraboles ou celui de l'enseignement et du rassasiement de la foule, suivis de la prière de Jésus sur la montagne et de la marche sur la mer, relève d'un système de relations qui rend signifiant le moindre détail [19]. La sémiotique ne vise pas pour autant à instaurer une lecture unique. Le pouvoir dire d'un texte s'actualise forcément en des

---

16. On doit à Hjelmslev l'hypothèse féconde des unités de signifié élémentaires plus petites que les mots. Ce sont elles qui déterminent les *isotopies*, ou plans homogènes de signifiés, assurant la cohérence sémantique du discours.

17. Ce point de vue se révèle fécond pour l'analyse des idéologies entretenues par les textes, cf. P. GEOLTRAIN et F. SCHMIDT, « Pour une histoire des idéologies juive et chrétienne antiques », in *Histoire des idéologies* de F. CHATELET, I, Hachette, 1978.

18. Cf. Groupe d'Entrevernes, *Analyse sémiotique des textes*, Presses Universitaires de Lyon, 1979, pp. 157-191.

19. Cf. Groupe d'Entrevernes, *Signes et Paraboles*, Seuil, 1977, chap. II.

lectures particulières diversifiées. Mais il est possible d'en évaluer l'écart par rapport aux possibilités de lecture offertes par l'organisation interne du texte.

D) PISTES DE REFLEXION

1. La sémiotique peut donner à l'exégèse et à la théologie la conscience de leurs propres discours en tant que producteurs de sens. On cherchera par quelles procédures ils produisent un savoir et cherchent à convaincre, sur quels accords implicites ces procédures reposent, quelles organisations de valeurs ils charrient. Ces questions s'imposent à la réflexion actuelle sur leur statut de connaissance (épistémologie) et leurs méthodes. Les caractéristiques de leur discours historien, littéraire et interprétatif appellent analyse, de même que leur rapport à la Parole de Dieu-Ecriture Sainte.

2. On assiste à la remise en honneur de l'écrit, structuré pour résister à l'usure du temps, et des actes d'écriture et de lecture, par lesquels il se relie à son autre, l'homme, et à d'autres textes, c'est-à-dire rencontre d'autres significations. Loin de s'absorber dans la référence à ses origines ou dans la représentation de ce qui se passe hors de lui, il construit un monde signifiant décalé du monde des choses. Il s'ouvre en avant du côté de ses lecteurs à venir. Cette redécouverte rend toute sa valeur au titre traditionnel d'« Ecriture Sainte ». Une théologie de la Parole de Dieu ne peut plus oublier la condition scripturaire de cette Parole.

3. Qu'une écriture soit lue comme Parole de Dieu, c'est encore un problème de langage et de signification. Comment les écrits bibliques relèvent-ils comme tout texte des contraintes imposées et des possibilités offertes par le langage et comment indexent-ils l'autorité que le croyant leur reconnaît à la différence des autres textes ? Leurs structures d'énonciation doivent être interrogées là-dessus. Quels que soient les énonciateurs et les destinataires humains, elles renvoient souvent à l'énonciateur divin. L'énoncé se trouve de la sorte investi des qualifications de ce destinateur. Et il tend à se faire lire par un destinataire rendu capable d'assumer la vérité et de s'orienter vers la pratique qui lui sont proposées. Ces particularités de l'énonciation biblique ont été exploitées pour la constitution de la Bible en « canon », c'est-à-dire en corpus textuel revêtu d'autorité pour une communauté croyante. La Bible est devenue d'une certaine façon atemporelle ou plutôt sans cesse contemporaine de ses lecteurs. Par elle et pour eux, la Parole de Dieu demeure toujours vraie et persuasive.

4. Dans sa clôture, des univers de valeurs se côtoient ou s'opposent. Les livres de la Loi, les Prophètes, les écrits de sagesse, les

Evangiles, etc., confrontent des manières de concevoir l'homme dans ses rapports avec le monde, les autres, Dieu. Pensons aux conflits entre Jésus et les pharisiens : deux univers de sens sont en présence. Comment le texte ménage-t-il le passage de l'un à l'autre ? Il apparait déjà que le discours évangélique se comporte autrement que le conte ou le mythe. Le conte s'intéresse à la restauration par le héros d'un ordre antérieur perturbé par l'anti-héros. Le mythe tente de surmonter des contradictions pour les rendre compatibles. Les Evangiles en revanche mettent en scène des actions de Jésus qui, face aux représentations d'un ordre établi, inaugure un nouveau langage [20], une nouvelle définition et répartition des valeurs (du péché et du pardon, de la justice et du pouvoir...).

5. Parce qu'il est clos, le canon biblique a suscité d'autres discours et continue de le faire. Il fonctionne comme un dispositif d'ouverture à de nouvelles possibilités de parole et d'écriture. La tradition, avec les relectures incessantes des traductions, commentaires, prédications, multiplie les lieux de fructification (parfois de sclérose) du sens. Leur étude sémiotique, notamment celle de la relation qu'elles entretiennent avec les textes fondateurs, devrait faire avancer notre connaissance des voies et des démarches de l'interprétation. En nous faisant saisir une herméneutique en action, elle fournit des bases renouvelées pour une réflexion théorique sur le et les sens de l'Ecriture.

Cette réflexion se trouve stimulée par la mise en question des définitions courantes du sens « littéral » et du sens « spirituel ». Le premier, conçu comme sens « historique » du texte à son origine, est construit de nos jours et présuppose que le texte est lisible avant sa mise en contexte historique. Il faut admettre une couche primaire du sens, accessible par l'examen linguistique et sémiotique de la lettre. Quant au sens « spirituel », il a souvent l'allure d'un fourre-tout. On ne parle plus guère du sens « plénier », qui pourrait être reconsidéré à partir des transformations imposées à la compréhension quand on fait varier en étendue le texte pris en charge par la lecture ou l'ensemble des lectures opérées au fil de l'histoire.

Et les théories anciennes des quatre sens de l'Ecriture pourraient connaître un regain d'actualité.

---

20. Selon Greimas, c'est un discours novateur in *op. cit.* dans la note 19, pp. 236-237.

POUR ALLER PLUS LOIN

I. CENTRES ET REVUES D'INITIATION ET DE RECHERCHES

Pour les divers domaines de la sémiotique : le séminaire de M. A.J. Greimas à l'Ecole des Hautes Études en sciences sociales (Paris) et *le Bulletin* du Groupe de recherches sémio-linguistiques (10, rue Monsieur-le-Prince, Paris). Cf. l'ouvrage collectif *Sémiotique. L'école de Paris,* Hachette, Paris, 1982 (les divers types de discours et de langage explorés par la sémiotique greimassienne en France).

Pour le texte biblique et le discours religieux : le Centre pour l'analyse du discours religieux (CADIR) et la revue *Sémiotique et Bible* (25, rue du Plat, Lyon) ; — les séminaires sur le christianisme primitif à l'Ecole Pratique des Hautes Etudes (Paris). Il existe un centre de recherche en sémiotique religieuse à l'Université Vanderbilt (Nashville, U.S.A.). Les revues allemande *Linguistica Biblica,* américaine *Semia*, française *Cahiers bibliques Foi et Vie* et belge *Theolinguistics*.

II. PUBLICATIONS

Pour s'initier : Cahiers bibliques *Foi et Vie,* n° 14, 1974 (« Lectures de textes johaniques. Introduction à l'analyse structurale ») et n° 15, 1976 (« Etudes sur l'Apocalypse de Jean ») ; *Cahiers Evangile,* n° 16, 1976 (« Une initiation à l'analyse structurale ») ; Groupe d'Entrevernes, *Analyse sémiotique des textes,* Presses Universitaires de Lyon, 1979 ; A. Fossion, *Lire les Ecritures* (théorie et pratique de la lecture structurale), coll. « Lumen Vitae », Bruxelles, 1980.

Pour une introduction aux sciences du langage (avec index et bibliographie) : O. Ducrot et T. Todorov, *Dictionnaire encyclopédique des sciences du langage,* Seuil, 1972.

Analyses de textes et réflexion : *Exégèse et Herméneutique* (collectif), Seuil, 1971 ; *Analyse structurale et exégèse biblique* (collectif), Delachaux-Niestlé, 1971 ; L. Marin, *Sémiotique de la Passion,* Bibl. des sc. rel., Aubier-Cerf, etc., 1971 ; C. Chabrol et L. Marin, *le Récit évangélique,* Bibl. des sc. rel., Aubier-Cerf, etc., 1974 ; Groupe d'Entrevernes, *Signes et Paraboles*, Seuil, 1977 ; D. et A. Patte, *Pour une exégèse structurale,* Seuil, 1978 ; J Calloud et F. Genuyt, *la Première Epître de Pierre. Analyse sémiotique,* Cerf, Paris, 1982 ; A. Gueuret, *l'Engendrement d'un récit. L'Evangile de l'enfance selon saint Luc,* Cerf, Paris, 1982.

III. SÉMIOTIQUE, THÉOLOGIE ET HERMÉNEUTIQUE

P. RICŒUR, *le Conflit des interprétations. Essais d'herméneutique*, Seuil, 1969, et *la Métaphore vive*, Seuil, 1975 (les incidences de la linguistique et de la sémiotique sur l'herméneutique); P. BEAUCHAMP, *l'Un et l'Autre Testament*, Seuil, 1976 (essai de compréhension globale de la Bible comme livre); J.P. GABUS, *Critique du discours théologique*, Delachaux-Niestlé, 1977 ; A. DELZANT, *la Communication de Dieu*, Cerf, 1978 ; Y. ALMEIDA, *l'Opérativité sémantique des récits-paraboles* (Sémiotique narrative et textuelle. Hermémeutique du discours religieux), Peeters, Louvain, et Cerf, Paris, 1978 ; A. PAUL, *le Fait biblique*, Cerf, 1979 ; G. LAFON, *Esquisse pour un christianisme*, Cerf, 1979.

II

LA SOCIOLOGIE RELIGIEUSE : PROBLÉMATIQUES, RÉCEPTION ET UTILISATION DANS LES MILIEUX CHRÉTIENS

par ANDRÉ ROUSSEAU

SOMMAIRE. — Introduction. A) Comparer, classer, mesurer. B) Les fonctions sociales de la religion. C) Lire les classiques : 1. Durkheim ; 2. Marx-Engels ; 3. Max Weber ; 4. E. Trœltsch. Bibliographie.

INTRODUCTION

La présentation de la sociologie qui est faite ici étant extrêmement succincte, on est incité à souligner d'emblée deux points cruciaux. D'une part, si on la place dans le cadre général des sciences sociales, la sociologie de la religion ne soulève pas de problèmes épistémologiques originaux, à ceci près, qui est capital, qu'elle a historiquement fourni le paradigme d'une science des faits sociaux [1]. D'autre part, elle offre la particularité de s'intéresser à des phénomènes qu'il est socialement improbable et coûteux de constituer en objets de sciences.

Ces deux traits sont caractéristiques de la littérature extrêmement disparate que constitue une bibliographie de sociologie de la religion. Ils méritent aussi d'être pris au sérieux par ceux qui pratiquent la théologie et disposent ainsi d'une auto-interprétation de faits et de discours auxquels s'intéresse la sociologie. En disant que celle-ci traite des rapports entre religion et société, on créérait une équivoque que lèverait peut-être la lecture des premières pages des *Formes élémentaires de la vie religieuse* de Durkheim. En passant par ce portique, on peut abandonner le préjugé selon lequel la sociologie s'intéresse aux

1. En particulier chez Durkheim et dans une autre tradition : Saint-Simon, Comte, Proudhon, Marx et Engels ; Cf. H. DESROCHE, *Socialismes et Sociologie religieuse*, éd. Cujas, Paris, 1965, 455 p.

lois de diffusion du message religieux : elle ne fait ceci qu'en constituant ces messages comme des faits sociaux. Il serait également simplificateur de définir la sociologie des faits religieux, à l'instar d'un certain type de sociologie de la connaissance, comme la recherche de « correspondance » entre croyances et propriétés sociales de leurs porteurs (ou de leurs destinataires). Si une lecture de Marx et Engels peut aboutir à une telle proposition, parfois naïvement réductrice, c'est que l'on n'aperçoit pas toujours suffisamment l'importance des conflits, traditions, lois propres de fonctionnement du champ religieux, bref, de tout ce qui fait que les créateurs religieux ne sont pas incréés, sans être pour autant une émanation de « conditions économiques ».

S'il est utile d'insister sur des simplifications c'est que les images sociales de la sociologie se dispersent entre deux pôles : l'un qui la range du côté de la statistique des comportements et des croyances, l'autre qui la maintient dans la mouvance de l'analyse des mythes ; les demandes adressées au sociologue concernent d'ailleurs le plus souvent les techniques de l'enquête ou des sondages d'opinion, ou encore l'analyse du discours.

Mais tout compte fait, ce rapport instrumental à la sociologie soulève peut-être moins de questions que la confusion souvent entretenue par les sociologues eux-mêmes entre la sociologie et la philosophie sociale d'où elle est issue, et qui la fait considérer comme une herméneutique. S'il en est ainsi, c'est que la situation scolaire, dans laquelle un chercheur peut avoir intérêt à se maintenir très longtemps, incite à réfléchir sans pratiquer. Mais bien entendu, pratiquer une science sans y réfléchir n'est qu'une autre manière de faire l'impasse sur le rapport que l'on entretient avec les objets et les faits sociaux.

Toutes ces objections expliquent le choix qui a été fait pour cette présentation, qui — sans rechercher l'exhaustivité — exposera les grands profils de la sociologie de la religion (limitée au christianisme). Pour rendre intelligible cet exposé on soulignera dans toute la mesure du possible combien certaines problématiques sociologiques entretiennent des rapports étroits avec l'évolution religieuse. De la sorte, ce guide de lecture fournira au moins des éléments permettant au lecteur de clarifier son propre rapport à la sociologie.

A) COMPARER, CLASSER, MESURER

La grande diversité des phénomènes religieux a, tout naturellement, donné lieu à des approches morphologiques usant de la classification et de la typologie, mais aussi de la statistique. Les formes d'expérience religieuse, les formes d'organisation des groupes (église, secte, mystique), les modes et les degrés de l'appartenance à ces groupes, etc. peuvent ainsi être différenciés et comparés. La méthode comparative prend bien entendu en compte les variations géographiques et historiques des phénomènes.

Pour ce qui concerne le christianisme occidental, cette approche morphologique s'est constituée autour de l'ambition de mesurer « l'état religieux » des populations. C'est ainsi que Gabriel Le Bras (1891-1970) cristallise autour de son œuvre une recherche dont les enquêtes de pratique religieuse représentent l'aspect le mieux connu des milieux chrétiens, au point que la sociologie religieuse est souvent identifiée à cette méthode d'observation. En fait, Le Bras, historien du droit, s'intéressait aux articulations liant le droit romain, le droit ecclésiastique et les formes de régulation sociale des institutions religieuses. A cet intérêt s'ajoutaient des relations universitaires avec les sociologues durkheimiens et avec des historiens tels que Marc Bloch. Ces influences jouèrent un rôle décisif dans la maturation d'un projet, lancé en 1931, d'une vaste enquête socio-historique sur l'état religieux de la France et des autres pays européens. Il s'agissait de réaliser « un tableau où tous les Français seraient comptés, en chaque paroisse, canton ou pays, d'après le degré raisonnablement déterminé de leur pratique religieuse »[2].

En donnant toute leur importance aux aspects formels de la vitalité religieuse, ce projet obligeait à compter les fidèles, à objectiver les zones d'influence de l'Eglise et le rapport entre son emprise sociale et les cultures. Il faut souligner que Le Bras et ses émules universitaires et ecclésiastiques[3], s'intéressaient au moins autant aux pratiquants qu'aux « non-conformismes » religieux, voyant en ceux-ci des révélateurs historiques non seulement des institutions religieuses, mais aussi

---

2. G. Le Bras, « Statistique et histoire religieuses. Pour un examen détaillé et pour une explication historique de l'état du catholicisme dans les différentes régions de la France », *Revue d'histoire de l'Eglise de France,* octobre 1931, pp. 425-449.

3. Pour ce qui concerne les universitaires, mentionnons la fondation, en 1954, du groupe de sociologie des religions, dans le cadre du CNRS, où s'illustrent : Henri Desroche, François-André Isambert, Jacques Maître, Emile Poulat et Jean Séguy ; le chanoine Fernand Boulard (mort en 1977) et des nuées de prêtres autour de lui (dans le cadre du Centre pastoral des missions de l'intérieur) ont réalisé en pratique le projet de Le Bras sur l'ensemble du territoire français entre 1947 et 1965 : associons à ce nom ceux de F. Charpin, H. Carrier, Y. Daniel, A. Luchini, E. Pin, J. Verscheure. En Belgique, le chanoine Leclerc fut l'initiateur d'une « Conférence internationale de sociologie religieuse » qui réunit tous les deux ans depuis 1948 des ecclésiastiques surtout jusque vers 1969, puis, de plus en plus, des universitaires.

des structures sociales. C'est dans les dossiers du doyen Le Bras que l'abbé Fernand Boulard devait puiser les premiers éléments de ses analyses présentées dans *Problèmes missionnaires de la France rurale* ; la même méthode lui permettait de poursuivre et de publier, en 1947, une « carte religieuse de la France rurale »[4].

Parmi les conditions qui ont rendu possibles de telles démarches, il faut sans doute mentionner cette sorte de catholicisme républicain très évident chez Gabriel Le Bras[5] ; mais ces travaux sont en interaction profonde avec le redéploiement du catholicisme , dans les années 1930 à 1950, en « mouvements » missionnaires. Si le groupe catholique devient objectivable c'est à la fois parce que son identité fait problème et qu'on lui assigne des objectifs dans la société. Il est d'ailleurs significatif que les travaux de sociologie religieuse aient été promus non seulement par une institution comme le Centre pastoral des missions de l'intérieur, mais aussi par des organismes à visée « sociale » tels que l'Action populaire et Economie et Humanisme.

Fortement légitime (quand on la qualifiait de « pastorale ») cette sociologie se trouvait à l'aise dans les institutions religieuses, dès lors que sa démarche pouvait passer comme la forme technique à donner au « voir » du missionnaire ; plus encore, cette façon de donner une dimension historique aux faits religieux pouvait s'inscrire dans le droit fil des recherches théologiques développées dans les années 1930, au Saulchoir notamment[6]. Cependant cette légitimation théologique se payait, le plus souvent, d'une prudence extrême dans l'interprétation ; comme le souligne avec ironie Henri Desroche, le clergé voulant mettre le levain dans la pâte, acceptait de faire une sociologie de la pâte, mais estimait inutile une sociologie du levain[7]... Il faudrait citer ici, dans sa totalité, la préface donnée par Le Bras aux *Premiers Itinéraires* de F. Boulard (pp. 7-10) : « Il y a des secteurs que le catholique s'interdit d'exploiter : celui de la révélation. Car si les

---

4. In *Cahiers du Clergé rural*, 1947, n° 92, pp. 403-414. Une seconde édition, plus précise, de 1952, sert de point de départ aux *Premiers Itinéraires en sociologie religieuse*, éd. Ouvrières, éd. Economie et Humanisme, Paris, 1954, 156 p. (réédités en 1966).

5. En particulier dans son ouvrage posthume : *l'Eglise et le Village*, éd. Flammarion, Paris, 1976, et notamment le passage concernant les relations entre l'instituteur et le curé (pp. 194-204) comme piliers des institutions.

6. M.-D. Chenu, « Position de la théologie », in *RSPT*, 1935, et *Une Ecole de théologie : le Saulchoir*, Tournai-Étiolles, 1937, 130 p. ; de larges extraits de ces textes figurent, de façon très symptomatique, dans *Introduction aux sciences humaines des religions*, Symposium recueilli par H. Desroche et J. Séguy, éd. Cujas, Paris, 1970, pp. 53-77.

7. H. Desroche, *Sociologies religieuses*, PUF, Paris, 1968, p. 128. Cet ouvrage parcourt de façon originale l'ensemble des œuvres et des genres.

mythes des peuples archaïques sont une invention, une explication, une réplique (ou, si l'on veut, une hypostase) de la tribu, du clan, les mystères chrétiens sont une dictée de Dieu à l'homme, qui se borne à traduire en son langage».

Cette distinction entre le sociologisable et le non sociologisable demeure, sous diverses formes, l'un des préjugés majeurs de toute découverte de la sociologie ; elle a ses lettres de noblesse, en théologie, avec les distinctions : foi/religion, message/énoncé, essence/visage de l'Eglise, etc.

Cette sociologie à dominante morphologique ne se bornait pas à classer, mesurer, calculer des corrélations, etc. Elle devenait interventionniste en fondant, sur ces données objectives, des programmes de «pastorales d'ensemble», des scénarios d'implantation de lieux de culte, bref des études de communication et d'impact. Surtout, elle portait en elle des développements et des contradictions, tant parce que simultanément se vulgarisaient les œuvres classiques de la sociologie que parce que l'évolution du champ religieux lui-même devait modifier les problématiques. Les statisticiens avaient ouvert la voie à des réformateurs.

B) LES FONCTIONS SOCIALES DE LA RELIGION

A la fin des années 1960 et au début des années 1970, enseigner la sociologie à des étudiants en théologie consistait, pour l'essentiel, à traiter une demande essentiellement éthique et à montrer qu'une science a surtout des réponses aux questions qu'on lui pose dans sa langue. Dans l'enthousiasme de la «présence au monde» promue par le Concile, il n'était question que d'une réflexion critique sur les institutions, l'autorité, la pédagogie de la catéchèse, les nouveaux ensembles urbains, les classes sociales, l'idéologie, etc.

Cet état d'esprit rendait audible et utilisable une vulgate sociologique où les auteurs classiques (Marx, Durkheim, Trœltsch et Weber) étaient présentés et compilés (mais pas toujours cités) sous la forme d'une sociologie fonctionnaliste. Il s'agit du discours sociologique le plus immédiatement accessible et qui a pour centre l'idée qu'il existe une interdépendance des aspects des phénomènes sociaux.

Appréhender les institutions religieuses (rites, pratiques, doctrine, corps sacerdotal, etc.) à travers leurs *fonctions* plutôt qu'au travers d'un classement et d'une mesure, c'est s'interroger sur ce que fait une religion dans une société : consacrer ses valeurs, intégrer ses classes par une morale ou une théodicée, subvertir son ordre par une éthique prophétique, intégrer les personnalités en permettant aux sujets de s'interpréter, etc.

On voit quel prolongement est opéré ici par rapport à une approche morphologique. Mais on pressent aussi quelle place pouvait (et peut encore) tenir ce type de problématique dans la démarche de groupes religieux cherchant à définir une attitude positive et pragmatique dans une société libérale et sécularisée. La façon la plus simple de faire comprendre ceci est de présenter brièvement le profil d'une œuvre représentative de ce type de sociologie et qui eut un incontestable succès dans les milieux religieux : celle de P.L. Berger.

Cet auteur représente dans la sociologie contemporaine un cas typique de synthèse entre les ambitions théoriques (ou philosophiques) de la sociologie européenne et les recherches de la psychologie sociale américaine. Ce n'est pas par hasard en outre que la théorie de la religion s'articule dans son œuvre à une théorie de la culture, jusqu'à se confondre avec celle-ci. En 1966 P.L. Berger avait publié avec Th. Luckmann un ouvrage intitulé *The Social Construction of Reality* [8] où était élaborée une théorie de la culture : le monde social est une création de la conscience, mais les produits de cette création s'imposent, à travers des schémas de pensée, les institutions et les lois, comme une sorte de donnée naturelle : les structures de ce monde objectif sont intériorisées et donnent leur forme à la conscience qui les reproduit.

Dans *The Sacred Canopy* [9] Berger va plus loin en montrant dans la religion une sorte de modèle de toute culture et de toute institution ; les doctrines, les pratiques et les représentations religieuses constituent un cosmos sacré qui est à la fois la clef de voûte d'un ordre social et le voile qui empêche de voir cette réalité comme elle est. Facteur de légitimation, la religion est donc facteur d'aliénation. Comment expliquer, dans ces conditions, la crise des religions et la sécularisation ? Berger les interprète comme une perte de crédibilité des légitimations religieuses, sous la pression des rationalités techniques mais aussi d'une sorte de sécularisation interne de la religion, notamment dans le christianisme, en tant qu'il désacralise l'univers.

La sécularisation se déploie sur deux plans qui se transforment mutuellement : privatisation de la religion et pluralisme religieux qui, mettant les églises et les sectes en concurrence, permet de les

8. P.L. Berger, Th. Luckmann, *The Social Construction of Reality. A Treatise in The Sociology of Knowledge*, Doubleday & Company Inc., New York, 1966, rééd. Anchors Books 1967 et Harmondsworth, Penguin, 1971.

9. P.L. Berger, *The Sacred Canopy. Elements of A Sociological Theory of Religion*, Doubleday & C°, New York, 1967, rééd. *The Social Reality of Religion*, Faber & Faber, London, 1969. Trad. fr. par J. Feisthauer, *la Religion dans la conscience moderne*, Centurion, Paris, 1971, 288 p. On notera l'effet de la traduction du titre.

relativiser, ou de les ramener sur un dénominateur commun banal (comme on peut le voir dans la société nord-américaine).

Dans une phase ultérieure de ses écrits [10] Berger développe ce point en réfléchissant aux moyens dont disposent les organisations religieuses pour s'affranchir de cette situation de « minorités cognitives » (constituées autour d'évidences non dominantes dans la société). Elles peuvent se muer en sectes, mais doivent alors concurrencer les autres voies par lesquelles une société intègre ses membres dans une morale, dans un consensus ; elles peuvent inversement s'adapter au contexte et aux valeurs dominantes selon les voies choisies par les théologies radicales de la sécularisation et de la « mort de Dieu ».

Berger reconstruit alors, en théologien, les éléments d'une doctrine inductive et libérale qui prolonge logiquement sa sociologie.

Si, de la sorte, une sociologie fonctionnelle peut s'articuler à une théologie, elle peut aussi opérer un dépassement des problématiques ecclésiastiques.

C'est ainsi que sur les fondements de la théorie de la culture élaborée avec P. L. Berger, Th. Luckmann [11] situe la sociologie de la religion et la religion elle-même au cœur d'une anthropologie sociale. C'est dire qu'il refuse de s'intéresser exclusivement aux institutions religieuses, ou à telle confession particulière ; son objet est l'essence de la religion et son projet est de faire d'une théorie de la religion une théorie de la société.

Conséquence immédiate, Luckmann abandonne les problématiques ecclésiastiques telles que : y a-t-il encore de la religion ? telle ou telle classe est-elle plus ou moins religieuse ? Pour répondre à la seule question qui vaille selon lui : comment la culture est-elle d'étoffe religieuse ? Il estime en effet que l'essence de la religion est atteinte dans le processus de socialisation, dans l'intégration des individus en une société.

De ces prémisses il peut déduire une classification des phénomènes religieux : 1. *les visions du monde* qui donnent sens à l'existence ; 2. *les institutions religieuses* comme telles : représentations séparées, constituant un cosmos sacré et éventuellement une église ; 3. *les formes privées des visions du monde*, c'est-à-dire le système de signification qui constitue la personnalité ; 4. *la religiosité*, c'est-à-dire les formes privées plus ou moins dérivées des institutions religieuses.

---

10. P.L. Berger, *A Rumor of Angels*, Doubleday & C°, New York, Garden City, 1970 ; trad. fr. *la Rumeur de Dieu. Signes actuels du surnaturel*, Centurion, Paris, 1972, 156 p.

11. *Das Problem der Religion in der modernen Gesellschaft*, Fribourg, 1963 ; *The Invisible Religion*, New York, 1967 ; « Belief, Unbelief and Religion », in R. Caporale et A. Grumelli, éd., *The Culture of Unbelief*, Berkeley, 1971, pp. 21-37.

Le champ d'une sociologie de la religion ne se restreint donc pas à la seconde forme mentionnée et, selon Luckmann, c'est en se cantonnant à ce type de manifestation que la sociologie engendre des pseudo-problèmes tels que celui de la « sécularisation ». Des objets et des thèmes tels que l'autonomie du sujet, le sexe, la famille, la mobilité sociale, sont pour lui des terrains sur lesquels la sociologie peut retrouver ce qu'il nomme « la religion invisible » qui constitue l'étoffe de la culture.

C) LIRE LES CLASSIQUES

1. Durkheim (1858-1917)

Parvenus à ce point, nous retrouvons en fait une des dimensions fondamentales d'un traitement sociologique des faits religieux, qui consiste à les considérer comme des instruments de connaissance et de communication. Les systèmes religieux sont structurés par les pratiques sociales et structurent celles-ci. Telle est l'idée que Durkheim entreprend de démontrer dans *les Formes élémentaires de la vie religieuse* : la religion y est interprétée comme une des formes fondamentales de la cohésion d'une société, dans la mesure où elle réalise un accord des individus et des classes sur la lecture du monde naturel et social. On est ainsi en présence d'une interprétation de la religion conduite dans une perspective de sociologie de la connaissance : les catégories religieuses de pensée, assurent, selon Durkheim le conformisme moral d'une société en assurant son conformisme logique : une religion joue un rôle analogue à celui d'une langue, elle est un ensemble de représentations collectives qui exprime des réalités collectives, « les croyances sont la chose du groupe et en font l'unité ; les individus se sentent liés les uns aux autres par cela seul qu'ils ont une foi commune »... A ces assertions qui ouvrent *les Formes élémentaires* Durkheim paraît cependant apporter un complément dans la conclusion de son ouvrage. La religion n'est pas uniquement un système de représentations : « le fidèle qui a communié avec son dieu n'est pas seulement un homme qui voit des vérités nouvelles que l'incroyant ignore ; c'est un homme qui *peut* davantage »... et cette sensation particulière lui vient de l'action collective c'est-à-dire « de la société en acte »... « c'est donc l'action qui domine la vie religieuse par cela seul que c'est la société qui en est la source »... « l'idée de la société est l'âme de la religion »... « Une société ne peut ni se créer ni se recréer sans du même coup, créer de l'idéal. Cette création n'est pas une sorte d'acte surérogatoire par lequel elle se compléterait une fois formée ; c'est l'acte par lequel elle se fait et se refait périodiquement ».

2. Marx-Engels (1818-1883 ; 1820-1895)

A ces formulations semblent s'opposer mot pour mot les jugements d'Engels sur les rapports entre les luttes de classes et les conflits religieux de l'Allemagne du XVIe siècle. « Même dans ce que l'on appelle les guerres de religions du XVIe siècle, il s'agissait avant tout de très positifs instincts matériels de classes... Si ces luttes de classes portaient à cette époque un *signe de reconnaissance* religieuse, si les intérêts, les besoins, les revendications des différentes classes *se dissimulaient sous le masque* de la religion, cela ne change rien à l'affaire et s'explique facilement par les conditions de l'époque. » En fait (et la suite du texte le confirme), Engels s'intéresse aux luttes de classes là où Durkheim est obsédé par l'intégration sociale et la restauration d'un idéal unitaire. Dès que l'on pose le problème du statut de la religion dans une société divisée en classes et où certaines formes de connaissance se sont émancipées de la théologie, il apparaît, pour paraphraser Engels, que les dogmes de l'Eglise ne peuvent être les axiomes politiques de tout le monde. « Il est donc clair, poursuit Engels, que toutes les attaques dirigées en général contre le féodalisme devaient être avant tout des attaques contre l'Eglise, toutes les doctrines révolutionnaires, sociales et politiques devaient être en même temps et principalement des hérésies théologiques. Pour pouvoir toucher aux conditions sociales existantes, il fallait leur enlever leur auréole sacrée. »

3. Max Weber (1864-1920)

Contrairement à bien des idées reçues, la sociologie de la religion élaborée par Weber ne se réduit pas à une thèse sur les « affinités » entre l'éthique des sectes protestantes et l'esprit du capitalisme. Sous tous les rapports, objet, méthode, portée des conclusions, Weber a fait beaucoup plus. Certes, tous ses écrits sur la religion visent, selon les termes de *l'Ethique*, à répondre à la question : « De quelle façon certaines croyances religieuses déterminent-elles l'apparition d'une “mentalité économique”, autrement dit, l'éthos d'une forme d'économie ? » mais cette question est englobée par Weber dans une méthode qui fait explicitement place à l'hypothèse inverse confirmée, par exemple, par les religions asiatiques ou le judaïsme : sa méthodologie ne consiste donc pas à privilégier un facteur sur un autre mais, comme il le montre dans ses *Essais sur la théorie de la science* [12] à créer des types utiles à une compréhension des phénomènes sociaux.

---

12. M. WEBER, *Essais sur la théorie de la science*, trad. fr., Plon, Paris, 1967.

Cette précaution de méthode est encore explicitée en tête du *Judaïsme antique*, œuvre énorme quoique inachevée et qui s'ouvre par une description de l'environnement physique, des structures sociales, et ensuite seulement par la prise en considération du droit et des théologies. Weber se montre ici plus proche d'Engels que de Durkheim, mais sans que l'opposition soit irréductible. Au centre du judaïsme, le concept d'alliance qui donne, avant la royauté, leur cohésion aux tribus fédérées : Weber tient-il là un cas typique d'organisation sociale où l'idéologie joue un rôle déterminant ? Il ne donne pas pour autant dans une sorte de mono-causalité... et parle même, à propos de l'Alliance, de « prétendu fondement des relations légales et morales »... suggérant qu'en faisant la société l'idéologie produit de la méconnaissance. Une société s'organise sur un modèle religieux en ignorant qu'elle a créé cette religion. C'est dans la même optique qu'il décrit longuement le charisme prophétique comme socialement conditionné, tant par l'évolution politique globale que par les intérêts spécifiques de ses destinataires et *l'origine* de ses porteurs (exclus de tout appui social et s'adressant à des classes marginalisées dans un contexte de bouleversement politique).

La lecture du *Judaïsme antique* montre encore que Weber traite les faits religieux, les éthiques en particulier, comme des instruments de maîtrise du monde social ; tout l'art des lévites ne consiste-t-il pas à construire des moyens permettant de penser tout ce qui peut arriver : identifier le péché, pouvoir le réparer, englober le tout dans la certitude que Dieu a clairement manifesté sa volonté. Cette éthique rationnelle est solidaire d'une rationalisation de la vie (privée aussi bien que publique) ; entendons par là que la régulation sociale s'opère par d'autres voies que le « destin », et que les techniques de maîtrise de la vie en société obéissent à un modèle moins imprévisible que les techniques de la magie ou de la divination. Weber impute cette transformation de la religion en éthique (et en cure d'âmes) à la sédentarisation et à l'urbanisation, mais il montre également quelles affinités un tel processus entretient avec les conduites économiques. Dans ce cadre, l'éthique des prophètes ne diffère de l'action religieuse des prêtres qu'en intensité : ils traitent les événements extraordinaires et collectifs, là où les prêtres gèrent le quotidien et l'individuel. Partant, les prophètes modèlent également la religion dans la direction d'une éthique rationnelle capable d'interpréter les événements politiques ; comme le dit à peu près Weber, les événements dramatiques de l'histoire d'Israël rendaient possible l'élaboration d'une religion de l'histoire capable d'élaborer la justification religieuse d'un destin national et par là, de transformer ce destin en volonté. Et il suffit de transposer cette formulation dans le cadre de la structure des classes pour apercevoir que les conflits des éthiques religieuses entretiennent un rapport (analysé de près par Weber dans *Economie et Société*) avec les conflits sociaux. Les « construits utopiques » que sont les types du magicien, du prêtre et du prophète, apparaissent ainsi comme des instruments conceptuels débordant la sociologie des religions et formulant les principes d'une sociologie unifiant les connaissances, l'économique et le politique.

4. Ernst Troeltsch (1865-1923)

Collègue et ami de Max Weber, théologien libéral et professeur de philosophie, Troeltsch s'est tourné vers une sociologie historique du christianisme, pour comprendre les difficultés de celui-ci dans la société contemporaine et en réévaluer le rôle. Le cœur de son œuvre très importante est formé par une étude des enseignements sociaux du christianisme, de leur genèse, de leur structure et de leurs fonctions.

Les positions théologiques libérales de Troeltsch lui permettent de saisir une essence du christianisme dans l'histoire totale de celui-ci, sous ses variantes orthodoxes et hétérodoxes. C'est aussi cette position relativiste qui lui permet de penser les relations entre les manifestations du phénomène chrétien et le monde « profane ».

Le bilan de cette enquête historique est aussi une mise en forme sociologique extrêmement féconde des types d'expression de l'idée chrétienne dans l'histoire. Cette mise en forme consiste en une typologie qui permet de placer sur un plan positif la question des différenciations internes du christianisme, au-delà de l'opposition dogmatique entre orthodoxie et hérésie.

A partir du message chrétien primitif, mélange instable d'idéologie de changement et de principe d'ordre, et qui ne postule pas d'organisation sociale déterminée, le christianisme se développe suivant trois logiques sociales.

Le type-Eglise : « institution qui, ayant reçu, à la suite de l'œuvre rédemptrice, le pouvoir de dispenser le salut et la grâce, peut s'ouvrir aux masses et s'adapter au monde, car elle peut, dans une certaine mesure, faire abstraction de la sainteté subjective dans l'intérêt des biens objectifs que sont la grâce et la rédemption ». *La secte* est « une libre association de chrétiens austères et conscients qui se réunissent ensemble, se séparent du monde et se restreignent en petits cercles » ; la secte met l'accent sur la loi et non sur la grâce, sa pratique radicale de la loi d'amour et son attente du Royaume la placent en conflit avec la société globale. *Le type-mystique* représente « l'intériorisation et l'immédiation de l'univers des idées sclérosées sous la forme des dogmes et des cultes (en vigueur dans l'Eglise) en vue d'une possession vraiment personnelle et intime » ; il réunit des groupes flottants structurés par des liens personnels.

Pour Troeltsch, les enseignements sociaux et les dogmes varient donc selon les formes des groupes chrétiens, et celles-ci sont également en corrélation avec la place que ces groupes occupent dans la société. Ainsi l'Eglise, institution multitudiniste, se veut coextensive à la société globale et accentue dans son auto-interprétation les traits qui la présentent comme l'instrument d'engendrement du Royaume, continuant la rédemption par les sacrements et la prédication. Elle cherche à cristalliser sa théologie dans un système philosophique (les églises protestantes n'échappent pas à la règle, sinon par l'accent mis sur la prédication) ; il en résulte des rapports positifs avec les autorités constituées et une éthique de compromis entre les idéaux du Royaume et les contraintes de la morale dominante. Groupement sélectif, la secte conteste la société dans laquelle elle existe ; elle refuse tout système dogmatique. Comme la secte, la mystique ne peut se développer que dans un espace social pluraliste ; en revanche, elle tolère des réseaux informels (ce en quoi elle diffère de l'Eglise et de la secte) ; sa théologie du salut met l'accent sur l'union de l'âme avec Dieu ; l'ascèse radicale y est individuelle et non pas communautaire comme dans la secte, et le culte y pousse à l'extrême l'indifférenciation des rôles, relativement présente dans la secte et refusée dans l'Eglise.

BIBLIOGRAPHIE

(Compléments aux indications données en notes)

I. ANTHOLOGIES

On ne dispose d'aucun recueil de textes en langue française. Conseillons donc R. ROBERTSON (éd.), *Sociology of Religion,* Penguin, Harmondsworth (G.B.), 1969, 473 p., ou D. ZADRA (éd.), *Sociologia della religione,* Hœpli, Milan, 1969, 581 p.

II. L'APPROCHE MORPHOLOGIQUE

G. Le BRAS, *Introduction à l'histoire de la pratique religieuse en France,* PUF, Paris, 2 vol., 1942 et 1945 ; ou encore, *Etudes de sociologie religieuse,* PUF, Paris, 2 vol. 1955 et 1956. A ces sources méthodologiques on ajoutera deux bilans socio-historiques concernant la France et un autre la Belgique : F. BOULARD et J. RÉMY, *Pratique religieuse urbaine et régions culturelles,* éd. Ouvrières, Paris, 1968, 213 p., interprétation et explication des niveaux de pratique par un facteur lié à la longue durée : les cultures régionales. F.-A. ISAMBERT et J.-P. TERRENOIRE, *Atlas de la pratique religieuse des catholiques en France,* Presses de la Fondation nationale des sciences politiques et éditions du CNRS, Paris, 1980, 187 p. Mise en perspective, par procédé cartographique, de tout ce qui a été collecté en matière de pratique religieuse, avec les données politiques et économiques. Liliane VOYÉ, *Sociologie du geste religieux. De l'analyse de la pratique dominicale en Belgique à une interprétation théorique,* éd. Vie ouvrière, Bruxelles, 1973, 314 p.

Mais l'approche morphologique ne concerne pas la seule « pratique dominicale » ; on conseillera donc de lire, pour approfondir ce mode de pensée : Joachim WACH (1898-1955), *Sociologie de la Religion* éd. Payot, Paris, 1955, où l'on trouvera un traitement sociologique des types d'expérience et d'organisation des groupes religieux (la traduction française incite à conseiller l'original : *Sociology of Religion,* Chicago, 1944, Londres, 1947, et, en paperback, Chicago, 1958 (Phoenix Books).

III. L'APPROCHE FONCTIONNELLE

C'est un genre anglo-saxon. On peut conseiller : Th. ODEA, *The Sociology of Religion,* Printice Hall, 1966, ou J. M. YINGER, *Religion, Société, Personne,* éd. Universitaires, Paris, 1964 (trad. de l'américain) ; mais on préférera, soit

R. Robertson, *The Sociological Interpretation of Religion,* Blackwell, Oxford, 1970, soit N. Bellah, *Beyond Belief. Essays on Religion in A Post-industrial Society,* New York, 1970.

IV. LES ŒUVRES CLASSIQUES INDISPENSABLES

Emile Durkheim, *les Formes élémentaires de la vie religieuse,* Alcan, Paris, 1912 ; PUF, 1968.

F. Engels, *la Guerre des Paysans en Allemagne,* éd. Sociales, Paris, 1974, 196 p. (Luther, Thomas Müntzer, les princes allemands, un classique sur le thème religion et classes sociales.)

K. Marx et F. Engels, *Sur la Religion,* éd. Sociales, Paris, 1968, recueil de textes essentiels.

Ernst Troeltsch, *Die Soziallehren der Christlichen Kirchen und Gruppen,* Mohr, Tübingen, 1912 et 1922, Scientia Verlag, Aalen, 1961 ; trad. angl. : *The Social Teachings of Christian Churches,* Allen and Unwin, Londres, 1931, réédité en paperback, Harper Torchbooks, New York, 1960, 2 vol. ; trad. italienne, *Le dottrine sociali della chiese e dei gruppi cristiania,* la Nuova Italia, Florence, t. I 1941 et 1949, t. II 1960. L'ensemble de l'œuvre de Troeltsch est présentée par J. Séguy dans *Christianisme et Société. Introduction à la pensée de Troeltsch,* Cerf, Paris, 1980.

Max Weber, *l'Ethique protestante et l'Esprit du capitalisme,* Plon, Paris, 1964 ; *le Judaïsme antique,* Plon, Paris, 1970 ; *Economie et Société,* t. 1, Plon, Paris, 1971 (notamment pp. 429-632).

V. REVUES ET INSTRUMENTS BIBLIOGRAPHIQUES

— Archives de sociologie des religions, 1956-1972, devenue à partir du numéro 18, 1973, *Archives de sciences sociales des religions,* éditées par le CNRS, contient un très riche bulletin bibliographique.

— *Social Compass — Revue internationale des Etudes socio-religieuses,* depuis 1955, éditée par le Centre de recherches socio-religieuses de l'université de Louvain et la Fédération internationale des centres de recherches socio-religieuses. Dimension très internationale des thèmes qui traitent souvent des religions non chrétiennes.

— l'Institut *Fe Y secularidad* a édité deux forts volumes de bibliographie thématique internationale, introduction historique, index : *Sociologia de la Religion y teologia,* 2 vol. Instituto Fe y secularidad, editorial Cuadernos para el dialogo, SA Cop, 1975 et 1978.

C. LIEUX ET MOYENS

CHAPITRE PREMIER

La formation théologique

I
DESCRIPTION DU CONTEXTE FRANÇAIS CATHOLIQUE ACTUEL

par ANDRÉ ROUSSEAU

SOMMAIRE. — I. Brèves réflexions sur un moment historique. II. Lieux et types de formation en France : A) Des facultés à quelques innovations : 1. Information — vulgarisation ; 2. Formations ponctuelles et spécialisées ; 3. Formations globales hors cycle scolaire ; 4. Trois filières pour les laïcs. B) De la formation à la vulgarisation : 1. Quelques lieux de formation et de réflexion ; 2. Autour de la catéchèse ; 3. Formation permanente et grande diffusion.

Décrire avec précision les lieux et les types d'institutions où des théologiens travaillent avec ou en face d'autres qui s'initient à la théologie est probablement une tâche irréalisable ; en outre, le caractère très évolutif de la situation limite considérablement l'intérêt de l'information qui serait ainsi constituée. Ceci est déjà, en un sens, d'une portée considérable sous l'angle d'une réflexion sur la pratique de la théologie, car l'extrême dispersion des genres de pratiques, l'imprécision sur les limites mêmes de l'objet et la notion de formation théologique sont, à ce jour, des réalités inscrites à la fois dans les faits mais aussi dans les têtes et dans les intérêts sociaux (ou, si l'on préfère, dans les « recherches » et les tâtonnements) des acteurs en présence.

C'est pourquoi, avant de proposer quelques éléments d'information sur des lieux et des modes de diffusion du savoir théologique, il est utile d'avancer quelques réflexions qui donnent un relief sociologique à une situation très mouvante, qui ne caractérise pas seulement la France. France.

I. BRÈVES RÉFLEXIONS SUR UN MOMENT HISTORIQUE

Les lieux et les modes de formation théologique ne constituent pas seulement une sorte de décor, de support ou de prolongement de l'activité des théologiens. Un peu à la façon dont « le medium c'est le message », l'image sociale de la théologie, le rôle du théologien dans l'organisation religieuse et probablement les modes de pensée théologiques, doivent beaucoup aux formes sociales à travers lesquelles se communiquent le savoir et le savoir-faire appelés « théologie ». « Le sens épistémologique actuel de *theologia*, écrivait naguère le P. Congar, s'est affirmé au XIIIe siècle, comme fruit de l'organisation et de l'activité universitaire où la théologie figurait parmi les disciplines scolaires »[1]. Mais la « scolarisation de cette activité sacrée », comme dit toujours le P. Congar ne limitait pas ses effets à la seule transmission entre les générations de l'information accumulée ; on pourrait aussi bien écrire qu'il s'agissait de la sacralisation d'une activité scolaire ou, plus rigoureusement, que le langage chrétien trouvait là ses formes de reproduction culturelle et sociale ; en effet, à la forme savante de l'activité théologique (forme la plus consacrée et légitime) s'articulaient désormais — et pour longtemps — des formes dépendantes et moins légitimes : prédication, catéchisme, etc., à la façon dont la foi explicite s'articule à la foi implicite... et tout univers savant à un univers qualifié par celui-ci de « populaire ».

En d'autres termes, les formes sociales dans lesquelles se moulent l'initiation à la théologie (comme corpus de connaissances et comme *habitus*) et la diffusion de celle-ci, ont beaucoup à voir avec la régulation sociale du groupe chrétien et ce n'est pas un hasard si les définitions de la théologie contiennent le plus souvent une prise de position (pratiquement constante) sur le point de savoir : qui est théologien ? ou quelle est la forme socialement légitime, pour un mode d'organisation religieuse donné (l'Eglise) de l'activité théologique ?

« Il est vrai de dire, écrit le P. Geffré, que (le langage théologique) est, en un sens, un "produit" de tout le peuple de Dieu... Tout croyant qui réfléchit sa foi en fonction de la contestation athée est déjà théologien. Il semble préférable cependant de définir la théologie comme un ministère spécifique... elle est l'expression scientifique et réflexive de l'expérience ecclésiale de la foi ; on peut la considérer

---

1. Y.M.J. Congar, *la Foi et la Théologie,* Desclée, Paris, « le Mystère chrétien », 1962, p. 126.

comme étant la foi *in statu scientiae*. (...) Il convient donc de distinguer d'une part le charisme prophétique qui permet à certains chrétiens de donner une expression à la foi et, d'autre part, le ministère théologique comme entreprise de la communauté des théologiens (laïcs ou clercs) »[2].

A la lumière de ce texte, on comprend mieux, sans doute, comment la structure d'un système de diffusion de la théologie est un puissant révélateur de la situation des théologiens et de la théologie. La question de l'enseignement ne se poserait pas si celui-ci (c'est-à-dire l'enseignant et ce qu'il enseigne) n'était en question. Il n'y a interrogation et recherche d'information sur les lieux de diffusion de la théologie que dans la mesure où cette activité est à la recherche de son lieu et de ses fonctions. Pareil problème et pareil objet eussent semblé incongrus il y a vingt ans et plus.

Jusqu'aux années 60, l'édifice de l'activité théologique : séminaires dans chaque diocèse ou presque, facultés, scolasticats et facultés des ordres religieux, était destiné aux clercs et soutenu par un recrutement régulier de ces derniers. Cet édifice s'est largement effrité avec la chute du recrutement sacerdotal et religieux ; 789 entrées dans les grands séminaires en 1968, 214 en 1973 et 282 en 1978. Les facultés sont à la recherche de « nouveaux publics » complétant leur base d'étudiants à temps complet ; les grands séminaires ont été regroupés en une trentaine de centres (si l'on additionne les deux cycles, philosophie et théologie, quand ils se passent dans des lieux distincts) et la plupart des maisons d'étude des religieux ont disparu.

Plus profondément, ce qui était possible il y a vingt ans et plus est devenu impraticable, voire incroyable aujourd'hui : *scolariser* l'apprentissage de la théologie autour de « traités » juxtaposés, de thèses à répéter ou réfuter, d'arguments scripturaires venant au secours de dogmes, de « conséquences pastorales » laborieusement déduites ; etc. L'analogie entre la crise de la liturgie et celle de la théologie est assez commode à saisir mais fournit aussi un modèle explicatif. L'édifice liturgique ancien, prévisible, codé, ésotérique, était un peu la forme limite que peut prendre un langage qui n'est pas nécessairement compris mais qui fait autorité et fonctionne de façon satisfaisante pour tout le monde. Une définition de la « crise », c'est que ce langage cesse de fonctionner et ne produit plus son effet primordial qui est de faire croire, de se faire admettre comme vraisemblable.

En d'autres termes, la crise de la liturgie et celle de la théologie posent la question du rapport entre le langage et l'institution. Se

---

2. Cl. GEFFRÉ, art. « Théologie », *Encyclopædia Universalis*, vol. 15, p. 1089.

demander quelle théologie enseigner, ce qu'est enseigner la théologie ou en produire, s'interroger sur le statut même et l'avenir du théologien, n'est possible que dans une institution où se pose la question de l'autorité, de ce qui fonde le langage et la parole : questions qui donnent sa forme ultime et radicale à celle des rapports entre religion et culture. Les problèmes de l'enseignement ou de la diffusion — ce doublet suffit à poser le problème — de la théologie font système avec ceux de la théologie, des théologiens et de l'institution.

Dans sa définition traditionnelle, l'enseignement de la théologie allait de soi, le professeur était assuré, matériellement et symboliquement, il savait que dire et trouvait des gens prêts à l'écouter ; le problème de la communication se posait peu tant que l'essentiel de celle-ci était donné. En effet, le caractère relatif du message et de la situation d'enseignement n'était pas mis en cause. La disparition matérielle des auditeurs sape évidemment les conditions matérielles de la communication, mais c'est la recherche d'un autre destinataire qui radicalise le problème.

L'enseignement et la diffusion de la théologie deviennent plus clairement un enjeu social. Au monolithisme se substitue une pluralité de formes permettant à divers groupes de voir reconnus leurs normes et leurs intérêts. C'est ainsi qu'à côté des centres de formation au sacerdoce se constituent des « groupes de formation » accueillant des jeunes en cours d'études universitaires et d'autres, de jeunes ouvriers ; de même, le réseau de la catéchèse, déjà puissamment organisé, se constitue comme un doublage des séminaires et des facultés en proposant des diplômes d'enseignement à des laïcs (femmes surtout), à des religieuses et à des clercs qui cherchent un recyclage. Les mouvements d'Action catholique organisent aussi de leur côté leurs groupes d'experts et leur formation. On voit se développer des activités parallèles, ou parfois ouvertement concurrentes ; telle Faculté peut sembler moins crédible qu'une autre pour une fraction de l'épiscopat et celui-ci fait appel au concours d'experts qui ne sont pas toujours ceux qu'écoutent volontiers les groupes divers de « militants » laïcs.

Il est donc possible de parler d'une situation de *marché* de la formation théologique, au sens d'un espace où s'organisent des *échanges* entre des groupes qui se marquent en se différenciant. L'effet le plus évident de cette situation de marché est que les discours et les types d'enseignement théologiques reçoivent — plus clairement qu'autrefois — leurs caractéristiques des propriétés sociales des acteurs qu'ils mettent en communication.

Pour se limiter à quelques remarques, il est assez clair que les conditions de fonctionnement des grands séminaires ne pouvaient demeurer identiques dès lors que la part des étudiants issus de la paysannerie passait de 42 % en 1963 à moins de 20 % en 1978, tandis que le recrutement sacerdotal était de plus en plus dominé par les classes moyennes urbaines. Mais cette évolution socio-culturelle ne faisait peut-être que faciliter une transformation que d'autres faits eussent rendue nécessaire. On notera en particulier que si, en 1961, 73 % des « grands » séminaristes étaient passés par un petit séminaire, dès 1969 ce rapport n'était plus que de 58 % et tombait à 34 % en 1978. En revanche, en 1975, 11 % des jeunes présents dans les « centres de formation sacerdotale » ont exercé un métier et 15 % ont accompli des études supérieures avant leur entrée.

Cette même année, deux professeurs d'un centre de formation de l'Ouest soulignent ainsi, parmi les points forts de la pédagogie mise en œuvre pour les deux premières années de préparation au sacerdoce : « la structuration de la foi, de moins en moins assurée à l'arrivée »[3]. Bref, la formation théologique doit résoudre un problème relativement inédit (ou occulté depuis la crise moderniste du début du siècle) : faire admetttre un mode de pensée et trouver des auditeurs adaptés à son discours. S'ensuivent des compromis entre des demandes quasi idéologiques qui cherchent dans la théologie des justifications à l'action pastorale auprès de telle ou telle classe sociale, d'autres qui, à l'autre extrême, pensent que la Bible est faite seulement pour prier ou d'autres enfin qui, à ce fondamentalisme et au fonctionnalisme pastoral, opposent des centres d'intérêt intellectuels et cherchent à repenser par exemple une théologie fondamentale à partir de la réflexion de Heidegger sur le langage.

Si l'on n'oublie pas que l'idée de marché est ici introduite pour désigner des échanges auxquels oblige ou que rend possibles une situation sociale conflictuelle, on comprend que les relations interconfessionnelles renouvellent profondément le fonctionnement de l'enseignement théologique en contribuant à y gommer les traits qui en font, en temps ordinaire, un moyen de conformité idéologique. C'est ainsi qu'un organisme qui a monté un réseau de formation « à distance » (le CETAD, cf. ci-dessous) propose à des groupes de lire toujours simultanément un ouvrage catholique et un ouvrage protestant ; de même bon nombre des théologiens allemands ou anglo-saxons traduits par des maisons d'édition catholiques ou utilisés par des enseignants sont des théologiens issus de la Réforme. La place de la pensée protestante dans la formation théologique en France ne se limite donc pas aux facultés de Paris, Strasbourg et Montpellier. A un moindre degré, on peut en dire de même de l'Orthodoxie et, si les

3. *Bulletin de Saint-Sulpice,* 1975, n° 1, p. 95.

collaborations avec le judaïsme et l'islam sont moins visibles, il est incontestable que les rapports avec ces univers de pensée se sont qualitativement modifiés.

Mais les confessions elles-mêmes connaissent des rapports de pouvoir internes qui se concrétisent dans la formation théologique : à côté des facultés de théologie protestantes reconnues, existent celles de Vaux et Aix ; et dans le catholicisme, ce n'est pas un hasard si la réorganisation des courants intégristes s'est cristallisée autour du séminaire d'Econe ; *mutatis mutandis* bien sûr, ce n'est pas un hasard si le Mouvement charismatique s'est doté d'une formation théologique à Poitiers et Lyon en particulier, dans laquelle on peut voir un indice d'ecclésification d'un mouvement qui, dans ses principes, est anti-institutionnel. La disparition des instances de formation des ordres religieux n'est pas que la résultante de la crise de leur recrutement, elle renvoie autant à la question de l'identité des religieux dans l'Eglise.

Dans cette situation conflictuelle, tout n'est pas démembrement, recul et crise. Pour s'en tenir à un seul indice, on peut souligner que le nombre de thèses de théologie soutenues dans le cadre de l'Institut catholique de Paris passe d'une moyenne annuelle de 4,7 entre 1951 et 1960 à 11,5 entre 1961 et 1970, à 8,2 entre 1971 et 1975 et 14,5 entre 1975 et 1980. Cette progression globale n'est pas uniquement liée au fait — en soi-même significatif — qu'une période de haute conjoncture de la théologie française, durant les années conciliaires, amenait beaucoup d'étudiants étrangers à Paris ; il s'agit aussi d'un effort de qualification théologique du clergé et des laïcs et qui est facilité, en ce qui concerne Paris, par la signature d'une convention avec le Département des sciences de la religion de Paris IV et, pour la Faculté de droit canonique, avec Paris XI (Sceaux).

Pourtant cet effort aggrave par bien des côtés la crise de la théologie et des théologiens, dans la mesure où les moyens institutionnels et en particulier les rapports de pouvoir et d'autorité au sein du clergé et entre le clergé et le laïcat n'ont pas suivi le même rythme d'évolution. Ainsi, bien des jeunes, clercs ou laïcs, formés dans les catégories de pensée nouvelles se sont mis à opposer cette culture à celle du clergé en place, voire même aux principes de la réforme des années 60. Autour de la catéchèse — lieu sensible par excellence, dans la mesure où s'y traite un donné culturel de plus en plus éloigné de la culture chrétienne — mais aussi dans les mouvements catholiques de laïcs et singulièrement dans la zone d'influence de la petite bourgeoisie intellectuelle, se déploient, dans les années 70, des questions, des langages, des exégèses qui sont aussi des formes de reconversion de la théologie et du théologien.

L'un des paradoxes apparents de cette fermentation est qu'elle se déploie sur une base matérielle très précaire. Si l'on excepte Strasbourg qui, grâce au régime concordataire possède le statut de faculté d'Etat et délivre des diplômes reconnus, seule une poignée des 200 et quelques enseignants des facultés de théologie occupent un poste à temps complet, et il est problable que même pour ceux-ci quelques activités annexes sont nécessaires pour améliorer des revenus souvent dérisoires. Les débouchés professionnels d'un titre en théologie sont extrêmement restreints : inexistants dans l'enseignement secondaire, à la différence de la République Fédérale d'Allemagne et de la Belgique, où existe une carrière de professeur de religion. Le journalisme et l'édition sont donc à peu près les seules filières où professionnaliser une compétence théologique qui demeure encore liée en quasi-totalité à la cléricature, à la vie religieuse et à la catéchèse[4]. A ceci près — qui est essentiel — qu'elle représente un enjeu symbolique et social assez fort pour mobiliser l'intérêt, indépendamment de toute concrétisation dans une activité.

Du coup les compétences techniques ordinairement liées à la théologie se trouvent cantonnées dans un domaine (la science des religions ou des sciences religieuses) avec lequel les Facultés de théologie tentent d'établir des liens et des contrats ; autour de l'Ecole pratique des Hautes Etudes (Ve et VIe sections), de l'U.E.R. d'histoire des religions de l'université de Paris IV, à Strasbourg, au C.N.R.S. également, les disciplines liées à la théologie (la patristique notamment) poursuivent un développement très important et méconnu.

II. LIEUX ET TYPES DE FORMATION EN FRANCE

A) DES FACULTÉS À QUELQUES INNOVATIONS

Six facultés de théologie, insérées dans des Instituts catholiques décernent, au terme de cursus classiques, des grades canoniques en théologie : Angers, Lille, Lyon, Paris, Strasbourg et Toulouse. A ces facultés il faut ajouter le *Centre-Sèvres* qui résulte de la fusion à Paris de la faculté de théologie de Fourvières (Lyon, S.J.) et du scolasticat de Chantilly (lui-même transformé dans un premier temps, en un

4. Certaines évaluations estiment que depuis les années 1970 plus de 20 000 personnes ont reçu une des formations sanctionnées par l'un des organismes créés autour de la catéchèse.

Centre d'études et de recherches philosophiques). Enfin, dans le cadre de la faculté des lettres et sciences humaines de Metz, existe un Centre autonome d'enseignement et de pédagogie religieuse (C.A.E.P.R.).

Sans envisager leurs problèmes spécifiques, il faut rappeler l'existence des trois facultés reconnues par la Fédération protestante de France : les deux facultés libres de Paris et Montpellier et la faculté de Strasbourg qui fait partie, comme son homologue catholique soumise au même régime concordataire, de l'université d'Etat. L'Institut orthodoxe Saint-Serge à Paris constitue également pour l'Orthodoxie une faculté d'enseignement théologique.

Il n'est pas inutile non plus de rappeler que l'enseignement théologique français s'inscrit dans un champ plus vaste. D'une part il n'est pas indépendant de lieux d'enseignements étrangers, spécialement des lieux francophones, par exemple les facultés de Louvain et de Fribourg, Rome et en particulier l'Institut biblique pour la formation exégétique ou même l'Ecole biblique et archéologique française de Jérusalem, etc. D'autre part, l'aspect universitaire de la théologie en France est enrichi par des institutions d'Etat déjà nommées qui s'intéressent à certains aspects du travail théologique (en particulier l'histoire, la patristique et les cultures du Moyen-Orient, la sociologie religieuse, l'histoire des religions, etc.). On notera en particulier le développement des chaires de patristique après la guerre avec le débouché de travaux scientifiques universitaires dans des collections comme les « Sources chrétiennes » ou la « Bibliothèque augustinienne ». Ces enseignements et ces travaux, dégagés d'une emprise directement confessionnelle, donnent d'autres accents au travail théologique.

Mais on en restera ici à l'aspect plus particulier de la formation théologique telle qu'elle est proposée dans les facultés catholiques nommées ci-dessus. On peut présenter une bonne partie de l'activité de ces institutions en décrivant surtout ce qui n'entre pas dans la catégorie « études à plein temps », et qui s'adresse essentiellement à des « publics nouveaux » (c'est l'expression consacrée dans ces lieux) : non plus seulement à de futurs prêtres et religieux, mais aussi à des prêtres en recherche de formation permanente, à des religieuses et à des laïcs. On peut distinguer, en dehors de l'activité relevant de la recherche collective, quatre objectifs de formation ; la sensibilisation-vulgarisation, la formation ponctuelle, des formations globales ouvertes à tous en rythme non scolaire, et enfin des réalisations réservées aux laïcs.

1. Information — vulgarisation

Toutes situées à un « niveau universitaire » les formules liées à cet objectif très large se présentent comme des cours publics ou des conférences données en fin d'après-midi ou en veillée. De telles réalisations existent dans toutes les institutions ici présentées. Mentionnons quelques programmes plus spécifiques.

Lyon propose, une fois par mois, une rencontre sur « un fait théologique d'actualité ». Le *Centre-Sèvres* réalise des cours d'introduction à la philosophie, à l'exégèse et à la théologie (inscription, niveau universitaire et attestation d'assiduité). On peut suivre à *Strasbourg*, de novembre à février, une Ecole théologique du soir réalisée avec la faculté de théologie protestante, mais aussi des conférences-débats du Centre d'études et de recherches interdisciplinaires en théologie, ou encore les conférences sur un thème d'actualité que réalise, pour les catéchètes, l'Institut de pédagogie religieuse. *Toulouse* organise des après-midi destinées à l'information théologique des personnes du « troisième âge » et ouvre au public un séminaire mensuel. Dans le cadre de la formation continue, le C.A.E.P.R. de Metz organise deux séries de cinq cours publics (en soirée) sur « les grands problèmes que pose l'expression de la foi dans le monde d'aujourd'hui », et propose également (parfois à la demande de groupes) des séminaires spécialisés (par exemple une Ecole de formation des animateurs de communautés).

2. Formations ponctuelles et spécialisées

Limitées dans le temps et dans leur objet, ces actions nécessitent une première formation et du travail personnel ; elles visent davantage l'initiation à une technique particulière (exégèse, patristique, histoire, etc.) ou, fréquemment, l'étude pluridisciplinaire d'un thème entre personnes engagées dans une action précise. Certaines de ces formations aboutissent à des « certificats ».

3. Formations globales hors cycle scolaire

Nécessitant un travail personnel et proposant une progression méthodique, ces formations permettent d'accéder à une vue d'ensemble de la théologie et à un diplôme. Mentionnons en particulier le cycle D de la faculté de Lille qui propose un cycle de quatre ou cinq années (avec une décentralisation près de Douai) en cours du soir. Ces formations sont particulièrement développées par des instituts articulés initialement à la catéchèse et qui développent leur activité vers la préparation à l'animation des communautés chrétiennes.

4. Trois filières pour les laïcs

L'Association pour la formation théologique universitaire des laïcs (AFORTUL) n'est pas une création de faculté de théologie mais une association de laïcs constituée avec le concours des autorités diocésaines (Lille, Arras et Cambrai) et qui a négocié une convention avec la faculté de Lille qui décerne les diplômes. L'objectif est de préparer la licence de théologie en sept années. L'Association a commencé son activité en 1978 avec 65 participants (70 et 91 les deux années suivantes pour l'ensemble des unités de valeur).

A Paris, le cycle C de la faculté de théologie, créé en 1969, réserve aux laïcs une formation qui les conduit, en sept ans répartis en trois phases, à une licence de théologie. Une session trimestrielle d'une journée, trois heures de travaux pratiques toutes les trois semaines et un cours hebdomadaire s'ajoutent à cinq à dix heures de travail personnel.

Strasbourg : avant 1978, un service de formation permanente préparait en deux ans un diplôme universitaire d'études théologiques ; depuis, s'est mis en place un cycle d'enseignement à distance conduisant à un DEUG puis à une licence de théologie.

Notons enfin qu'en 1981-1982 une inscription à un cycle de formation coûte, à Paris, 2 500 F l'an.

Faculté de théologie catholique, 3 place André-Leroy,
B.P. 808, 49005 ANGERS Cedex.

Faculté de théologie, 60 boulevard Vauban,
59046 LILLE Cedex.

Faculté de théologie et Institut pastoral d'études religieuses,
25 rue du Plat, 69288 LYON Cedex 1.

Institut catholique. U.E.R. de théologie et de sciences religieuses,
21 rue d'Assas, 75270 PARIS Cedex 06.

Centre-Sèvres, 35 rue de Sèvres, 75006 PARIS.

Faculté de théologie catholique, Palais universitaire,
9 place de l'Université, 67804 STRASBOURG Cedex.

Faculté de théologie. Institut catholique, 31 rue de la Fonderie, 31068 TOULOUSE Cedex.

AFORTUL, 11 rue Kléber, 59130 LAMBERSART.

Centre autonome d'enseignement de pédagogie religieuse, 2 avenue Jean-XXIII, 57000 METZ.

Faculté libre de théologie protestante de Paris 83 boulevard Arago, 75014 PARIS.

Faculté libre de théologie protestante de Montpellier 26 boulevard Berthelot, MONTPELLIER.

Faculté de théologie protestante de l'université de Strasbourg 9 place de l'Université, 67804 STRASBOURG.

Institut Saint-Serge (orthodoxe) 93 rue de Crimée, 75019 PARIS.

B) DE LA FORMATION A LA VULGARISATION

On donnera ici quelques indications fragmentaires sur des lieux où se réalisent des activités extrêmement diverses allant d'une formation plus ou moins systématique à la vulgarisation, en passant par la « réflexion » et l'expérience spirituelle.

1. Quelques lieux de formation et de réflexion

⋆ CENTRE THÉOLOGIQUE DE MEYLAN. Situé sur le territoire du diocèse de Grenoble et lié à celui-ci par son origine, le C.T.M. a en fait une influence régionale. La majeure partie de ses activités vise le perfectionnement ou la réflexion de personnes qui ont déjà obtenu une formation théologique ou du moins disposent d'une maturation intellectuelle certaine. Sont ainsi proposés des cours hebdomadaires, des groupes de travail et des réalisations annuelles (semaine théologique, tables rondes, etc.). Le C.T.M. apporte également son concours à d'autres organismes qui le demandent (formation sacerdotale, formation permanente du clergé, maisons de la Culture, groupes divers...). Des accords avec la faculté de théologie de Lyon permettent d'intégrer dans des cycles la participation aux activités du C.T.M.

C.T.M. 15 Chemin de la Carronnerie,
38240 MEYLAN.

⋆ Centre Saint-Dominique. Installé à l'Arbresle près de Lyon, ce Centre est animé par des frères et sœurs dominicains. On y trouve des cycles de onze semaines de formation permanente permettant ressourcement et mise à jour des informations théologiques. Le Centre organise en outre des sessions d'été : programme de « semaines » consacrées à un thème théologique et animées par un expert. Enfin des publications permettent une initiation théologique par correspondance : les *Cahiers de la Tourette* fournissent des documents d'une trentaine de pages organisées autour d'une question de base et permettant un travail en groupe ; le Centre Saint-Dominique collabore avec le service *Evangile et Vie* (6 avenue Vavin, 75006 Paris) pour éditer une initiation à la Bible : les *Fiches bibliques*.

Centre Saint-Dominique, Eveux, B.P. 110,
69210 L'ARBRESLE.

Sur le même site sont également situés deux centres animés par des dominicains :

Le *Centre Albert-le-Grand*, espace de rencontre et de confrontation.

Le *Centre Thomas More*, qui organise des week-ends autour de thèmes qui intéressent toutes les réalités humaines (y compris religieuses), et sont traités sous l'éclairage des sciences de l'homme.

⋆ Centre théologique Le Saulchoir. En 1974, la faculté de théologie dominicaine du Saulchoir cessait son activité classique. Demeure ce Centre qui, outre ses liens avec la *Revue des sciences philosophiques et théologiques*, reçoit aussi des participants à un cycle de cours annuel sur un thème différent chaque année, à des groupes de travail et séminaires de formation théologique. Le perfectionnement est l'objectif essentiel, qui n'exclut pas la présentation élémentaire de certains thèmes à un large public.

Le Saulchoir, 45 bis rue de la Glacière,
75013 PARIS.

⋆ Centre pour l'intelligence de la foi. Propose des cours ouverts à un large public, et qui traitent des aspects fondamentaux de la foi. Des groupes d'échange (dix laïcs se retrouvant une fois par mois avec un accompagnateur) permettent de prolonger l'enseignement par l'échange et la réflexion. Le Centre dépend du diocèse de Paris.

CIF, 19 rue de Varennes,
75007 PARIS.

⋆ Universités Paris CEP. Réalisation du CEP (ex. Centre

Richelieu), qui propose aux étudiants des universités de Paris, depuis 1977, des journées et des soirées de formation visant à établir mieux la cohérence intellectuelle des jeunes chrétiens.

CEP, 33 rue Linné, 75005 PARIS.

⋆ LE PASSAGE — CERCLE SAINT-JEAN-BAPTISTE. Le Cercle Saint-Jean-Baptiste s'est transformé en 1973. « Le Passage » assure désormais un enseignement par correspondance à 700 personnes ; l'objet n'est plus spécifiquement la missiologie mais l'ensemble de la doctrine chrétienne.

47 rue de Grenelle,
75007 PARIS.

⋆ L'ANNÉE DE FORMATION RURALE propose depuis 1968, à des prêtres, religieuses et laïcs responsables d'Eglise dans le monde rural un cycle de sessions d'une semaine réalisé sur l'année scolaire. Les objectifs : ordonner des connaissances diverses (pas seulement théologiques) concernant l'homme et la société et réfléchir à la responsabilité ecclésiale. Trois centres réalisent ces cycles : Paris, Bordeaux et Lyon. Les participants y sont envoyés par les instances où ils travaillent.

Année de formation rurale
21 rue du Faubourg Saint-Antoine,
75550 PARIS Cedex 11.

⋆ FORMATION PERMANENTE DU CLERGÉ. Chaque diocèse et chaque région assure de multiples initiatives et services dans ce domaine. Mentionnons pourtant deux formules établies par des Instituts catholiques ouverts à leurs régions et au-delà :

Toulouse, *Année de formation permanente*, d'octobre à juin, du lundi au vendredi midi, permet la fréquentation de cours de la Faculté de théologie et de l'Institut d'études religieuses et pastorales, mais aussi des temps de reprise propres aux groupes de formation et des travaux de groupes.

A.F.P. 31 rue de la Fonderie,
31068 TOULOUSE Cedex.

Paris, *Année de formation aux ministères*, assure une formation spécifique pour un groupe qui durant une année scolaire suit un cycle de ressourcement intellectuel.

A.F.M. 12 rue Cassette,
75006 PARIS.

⋆ CENTRE D'ENSEIGNEMENT THÉOLOGIQUE À DISTANCE. Fondé en 1973, le CETAD s'adresse à des *groupes* (enseignants, parents, catéchèses, paroisses, communautés de base, etc.) et ne prépare pas à des diplômes. Les enseignements sont organisés en thèmes de travail et en lectures. Chaque thème exige un travail personnel et en groupe. L'animateur du groupe est en liaison avec un théologien, qui assure un conseil pédagogique et une supervision technique pour chaque membre du groupe.

CETAD, 22 rue Cassette,
75006 PARIS.

⋆ FORMATION ŒCUMÉNIQUE INTERCONFESSIONNELLE — CENTRE SAINT-IRÉNÉE. Dirigé par un prêtre dominicain et un pasteur, ce centre propose différents cours dans le style des *Cahiers de la Tourette* à des chrétiens isolés et à des groupes interconfessionnels. Il offre également la possibilité d'une double correction de devoirs par un lecteur catholique et un lecteur protestant. En 1982, vingt-cinq cours différents étaient disponibles.

Centre Saint-Irénée, 2 place Gailleton,
69002 LYON.

2. Autour de la catéchèse

Fondées comme écoles de catéchistes, plusieurs institutions de formation sont devenues des organismes aux objectifs généraux et au public plus large : les femmes qui se formaient à la catéchèse se meuvent à présent dans l'univers des animateurs de communautés et côtoient désormais des religieuses et des clercs venus rénover leur savoir ou compléter leur formation. Nous avons déjà parlé plus haut du C.A.E.P.R. de Metz. Ajoutons-y :

⋆ LILLE. A côté du *Centre interdiocésain de formation pastorale et catéchétique* (8 bis rue Jean-Moulin, 59000 Lille) qui couvre les diocèses de Cambrai, Arras et Lille, mentionnons l'*Institut pastoral d'études religieuses*, qui vise des objectifs plus globaux de formation doctrinale des chrétiens et prépare à une licence de sciences religieuses. (60 boulevard Vauban, 59406 LILLE Cedex.)

⋆ LYON. L'école de catéchistes est devenue en 1974 le *Centre lyonnais d'études religieuses et pastorales,* tandis qu'un *Institut pastoral d'études religieuses* décerne une licence d'enseignement dans le cadre de la faculté de théologie. L'IPER reçoit un public divers encadré par des enseignants qui ne sont pas tous seulement professeurs ; il fournit assistance en formation pour les diocèses de la région. Le CLERP offre, de son côté, une «carte» de formations qui débordent la catéchèse et s'adressent aux animateurs de cellules d'Eglise.

Pour tous renseignements sur l'IPER et le CLERP : Direction de l'enseignement religieux, 6 avenue Adolphe Max
69005 LYON.

⋆ PARIS. *L'Institut supérieur de pastorale catéchétique,* forme les cadres de la catéchèse, sous la forme d'un enseignement qui constitue un second cycle (maîtrise) de la faculté de théologie de l'Institut catholique. L'objectif catéchétique, élargi en fonction de l'évolution des temps, constitue en fait une spécialisation de la réflexion théologique autour de la transmission de la foi.
I.S.P.C., 21 rue d'Assas,
75270 PARIS Cedex 06.

Centre Pastorale et Communication, ici encore l'école de catéchistes est maintenant vouée à «former à la responsabilité dans l'Eglise». Délivre toujours un diplôme universitaire de pastorale catéchétique, en liaison avec l'*Institut d'études religieuses* de l'Institut catholique (qui dispense les cours) mais répond aussi aux besoins de groupes qui adressent leurs demandes ou que l'on aide à se constituer : moyens, animateurs et enseignants sont alors mis à la disposition des demandeurs.

CEPAC, 19 rue de Varenne, 75007 PARIS.
P.E.R., 22 rue Cassette, 75006 PARIS.

⋆ STRASBOURG. *Institut de pédagogie religieuse,* constitué au sein de la faculté de théologie catholique. Il a pour vocation de promouvoir les sciences de la communication religieuse. Ses stagiaires y trouvent un instrument de réflexion sur leur pratique soit sous la forme d'un enseignement à plein temps, soit par une formation intensive (ou par la formation continue) destinés à des catéchistes, enseignants, etc.

I.R.P., Faculté de théologie catholique, 9 place de l'Université,
67804 STRASBOURG Cedex.

⋆ TOULOUSE. *Institut d'études religieuses et pastorales.* A connu pour les mêmes raisons l'évolution des homologues de Lille, Paris, Strasbourg, Lyon. Fournit des formations en semaine et d'autres réservées à ceux qui ne sont libres que le week-end.
I.E.R.P., 23 rue de Dalbade,
31000 TOULOUSE

3. Formation permanente et grande diffusion

Cette rubrique doit se contenter de mentionner en un mot une myriade de réalisations et d'organismes qui fournissent au plan local le plus souvent mais parfois au plan régional des services de formation et d'information théologiques sous des formes diverses. Au cœur de cet univers, les moyens humains et matériels des grands séminaires dont la fermeture ou le réaménagement n'a pas toujours été synonyme de désertification théologique (exemples : Caen, Orléans, Montpellier, Bourges, Rennes, Bayonne, etc.) : on y trouve tant un équipe de spécialistes que la continuation d'un fonds de livres et de revues et des propositions de formation ou de réflexion. Plus nombreux mais plus imprécis, de multiples lieux dont l'activité se situe dans une zone intermédiaire entre l'expérience spirituelle, l'information et l'animation culturelle : on trouve ici les « Foyers de Charité », des « maisons de retraites » qui accueillent de plus en plus des groupes désireux de prier mais aussi de ressourcer leur culture religieuse et à qui l'on propose de plus en plus quelque chose de bien plus proche de l'étude biblique ou de la théologie que de l'édification morale de jadis.

Sur cet univers, les « semaines religieuses » des diocèses fournissent une information régulière et précise ; un bulletin périodique tente de regrouper pour l'ensemble de la France, toute les réalisations de ce genre et de les classer par régions et par genres : *Formation permanente*, 47, boulevard Gambetta, 84000 AVIGNON.

II

LE CONTEXTE BELGE FRANCOPHONE ACTUEL

par DIEUDONNÉ DUFRASNE

SOMMAIRE. — A) Brèves réflexions sur un moment historique. B) Formation universitaire de type fondamental et de recherche. C) Cycle fondamental non-universitaire. D) Formation des enseignants diplômés. E) Formation permanente.

A) BRÈVES RÉFLEXIONS SUR UN MOMENT HISTORIQUE

Les *brèves réflexions sur un moment historique* émises ci-dessus, et qui concernent la France, conviennent également à ce qui s'est passé en Belgique au lendemain du Concile Vatican II. Si l'on souhaitait que l'analyse fût complète, on pourrait ajouter quelques autres constantes, que la France a dû également connaître.

Par exemple : les efforts considérables déployés pour diversifier les services selon les besoins ne se sont pas uniquement manifestés dans le large éventail d'instituts géographiquement dispersés et dans une régionalisation très poussée ; ils s'observent également dans l'éventail des programmes très variés à tous les niveaux, y compris en faculté avec la multiplication des sections. Diversification que n'explique pas seulement l'arrivée des laïcs dans le public de la théologie, mais aussi le fait nouveau que les séminaristes et les religieux n'ont plus un type de formation homogène. Cette extrême diversité ne va pas sans inconvénients, celui en tout cas de la multiplication des libellés des diplômes, si divers qu'il est souvent impossible de savoir encore ce qu'ils recouvrent.

Autre constante : les activités pastorales dans lesquelles on invite les étudiants à s'insérer sont considérées à la fois comme bancs d'épreuve de l'enseignement reçu et comme facteur d'inspiration pour l'enseignement à recevoir.

Autre constante encore : la défiance à l'endroit des enseignements théoriques ou livresques s'accompagne d'une exigence nouvelle de la part des jeunes et parfois déconcertante pour les théologiens « de métier », l'exigence de rencontrer dans les professeurs des témoins de Dieu.

Dernière constante : des candidats au sacerdoce demandent de cumuler un programme académique complet dans une matière profane avec l'amorce ou la poursuite de leur formation théologique ; il y a à cette nouvelle manière de faire autant d'avantages (rencontres interdisciplinaires) que d'inconvénients (les énergies normales d'un jeune peuvent rarement « servir deux maîtres » !) [1].

Cependant, la situation de la théologie en Belgique n'est pas, point par point, identique à celle de la France. Parce qu'elle se sait géographiquement petite mais — et peut-être grâce à cela — parce qu'elle a une tradition de très grande ouverture, la Belgique entretient des relations étroites avec les Pays-Bas, l'Allemagne et le monde anglo-saxon. Les théologiens belges lisent volontiers — avant même les traductions en français — les ouvrages théologiques hollandais, allemands, anglais et américains. La théologie, en Belgique, se laisse plus facilement interpeller par d'autres tournures d'esprit et, en cas de conflit, se ménage plusieurs portes de sortie.

Sociologiquement, l'Eglise belge jouit du statut de « liberté subsidiée ». Les facultés sont subsidiées par l'Etat, ce qui permet aux professeurs de théologie d'université de se consacrer à temps plein à la recherche. Et grâce au statut concordataire, le clergé est également rémunéré par l'Etat, ce qui permet aux professeurs de théologie de séminaire de pouvoir offrir leurs services à l'extérieur sans faire payer leurs prestations, ou peu. De nombreuses initiatives de recyclage peuvent ainsi s'appuyer, à peu de frais, sur la collaboration des théologiens de métier. Enfin, l'enseignement primaire et secondaire, tant de l'Etat que privé, comporte un cours de religion obligatoire : ce qui ouvre aux laïcs de nombreux postes d'instituteurs et de professeurs de religion, et exige d'eux une solide formation doctrinale et pédagogique. Si, dans les écoles primaires catholiques, c'est habituellement le titulaire de classe qui est chargé aussi du cours de religion, en revanche, dans les écoles de l'Etat, le cours de religion est confié à des catéchistes diplômés d'une école de catéchèse. Quant aux écoles

---

1. Sur toutes ces constantes et d'autres encore, voir A.L. Descamps, « l'Enseignement théologique en Belgique francophone », in *la Foi et le Temps*, t. 2, 1973, p. 190-204.

secondaires, elles recrutent normalement leurs professeurs de religion chez des licenciés en sciences religieuses.

Ainsi se dessine la nomenclature de la formation théologique en Belgique francophone :

B) FORMATION UNIVERSITAIRE DE TYPE FONDAMENTAL ET DE RECHERCHE

⋆ La faculté de théologie de l'université catholique de Louvain (U.C.L.) fait partie d'une université complète, elle-même installée sur un site unique, celui d'Ottignies-Louvain la Neuve. On devine que cette situation privilégiée permet à l'enseignement et à la recherche théologique de se faire en étroite relation avec les sciences humaines, exactes et médicales de l'Université. Notons, en particulier, l'Institut orientaliste, que fréquentent surtout les biblistes et les patrologues. Elle comporte :

1. un cycle supérieur, délivrant la licence, le doctorat et la maîtrise en théologie ;
2. un cycle fondamental, délivrant un baccalauréat en théologie ;
3. un Institut supérieur des sciences religieuses (I.S.S.R.), destiné principalement à la formation doctrinale et catéchétique des professeurs de religion du secondaire supérieur, et leur délivrant une licence en sciences religieuses.

N.B. La Faculté francophone publie la *Revue théologique de Louvain (RTL).* Elle entretient des relations scientifiques privilégiées avec la Faculté néerlandophone de la Katolieke Universiteit te Leuven (K.U.L.) : ensemble, elles publient les *Ephemerides theologicae Lovanienses (ETL);* ensemble, elles organisent :

4. le *Colloquium biblicum Lovaniense :* ce colloque réunit annuellement, autour de grands chercheurs internationaux, le public des exégètes belges, pour faire avancer la recherche dans un domaine déterminé. Les Actes en sont publiés annuellement dans la *Bibliotheca Eph. Théol. Lov.*

⋆ Le Centre international d'études de la formation religieuse « Lumen vitae » est tenu par les jésuites et est situé à Bruxelles. Il délivre un graduat et une licence en pastorale et catéchèse. Le programme s'adresse à un public international et présuppose une première formation théologique. Le Centre est affilié à la faculté de Louvain. Il publie la revue *Lumen Vitae*.

⋆ La Faculté de théologie protestante de Bruxelles est également un enseignement privé et jouit du statut de « liberté subsidiée ». Elle délivre la licence et le doctorat en théologie. Son public est essentiellement composé des futurs pasteurs et des futurs professeurs de religion protestante pour les écoles secondaires de l'Etat.

C) CYCLE FONDAMENTAL NON UNIVERSITAIRE

⋆ Les quatre diocèses francophones ont chacun leur séminaire : à Namur, à Tournai, à Liège ; à Bruxelles, il s'appelle le Centre d'études théologiques et pastorales (CETEP) et est également ouvert aux religieuses et aux laïcs. Grâce à une étroite concertation et à un contrôle des programmes, la faculté de Louvain s'est affilié les séminaires et, moyennant certaines conditions, délivre le baccalauréat aux séminaristes en finale de leurs études du premier cycle.

⋆ Les jésuites ont leur propre Institut d'études théologiques (I.E.T.) à Bruxelles. Ils délivrent leur propre diplôme de cycle fondamental.

⋆ Il existe à Jumet (dans le pays noir) un séminaire unique en son genre en Wallonie, le séminaire Cardinal-Cardijn, fondé par la Conférence épiscopale de Belgique en 1967. Prenant la relève de ce qu'on appelait autrefois « les séminaires de vocations tardives », il forme aujourd'hui des travailleurs à des responsabilités pastorales y compris celle du ministère sacerdotal. La méthode se veut inductive, partant d'une observation du « vécu » des étudiants.

⋆ La formation des diacres mariés varie selon les diocèses et les situations personnelles. Elle se fait ordinairement par des sessions intensives. Des compléments de formation peuvent être pris dans les instituts de sciences religieuses.

D) FORMATION DES ENSEIGNANTS DIPLÔMÉS

Ce secteur est propre à la situation concordataire de l'Eglise de Belgique. A côté de la formation obligatoirement universitaire des professeurs de religion du cycle supérieur de l'enseignement secondaire dont on a déjà fait mention, il existe une formation non universitaire pour les professeurs de religion du cycle inférieur de l'enseignement secondaire et pour les enseignants de la religion pour le primaire de l'Etat. Le graduat pour les uns, et le diplôme pour les autres, s'obtient par un enseignement à temps plein, dans diverses écoles, à Bruxelles (L.V.), à Charleroi (ODER), à Liège (I.S.C.P.).

E) FORMATION PERMANENTE

Phénomène moderne, la formation permanente, dès ses débuts, a inclus aussi bien les religieuses et les laïcs que les clercs. Il faut distinguer les institutions de formation permanente d'une part, et les recyclages ponctuels mais dont la fréquence régulière en fait des institutions au sens large, d'autre part.

⋆ Les institutions de formation permanente :

1. Les Facultés universitaires Saint-Louis à Bruxelles comportent une Ecole des sciences philosophiques et religieuses. La formation est donnée en cours du soir uniquement. L'école est ouverte au grand public.

2. Certaines villes importantes ont mis sur pied, également le soir et pour le grand public, des recyclages permanents. Viennent s'y recycler, entre autres, des mamans catéchistes et des animateurs de mouvements d'Action catholique (« Lumen Vitae » à Bruxelles, l'ODER à Charleroi, SONO à Namur).

3. Le vicariat du Brabant Wallon du diocèse de Malines-Bruxelles a institutionnalisé, depuis plusieurs années, la formation théologique et pastorale de laïcs qui pourraient, d'ici peu, être appelés à assurer complètement ou partiellement l'animation d'une paroisse privée de prêtre (groupes ANIM).

⋆ Les recyclages ponctuels de type institutionnel :

1. Les sessions de Saint-Louis : outre des grandes conférences, l'Ecole des sciences philosophiques et religieuses organise une session théologique annuelle, en sept soirées étalées sur deux mois, durant l'année académique.

2. Un Colloque de théologie pastorale est organisé périodiquement à Louvain-la-Neuve par la faculté de théologie de l'U.C.L., sur un grand thème d'actualité pastorale. Il fait appel à des spécialistes de diverses disciplines et est ouvert aux pasteurs, aux laïcs responsables et aux fidèles intéressés à la vie de l'Eglise. A la différence des sessions de Saint-Louis, ce Colloque a lieu durant trois jours consécutifs et pendant les vacances académiques.

3. L'épiscopat francophone a mis sur pied, depuis dix ans, une

semaine de recyclage théologique, destiné au départ aux prêtres ayant dix ans d'ordination. Très rapidement, ce recyclage fut ouvert aux religieuses et aux laïcs. Il se tient traditionnellement dans un grand hôtel de la côte belge, à Blankenberge, et est devenu une véritable institution. La méthode de travail se veut résolument inductive. Plus de 200 personnes y participent chaque année.

III
LA FORMATION THÉOLOGIQUE DANS LE QUÉBEC FRANÇAIS

par GILLES LANGELIER

SOMMAIRE. — A) Situation. B) Orientations de quelques centres théologiques : 1. la théologie aujourd'hui (Québec) ; 2. exégèse et théologie (Montréal) ; 3. sciences humaines de la religion et théologie (Sherbrooke) ; 4. éthique et théologie morale (Rimouski). C) Pour en savoir davantage.

A) SITUATION

Le Québec compte près de six millions d'habitants. La très grosse majorité de la population parle la langue française et tient à la culture héritée des lointains ancêtres mais ré-appropriée de nouvelle façon en cette terre nord-américaine. Ces « arpents de neige », qui donnaient pourtant belle récolte en saison d'été, se sont couverts aujourd'hui de villes et d'industries. L'urbanisation et l'industrialisation marquent l'agriculture elle-même, devenue désormais grande entreprise. Et la sécularisation a modifié les mentalités.

L'Eglise comprend toujours quelque vingt diocèses, regroupés récemment en quatre grandes régions apostoliques. En plus de plusieurs communautés religieuses masculines, qui géraient des centres de formation théologique pour leurs sujets, plus de la moitié des diocèses du Québec avaient fondé des grands séminaires, qui se justifiaient alors par le nombre des futurs prêtres en formation.

Or, depuis dix ans environ, s'est opéré un grand virage, dû en partie à une forte diminution du nombre des futurs prêtres en formation, en particulier dans les communautés religieuses. Mais d'autres causes ont influencé des choix plus ou moins risqués, non sans la tentation épisodique de se remettre au chaud ou de se sentir épuisé par des négociations avec des partenaires aux logiques trop différentes. Parmi les arêtes de ce nouveau moment historique, l'on peut noter l'urgence, pour la théologie, de se donner une existence plus « scientifique » et universitaire, le désir de collaborer avec des universités d'État, tout en maintenant la salutaire tension des juridictions en présence, l'accès plus large de chrétiens au domaine théologique et pastoral, sans oublier l'introduction des sciences humaines, comme parties prenantes et parfois constituantes des facultés de théologie.

Il est trop tôt, bien sûr, pour juger les résultats de ces efforts et de cette histoire récente. Esquissons seulement quelques visages, encore jeunes, de ces centres de théologie, en adoptant l'ordre chronologique de fondation et en simplifiant les traits d'une typologie sommaire. La faculté de théologie de l'Université Laval, à Québec, pourrait donner l'image d'un centre soucieux d'enseignement et de recherche théologiques. Celle de l'université de Montréal se fait une réputation de spécialisation dans l'étude de l'Ecriture. La faculté de théologie de l'université de Sherbrooke s'est fait connaître jusqu'en Europe, par l'introduction des sciences humaines de la religion dans les parcours de formation théologique.

Ces trois facultés dispensent des formations pastorales, comme domaines « appliqués » de la théologie mais plus encore comme plaque d'élaboration de « lieux théologiques » inédits et comme berceau d'une praxéologie pastorale autonome. Ces dernières années, on a créé l'université originale du Québec, formée de constituantes dispersées géographiquement, dont quatre possèdent des départements de sciences religieuses : Chicoutimi, Rimouski, Trois-Rivières et Montréal. Les motifs de fondation de cette université résident dans la volonté de décentraliser l'enseignement universitaire et en conséquence de permettre l'accès des régions éloignées à ce niveau de formation et, plus encore, dans la détermination d'ouvrir l'université aux couches populaires, non seulement comme « clients », mais davantage comme acteurs concourant à l'élaboration d'une nouvelle culture. Dans cette foulée, les pédagogies et les thèmes se veulent en perpétuelle innovation. Eu égard à ces traits spécifiques, l'unité géographique de Rimouski se signale comme point original de spécialisation en éthique.

Avant de présenter quelques insistances de ces centres de formation, il faut tenter de compléter la liste des « entreprises » théologiques au Québec francophone. Le grand séminaire de Montréal continue de dispenser l'enseignement théologique pour la formation des futurs prêtres de ce diocèse, en même temps qu'il ouvre ses portes pour des conférences au grand public. Les pères dominicains, depuis quelques années déjà, gèrent un important institut de pastorale, rattaché à leur centre universitaire d'Ottawa : courtes sessions sur des thèmes d'actualité, engageant une théologie jusqu'à ses sources, visant une cohérence globale et s'articulant dans un programme qui mène à un diplôme. Les étudiants doivent avoir acquis préalablement une expérience pastorale et forment un groupe d'études, de prières et de fraternité. Les évêques du Québec, par leur commission du clergé, organisent annuellement une session de trois mois, où se retrouvent des prêtres ordonnés depuis dix ans et plus : on y retrouve, de façon plus marquée encore de par la résidence commune, ces traits intégratifs d'étude, de liturgie, de communion fraternelle et de services d'accompagnement très personnalisés. En principe, chaque diocèse organise également ses propres journées de réflexion théologique et pastorale, ouvertes à toutes les catégories de chrétiens.

Enfin, en nous limitant au Québec, nous n'entendons pas oublier d'autres lieux de théologie francophones au Canada (en particulier le collège dominicain d'Ottawa déjà nommé et une partie de la Faculté de Saint-Paul dans la même ville) ni les relations avec d'autres centres d'Amérique du Nord.

B) ORIENTATIONS DE QUELQUES CENTRES THÉOLOGIQUES

1. La théologie aujourd'hui
(QUÉBEC)

La présente initiation théologique à plusieurs voix aura sans doute montré les renouveaux actuels de la théologie auxquels participent l'enseignement et la recherche au Québec. Entre autres, la tâche théologique est comprise comme œuvre herméneutique : herméneutique des sources de la théologie, herméneutique chrétienne des temps présents. Point de choix, d'ailleurs impossible, entre objet et sujet, l'objet de la foi étant toujours accessible dans la mesure même où il est accueilli par quelqu'un et inversement le sujet croyant ne s'appréhendant lui-même que livré et se donnant à Celui qui le prévient de toute part.

On voit par là qu'une théologie ne peut être que spirituelle et pastorale, impliquant des personnes en cheminement dans les voies de l'Esprit et prenant leurs responsabilités dans l'Eglise. Mais en même temps une tâche théologique, menée en régime universitaire, est forcément plus critique parce qu'en procès permanent avec d'autres savoirs, en communication avec d'autres continents géographiques et culturels.

Faut-il mentionner quelques thèmes, entre plusieurs, affectionnnés par les enseignants et les chercheurs ? A titre d'exemples christologique, ecclésiologique, anthropologique, on pourrait noter les sujets controversés de la théologie de la libération à l'œuvre dans une société de consommation, la théologie des ministères-charismes-responsabilités dans une Eglise plus soucieuse de partager les pouvoirs, enfin des théologies de la femme, menées en étroite similitude avec des options ayant cours aux U.S.A., etc.

2. Exégèse et théologie
(MONTRÉAL)

La faculté de théologie de l'université de Montréal se reconnaît aisément à sa concentration sur l'exégèse de l'Ecriture. Avant tout, la modernité du Québec, en ce chapitre, tient à l'emploi des procédures historiques. Mais d'autres lectures parfois concurrentes venues de la linguistique y sont aussi pratiquées. L'exégèse peut privilégier le texte comme communication du message, selon les conditions de développement de l'interlocution. Le texte peut aussi être lu davantage pour lui-même et dans sa globalité : analyse sémiotique et lecture structurale, qui se justifient présentement jusque dans la prédication et la pastorale.

L'action pastorale, en effet, et les sections de faculté qui tentent d'en élaborer une praxéologie convient les exégètes aux lectures mentionnées et les pressent d'inventer d'autres re-lectures, de type surtout sociologique. Cette insistance n'étonnera personne, venant d'un pays qui veut imaginer de nouvelles pratiques historiques : cette « belle province », qui veut conscientiser ses récits fondateurs d'hier et d'aujourd'hui, issus de groupes socio-économiques, tant au niveau social qu'ecclésial.

3. Sciences humaines de la religion et théologie
(SHERBROOKE)

Initiation aux classiques de la sociologie de la religion (Durkheim, Weber, Marx, etc.) dans les aires européenne et américaine, sociologie de la connaissance et théologie de la foi, élaboration de l'éthique et affirmation d'intérêts humains, charité-pouvoirs-conflits, voilà quelques thèmes et même des titres de cours, intégrés à certains profils de parcours en théologie. Les objectifs de cette introduction des sciences humaines de la religion ont été multiples au départ : élargir la compréhension des objets religieux par d'autres registres de lecture, établir le contexte de la religion et de la foi par les analyses socio-historiques, définir dans leur connexion épistémologique les objets et les méthodes des deux sciences en présence. Il faudrait relever d'autres urgences et donc d'autres points-repères dans la modernité.

Cette fréquentation des deux savoirs n'est pas une aventure facile, mais le procédé s'honore d'acquisitions importantes, depuis le moyen âge. Il y avait aussi à l'époque comme à la Renaissance et à l'époque contemporaine, pour toute théologie qui veut se situer par rapport à la culture, un danger de réduire la foi à Aristote et à Platon. Inversement et à titre de symbole, un Aristote ou un Platon pervertis ou incurvés deviennent de mauvais partenaires pour la théologie.

4. Ethique et Théologie morale
(RIMOUSKI)

Le christianisme n'est pas une morale, va-t-on partout répétant, mais en même temps personne ne veut nier qu'un agir cohérent avec l'Evangile fasse partie de l'expérience chrétienne. Bien plus, un comportement effectué et pensé affecte le noyau même de la foi, en son kérygme, ses catéchèses, voire en ses théologies. Les comportements ont donc partie liée avec la compréhension et l'élaboration des morales. Une des sections constituant l'université du Québec a risqué un programme de morale, de niveau maîtrise, travaillant sur les contenus et davantage encore sur les méthodes.

Déjà des *Cahiers interdisciplinaires,* publiés avec le concours de professeurs de diverses universités, ont livré au public les fruits des premières saisons de cette réflexion enracinée et prophétique : droits linguistiques d'un peuple, problèmes de santé et d'écologie, questions autour de la sexualité et de la famille, etc.

Mais par-delà les contenus, les recherches se concentrent surtout autour d'un projet éthicologique, qui veut dégager une méthode particulière d'approche du fait moral. Le feuillet publicitaire s'exprime ainsi : il s'agirait de démonter le mécanisme social qui donne naissance au discours moral, puis de dégager les caractères historiques et culturels de l'éthique pour enfin proposer différents scénarios de praxis possibles. Un tel projet éthicologique ne prétendrait pas forcément supplanter la morale comme science normative mais entendrait outiller les contemporains pour l'exercice lucide et courageux de leur liberté.

C) POUR EN SAVOIR DAVANTAGE : DES ADRESSES...

En terminant, voici des adresses utiles. Mais une caractéristique de ce pays est de se trouver en mouvance constante et rapide. Les racines sont encore toutes fraîches et la terre y est malléable. D'autres plants ont peut-être commencé leur floraison, qui n'ont pas été répertoriés dans notre herbier. L'excuse de cet oubli ou de cette méconnaissance tiendra alors à l'étendue de cet immense pays, mais davantage encore on aimera y voir une invitation discrète et chaleureuse à venir « débarquer » sur notre territoire géographique et théologique.

Faculté de théologie
Université Laval
QUÉBEC P.Q.

Faculté de théologie
Université de Montréal
MONTRÉAL P.Q.

Faculté de théologie
Université de Sherbrooke
SHERBROOKE P.Q.

Département de sc. religieuses
Université du Québec
RIMOUSKI P.Q.

Institut de pastorale
Couvent St-Albert le Grand
Chemin côte Sainte-Catherine
MONTRÉAL P.Q.

Grand Séminaire
2000 ouest Sherbrooke,
MONTRÉAL P.Q.

IV
LA FORMATION THÉOLOGIQUE EN SUISSE ROMANDE

par BERNARD BONVIN

SOMMAIRE. — A) Quelques composantes spécifiques. B) Les lieux de formation universitaire. C) Parcours de formation théologique non universitaire. D) Les Centres d'accueil et les maisons de retraite. E) Formation permanente.

A) QUELQUES COMPOSANTES SPÉCIFIQUES

La Romandie compte 1 500 000 habitants dont la grande majorité se répartit à égalité entre catholiques et protestants. L'immigration latine et les taux de natalité plus élevés ont contribué dans les dernières décennies à la progression du pourcentage des catholiques. Actuellement, les proportions tendent à se stabiliser. Les confessions s'imbriquent territorialement et s'affrontent aux mêmes problèmes socio-religieux : mariages mixtes, problèmes scolaires et catéchèse, travail social dans le premier et le troisième monde. L'œcuménisme pratique devient une donnée essentielle. Si les formations théologiques confessionnelles gardent leurs originalités, on ne peut les traiter sans références réciproques.

Le protestantisme (généralement calvinien) a eu sur la culture suisse-romande une influence prépondérante [1]. Deux facultés de théologie (Genève et Lausanne) sont contemporaines de la Réforme et à l'origine des Universités. La faculté catholique de théologie de l'université de Fribourg ne date que de 1890.

L'énumération exhaustive des lieux et des organismes de formation pour un territoire restreint étonnerait par son ampleur. La raison en est le fédéralisme suisse : l'Instruction publique (l'Education) relève

---

1. Voir A. BERCHTOLD, *la Suise romande au cap du XXe siècle*, Payot, 1963, 989 p.

des cantons, souverains en la matière. De là, la large régionalisation et multiplication des institutions : trois facultés de théologie réformées quasi côte à côte, avec un corps professoral important. Les Etats cantonaux en assument les coûts : la sécularisation des institutions ne rompt pas, pour l'heure, le consensus à ce propos. Le cas de Genève est intéressant. On y vit sous le régime de la séparation de l'Eglise et de l'Etat. La faculté s'intitule « Faculté autonome de théologie » ; toutefois, c'est la République et Canton de Genève qui la finance. Les évolutions en cours ne semblent pas très différentes de celles notées pour la France. Au niveau des facultés de théologie, le nombre des étudiants a peu varié. La faculté catholique de théologie de l'université de Fribourg maintient ses trois cents et quelques étudiants. La diminution des religieux suisses et étrangers est compensée par le regroupement des séminaires de Suisse romande.

Du côté non universitaire, on observe des phénomènes intéressants : de nombreuses offres (et demandes) de formation se font jour. Souvent, ce sont les synodes et forums pastoraux qui suivent les demande des laïcs. La formation mise en place vise d'abord les nouveaux ministres laïcs dans les Eglises. Mais il y a aussi des hommes et femmes d'aujourd'hui qui sont en quête d'un cheminement vers la cohérence de la foi chrétienne et l'expression dans leur vie de leur appartenance au Christ. Chez ces personnes, le sentiment d'appartenance confessionnelle ou même ecclésiale est parfois assez faible. L'Atelier œcuménique de théologie de Genève a visé ce public. En huit ans, 400 hommes et femmes ont tenté là d'exprimer les questions que le temps posait à leur existence, interrogé à ce sujet, avec beaucoup de liberté et une certaine compétence, la Bible et son histoire et expérimenté un certain mode de convivence œcuménique. Enseignants, animateurs de groupes et conseillers n'ont pas été les derniers à bénéficier de ce cheminement.

L'animation biblique et œcuménique en Suisse romande a mis au point une procédure d'animation originale. On n'y vise pas d'abord un accroissement du savoir. Les participants se situent dans leur réalité vécue face au texte : ils se décentrent ensuite pour lui permettre de déployer son originalité face à ses lecteurs. Après ces temps projectifs et historico-critiques, vient le moment de l'appropriation. Les méthodes actives et l'apprentissage communautaire de cette lecture impliquent une grande rigueur andragogique et théologique[2].

---

2. Quatre ouvrages consignent ces expériences : WEYMAN et STEINER, *les Rencontres de Jésus*, 1978 ; ID., *les Miracles de Jésus*, 1979 ; ID., *les Paraboles de Jésus*, 1980 ; Collectif, *Entrer en psaumes*, 1981 (Ed. C.R.F.P. et Evangile et Culture, 31 bd de Grancy, 1006 Lausanne).

B) LES LIEUX DE FORMATION UNIVERSITAIRE

1. Catholiques

Faculté de théologie de l'université de Fribourg
Elle dépend de l'Etat et de l'Eglise à la fois, puisque toutes deux en reconnaissent les grades. Les principaux cours sont donnés en français et en allemand. En 1981-1982, il y a 142 étudiants, assistants et doctorants en section allemande et 271 en section française (42 doctorants). Les séminaristes de Suisse romande y suivent leurs cours. Débouché : ministères ordonnés, assistants de paroisse, catéchètes, enseignants et chercheurs.

2. Réformés

Faculté autonome de théologie de l'université de Genève (79 étudiants dont 10 doctorants).
Faculté de théologie de l'université de Lausanne (86 étudiants dont 12 doctorants).
Faculté de théologie de l'université de Neuchâtel (46 étudiants, 10 doctorants).
Ces facultés débouchent sur une licence pour les pasteurs, un doctorat pour ceux qui privilégient la recherche, ou encore des ministères non pastoraux, catéchètes, animateurs, diacres, évangélistes, travailleurs sociaux.
Institut de Bossey (lié au Conseil œcuménique des Eglises). L'institut met sur pied deux cycles annuels. Un cycle universitaire d'études œcuméniques, d'octobre à février, et d'autres séminaires dans la suite de l'année. (Bossey, 1298 Celigny).

3. Cours de troisième cycle (œcuménique)

Des cours de troisième cycle portant sur les disciplines fondamentales sont organisés chaque année par les facultés de théologie de Suisse romande. La conférence des doyens en est l'organe responsable. Ces cours ont lieu alternativement dans les instituts spécialisés des universités romandes, Neuchâtel : Institut de recherches herméneutiques, Genève : Institut d'histoire de la Réformation, Lausanne : Institut des sciences bibliques, Fribourg : Institut d'études œcuméniques et Institut de théologie pastorale.

C) PARCOURS DE FORMATION THÉOLOGIQUE NON UNIVERSITAIRE

La conjoncture socio-religieuse a rendu aléatoire la relève tant des prêtres que des pasteurs. Elle a provoqué parallèlement un développement de l'exercice de la coresponsabilité prêtres-laïcs. De nombreuses personnes investissent une part de leurs temps dans des services d'Eglise. Certains poursuivent une formation sans modifier leur insertion professionnelle. En découle une « pléiade » d'écoles et de parcours de formation étalés sur deux ou trois ans, qui produisent, face aux approches théologiques, des réactions et des demandes originales. Si l'on devient plus engagé, on devient aussi plus critique et plus exigeant tant vis-à-vis de la prédication que des rapports clercs-laïcs.

1. Catholiques

Deux écoles offrent une initiation théologique, pédagogique, et une expérience de vie ecclésiale en deux ans (engagement à temps plein). C'est d'une part l'Ecole des catéchistes, 240 rue de Morat, 1700 Fribourg, et d'autre part l'Ecole de la Foi, 33 Grand-Fontaine, 1700 Fribourg, dont Jacques Lœw a été longtemps la cheville ouvrière.

2. Il existe aussi des parcours de formation

Etalés sur deux ou trois ans, ils comportent une centaine d'heures de cours et de stages. Ils visent un public de laïcs prêts à assumer des ministères dans l'accueil, la liturgie, la catéchèse, l'œcuménisme, le caritatif et social, l'animation de groupes. Les participants gardent leur insertion professionnelle. Trois parcours sont en place : à Genève, Delémont et Lausanne. Un cours biblique par correspondance (non sans analogie avec le CETAD) touche 500 personnes. Renseignements : Centre romand de formation permanente, 31 bd de Grancy, 1006 Lausanne.

3. Réformés

Il existe un grand nombre de possibilités de formation soit globale, soit ponctuelle, de niveaux et de sensibilités différentes. *Evangile et Culture*, 7 ch. des Cèdres, 1004 Lausanne, fournit les programmes des centres protestants d'études, du séminaire de culture de théologie et des divers cours par correspondance.

D) LES CENTRES D'ACCUEIL ET LES MAISONS DE RETRAITE

Tant catholiques que réformés, ils multiplient les occasions de réflexion, d'échanges, de prières : les offres sont très diverses.
Renseignements :

Catholiques : Centre St-François, 2800 Delémont.
Réformés : 110 possibilités d'échanges et de formation ; pour adresse : Jacqueline Vouga, 1099 Montpreveyres, Vaud.

E) FORMATION PERMANENTE

« La formation continue des ministres des Eglises réformées de langue française » propose des sessions théologiques et des sessions d'animation. Chaque pasteur en suit obligatoirement une tous les cinq ans. Coordinateur : Pasteur Paul Brandt, 2205 Montmollin, Neuchâtel.

L'organisme similaire catholique est le « Centre romand de formation permanente », 31 bd de Grancy, 1006 Lausanne. Il propose des sessions annuelles pour prêtres et permanents dans l'Eglise. Chaque prêtre participe obligatoirement à une session de dix à quinze jours tous les dix ans.

Notons enfin les sessions œcuméniques pour permanents prêtres et pasteurs. Il sera intéressant d'en mesurer les effets dans cinq ou dix ans.

CHAPITRE II

Les revues dans le travail théologique

par FRANÇOIS REFOULÉ

Les revues sont un des lieux privilégiés de la « discussion scientifique » par la voie de l'écrit. Elles permettent d'élargir à un public plus vaste les échanges ordinaires : recherches et débats divers dont elles reflètent les différents courants. Plus rapidement et de façon plus souple que le livre, souvent aussi de manière plus éphémère, elles animent la communication théologique : elles vont plus rapidement au fait en s'appuyant sur des présupposés considérés comme connus ou admis.

Certes, la frontière entre le livre et la revue n'est pas toujours évidente : certains numéros spéciaux ont le même équilibre qu'un livre collectif et connaissent même des rééditions sous cette forme. Des auteurs, de leur côté, rassemblent parfois dans un livre différents articles parus dans des revues plus ou moins accessibles. Il reste cependant que la revue est l'expression d'une discussion, d'une recherche qui peut être très spécialisée ou encore inchoative, que ce soit sous forme de recensions et de bulletins ou sous forme d'articles. Elle est donc le complément indispensable du livre, qu'elle relie à tout un réseau de communications, et l'écho d'informations qui, autrement, resteraient peut-être inaccessibles au plus grand nombre (des compte rendus de Congrès par exemple).

Dans la pratique de la théologie il est donc utile de suivre quelques grandes revues en sachant que beaucoup d'entre elles sont l'expression d'une faculté, voire d'une école liée à une confession ou à une tendance doctrinale. Ainsi, chaque revue a une histoire qu'il est bon de connaître, mais que l'on ne peut relater ici.

Nous présentons ci-dessous quelques périodiques. Il n'est pas possible de tous les mentionner. La *Revue des sciences philosophiques et théologiques* en recense régulièrement près d'une centaine. Le

Répertoire bibliographique des institutions chrétiennes (RIC), publié par le CERDIC (Strasbourg) en publie un index argumenté en cinq langues une fois par an. *New Testament Abstracts* suit régulièrement plus de 300 revues qui touchent au secteur biblique. Et on pourrait en ajouter d'autres. Nous avons donc dû faire un choix en privilégiant les revues occidentales les plus importantes et les plus accessibles : ainsi nous n'avons pas signalé certaines revues éditées par exemple en néerlandais, en suédois ou en polonais, certaines autres d'Amérique du Sud, des Philippines, de l'Inde ou d'autres pays malgré leur intérêt certain. En revanche nous avons fait une place spéciale à l'Afrique francophone.

Indiquons enfin que notre sélection ne comprend pas les revues récemment disparues (comme *l'Orient syrien* ou la *Revue d'ascétique et mystique* devenue un temps *Revue d'histoire de la spiritualité*), ni des revues trop spécialisées (comme les *Analecta Bollandiana* ou des revues propres à des Ordres religieux en tant que tels). Cependant, en limitant cette nomenclature aux revues scientifiques, il faut se rappeler l'existence de revues dignes d'intérêt à des titres divers, soit pour la vulgarisation (exemple *le Monde de la Bible* pour l'histoire et l'archéologie bibliques), soit pour la spiritualité chrétienne (*la Vie spirituelle, Christus*), soit encore pour une culture générale en lien avec la foi (les *Etudes*) ou l'actualité ecclésiale et théologique (*Herder Korrespondenz,* les *Informations catholiques internationales* par exemple).

BIBLE

Biblica (Rome, Institut biblique pontifical).

Biblische Zeitschrift (Paderborn, F. Schöningh).

Catholic Biblical Quarterly (Cardinal Station DC 20064 Washington).

New Testament Abstracts (3 Philips Place, Cambridge, MA 02138 USA). Donne un résumé des articles et livres parus dans le domaine du Nouveau Testament.

New Testament Studies (Cambridge, C.U.P. Box 110).

Novum Testamentum (Brill POB 9000, 2300 PA Leiden).

Old Testament Abstracts (Catholic Biblical Association, Washington). Correspondant vétérotestamentaire du *New Testament Abstracts.*

Revue biblique (Paris, Gabalda). Dirigée par l'Ecole biblique et archéologique française de Jérusalem.

Revue de Qumran (Paris).

Sémiotique et Bible (Cadir, 25 rue du Plat, Lyon).

Zeitschrift für die altestamentliche Wissenschaft (Berlin 30, de Gruyter).

Zeitschrift für die neutestamentliche Wissenschaft und altes Christentum (Berlin 30, de Gruyter).

HISTOIRE (et histoire des religions)

Annales (A. Colin, Paris).

Cahiers d'histoire. Revue des universités du Sud-Est

Numen (E.J. Brill, Leiden).

Revue d'histoire de l'Eglise de France (14 bis rue Jean-Ferrandi, Paris).

Revue d'histoire ecclésiastique (Louvain, Bibliothèque de l'Université). Tables très détaillées.

Revue de l'histoire des religions (Paris, PUF).

Zeitschrift für Kirchengeschichte (Stuttgart, W. Kohlhammer).

Zeitschrift für Religions- und Geistesgeschichte (Köln, E.J. Brill).

Mentionnons également deux revues de *Sociologie :*

Archives de sciences sociales des religions (Paris, CNRS).

Social Compass (place Montesquieu 1, B 1348 Louvain-la-Neuve).

LITURGIE

Ephemerides Liturgicæ (Roma, via Pompeo Magno 21).

Jahrbuch für Liturgiewissenschaft (Münster).

Liturgisches Jahrbuch (Münster).

La Maison-Dieu (Paris, Cerf).

Studia liturgica (POB 25088 3001 Rotterdam). Interconfessionnel, en lien avec les Actes de la Societas liturgica.

Tijdschrift voor Liturgie (Mont-César, Leuwen).

PASTORALE LITURGIQUE

Célébrer. Notes de pastorale liturgique (Cerf, Paris).

Communauté et Liturgie (Ottignies).

Bulletin National de Liturgie (90 av. Parent, Ottawa).

Feu Nouveau (rue des Jésuites 28, 7500 Tournai).

Liturgy (39 Eccleston Square, London SWI).

Notitiæ (Vatican). Revue de la Congrégation pour les sacrements et le culte divin. divin.

Questions liturgiques (Mont-César, Leuwen). Avec notes bibliographiques.

Vie liturgique (1073 St-Cyrille Ouest, Québec).

THÉOLOGIE

(On notera que ces revues sont très diverses dans leurs contenus, certaines insistant davantage sur la philosophie, d'autres sur l'histoire, d'autres enfin ayant des numéros spéciaux sur des disciplines précises comme l'exégèse, le droit canon, la liturgie, la morale, etc.).

L'Année canonique (22 rue Cassette, 75006 Paris).

Bulletin de théologie africaine (B.P. 823, Kinshasa 11, Zaïre).

Bulletin de littérature ecclésiastique (31 rue de la Fonderie, Toulouse).

Catéchèse (DDB, Paris). Pour la catéchèse comme le nom l'indique.

Communio (Fayard, Paris). Revue internationale de théologie ; numéros thématiques.

Concilium (Nimègue, Arksteestraat 3-5). Revue internationale de théologie, sous le patronage de comités scientifiques spécialisés et née dans la mouvance des théologiens les plus actifs à Vatican II.

Cristianesimo nella storia. Ricerche storiche esegetiche teologiche (40125 Bologna, via S. Vitale 114).

Documentation catholique (Bayard Presse, Paris). Publie en français des textes officiels (évêques, pape) et des articles ou rapports ayant trait à des actes officiels.

Ephemerides theologicæ Lovanienses (Peeters, 3000 Leuven)). Avec une bibliographie annuelle par grands traités théologiques : l'*Elenchus bibliographicus*.

Esprit et Vie (anciennement : *Ami du clergé*) (B.P. 4, 52200 Langres).

Etudes théologiques et religieuses (13 rue Louis Perrier, 34000 Montpellier). Revue protestante.

Evangelische Theologie (Chr. Kaiser, Munich), Protestant.

Fidélité et Renouveau (B.P. 90 Ouagadougou, Haute Volta). D'orientation théologique et pastorale.

Foi et Vie (139 bd Montparnasse, 75006 Paris). Revue protestante.

Freiburger Zeitschrift für Theologie und Philosophie (Paulus, Freiburg/S).

Gregorianum (Roma, piazza della Pilotta 4). Revue de la faculté jésuite.

Harvard Theological Review (Scholars Press, Missoula, MT 59806).

Irénikon (Amay, Chevetogne). Avec une chronique du mouvement œcuménique.

Irish theological Quarterly (Maynooth, St Patrick's College).

Journal of Theological Studies (Clarendon Press, Oxford).

Istina (45 rue de la Glacière, 75013 Paris).

Kerygma und Dogma (Vandenhœck und Ruprecht, Göttingen). Vient de l'Eglise confessante.

Laval théologique et philosophique (Presses de l'Université, Laval).

Lumen vitae (184 rue Washington, 1050 Bruxelles). Revue de catéchèse, attentive aux problèmes internationaux, éditée par le Centre international d'études de la formation religieuse.

Lumière et Vie (69002 Lyon, place Gailleton). Pour un public assez vaste.

Mélanges de sciences religieuses (Lille, 60 bd Vauban). Liée à la faculté de théologie de Lille.

Münchener theologische Zeitschrift (Max Huber, Munich).

Nouvelle Revue théologique (Casterman, Tournai). Revue de la faculté jésuite. Nombreuses recensions.

Neue Zeitschrift für systematische Theologie und Religionsphilosophie (de Gruyter, Berlin W 35).

Orientalia christiana periodica (Roma, P.S. Maria Mag.).

Rassegna di teologia (Naples).

Recherches de sciences religieuses (15 rue Monsieur, 75007 Paris). A direction jésuite. Bulletins réguliers dans les principales disciplines théologiques.

Recherches de théologie ancienne et médiévale (Abbaye du Mont-César, Leuven).

Revue de droit canonique (Palais universitaire, Strasbourg).

Revue des études augustiniennes (3, rue de l'Abbaye, Paris).

Revista espanola de teologia (Madrid, Medinaceli 4).

Revue des sciences philosophiques et théologiques (Vrin, Paris). Issue des Facultés dominicaines du Saulchoir. Articles, bulletins suivis et comptes rendus détaillés des principales revues.

Articles, bulletins suivis et compte rendu détaillé des principales revues.

Revue des sciences religieuses (Palais universitaire, Strasbourg). Faculté catholique de Strasbourg.

Revue théologique de Louvain (B. 1348 Louvain-la-Neuve). Revue de la faculté de théologie (catholique) de l'université de Louvain.

Revue de théologie et de philosophie (CH 1066 Epalinges, La Concorde). Faculté protestante de Lausanne.

Revue thomiste (DDB, Paris). Dirigée par les dominicains de Toulouse.

Savanes et Forêts (B.P. 22, 08 Abidjan, Côte d'Ivoire).

St Vladimir's theological Quarterly (Crestwood, NY).

Spiritus (40 rue des Fontaines, 75781 Paris Cedex 16). Revue née, en 1959, de la concertation entre dix Instituts missionnaires.

Le Supplément (Cerf, Paris). Est spécialisé en théologie morale.

Telema (B.P. 3277, Kinshasa, Zaïre).

Theological Studies (Baltimore Md. 428 E. Preston Rd). Edité par les Facultés jésuites des USA. Bulletins bibliographiques.

Theologische Rundschau (Tübingen). Propose des bulletins très détaillés.

Theologische Quartalschrift (E. Wevel, München/Freiburg).

Theologische Literaturzeitung (Leipzig). Des comptes rendus approfondis.

Theologische Zeitschrift (F. Reinhardt, Missionstr. 36, Bâle). Protestant.

Theologische Revue (Münster). Catholique.

Theologie und Philosophie (Herder, Freiburg i.B.). Catholique.

Theology Digest (P.O. Box 6036 Duluth, Mn 55806, USA). Vulgarisation théologique.

Zeitschrift für katholische Theologie (Herder, Wollzeile 33, Wien).

Zeitschrift für systematische Theologie (Berlin).

Zeitschrift für Theologie und Kirche (JBC Mohr, Tübingen). Protestant, avec accent porté sur l'histoire.

PHILOSOPHIE

Archives de Philosophie (Paris, Beauchesne).
Bulletin de la Société française de philosophie (A. Colin, Paris).
Etudes philosophiques (Paris, PUF).
Revue d'histoire et de philosophie religieuses (PUF, Paris).
Revue de métaphysique et de morale (A. Colin, Paris).
Revue philosophique de la France et de l'étranger (PUF, Paris).
Revue philosophique de Louvain (E. Peeters, B.P. 41, Louvain).
Rivista critica di storia della Filosofia (Firenze, via Giacomini 8).
Rivista di Filosofia (Einaudi, v.U. Biancamano 1, Torino).

CHAPITRE III

La recherche bibliographique

par MICHEL ALBARIC*

SOMMAIRE — I. La bibliographie et sa méthode. II. Anatomie d'un livre. III. De l'usage des bibliothèques. IV. Pour retrouver un document. V. L'importance des encyclopédies. VI. Petit vocabulaire technique.

I. LA BIBLIOGRAPHIE ET SA MÉTHODE

> Le bibliographe sait qu'on ne peut tout savoir mais il doit *savoir où tout savoir*

La bibliographie[1] est l'instrument de la recherche, instrument matériel sous forme de répertoires de références, instrument intellectuel sous son aspect méthodologique. La bibliographie n'est pas à proprement parler la liste des livres communiquée par un professeur au début de son cours non plus que les quelques ouvrages dont il est fait mention à la suite d'articles d'encyclopédies, de manuels ou d'initiations. Ces indications de lecture sont les compléments utiles d'un enseignement, elles orientent la recherche. La bibliographie prétend être le guide permettant de tracer l'itinéraire de l'esprit vers le savoir.

Tout ce qui a été écrit, imprimé, le témoignage de l'activité de l'esprit, est inventorié dans des répertoires de plus ou moins grande dimension. Les références y sont classées selon un ordre rigoureux : chronologique, alphabétique ou systématique. Grâce à ces répertoires on franchira la première étape d'un travail intellectuel : *la collecte de la documentation*. La bibliographie allie donc la connaissance des instruments de la recherche à la rigueur de leur usage, elle est à la fois

---

* Bibliothécaire du Saulchoir.

1. MALCLES (Louise-Noëlle). — *La Bibliographie*. — 4e éd. revue. — Paris : Presses Universitaires de France, 1976. — (Collection : « Que sais-je ? », n° 708).

théorique et pratique. Par la mémoire on aura la connaissance de ces divers répertoires ou du moins la connaissance des quelques instruments permettant de les repérer, ce sont les « bibliographies de bibliographies » et les « manuels de bibliographie ». La pratique permettra le maniement rapide et efficace de ces instruments. La bibliographie est donc tout ensemble science, art et technique au service de la vie intellectuelle.

La méthode de la collecte d'information peut être décrite en trois phases : la question, la recherche, le choix.

LA QUESTION

La question est de savoir ce que l'on recherche et quel type de réponse on souhaite obtenir. Est-ce une information brute, c'est-à-dire un renseignement précis, une date par exemple ? Ce type de question sera posé aux dictionnaires et aux encyclopédies. Les sources de l'information n'y sont pas souvent fournies. *(Exemple p. 387).* Est-ce une documentation moins élaborée à partir de laquelle on mènera soi-même une recherche, une analyse, une critique ou une synthèse ? La question sera du type : quel texte ou quel ouvrage traite de tel ou tel sujet ? *(Exemple : la recherche de commentaires et d'études techniques parus ces cinq dernières années sur un verset biblique se fera dans : Biblica. Elenchus bibliographicus biblicus. — Rome : Biblical Institute Press, 1920 →).* En ce cas on trouvera l'information dans les bibliographies, répertoires de formes diverses *(voir p. 389)* fournissant les sources de l'information.

Une autre approche de la question sera de tenter de délimiter le domaine intellectuel du sujet : qui a pu l'étudier ? un historien, un philosophe, un théologien, un juriste ? Cette question permet de passer de l'interrogation d'une encyclopédie générale à l'interrogation d'un dictionnaire spécialisé. *(Exemple : En première année de théologie pour un devoir sur l'Inspiration des textes bibliques, commencer la recherche dans le Dictionnaire de la Bible. Supplément. — Paris : Letouzey).*

En pratique, la réponse aisément trouvée dans un dictionnaire facilitera la recherche des sources car la démarche bibliographique est facilitée lorsque l'on va d'une réponse aisément et rapidement trouvée à une réponse plus fine et critiquement établie : la connaissance du terme facilite l'accès aux moyens termes.

Après ce premier type de question sur la nature de la réponse il faudra plus rigoureusement cerner l'objet de la question. Les bibliographies sont ainsi constituées qu'elles ne peuvent répondre — grâce à leur classement systématique ou leur index matière — qu'à des questions ayant un objet unique ou univoque : l'instrument répond à l'objet de la question quand la question a un objet. Cette proposition serait un truisme, « vérité banale, si évidente qu'elle ne mériterait pas d'être énoncée » *(Larousse)*, si l'évidence n'était difficile à conquérir. L'évidence est l'adéquation immédiate de l'esprit à son objet. La clarté à mettre dans l'esprit demande un long travail d'épuration et de simplification.

En matière bibliographique, il faut mettre l'interrogation en connivence avec les instruments où l'on cherchera : recherche du terme retenu dans l'index matière ou par la structure méthodique de la bibliographie consultée. *(Exemple : faut-il chercher à charité, bienfaisance, libéralité, générosité, œuvres de miséricorde, assistance, etc. si on désire avoir des éléments pour esquisser « une histoire de la charité » ?).*

De façon plus nette encore, bien poser la question, c'est bien poser **UNE** question, sachant qu'une question peut en masquer une autre. *(Exemple : travail à fournir sur « La symbolique du cœur ». Est-ce un sujet biblique, de spiritualité (le Sacré-Cœur. L'échange des cœurs), de mariologie (Le Cœur sacré de Marie), de missiologie (les congrégations consacrées au Cœur de Jésus), d'héraldique, d'iconographie, d'histoire (les Chouans), etc. ?)* L'étudiant en théologie sera peut-être un jour orateur ou prédicateur ; la rigueur de la question est semblable à la rigueur de la prédication « avoir **UNE** chose à dire, la dire et se taire ». Il y aura un va-et-vient entre la question et la réponse qui permettra en retour de contrôler la qualité de la question, son unicité, sa précision. Dans la recherche bibliographique ou documentaire on peut envisager, à côté de la bonne réponse, dite pertinente, trois autres groupes de réponses :

1. *Pas de réponse*. Cette absence est révélatrice et ambiguë. Elle peut signifier que la question est neuve. En ce cas on se doit d'être prudent et tenter une autre voie de questionnement, croiser les questions, opérer des vérifications. La question neuve est rare, géniale... En fait la réponse négative révèle surtout que la question a été mal posée ou que la recherche a été mal menée. Le travail est à reprendre sur d'autres bases.

2. *Trop de réponses* révèle que la question a déjà fait l'objet de nombreuses recherches (le problème du mal, de la vérité, de l'erreur, etc.) mais aussi que la question peut n'avoir pas été assez finement posée. La documentation rassemblée devient inexploitable en raison de son abondance ; elle « fait du bruit ». Cependant si, après avoir tenté d'affiner la question, le bruit demeure, il faudra opérer un choix dans la documentation rassemblée.

3. *Le brouillage :* les réponses sont dites non pertinentes. La

documentation rassemblée ne répond ni à la question, ni aux besoins. Là encore la question est floue ou la recherche mal menée.

Dans ces trois hypothèses on est renvoyé à la qualité de la question. Il est bien clair que cerner l'objet est la phase initiale et décisive de l'activité intellectuelle.

Le chercheur et l'étudiant auront vite remarqué que la formulation de la question évolue au fur et à mesure de la recherche, elle se précise, se spécifie, si bien que la phase de travail bibliographique devient, par ce biais, constitutive de l'élaboration du sujet et de la problématique. La bibliographie, dans son exercice, non seulement permet de découvrir l'information mais en même temps elle est occasion d'approfondissement d'une réflexion.

LA RECHERCHE

La nature de la question oriente la recherche vers tel ou tel type d'ouvrage. A la diversité des questions répond la diversité des instruments de bibliographie. Pour une recherche sur Blaise Pascal, par exemple, on peut consulter soit des encyclopédies *(Encyclopædia Universalis)* et les indications bibliographiques sommaires qui s'y trouvent, soit des dictionnaires biographiques *(Hœfer)*, soit des bibliographies littéraires *(Cioranesco)*, soit la bibliographie de Pascal *(Maire)*. Le foisonnement de ces instruments de travail exige la connaissance donc la *mémoire* de leur existence, la *rigueur* et l'*ordre* dans leur utilisation, l'*imagination* et la *curiosité* pour les interroger. Par la description des qualités à mettre en œuvre dans la recherche c'est la méthode elle-même de la recherche qui sera décrite.

La mémoire

Il est impossible de se souvenir des 117 000 instruments de travail décrits dans *A World Bibliography of Bibliographies*, il est difficile à l'étudiant et même au maître en théologie de connaître les 1 154 titres de la bibliographie théologique de *Schwinge*. Cependant, en bibliograpie, l'effort de la mémoire est décisif pour la raison du simple contact qui s'effectue dans l'esprit entre la question et l'ouvrage à questionner : il est plus aisé de savoir immédiatement où l'on va chercher, que de chercher d'abord où il faudrait chercher.

Sous le titre IV de la présente contribution (Pour retrouver un document) on prendra connaissance d'une brève bibliographie des « inventaires » de bibliographies. Ces ouvrages devraient se trouver dans les bibliothèques de facultés de théologie et les bibliothèques de grands séminaires.

L'étudiant et le chercheur devront en outre connaître les principaux instruments de leur spécialité. Pour cela il y aurait lieu, au début d'un enseignement en théologie, de faire une place à un cours de bibliographie accompagné de travaux pratiques. Cet enseignement permettrait à l'étudiant de se rendre compte des matières qui lui seront enseignées, de l'exégèse biblique à l'histoire de l'art religieux, et lui donnerait les bases minimales pour s'orienter dans ses travaux. Une session intensive de deux semaines serait suffisante.

La rigueur

Dans la recherche, la précision ira jusqu'au scrupule : un nom propre doit être transcrit avec exactitude, mal orthographié la recherche devient impossible ; le prénom d'un auteur est indispensable, de même que sa qualité. *(Exemple : Bossuet ? Lequel, l'évêque de Meaux ou de Troyes — Benoit (Pierre) ? l'écrivain ou l'exégète ?)* Le titre doit être reproduit intégralement et non abrégé[2]. *(Exemple : ne pas confondre la Revue des Sciences Religieuses, R.S.R., et les Recherches de Sciences Religieuses, R.S.R. — ne pas confondre les Etudes Augustiniennes et les Recherches Augustiniennes.)* La date de l'édition sera relevée avec précision de manière à ne pas chercher dans une bibliographie publiée en 1960 un ouvrage paru en 1970. On prendra garde aux **reprints** *(voir p. 394)* dans lesquels disparaît souvent la date de l'édition originale reproduite.

Dans la transcription des références on se méfiera des troubles dyslexiques *(t. IV pour t. VI — p. 536 pour p. 563)*, ces erreurs sont dues à une fatigue de l'attention ou à de la précipitation. Il est prudent de vérifier une seconde fois les références prises après l'ultime rédaction du travail, lorsque tout est terminé.

Une référence bibliographique se donne toujours de première main ; on ne fera jamais confiance à une référence donnée par un tiers (même ici) lorsqu'on a l'intention de la citer.

L'ordre

L'ordre a deux aspects. L'ordre objectif et concret d'une bibliographie imprimée : il y a un ordre de classement dans les instruments de travail alphabétique, systématique, chronologique. Il y a aussi l'ordre de la recherche qu'il faut mettre dans l'esprit ; le

---

2. Sous réserve d'utiliser la liste des abréviations normalisées, *cf. p. 386.*

classique mouvement du général au particulier demeure utile en bibliographie.

En ce qui concerne l'aspect matériel de l'ordre on suggère un moyen pratique pour tenir à jour l'état d'une recherche. Garder dans ses dossiers, sur une feuille à part, le journal de ses dépouillements : écrire la question posée, ou le mot auquel on a cherché, à la suite transcrire le nom de l'instrument de travail et le résultat obtenu, mettre un zéro en face du nom de la bibliographie si l'on n'a rien trouvé. Cela évitera de refaire plusieurs fois la même recherche. De plus, au fur et à mesure des dépouillements, des idées nouvelles viennent à l'esprit, on les notera attentivement et l'on reprendra les instruments déjà consultés pour les interroger par cette autre entrée.

L'imagination

Il faudrait écrire l'astuce et le flair. C'est la pratique qui développera ce sens. Une recherche bibliographique est une enquête policière. L'imagination, en la matière, est la faculté de coordonner et d'inventer de nouveaux types de questionnements et de nouveaux lieux de recherche. Dans les encyclopédies ou certaines bibliographies les renvois d'orientation, sous le mot corrélat, stimulent l'imagination et favorisent le développement des associations de pensées.

Une langue, un vocabulaire sont structurés, ont une architecture. Lorsque saint Thomas, par exemple, évoque un « devoir » il faut rechercher où se trouve corrélativement le « droit », quand il évoque le fonctionnement d'une « cause », il faut rechercher comment fonctionne le mécanisme total de la causalité. Dans un autre système de pensée, celui de saint Augustin, on devra repérer à propos de quel passage de la Bible une question est évoquée, puis à l'aide des tables de citations bibliques de son œuvre, relever tous les emplois de ce verset biblique et les étudier un à un.

La curiosité

C'est une certaine ferveur dans la recherche, un perpétuel éveil au moindre indice, le refus de la paresse, le désir de la quête. Un bibliographe qui se contente d'une médiocre documentation ne produira qu'une œuvre médiocre.

Il faudra cependant savoir interrompre la collecte de documents pour passer à la réflexion puis à la rédaction.

LE CHOIX

Au fur et à mesure que l'on rassemble les documents, pendant le temps obscur de la recherche, se réalise dans l'intelligence un processus associatif. L'information d'abord éparpillée s'organise peu à peu d'elle-même, elle s'agglutine, forme des masses diversifiées qui graviteront ensemble. Presque inconsciemment le travail trouve son équilibre, son architecture, son plan. Cette importante phase préparatoire est comme automatique, il faudra cependant en soumettre le résultat à la critique, à la réflexion. La masse documentaire nouée en paquets diversifiés risque d'être trop lourde et paralysante ; il faudra effectuer un tri, un choix, dernier travail avant son exploitation.

Le choix sera guidé par un unique principe : *proportionner la documentation au but qui lui est assigné,* au produit à confectionner. Il fait donc partie de la recherche que de s'interroger sur la nature du travail à fournir : qui demande le travail, à qui s'adresse-t-il, quel est-il en lui-même ? note de synthèse, de lecture, exposé oral bref ou contribution à un séminaire, dissertation, article savant ou de vulgarisation, thèse, etc. Chacun de ces produits ne demandera pas la même armature documentaire. Le travail à fournir est-il une réflexion personnelle, une étude historique, une analyse ? La bibliographie nécessaire à un étudiant n'aura pas la même ampleur ni la même technicité que celle qui est nécessaire à un chercheur. Il ne faut pas risquer de transformer l'importance de la bibliographie en lourdeur, elle est une aide, non pas une fin en soi.

Pour proportionner la documentation au produit fini il faut prendre acte de sa diversité et doser chaque élément. Il y a diverses sortes de documents :

— Les sources, c'est-à-dire les textes dans leur état original : le texte biblique par exemple en hébreu ou en grec, les traductions étant déjà des interprétations ; les écrits patristiques sont consultés dans les meilleures éditions critiques ; les documents conciliaires, etc.

— Il y a les travaux dits « de première main » réalisés sur les documents originaux eux-mêmes. Le jugement sur la qualité de ces travaux s'acquiert avec la compétence acquise sur un sujet ou simplement en consultant les comptes rendus et les recensions faits par les spécialistes (voir *infra* : comptes rendus et recensions).

— Les travaux de « seconde main » ont élaboré la matière en s'appuyant sur les précédents. La qualité de ces travaux est très variable, le meilleur et le pire ! Une œuvre de vulgatisation peut être de haute qualité (le *Saint Augustin* de Marrou, ou le *Saint Thomas* de Chenu dans la collection des « Maîtres Spirituels », éd. du Seuil, sont des œuvres destinées au grand public mais dont les auteurs sont d'une incontestable autorité).

L'on reviendra par la suite sur l'usage des dictionnaires et des encyclopédies, mais on gagnera toujours énergie et temps à lire, avant toute recherche, un article bref sur le sujet dont on a à traiter.

Le choix, une proportion, un dosage de documents de natures diverses ; l'effectuer consiste d'abord à faire le vide dans son esprit, supprimer les a priori sur la documentation rassemblée par quelques apophtegmes paradoxaux :

L'ancien n'est pas forcément périmé,
Le volumineux n'est pas forcément l'important,
L'érudit n'est pas forcément l'intelligent,
Le récent n'est pas forcément le nouveau,
L'affirmatif n'est pas forcément hors de soupçon,
L'original n'est pas forcément le farfelu,
etc.

pour puiser ensuite dans la diversité des documents : un peu de chaque n'est pas salade moyenne, mais ouverture des points de vue et justice de l'intelligence[3].

II. ANATOMIE D'UN LIVRE

L'usage que l'on fait des livres est tellement ordinaire que l'on ne prête pas attention à la manière dont ils sont faits ; cependant une connaissance sommaire de leur anatomie et de quelques maladies qui peuvent les atteindre semble utiles à qui désire mieux s'en servir.

Il y a d'abord l'extérieur : la *jaquette*, feuille de papier entourant l'objet. Imprimée, souvent somptueusement, elle protège la reliure. La *couverture*, de papier fort, de carte ou de carton léger est la carapace qui protège l'intérieur. La *reliure* est une couverture de carton fort, anciennement de bois, recouvert de peau, de tissus, de papier, aujourd'hui de certaines matières synthétiques. Elle protège le livre ; la reliure est l'habit du livre, un habit qui peut être de fête.

---

3. En ce qui concerne le travail intellectuel on peut encore tirer profit de l'ouvrage suivant : SERTILLANGES (Antonin-Dalmace), op. — *la Vie intellectuelle, son esprit, ses conditions, ses méthodes*. — Paris : Cerf, 1965. — 256 p. ; 18 cm. — (Collection : « Foi vivante » n° 8).

L'extérieur de la reliure est composé de trois parties : le *plat supérieur*, le *dos*, le *plat inférieur*. Le dos d'un livre a une *tête* et un *pied*. La tête et le pied sont garnis à l'intérieur d'un liseré appelé *tranche-fil*. Les deux extrémités du dos sont appelées *coiffes*. Instinctivement lorsque l'on prend un livre dans une bibliothèque on le saisit par cette coiffe « par ce que ça dépasse ». Ce geste est à proscrire absolument car la coiffe est fragile ; en tirant le livre « par là » on arrache le dos. Un livre se prend soit par le dos, à pleine main, si l'on peut glisser les doigts de chaque côté des plats (attention aux ongles qui font des *griffures*), soit en glissant les doigts sur la tranche de tête en le faisant basculer en arrière par une légère pression.

Les plats de la reliure et le dos sont articulés. A l'extérieur cette articulation s'appelle le *mors*, à l'intérieur, la *charnière*. Cette articulation est la partie du livre qui travaille chaque fois qu'on l'ouvre ou le ferme. On ne retournera pas un plat : le mors est solide comme un bras, il casse. Un lecteur soigneux travaillant à son bureau mettra sous le plat supérieur ouvert de son livre un autre livre qui allégera la fatigue du mors et de la charnière. Une reliure en peau s'entretient avec des produits spéciaux[4].

En ouvrant le livre, au dos des plats, les *contre-plats*, puis les *gardes*, pour un livre relié ; un feuillet blanc pour les livres brochés. Vient ensuite l'*avant-titre* ou *faux-titre*, une ou deux lignes imprimées. La page suivante est la page de titre.

La *page de titre* est la carte d'identité d'un livre. Elle doit comporter au moins le nom de l'auteur, si l'ouvrage n'est pas anonyme, le titre de l'ouvrage, le sous-titre (s'il y en a un), la ville d'édition, le nom de l'éditeur, la date de l'édition. Ces indications ne figurent pas toujours sur cette page, c'est le péché des éditeurs entretenus par la frivolité esthétique des maquettistes.

Un livre ne s'identifie jamais et ne se cite jamais d'après la page de couverture, mais toujours d'après la page de titre. Utiliser les indications de la couverture pour décrire un livre serait aussi stupide que de déterminer la race d'un homme d'après son vêtement. Cette règle est à observer scrupuleusement lorsque l'on donne une référence. Même si l'on est obligé d'aller chercher ailleurs pour la compléter, l'indication de la page de titre prime.

Au verso de la page de titre ou sur le feuillet suivant, dans le livre moderne, se trouvent des indications de tirage, d'édition, de *copyright* et d'*ISBN* (voir *infra*, vocabulaire). On trouvera après le titre ou à la fin du livre les *index* et la *table des matières*. Lorsque l'on saisit un livre

---

4. PETIT (Gérard). — *Conseils pour l'entretien des ouvrages anciens*, dans *Bulletin de l'Association des Bibliothécaires Français*, 1974, n° 85, p. 183. (A.B.F., 65, rue de Richelieu — 75002 Paris.)

pour la première fois il faut lire la page de titre puis la table des matières afin de comprendre l'ordre intellectuel que l'auteur a voulu donner à son œuvre.

Le texte est imprimé sur des feuilles de papier. Il ne faut pas confondre un feuillet et une page. La *page* est soit le recto, soit le verso de la feuille de papier. Recto et verso porteront chacun un numéro d'ordre différent et continu : recto, page 5 ; verso, page 6. On dit *feuillet* lorsque seul le recto porte un numéro. Il y a donc dans un livre deux fois plus de pages que de feuillets.

A la fin du livre se trouve l'*achevé d'imprimé* ou *colophon* : note ultime donnant le nom de l'imprimeur et la date de l'impression. Le livre s'arrête là.

Chacun disposera de ses livres personnels à son gré, mais lorsque les livres appartiennent à une bibliothèque il faudra en prendre soin : on est ici dans l'évidence, et cependant...

Jadis à la porte des bibliothèques ecclésiastiques était inscrite une sentence d'excommunication contre les voleurs de livres. Celui qui lira aujourd'hui ces lignes saura pour la vie que s'il vole un livre, en découpe les pages ou l'abîme volontairement, il est un salaud. Il nuit à un patrimoine intellectuel qui ne lui appartient pas, empêchera un autre d'accéder à la documentation, sans compter le préjudice financier qui est une injustice. Un lecteur pris en flagrant délit doit être irrémédiablement interdit de séjour dans les bibliothèques.

L'on n'écrit pas sur un livre qui ne vous appartient pas. On ne posera pas non plus une feuille de papier sur un livre pour écrire ou prendre une note, au travers de cette feuille le crayon ou la plume laissent toujours la trace d'une pointe.

En ce qui concerne le vol il faut savoir que, sans en avoir l'intention ni explicite ni implicite, il est des attitudes qui reviennent au même : les emprunts qui deviennent définitifs, les immobilisations permanentes ; le prêt à un tiers d'un ouvrage pris à la bibliothèque se transforme en perte. Il faut démasquer chez les professeurs la maladie du « stockage-prévoyant » des livres sous prétexte « qu'on va en avoir besoin ». Ce futur périphrastique est un microbe vite attrapé par les étudiants.

III. DE L'USAGE DES BIBLIOTHÈQUES

Banal : les bibliothèques[5] ne se ressemblent pas, non point uniquement en raison de leur histoire mais surtout en raison de leur fonction. La brève description de ces fonctions en facilitera l'usage.

Certaines bibliothèques sont des lieux de *loisir,* de détente, là où l'on trouve ce qui agrémente et réjouit l'esprit et alimente « le vice impuni de la lecture ». D'autres sont des lieux de *travail,* de recherche, d'étude. D'autres encore ont pour vocation la *conservation* du patrimoine écrit, témoin de l'intelligence déployée dans les siècles précédents.

On ne peut demander à toutes les bibliothèques d'assurer ces diverses fonctions : la Bibliothèque Nationale de Paris est le lieu privilégié de la sauvegarde du patrimoine livre ; elle n'est un lieu d'étude que lorsque ce que l'on cherche ne se trouve pas ailleurs. Ses expositions en font un lieu de plaisir et de culture. Une bibliothèque universitaire est d'abord un lieu de travail et de recherche, mais peut aussi conserver certains documents rares et précieux. Les bibliothèques municipales ou de lecture publique, sont au service de toute la population, elles ont à pourvoir aux besoins de loisir et de culture. Mais chacune peut posséder des fonds spécialisés pour la recherche, et des pièces de prestige pour le bonheur de leurs expositions.

La bibliothèque du séminaire, de la faculté ou de l'institut a une fonction analogue à la bibliothèque universitaire mais la spécialisation des études en sciences religieuses lui donnera le caractère propre d'une bibliothèque spécialisée. La présence d'une littérature de détente ou de culture y est indispensable, elle peut aussi conserver le patrimoine historique et culturel propre aux institutions qu'elles servent.

Les deux répertoires décrits ci-après (surtout le répertoire français) ont pour intérêt leur index qui permet de trouver quels sont les fonds spécialisés conservés dans telle ou telle bibliothèque. Pour un travail très scientifique ces lieux de spécialisation seront ceux où l'on devra se rendre pour ses recherches.

---

5. MASSON (André), SALVAN (Paule). — *Les Bibliothèques.* — 3e éd. mise à jour. — Paris : Presses Universitaires de France, 1970. — 128 p. ; 17,5 cm. — (Collection : « Que sais-je ? », n° 944).

LES LIEUX DE TRAVAIL : LES BIBLIOTHÈQUES

Répertoire international des bibliothèques

• *World Guide to Libraries = Internationales Bibliotheks-Handbuch.* — 5th ed. — München, New York, Paris : K.S. Saur, 1980. — XXV-1030 p. ; 30 cm.

42 200 bibliothèques de 162 pays y sont mentionnées.

Classement par continent. A l'intérieur de chaque continent, classement par ordre alphabétique des pays — les pays sont nommés en anglais et en allemand. A l'intérieur de chaque pays les bibliothèques sont classées selon leur catégorie : bibliothèques nationales, bibliothèques générales de recherche, bibliothèques universitaires, bibliothèques spécialisées, etc. A l'intérieur de chaque sous-section les bibliothèques sont classées dans l'ordre alphabétique des villes où elles se trouvent. Le tout est un peu confus.

Les notices fournissent : le nom de la bibliothèque, son adresse, son numéro de téléphone, sa date de fondation, sa statistique, un numéro d'identification.

Index matière : sous une liste alphabétique des matières (spécialités des bibliothèques) on trouve après chaque mot, dans l'ordre des numéros d'identification des bibliothèques, le nom de la bibliothèque et la ville où elle se trouve. Cet index est difficile à manier. La Bibliothèque du Saulchoir, par exemple, se trouve sous la rubrique : *Philosophy of Religion.*

Les bibliothèques françaises

• *Répertoire des bibliothèques et organismes de documentation* / Direction des bibliothèques et de la lecture publique. — Paris : Bibliothèque Nationale, 1971. — XIII p., 2 f. n.ch., 735 p. ; 30 cm.

suivi de

• ... *Supplément 1973.* — IX p., 2 f. n.ch., 267 p.

Ce répertoire et son supplément sont constitués de la même façon. Classement géographique : région parisienne (par ordre alphabétique des organismes), départements. Très important index (pp. 591 à 733) : sous un seul alphabet, sigles, matières (les fonds spécialisés conservés dans chaque bibliothèque), le nom des bibliothèques et leur numéro de code.

Les notices descriptives des bibliothèques sont très détaillées : nom, adresse, téléphone, heures d'ouverture, conditions de prêt, objet et activités, spécialités de la documentation, historique, statistique, description des catalogues, etc. Instrument très utile et aisé de consultation.

IV. POUR RETROUVER UN DOCUMENT

Il n'existe pas à proprement parler de manuel français de bibliographie pour les sciences religieuses. Pour retrouver, identifier ou acquérir les livres ou les revues nécessaires aux études théologiques, étudiants et chercheurs pourront consulter les ouvrages suivants :

BIBLIOGRAPHIES DE BIBLIOGRAPHIES

• *Enciclopedia de orientacion bibliografica* / Thomas Zamarriego, sj. — Barcelone : Juan Flors, 1964-65. — 4 vol. ; 28 cm.

T. 1. *Introduccion general. Ciencas religiosas.* — 1964. — LVIII — 829 p.
T. 2. *Ciencias religiosas. Ciencias humanas.* — 1964 . — XLV — 793 p.
T. 3. *Ciencias humanas.* — 1965. — XXXVII — 751 p.
T. 4. *Ciencias de la materia y de la vida. Apendice : Literatura de creation. Indices.* — 1965. — XXXIII — 682 p.

Bibliographie rédigée en Espagnol. Description de 100 000 ouvrages en sept langues. Classement systématique. Annotations critiques.

Au dernier volume : index alphabétique des auteurs et des ouvrages anonymes, index alphabétique des matières avec renvois d'orientation. L'accès aux références exige la consultation de l'index.

Les sciences religieuses tiennent une place prépondérante dans cette publication. La sélection des ouvrages et les annotations sont le reflet d'une théologie catholique classique.

• BESTERMAN (Théodore). — *A World bibliography of bibliographies and of bibliographical catalogues, calendars, abstracts, digests, indexes, and the like...* — 4th ed. rev. — Lausanne : Societas bibliographica, 1965. — 5 vol. (4 vol. + 1 vol. d'index) ; 28 cm.

Bibliographie rédigée en anglais. Description de 117 000 ouvrages de référence publiés dans 50 pays depuis le xve siècle jusqu'au milieu du xxe et classés sous 16 000 mots matières. Les notices bibliographiques sont complètes, seul le nom des éditeurs n'est pas indiqué. A la fin de chaque notice un chiffre entre crochets carrés [ ] donne le nombre d'**unités bibliographiques** *(cf. p. 394)* que contient l'ouvrage décrit.

Le volume d'index : sous un seul alphabet les noms d'auteurs, éditeurs scientifiques, traducteurs, titres anonymes et, en caractères italiques, les noms de lieux, de collectivités, de personnes, ayant donné leurs noms à des collections. L'accès aux références est direct, les matières sont classées par ordre alphabétique. Il n'y a pas de notice critique après les notices bibliographiques.

Quand les rubriques de sujet sont très larges, par exemple *Bible*, l'auteur indique en tête le cadre de classement.

• *A World bibliography of bibliographies 1964-1974... a decennial supplement to Theodore Besterman...* / compiled by Alice F. Toomey ; with a foreword by Francesco Cordasco. — Totowa, New Jersey : Rowman and Littlefield, 1977. — 2 vol., 28,5 cm.

Ce supplément du BESTERMAN contient 18 000 nouveaux titres classés sous 6 000 mots matières. Même principe de classement que l'ouvrage précédent. Pas d'index.

• MALCLES (Louise-Noëlle). — *Les Sources du travail bibliographique...* ; préf. de Julien Cain,... — Genève : E Droz ; Lille : Giard, 1950-1958. — 3 tomes en 4 vol. ; 24 cm.

T. 1 — *Bibliographies générales.* — 1950. — XVI-364 p.
T. 2. — *(en 2 vol.) Bibliographies spécialisées (sciences humaines).* — 1952. — IX-954 p.
T. 3 — *Bibliographies spécialisées (sciences exactes et techniques).* — 1958. — X-577 p.

Cet ouvrage en français est « La Somme » de Bibliographie, étude historique et critique des méthodes de recherche et des publications. Les matières sont classées systématiquement. Chaque tome contient des introductions, une bibliographie critique par sujet, un index des auteurs, titres anonymes, une table des matières. L'index des tomes 2 et 3 indique les rubriques de sujets. L'auteur cite en particulier les périodiques spécialisés en chaque matière. L'accès aux références demande l'utilisation des index.

Les sciences religieuses sont traitées au tome 2.[1], pp. 434-480.

MANUELS DE BIBLIOGRAPHIE

• MALCLES (Louise-Noëlle). — *Manuel de bibliographie.* — 3e éd. revue et mise à jour par Andrée Lhéritier,... — Paris : Presses Universitaires de France, 1976. — 399 p. ; 25 cm.

Ce *Manuel* est un condensé des Sources du travail bibliographique (cit. *supra*), remis à jour au 4e trimestre 1975.

Ouvrage en trois parties : bibliographies générales ; — bibliographies spécialisées I/ sciences humaines, II/ sciences fondamentales ; bibliographies des bibliographies et bibliologie.

Index : sous un seul alphabet, noms d'auteurs et titres d'ouvrages suivi d'un index matières. Les renvois sont faits aux pages de l'ouvrage.

Instrument indispensable dans la bibliothèque personnelle d'un intellectuel.

• BEAUDIQUEZ (Marcelle), BETHERY (Annie). — *Ouvrages de référence pour les bibliothèques publiques : répertoire bibliographique...* — 2e éd. — Paris : Cercle de la Librairie, 1978. — 211 p. ; 24 cm.

Décrit 853 ouvrages de références touchant à toutes les sciences. Classement selon la classification décimale universelle simplifiée. Index alphabétique unique (auteurs, titres des ouvrages anonymes et principaux sujets).

Notices succinctes suivies d'indication du prix des livres et de notices descriptives et critiques.

Ouvrage recommandé aux étudiants. Prix modéré.

BIBLIOGRAPHIES THÉOLOGIQUES

• *Bibliographie des sciences théologiques* / établie par les enseignants de la Faculté de théologie protestante de l'université des sciences humaines de Strasbourg ; publiée par Jean-Georges Heintz ; préface d'Edmond Jacob. — Paris : Presses Universitaires de France, 1972. — 189 p. ; 24 cm. — (*Cahiers de la Revue d'histoire et de philosophie religieuse* n° 44).

Classement méthodique sous 10 têtes de chapitres avec sous divisions : 1. Ancien Testament, 2. Nouveau Testament, 3. Histoire de l'Eglise, 4. Histoire des religions, 5. Philosophie de la religion, 6. Dogmatique, 7. Œcuménisme, 8. Éthique, 9. Théologie pratique, 10. Sociologie religieuse. Les bibliographies de chacun de ces chapitres sont signées par les professeurs de la Faculté de théologie protestante.

Liste des principaux instruments de travail, des grands ouvrages et des collections, sans commentaire critique ni indication d'utilisation. Sélection d'inspiration protestante donnant une grande place aux publications catholiques. Très nombreux ouvrages étrangers signalés. Pas d'index. Tables des matières : 3 p.

Instrument de travail de qualité à l'usage des étudiants, mais l'absence de commentaires pratiques et de tables ne lui permet pas de rendre tous les services qu'on doit attendre d'un manuel. Prix très modéré.

• SCHWINGE (Gerhard). *Bibliographische Nachschlagewerke zur Theologie und ihren Grenzgebieten, Systematisch geordnete Auswahl.* — München : Verlag Dokumentation, 1975. — 232 p. ; 21 cm. — ISBN 3-7940-3224-1.

Publication en allemand. Classement méthodique. Index d'auteurs et de titres. Index matière. Recense 1 154 ouvrages.

Bibliographie principalement germanique de haut niveau scientifique.

LES PÉRIODIQUES DE SCIENCE RELIGIEUSE

• LANKHORST (Otto). — *Les Revues de sciences religieuses : approche bibliographique internationale.* — Strasbourg : Cerdic Publications, 1976. — 294 p. ; 21 cm.

Première approche pour une étude des revues de sciences religieuses. L'ouvrage est dense et difficile en raison de la double méthode d'analyse et de synthèse qu'utilise l'auteur. Ses deux index en font un instrument maniable et utile pour la recherche : index des instruments bibliographiques cités : 260 titres ; index des revues citées : 497 titres.

• *Index to religious periodical literature : An Author and Subject Index to Periodical literature. Including an Author Index of Book Reviews*... — Chicago : American Theological Library Association, 1949 →. — 26 cm.

Le premier volume de cet index regroupe les années 1949-1952, puis publication annuelle. Le volume 11 (1973-1974) est un index cumulatif pour les années 1955-1974. Dans la 1re partie il dépouille 198 périodiques de science religieuses : 9 772 entrées d'auteurs ; 22 493 entrées matières. La seconde partie recense 5 443 ouvrages. Index d'auteurs et index de titres.

DÉPOUILLEMENT DES PÉRIODIQUES

• *Zeitschrifteninhaltsdienst Theologie : Indices theologici.* —Tübingen : Universitätsbibliothek, 1975 →. — 21 cm.

Cette publication reproduit en fac-simile le sommaire de 400 périodiques de sciences religieuses. 4 fascicules par an, classement systématique. Index des auteurs, des personnes citées dans les titres d'articles, des citations bibliques.

Index cumulatif pour les années 1975-1979. Permet de se tenir au courant de la production théologique mondiale.

• *Revue des Sciences philosophiques et théologiques.* — Paris : Vrin, 1907 →. — 25 cm.

De nombreuses revues théologiques publient bulletins critiques, recensions, dépouillement de périodiques, mais la RSPhTh a la particularité de publier chaque année des tables très complètes et en particulier un index matière : 1. Table générale des matières, articles et notes, bulletins, recension des revues (150 titres) — 2. Table analytique, auteurs, matière (références scripturaires, conciles, manuscrits, mots matières, sur 24 colonnes en 1980).

RÉPERTOIRE DES SIGLES UTILISÉS POUR LES PUBLICATIONS DE SCIENCES RELIGIEUSES

• *SCHWERTNER (Siegfried). — Index international des abréviations pour la théologie et matières affinissantes, périodiques, séries, dictionnaires, éditions de sources avec données bibliographiques.* — Berlin, New York : Walter de Gruyter, 1974. — XX-348 p. ; 24,5 cm.

Ouvrage en allemand, anglais et français. Propose des abréviations normatives pour environ 7 500 publications. L'ouvrage a deux entrées, la liste alphabétique des sigles et leur développement, la liste alphabétique des publications suivies de leur sigle.

En outre cet index renseigne sur les lieux de publications et d'édition, les changements de titres, les sous-séries ou les suppléments.

L'usage de ces abréviations normalisées permettra de ne pas confondre RSR avec RevSR (cf. *supra*, p. 373).

RÉPERTOIRE D'ÉDITEURS

Répertoire international des éditeurs

• *Publishers' International Directory = Internationales Verlag — Adressbuch.* — 8th ed. — München, New York, London, Paris : K.G. Saur, s.d. [c. 1979]. — 798 p. ; 30 cm.

Classement par continents. Répertoire des associations d'éditeurs. A l'intérieur de chaque continent, classement par ordre alphabétique des pays. A l'intérieur de chaque pays les éditeurs sont classés par ordre alphabétique de leur nom.

Une notice fournit : le nom de l'éditeur, son adresse, son numéro de téléphone, son numéro de télex, le numéro ISBN et ISSN, les spécialités publiées.

Répertoire international des éditeurs religieux

• *Book Publishers Directory in the field of religion = Répertoire International des éditeurs religieux* / publié sous la direction de Jean Schlick et Marie Zimmermann. — Strasbourg : Cerdic-Publications, 1980. — XX-125 p. ; 21 cm. — (RIC supplément, 50-52).

2 440 adresses d'éditeurs de sciences religieuses, regroupées par pays, groupes de pays ou continents (voir table alphabétique des pays pages VII-IX). Les notices donnent : le nom de l'éditeur, l'adresse, le numéro ISBN.

Répertoire international des éditeurs de langue française

• *Répertoire international des éditeurs de langue française 1978*. — Paris : Le Cercle de la Librairie, 1978. — 3 f. n.ch., 226 p. ; 23,5 cm. ISBN 2-7654-0162-4.

Comporte 2 715 notices relatives à 2 360 éditeurs et 355 diffuseurs.

V. L'IMPORTANCE DES ENCYCLOPÉDIES

Pour rendre la recherche aisée et efficace il y a toujours intérêt à consulter les encyclopédies profanes ou religieuses dans les matières qui concernent la présente *Initiation*. Il faut cependant insister sur l'usage des encyclopédies profanes. Les indications y sont brèves, les sources de l'information rarement mentionnées, mais elles sont précises et les articles souvent rédigés par des spécialistes.

Les encyclopédies ont un classement alphabétique ou systématique. Le délicat, dans certaines consultations, est de trouver le mot par lequel on y entrera en s'aidant du jeu des synonymes, des corrélats ou des renvois d'orientation. Le renseignement cherché ne se trouve pas toujours au premier mot qui vient à l'esprit. Il faut savoir aussi ce que contient une encyclopédie pour imaginer les accès.

Un exemple :

Question : combien a coûté la construction de la Sainte-Chapelle qui se trouve à Paris ?

La question me fut réellement posée. J'avais commencé à chercher, dans les bibliographies d'histoire de France, l'édition des Comptes Royaux. On ne me demandait pas de sources. Devant l'ampleur des publications et des monographies, j'ai réorienté la recherche dans :

• LAROUSSE (Pierre). — *Grand dictionnaire universel du XIXe siècle*... — Paris : Administration du Grand Dictionnaire Universel, [1865-1888]. — 15 vol., 2 suppléments ; 32 cm.

Encyclopédie alphabétique. L'Auteur a ici construit l'un des plus importants instruments de travail qui existe en français. L'ampleur et la précision des notices font de cette encyclopédie l'une des plus utiles et des plus consultées. Dans le domaine des sciences religieuses on doit l'interroger pour l'histoire, la géographie et la biographie ecclésiastique ; on y trouvera l'analyse de nombreuses œuvres classées à leur titre. Les articles contiennent des bibliographies.

Recherche : Tome III, article CHAPELLE ; sous-titre : Chapelles des Palais, des Châteaux, des Evêchés ; p. 957, col. 1 et 2. Paragraphe sur la Sainte-Chapelle, mais le prix n'y est pas indiqué.

Remarque du chercheur : Larousse donne de nombreux articles sur des œuvres particulières (livres, opéras, tableaux, monuments, etc.). Y aurait-il un article consacré exclusivement à la Sainte-Chapelle ?

Reprise de la recherche : A la suite de l'article CHAPELLE se trouve en effet, p. 959, un article de 5 colonnes : CHAPELLE DU PALAIS (Sainte-), le prix de la construction s'y trouve.

Réponse : 800 000 livres tournois.

Temps de la recherche : 10 minutes.

Cet exemple illustre plusieurs points : la question précise ne demandait qu'un chiffre. Il était inutile de faire une recherche de sources, ou d'un ouvrage consacré à cet édifice. L'usage fréquent du Grand Dictionnaire fait présumer qu'on peut y trouver un renseignement de ce type : il faut toujours commencer la recherche par la consultation d'une encyclopédie. Le premier sondage n'a pas permis de répondre à la question ; la connaissance de l'instrument a fait supposer l'existence d'un article plus simple où se trouve effectivement la réponse.

VI. PETIT VOCABULAIRE TECHNIQUE

Ce petit vocabulaire technique est à considérer comme une sorte d'initiation matérielle à la recherche. Les bibliothécaires ont normalisé leurs pratiques afin qu'en quelque endroit du monde où l'on travaille, les méthodes et les règles soient uniformes et simples. En réalité ce vocabulaire voudrait être aussi un minuscule *précis de bibliothéconomie* (technique du métier de bibliothécaire) afin que lecteur et bibliothécaire se comprennent mieux. Les définitions qui suivent s'inspirent de deux ouvrages : ASSOCIATION DES BIBLIOTHÉCAIRES

FRANÇAIS. — *Le Métier de bibliothécaire...* — Paris : Promodis, 1979. — 280 p. ; 24 cm. *et* RICHTER (Brigitte). — *Précis de Bibliothéconomie.* — 3e éd... — Paris, München, New York, London : K.G. Saur, 1980. — IX-233 p. ; 24 cm.

Anastatique. *voir* **reprint**

Anonyme. Dans les bibliothèques ce mot n'a pas uniquement le sens usuel. Il y a différentes sortes de publications anonymes :

— *par excès d'auteurs :* publication ayant quatre auteurs et plus, devra être recherchée à son titre.
— *pur :* publication qui ne comporte pas de nom d'auteur. Les bibliothécaires doivent s'efforcer de les découvrir. Un anonyme pur se trouvera à son titre et au nom de l'auteur restitué. Par ex. : *L'Imitation de Jésus-Christ,* longtemps attribuée à Jean GERSON est maintenant attribuée à Thomas a KEMPIS. On trouvera l'ouvrage à : *Imitation de Jésus-Christ* ou à [KEMPIS (Thomas a)], la fiche [GERSON (Jean)] doit renvoyer à l'auteur restitué. *voir aussi* : **Vedette** de forme.

Bibliographie. Ouvrage dans lequel sont répertoriées et décrites des publications. Une bibliographie est dite :

— *courante* : paraît selon une périodicité régulière et mentionne les publications les plus récentes. / antonyme : *rétrospective.*
— *critique* : quand la notice bibliographique est suivie d'un jugement sur la publication.
— *exhaustive* : tend à donner la totalité des publications concernant un sujet. / antonyme : *sélective.*
— *générale* : décrit toutes sortes de publications. / antonyme : *spécialisée.*
— *internationale* : est constituée par les publications de plusieurs pays ou du monde entier. / antonyme : *nationale.*
— *nationale* : est constituée par les publications d'un pays déterminé. / antonyme : *internationale.*
— *rétrospective* : peut récapituler des publications depuis l'origine de l'imprimerie ou à partir d'une date déterminée. / antonyme : *courante.*
— *sélective* : l'auteur de la bibliographie a fait un choix des publications ; les raisons peuvent en être un désir de brièveté, d'aller à l'essentiel, de simplicité, de haute technicité, de qualité, d'idéologie, etc. / antonyme : *exhaustive.*
— *spécialisée* : décrit les publications sur un sujet bien déterminé. / antonyme : *générale.*

Une bibliographie peut être à la fois générale et internationale, spécialisée et rétrospective.

Catalogue. Nom technique de ce qui est appelé par le public « fichier » (*voir ce mot* infra). Liste détaillée de documents, établie suivant un ordre déterminé, pour en faciliter la recherche ; se présente sous diverses formes : fiches, « listing », brochure, volume multigraphié ou imprimé. La fonction du catalogue est de localiser les documents par opposition à la bibliographie qui les recense sans les localiser. (*Voir les différents modes de classements après le mot* **classification.**)

Classification. Ensemble codifié des règles selon lesquelles on procède au classement matériel des documents ou à celui des notices d'un catalogue ou d'une bibliographie. (*Voir ci-après différents types de classifications.*)
(*On trouvera ci-après, pour éviter les redites, les qualificatifs appliqués aux catalogues ou aux classifications. Voir aussi :* **vedette**.)

— *alpha-numérique* : la cote est constituée à la fois de lettres et de chiffres.

— *alphabétique* : rangé dans l'ordre des lettres de l'alphabet. Il y a deux classements alphabétiques :

• *continu* : on ne tient pas compte de la césure des mots :
SAINT-DONAT
SAINTE-ADRESSE
SAINT-ESPRIT

• *discontinu* : on tient compte de la césure des mots :
SAINT-DONAT
SAINT-ESPRIT
SAINTE-ADRESSE

L'ordre discontinu est utilisé dans les bibliothèques avec une exception pour certains noms propres formés d'une particule : La Fontaine = Lafontaine

— *alphabétique d'auteur* : succession des noms d'auteurs dans l'ordre alphabétique. Le catalogue d'auteurs contient également, sous un seul alphabet, les titres des ouvrages anonymes (*voir ce mot*), les vedettes de forme, les vedettes titre conventionnel (*voir ces mots*).

— *chronologique* : suivant l'ordre du temps, du calendrier. Il y a deux chronologies :

• *régressive* : de la date la plus actuelle en remontant vers la date la plus ancienne (classification utilisée dans les bibliothèques de lecture publique),
• *progressive* : de la date la plus ancienne vers la date la plus actuelle (classification utilisée dans certaines bibliothèques scientifiques ou spécialisées).

Le signe → veut dire dans une notice :
• 1865 → : de 1865 à nos jours, publication qui est poursuivie.
• → 1925 : de l'origine de la publication à 1925.

— *décimale* : inventée par l'Américain Melvil Dewey en 1878. Son principe est d'aller du général au particulier, du genre à l'espèce, du tout à la partie ; elle s'inspire à la fois des *Catégories* d'Aristote et de l'*Isagoge* de Porphyre. Elle repose sur l'essai d'organisation du savoir de François Bacon, *Partitio universalis doctrinae humanae* (1605). Cette classification est méthodique et encyclopédique (totalité du savoir humain). Chaque partie du savoir, englobée dans un savoir plus général, reçoit une numérotation immuable.
Il y a deux ordres numériques :

ordre des nombre entiers	*ordre décimal*
7	7
8	71
71	731
86	8
731	86

La classification de Dewey a été perfectionnée en Classification décimale universelle (C.D.U.)

— *dictionnaire* : les vedettes d'auteur, titre et matière sont rangées sous un seul alphabet.

— *format :* les livres sont rangés sur les tablettes (rayons des bibliothèques) selon leur taille.

Ce classement, purement matériel, a l'avantage de procurer une grande économie de place.

— *matière* : les vedettes sont classées dans l'ordre alphabétique du mot descripteur des sujets traités.

— *méthodique* : voir systématique.

— *numérique :* la cote est uniquement constituée de chiffres quel qu'en soit l'ordre, ordre des nombres entiers ou ordre décimal.

— *ordre d'entrée* : les livres sont rangés sur les tablettes à la queue leu leu, selon leur ordre d'arrivée à la bibliothèque.

— *sujet* : voir *matière*.

— *systématique* : selon un ordre intellectuel logique et préétabli.

— *titres* : ordre alphabétique des titres. (*Voir : alphabétique discontinu*). (*cf. supra* « Anatomie d'un livre » p. 376.)

— *topographique* : catalogue dont l'ordre matériel des fiches (des cotes) reflète exactement l'ordre matériel des livres sur les rayons.

Crochets carrés. [ ] Signe utilisé pour indiquer que ce qui se trouve pris à l'intérieur est de l'invention du bibliothécaire : auteur restitué d'un ouvrage anonyme, vedette de forme, etc.

Copyright. Signalé par le sigle : ©. L'œuvre éditée est la propriété de l'éditeur. Les Etats-Unis ne reconnaissent et protègent le droit de propriété que si les éditeurs déposent leurs ouvrages à la Library of Congress de Washington et acquittent une redevance. Cette protection est le copyright.

Cote. Code de localisation d'un document permettant son classement et sa recherche dans une bibliothèque. Composée de chiffres, de lettres ou de signes, elle est toujours indiquée sur les fiches des catalogues d'une bibliothèque et doit toujours être mentionnée sur le bulletin de prêt.

Document. Terme générique désignant toute publication imprimée, livre, périodique, brochure, tiré-à-part, etc. Se dit aussi de ce qui est conservé sur support photographique, magnétique, etc.

Editeur. Société, association ou personne qui prend la responsabilité matérielle et financière de publier un document en vue de sa vente. Les Editions du Cerf sont l'éditeur du présent ouvrage.

Editeur scientifique. Personne ou collectivité qui prend la responsabilité intellectuelle de publier un document. Erasme est un éditeur scientifique de saint Augustin.

Fantôme. Feuille de papier ou de carton que l'on laisse à la place d'un livre emprunté dans une bibliothèque et sur laquelle on inscrit au moins le nom de l'emprunteur, la date de l'emprunt et la cote de l'ouvrage.

Incunable. Ce mot, qui en latin veut dire « berceau », désigne les livres imprimés au xve siècle. Il provient du titre de la bibliographie de van Beughem, *Incunabula typographiae, sive catalogus librorum scriptorumque proximis ab inventione typographiae annis, usque ad annum Christi MD (1500) inclusive...* — Amsterdam : 1688. Le XVe siècle se termine le 31 décembre 1500.

Indice. Descripteur symbolique du contenu d'un document (désignation de la matière, du sujet). Un document peut comporter plusieurs indications s'il traite de sujets différents. L'indice peut être un composant de la cote.

ISBN. (International Standard Book Number). Numérotation internationale codée et normalisée, d'un livre permettant son identification dans le traitement par informatique en vue de la constitution d'un catalogue universel (contrôle bibliographique universel : *CBU*). Les périodiques sont affectés d'un même numéro sous la mention : *ISSN* (International Standard Serials Number).

Fiche. Bristol de format normalisé 75 mm × 125 mm sur laquelle se trouve décrite une publication. La rédaction d'une fiche répond à des normes internationales précises.

Fichier. Meuble à tiroirs destinés à contenir les fiches. Terme souvent utilisé à tort pour désigner le catalogue sur fiches. *Voir* : **catalogue.**

Format. Taille d'un document. Il y a deux sortes de formats :

— *apparent* : taille d'un document conventionnellement déterminée et dénommée.
— *réel* (avant 1800) : le format était déterminé par le nombre de pages des cahiers d'un livre, in-4°, 4 pages ; in-8°, 8 pages ; etc. (depuis ces dernières décennies le format est indiqué en centimètres — hauteur du livre).

Libre accès. Possibilité donnée au lecteur de se servir lui-même sur les rayons de la bibliothèque.

Magasin. Se dit du local où sont conservés les documents d'une bibliothèque. Les livres conservés en magasin ne sont en général pas en libre accès.

Périodique. Publication à périodicité régulière, non limitée dans le temps, à laquelle participent plusieurs auteurs. Un périodique doit avoir un titre stable, porter la date de sa publication et un numéro de tomaison ou de fascicule. La définition d'un périodique est stricte et étroite.

Pseudonyme. Nom d'emprunt d'un auteur qui désire voiler son identité ou distinguer son activité littéraire de ses autres activités. Le bibliothécaire doit s'efforcer de découvrir l'identité réelle d'un auteur et la faire figurer dans le catalogue d'auteurs.

Reprint. Mot anglais. Document ancien ou épuisé reproduit en fac-similé par un procédé photomécanique. En français : réimpression anastatique ou analstatique.

Réserve. Magasin spécial où sont conservés les livres rares et précieux. Jadis l'Enfer (collection des livres prohibés par l'Index et les livres érotiques) était une section de la réserve. L'Enfer n'existe plus dans les bibliothèques mais les ouvrages qui s'y trouvaient étant souvent rares et précieux, un grand nombre d'entre eux demeurent à la Réserve. La constitution de la réserve est laissée à la responsabilité et à la compétence du bibliothécaire. Le prêt des livres mis à la réserve est réglementé.

Unité bibliographique. Désigne en bibliographie une publication unique. Le nombre d'unités bibliographiques est le nombre de publications décrites.

Usuel. Non donné aux publications mises en libre accès dans la salle de lecture. Ils ne doivent jamais sortir de la bibliothèque et sont consultés sur place ; on les disait jadis dans les bibliothèques ecclésiastiques : consignés.

Vedette. Premiers(s) mot(s) inscrit(s) sur une fiche au(x) quel(s) on recherchera une publication. La rédaction des vedettes répond à des normes internationales précises :

— *auteur* : nom de la personne, physique ou morale (collectivité auteur : un Etat, une Université, une Eglise, etc.), auteur d'une publication.
— *de forme* : certaines publications ayant connu au cours des siècles un grand nombre d'éditions, quoique leur titre ou la littéralité de leur contenu aient pu varier, sont regroupées dans les catalogues sous un mot mis entre crochets carrés ; par ex. : [Bible], [Catéchisme], etc. Certaines publications d'un même type sont également regroupées sous une vedette de forme : les actes de congrès [Congrès...], les catalogues d'exposition [Exposition...], etc.
— *matière* : mot décrivant le sujet d'une publication, accompagné de sous-vedettes indiquant le lieu, le temps, la forme.
— *titre* : nom de l'ouvrage tel qu'il se trouve sur la page de titre (cf.

supra, « Anatomie d'un livre », p. 377). Si le titre d'un livre commence par *le*, *la*, *les* (cela exclusivement) et parfois *de* (au sens du *de* latin : « *de libero arbitrio* ») on recherchera le titre au mot suivant qui doit sur la fiche porter une majuscule.

TROISIÈME PARTIE

LE CHRISTIANISME VU DU DEHORS

A. LE CHRISTIANISME PARMI D'AUTRES RELIGIONS

CHAPITRE PREMIER

Le christianisme vu par le judaïsme

par ARMAND ABÉCASSIS

SOMMAIRE. — 1. La liberté religieuse dans le judaïsme; 2. Le vrai Israël; 3. Evangile et Torah; 4. Eglise et Synagogue; 5. L'identité de Jésus; 6. La parole incarnée; 7. Le repentir de l'Eglise. Bibliographie.

En réaction à toutes les violences doctrinales et historiques que les Juifs eurent à subir de la chrétienté pendant dix-neuf siècles, on ne serait point surpris de découvrir chez les victimes mépris et condamnations, méfiance et incompréhension à l'égard de ceux qui croyaient agir au nom de Jésus. On ne cessera jamais de s'étonner, en la condamnant, de cette tragique trahison du message d'amour délivré dans la vie et par la mort de Jésus. Pourtant, ce sont ceux qui en eurent à subir les conséquences — les Juifs — dont le Dieu, disait-on, est un Dieu justicier, qui témoignèrent par l'amour et par le sacrifice au cours de leur déchirante histoire dans les pays chrétiens. Ce sont eux qui empruntèrent la via Dolorosa depuis la destruction du second Temple de Jérusalem en 70 jusqu'à ce Golgotha qui avait pour nom : Auschwitz. C'est du peuple juif qu'on a toujours dit : « Il a mis en Dieu sa confiance, que Dieu le délivre maintenant, s'il l'aime, car il a dit : "Je suis fils de Dieu" » (Ps 22, 9)[1].

Toute cette violence pourquoi ? Parce qu'il a refusé le message de l'Eglise. Parce qu'il n'a pas reconnu dans l'avènement de Jésus la fin des temps. Parce qu'il n'a jamais voulu laisser une place, dans sa vie et dans sa pensée, à la christologie. Parce qu'il est resté, enfin, hermétique à la théologie et à la dogmatique chrétiennes. Est-ce à dire qu'il ait condamné sans appel le christianisme dans sa condamnation des chrétiens ? Cela signifie-t-il qu'il ait voué à l'enfer l'Eglise ? Non point — c'est méconnaître la psychologie et la religion des pharisiens,

1. Mt 27, 43.

ainsi que leur histoire réelle, que de le croire. Comment donc estimer l'enseignement de Jésus, et comment reconnaître sa valeur et sa vérité, sans pourtant y croire ? L'histoire et la doctrine pharisiennes nous permettent de répondre.

1. La liberté religieuse dans le judaïsme

Il faut savoir tout d'abord que les rabbins n'ont jamais perçu le judaïsme comme une religion « non chrétienne ». Ce serait plutôt le contraire qui serait plausible et plus près de la réalité. C'est l'Eglise qui est issue de la Synagogue et non l'inverse. A strictement parler, Jésus n'était point chrétien. D'une part il était juif, de parents juifs, et il s'est plié aux règles, aux rites et à la liturgie rabbiniques depuis sa circoncision jusqu'à sa mort. D'autre part, il n'a pas eu besoin d'un intermédiaire, d'une passion et de la croyance en une incarnation, pour être relié à Dieu. Comme tout juif de son époque, il était en relation directe avec le Père, et n'avait besoin d'aucun relais pour se confier à Lui. La question est donc de savoir comment la doctrine rabbinique réagit aux mouvements et aux personnes qui, bien qu'issus de la communauté juive, semblent professer d'autres idées et d'autres pratiques que celles permises par la tradition. Or, déjà la constitution du canon biblique, ou Torah au sens large, témoigne d'une liberté religieuse large et accueillante. La Torah ou Bible hébraïque, contient, telle une bibliothèque, des œuvres variées et parfois contradictoires, composées par des prophètes, des sages, des législateurs, des historiens, des prêtres, des mystiques et des rationalistes. C'est, en somme, la littérature d'un peuple à fonds religieux. Et cet esprit de la Bible a marqué de son empreinte l'histoire du judaïsme à la suite de l'hébraïsme. La période la plus créatrice du peuple juif fut, sans conteste, celle des siècles qui précédèrent et suivirent Jésus, et qui fut caractérisée par une grande prolifération de sectes et de personnalités fortes et indépendantes dont le Talmud a gardé les controverses. Nous savons aujourd'hui de manière certaine qu'il existait alors quatre sectes principales ou « quatre philosophies » selon la classification que Flavius Josèphe a suivie. Mais nous sommes également sûrs que chacune de ces sectes — pharisiens, sadducéens, esséniens et zélotes — était à son tour divisée en groupes différents, en écoles séparées et en individus qui s'opposaient les uns aux autres sur la plupart des questions théoriques et pratiques. Qu'il nous suffise ici de rappeler que la doctrine pharisienne fut constamment balancée entre l'école de Hillel et celle de Chammay, entre Rabbi Aquiba et Rabbi Yichma'el, entre Rab et Chemouel, et entre Rab Houna et Rab Ḥasda'. Il y avait plusieurs formes de sadducéïsme et le terme d'esséniens était porté par plusieurs familles spirituelles qui s'opposaient sévèrement les unes aux autres ainsi que les manuscrits de la mer morte nous en ont gardé le témoignage. Quant aux samaritains, ils se séparaient de tout cet ensemble par leur opposition à la centralité liturgique et rituelle de Jérusalem. Ajoutons qu'on retrouvait la même diversité dans les communautés de la Diaspora, et nous aurons alors le climat dans lequel apparut le judéo-christianisme primitif qui ajouta à cette variété sa vitalité et son dynamisme audacieux. Il est remarquable que ces sectes ne se soient jamais excommuniées mutuellement dans ce monde-ci, alors que les pharisiens enseignaient que les sadducéens « n'avaient point part au monde à venir » (Traité Sanhédrin, Mishnah 10, 1). L'enseignement de Elicha' Ben Abouya, qui apostasia, fut inscrit dans le Talmud, et le judaïsme officiel continue encore aujourd'hui à le transmettre et même à s'en inspirer. Bar Kokhba [2] était, selon les dires de Rabbi Aquiba, animé et inspiré de forces messianiques alors qu'il se révéla en réalité, un Bar Koziba (fils du mensonge). Au XVIe siècle, le faux messie Salomon Molko fut considéré comme « un docteur de la loi et comme l'un des meilleurs fils d'Israël », par Rabbi Joseph Caro, l'auteur du code religieux qui règle la vie quotidienne des juifs orthodoxes et traditionnels, encore aujourd'hui. Il ne faut point croire que cette ouverture d'esprit se limita à un usage interne et particulariste de la communauté juive. La tolérance, et, mieux, la liberté religieuse, à de rares exceptions près, furent, dès le commencement et dès le principe, instaurées comme constitutives du particularisme des Rabbins, paradoxalement. En effet, c'est l'affirmation intransigeante de l'unité de Dieu et de son exclusivité, qui a poussé certains auteurs bibliques à conclure, contre toute logique, à une sorte de légitimité du polythéisme ! Reportons-nous au principe monothéiste rigoureusement énoncé dans le Deutéronome : « Sache-le aujourd'hui et médite-le dans ton cœur : C'est YHWH qui est Dieu, là-haut dans le ciel, et ici-bas sur la terre, lui et nul autre » (4, 39).

Mais le même livre, tout en mettant en garde Israël contre le paganisme, lui intime l'ordre de tolérance religieuse de la manière suivante : « Ne va pas lever les yeux vers le ciel, regarder le soleil, la lune et les étoiles, toute l'armée des cieux et te laisser entraîner à te prosterner devant eux, et les servir. Car ils sont la part que YHWH ton Dieu a donnée à tous les peuples qui sont partout sous le ciel. Mais vous, YHWH vous a pris et il vous a fait sortir de l'Egypte, cette fournaise à fondre le fer, pour que vous deveniez son peuple, son héritage, comme vous l'êtes aujourd'hui [3]. »

---

2. Ce nom signifie « fils de l'Etoile ».
3. Dt 4, 19-20.

La religion des nations païennes et leur éthos spécifique étaient ainsi reconnus et prenaient place dans le projet biblique. Après l'exil, le prophète Malakhi transcrivit l'aspiration des païens vers l'unique Dieu, à travers leurs représentations maladroites. « De l'orient au couchant, écrit-il, mon Nom est grand chez les nations, et, en tout lieu, un sacrifice d'encens est offert à mon Nom ainsi qu'une pure offrande » (1, 11).

Et Paul proclama la même intention biblique à Athènes : « Athéniens, à tous égards vous êtes, je le vois, les plus religieux des hommes. Parcourant en effet votre ville, et considérant vos monuments sacrés, j'ai trouvé jusqu'à un autel portant l'inscription : "au Dieu inconnu"[4]. »

Et il n'est point nécessaire de rappeler ici que c'est cette intuition qui permit l'éclosion de la charte « noachique » de la tolérance religieuse telle que la conçoit le judaïsme[5]. Ses stipulations qui visent à débarrasser les nations païennes de leur violence et de leur injustice, permettent au non-juif de « parvenir au monde à venir », comme le juif soumis aux 613 commandements divins. En principe, le prosélytisme juif ne serait pas fondé, puisqu'il n'est pas nécessaire au païen de se convertir au judaïsme pour être sauvé[6].

Avec l'apparition, au sein du judaïsme, du monothéisme chrétien, de cette autre façon d'être fidèle à la foi d'Abraham, d'Isaac et de Jacob, le paganisme disparut progressivement sur le plan historique, et la Rome chrétienne se substitua à la Pax Romana à partir de la conversion de Constantin. Le judaïsme médiéval vit bien que les chrétiens étaient des non-juifs non-païens, et qu'il lui fallait élaborer impérativement une doctrine nouvelle sur la place du message de l'Eglise dans le projet divin et par rapport à l'Alliance d'Israël. Plusieurs raisons les y obligèrent, parmi lesquelles les nécessités pratiques, économiques et sociales de la vie en commun, les disputes religieuses imposées aux rabbins par les évêques et les archevêques, la curiosité intellectuelle et philosophique, et les raisons doctrinales exprimées dans la formule religieuse « Hilloul Hachem », ou « profanation du Saint-Nom »[7]. Cette réflexion qui se développa d'abord chez les juifs du monde musulman, à partir du VIIIe siècle, fut reprise et

4. Ac 17, 22-24.

5. Cette charte est constituée des sept lois fondamentales de la conscience morale universelle. Elle a son origine dans le Livre des Jubilés écrit au premier siècle avant l'ère courante. Cf. Sanhédrin 56a ; Abodah Zarah. Tossephta 9, 48.

6. Cf. Ac 15, 28-29. Le Midrash sur Juges, section 42 — Yalkout Chim'oni — et Ga 3, 39.

7. Manière de dire, au nom de la Vérité, du Bien, de l'Honneur et de la dignité du peuple juif.

reconduite par les juifs du monde occidental dominé par les chrétiens. Et on peut illustrer la largeur de vue et le sens de la liberté religieuse dont témoignèrent les maîtres à penser séphardim et achkenazim [8] par les citations suivantes :

« Les chrétiens et les musulmans sont d'une certaine manière une préparation et une introduction aux temps messianiques que nous attendons, fruit de cet arbre qu'ils devront finalement reconnaître comme leur racine, même s'ils le méprisent pour le moment (Judah Halevi) [9].

Et puis :

Ceux qui parmi les anciens païens qui respectaient les sept lois de Noé, c'est-à-dire : qui s'abstenaient du culte des idoles, qui ne blasphémaient pas le Nom divin, qui ne volaient point, ne commettaient point d'inceste, n'étaient pas cruels envers les animaux, et qui possédaient des tribunaux, jouissaient des mêmes droits que les juifs. Combien plus encore de nos jours, alors que les nations se distinguent par leur religion et par leur respect de la foi ! Cependant nous devrons concéder aussi les mêmes droits à ceux qui n'ont aucun code de lois, afin de sanctifier le Nom divin (Menahem Me'iri) [10].

Jamais les rabbins ne mirent en question le caractère fondamentalement monothéiste de la religion chrétienne, malgré la doctrine trinitaire. Bien plus, l'un des grands commentateurs du Talmud au XIIe siècle, Rabbi Isaac, déclara :

Il n'est pas défendu aux nations d'associer à la foi en Dieu la foi en d'autres créatures [11].

Maïmonide, l'Aigle de la Synagogue, plus tendre en général à l'égard de l'Islam au sein duquel il a vécu, que pour le christianisme qu'il ne connaissait pas concrètement, a cependant écrit :

Toutes les paroles de Jésus de Nazareth et celles de Mohammed qui vint après lui, ont été dites uniquement afin de rendre droite la route pour le Roi

---

8. Les Sephardim sont les juifs d'Espagne et du monde afro-asiatique. Les achkénazim sont les juifs du monde occidental. L'Espagne mauresque est désignée par le terme de Sépharad et l'empire germanique par celui d'Achkenaz.

9. Judah Halevi, poète et philosophe espagnol du moyen âge. Il est l'auteur du célèbre « Kouzari » où il imagine des discussions religieuses entre les responsables des religions monothéistes, un philosophe et le roi des Khazars.

10. Menahem Me'iri fut rabbin en France au XIIIe s.. Il écrivit ces lignes pendant qu'on expulsait les juifs de France. Cf. Betsal'el Achkenazi : Chittah Meqoubbetset, 1961, page 78a.

11. Tossaphtot sur Sanhédrin 63b.

Messie qui rendra le monde parfait et capable de servir Dieu, comme il est écrit : « Alors je donnerai à tous les peuples des lèvres pures pour que tous puissent prier le Seigneur et le servir épaule contre épaule[12].

Telles sont, brièvement, les prises de position historiques, que le judaïsme, dans la Bible, dans le Talmud et dans ses courants philosophiques, eut en face des allégations et des affirmations chrétiennes souvent violentes et toujours menaçantes à son endroit. Il nous faut maintenant examiner, non plus la position des rabbins et des communautés juives face aux chrétiens, mais la conception que la pensée juive se fait du christianisme et de Jésus dans son rôle de Sauveur, dans son identité divine et dans son enseignement.

2. Le vrai Israël

Et tout d'abord la prétention de l'Eglise d'être « le nouvel Israël » ne peut, en aucune façon, être reçue par le peuple juif. Ce schéma de la substitution de l'Eglise à la Synagogue selon lequel la nouvelle alliance développée dans les récits évangéliques a remplacé, depuis dix-neuf siècles, l'alliance mosaïque, prétend frapper d'anachronisme le judaïsme et ne laisser d'autre choix aux juifs que la conversion. Ou plutôt, il faut rappeler qu'il n'y avait pour eux d'autre alternative que le bûcher, l'inquisition et l'expulsion. Ne parle-t-on pas encore aujourd'hui de l'Ancien Testament et du Nouveau Testament ? Combien nombreux sont encore ceux qui croient que le peuple juif est un peuple témoin, déchu depuis Jésus de son élection ? Combien de chrétiens lisent encore aujourd'hui la Torah dans l'éclairage des Evangiles, de telle manière que ces derniers soient présentés comme l'accomplissement et l'épanouissement de la première ? Il n'y a pas encore longtemps que l'Eglise a commencé de désapprendre à lire le livret d'Emmanuel né de la jeune épouse du prophète Isaïe ou de la jeune Reine, épouse du roi Achaz, comme une préfiguration de la naissance virginale de Jésus. Les prêtres chrétiens commencent aussi à peine à abandonner leur interprétation du chapitre 53 d'Isaïe où ils voyaient Jésus dans la figure du serviteur souffrant. Ce qui est encore plus dramatique, c'est que ce schéma de substitution se transforme en théorie raciste lorsqu'il perd son contenu purement religieux. Les juifs sont alors présentés comme une race inférieure, rétrograde, qui devrait disparaître[13], et l'on s'aperçoit que le schéma de substitution et l'affirmation de l'Eglise comme le « nouvel Israël » cachent en réalité

---

12. Mishneh Torah. Abodah Zarah 9, 3.
13. Cf. Adolf HITLER, *Mein Kampf,* 1re partie, chap. 11.

un complexe de supériorité qui place l'Eglise au centre de l'univers, comme garante et détentrice de la vérité divine que les peuples devraient rejoindre pour obtenir le salut. « Hors de l'Eglise point de salut » est le postulat qui fut substitué à l'aphorisme pharisien, combien plus humble : « Les justes des nations ont droit au monde à venir comme le juif qui obéit à la Torah. » La théologie chrétienne s'est bâtie, tout au long du Moyen Age, sur les convictions et sur les dogmatismes que nous connaissons : la liberté de l'Evangile est supérieure à la limitation de la loi ; l'amour et la grâce du Nouveau Testament sont incomparables à la justice selon les œuvres de l'Ancien Testament : le Dieu du pardon incarné par Jésus est préférable au Dieu jaloux et justicier de Moïse ; comme l'écrit le pape Grégoire le Grand, « le peuple juif n'a été fidèle qu'à la lettre des commandements divins »[14] alors que l'Eglise s'attache à l'esprit ; et la figure du pharisien formaliste, légaliste, tout en extériorité, a fini par devenir synonyme d'hypocrisie ! Ici encore le complexe de supériorité, vidé de son esprit religieux, versa dans le principe biologique que seul le plus adapté doit survivre. En conséquence, le peuple juif, qui se referme sur lui-même et veut Dieu pour lui tout seul, est appelé à décliner pour laisser place au christianisme, à la société ouverte jusqu'à l'universel constituée par l'Eglise, et supérieure à la société fermée représentée par Israël.

Or, à se limiter aux textes de la Torah et des Evangiles, seul Israël est considéré comme peuple élu, et seul le peuple juif est appelé Israël. Entendons bien cette élection comme l'entend le Talmud : élection à des devoirs et à des responsabilités supplémentaires du fait de l'Alliance avec le Dieu Un, et non des droits supplémentaires, l'élection ici ne signifie en aucune manière supériorité mais humilité. A ce particularisme, d'ailleurs, selon les rabbins, l'humanité entière est conviée. Il n'y a pas d'événement identique au Sinaï dans les Evangiles, il n'y a pas d'appel à un peuple entier, en tant que peuple, à s'engager dans l'Alliance. Le judaïsme est la seule religion révélée par conséquent, au sens strict du terme, où Dieu parle à un peuple entier face à face et lui révèle ses commandements. L'Eglise ne peut se prétendre « nouvel Israël » : cette expression n'existe pas chez ses apôtres. L'Eglise n'est pas un peuple, ni un peuple élu ; le prétendre c'est ignorer l'histoire et le message évangélique dans l'esprit et dans la lettre. Les théologiens chrétiens ont forgé l'expression « nouvel Israël » parce qu'ils se sont aperçus que la fin des temps annoncée par Jésus n'était pas arrivée après sa mort ni après sa résurrection. L'histoire, identique à elle-même, continuait, charriant violences et injustices,

14. Cf. CALVIN, *Commentaire sur le Nouveau Testament*, t. I.

maladie et mort. A l'image du peuple juif, l'Eglise décida alors de s'installer également dans l'histoire pour réaliser, vaille que vaille, l'ère messianique à la place d'Israël, contre le peuple juif. Son espérance en le retour de Jésus diminuait et c'est ce qui la précipitait dans le siècle afin de le hâter. Il en résulta une incompréhension de la nature de l'eschatologie témoignée en Jésus et par Jésus, et une perte de patience, de foi et d'amour entre les hommes. La rupture fut telle avec le peuple juif, que les papes ne fixèrent plus la fête de Pâques d'après la Pâque juive, c'est-à-dire d'après la date de l'événement même de la Passion et de la Résurrection, mais en se rapportant tout simplement à la référence païenne des cycles solaires. Sur ce plan, le concile de Nicée fut le signe d'une sécularisation et d'une diminution de l'eschatologie.

3. Evangile et Torah

L'Eglise ne peut donc constituer « le nouvel Israël », parce qu'elle est sortie d'Israël dont elle est la fille. Cela signifie, en second lieu, que l'Evangile ne peut en aucune manière être considéré comme Torah. La tradition juive considère celle-ci comme révélée, comme dictée, et non pas seulement inspirée par Dieu à Moïse et aux prophètes, en langue hébraïque. Jésus ne connaissait pas l'Evangile, ni en hébreu, ni en araméen, ni en grec. Ses « Ecritures Saintes » n'étaient autres que la Torah, la Bible hébraïque. Sa tradition était celle des pharisiens. Le Dieu, qu'il invoquait et auquel il s'adressait dans ses prières, était celui des Pères. La liturgie, les rites, les fêtes qu'il suivait n'étaient autres que celles des rabbins. Son enseignement ne comportait pas de différences fondamentales avec celui de Hillel qui, plusieurs décades avant lui, avait fondé tout le message biblique sur l'amour du prochain. A suivre sérieusement le discours de Jésus, en le replaçant dans son contexte historique et en en percevant simultanément l'aspect éternel et absolu, on s'aperçoit qu'il ne voulut jamais ni fonder un peuple qui se substituât à son peuple d'origine, ni révéler une autre Torah à la place de celle qu'il reçut, ni rendre caduque l'Alliance du Sinaï, ni, encore moins, enseigner à lire la Torah aux juifs. Ecoutons celui qui a contribué énormément à la rupture entre l'Eglise et la Synagogue, Paul :

> Je demande donc : Dieu aurait-il rejeté son peuple ? Certes non ! Car je suis moi-même juif de la descendance d'Abraham, de la tribu de Benjamin. Dieu n'a pas rejeté son peuple[15] que d'avance il a connu... Si les prémices sont saintes, toute la pâte l'est aussi. Et si la racine est sainte, les branches le sont

15. Cf. Ps 94, 14 ; Voir encore 1 S 12, 22.

aussi... mais... si toi, olivier sauvage, tu as été greffé parmi les branches restantes de l'olivier pour avoir part avec elles à la richesse de la racine, ne va pas faire le fier aux dépens des branches. Tu peux bien faire le fier ! Ce n'est pas toi qui portes la racine, mais c'est la racine qui te porte [16] !

Mais l'Eglise a fait la fière, comme sur le portail de la cathédrale de Strasbourg ! Elle a cru qu'elle portait désormais la racine, alors que celle-ci est radicalement et définitivement juive. L'Eglise a oublié la religion de Jésus, celle des pharisiens. Pourtant, estime Paul, « Par rapport à l'Evangile les voilà ennemis, mais c'est en votre faveur (vous les païens). Mais du point de vue de l'élection ils sont aimés et c'est à cause des Pères. Car les dons et l'appel de Dieu sont irrévocables [17]. »

4. Eglise et Synagogue

Israël reste le peuple élu, garant du monothéisme et de l'Alliance, solitaire, jusqu'aux temps messianiques. L'Eglise ne peut nullement prétendre être ni le « nouvel Israël », ni « le vrai Israël ». Et c'est pourquoi il faut, en troisième lieu, cesser d'appliquer à Israël les perspectives et les catégories de l'Eglise. A l'égard des chrétiens, les juifs se sont strictement tenus aux paroles du grand maître pharisien Gamaliel :

Juifs, prenez bien garde à ce que vous allez faire dans le cas de ces gens... Je vous le dis, ne vous occupez donc plus de ces gens et laissez-les aller ! Si c'est des hommes, en effet, que vient leur résolution ou leur entreprise elle disparaîtra d'elle-même. Si c'est de Dieu, vous ne pourrez pas les faire disparaître. N'allez pas risquer de vous trouver en guerre avec Dieu [18] !

Or l'Eglise a tenu : elle n'a pas disparu. Le message chrétien bien que violenté par l'Eglise elle-même et par la chrétienté n'a pas disparu et les Juifs ne tiennent pas à se trouver en guerre avec Dieu. Quelle est donc la fonction du christianisme par rapport à Israël ?

Le judaïsme est lié, dans la Torah, à un peuple, à une terre, et à une langue. Ces trois lieux ne sont point divins en tant que tels, mais ils sont les trois moyens par lesquels et en lesquels s'incarne le projet de YHWH. Le peuple juif ne peut prétendre à ces trois lieux que dans la mesure où il respecte et aime la parole divine. Or le christianisme n'est ni une langue, ni une terre, ni un peuple : il porte pourtant la promesse divine. Comment ? Par ces différences précisément qui

16. Rm 11, 1-2 et 16-18.
17. Rm 11, 28-29.
18. Ac 5, 33-39.

placent Israël dans son milieu par excellence : l'histoire. Quant à l'Eglise, elle est par essence hors de l'histoire et de la tradition. Israël est le peuple qui toujours dispose d'un à-venir ; toujours il vit dans ce monde-ci tendu vers l'autre monde, ici et ailleurs simultanément. C'est pourquoi l'histoire universelle est racontée dans la Torah dans le sens où elle ne trouve son centre qu'en Israël qui la tient « au talon », et l'empêche de tourner en rond en croyant avancer. L'homme juif, traditionnel, est celui qui, ici, vit ailleurs et qui, aujourd'hui, est happé par demain. Il est désir et faim qui se nourrissent principalement de ce désir et de cette faim. Cette psychologie et cette spiritualité, cette éthique et cette tension se transmettent à travers une langue, une terre et un peuple. La révélation en Israël est d'essence collective sans que cela signifie la dévalorisation, sous une forme ou sous une autre, du respect et de la responsabilité de l'individu. L'appartenance à la Synagogue est un fait de naissance, parce qu'il y a une tradition, une histoire. L'appartenance à l'Eglise n'est pas héréditaire : le païen devient chrétien alors que le juif naît juif. Certes on peut devenir juif par conversion mais ce n'est point la loi générale, tandis que toute la question de l'Eglise est celle de la conversion des païens à la promesse d'Abraham, c'est-à-dire, en un sens, de leur judaïsation. Par là même, le message évangélique se situe en dehors de l'histoire, dans la fin des temps, où se réalise ce qui était projeté seulement dans l'avenir. En fait c'est ce que Jésus a dit et c'est ce que les apôtres ont répété : la foi chrétienne était la religion du déjà-là où il s'agissait plus de réalisation hic et nunc que de transmission enrichie et indéfiniment créatrice. Le temps de Jésus était donc considéré, dès le début, comme le temps de la fin, du Royaume accompli :

> Jésus parcourait toutes les villes et les villages, il y enseignait dans leurs synagogues, proclamant l'Evangile du Royaume et guérissant toute maladie et toute infirmité [19].

Il chargea également ses douze disciples d'en avertir les brebis perdues de la maison d'Israël :

> Ne prenez pas le chemin des païens, leur dit-il, et n'entrez pas dans une ville de Samaritains ; allez plutôt vers les brebis perdues de la maison d'Israël. En chemin, proclamez que le Règne des cieux s'est approché [20].

Après la résurrection, des disciples furent envoyés en mission universelle :

---

19. Mt 10, 35.
20. Mt 10, 5-7.

Jésus s'approcha d'eux et leur adressa ces paroles : Tout pouvoir m'a été donné au ciel et sur la terre. Allez donc, de toutes les nations faites des disciples... Et Moi je suis avec vous tous les jours jusqu'à la fin des temps[21].

Ressuscité, Jésus est vivant éternellement, c'est-à-dire éternellement contemporain. La relation personnelle à Jésus devient la condition d'appartenance à l'Eglise. La foi en lui permet à tout païen d'obtenir le salut et d'aller au Père, c'est-à-dire au Dieu d'Israël. Si on comprend parfaitement que cette voie du salut était nécessaire à tracer pour les nations et pour les païens, parce qu'elle constituait leur unique voie en effet, on ne comprend pas, par contre, que l'Eglise ait voulu l'imposer au peuple dont est sorti Jésus lui-même. Et c'est sur ce point que la pensée juive ne suit plus le raisonnement chrétien. En effet, ce que Jésus représentait pour les païens, l'intermédiaire nécessaire, la médiation inévitable entre eux et Dieu, la Torah le représente pour le peuple juif. On ne pouvait aller à Dieu et au Royaume des cieux que par deux voies : Jésus ou la Torah. Les nations, selon les rabbins, ont toujours refusé de se soumettre à la Torah. Il est heureux qu'elles aient accepté la foi en Jésus. A la différence de Mahomet, celui-ci était un fils d'Israël, voué et sacrifié par là-même à la prophétie pour les nations. Il a voulu seulement que quelques maîtres juifs le suivent et sacrifient leur vie, comme lui, pour évangéliser les nations. Mais il a toujours su qu'il était impossible et impensable de substituer l'Eglise à Israël et de convertir le peuple juif à l'Evangile. Relisons les paroles de Jésus sur le centurion de Capharnaüm. Celui-ci pressentait que Jésus ne faisait rien de sa propre liberté, mais qu'il était aussi soumis, comme lui, à une autorité. Il savait que c'était Dieu qui avait dicté la Loi à laquelle se soumettait Jésus, comme lui-même se pliait à l'ordre de son empereur. Et c'est cette prédisposition que Jésus admirait en lui et qu'il n'a pas souvent rencontrée chez ses propres coreligionnaires. Il s'écria :

En vérité, je vous le déclare, chez personne en Israël, je n'ai trouvé une telle foi. Aussi je vous le dis, beaucoup viendront du levant et du couchant prendre place au festin avec Abraham, Isaac et Jacob dans le Royaume des cieux, tandis que les héritiers du Royaume seront jetés dans les ténèbres du dehors : là seront les pleurs et les grincements de dents[22].

C'était exactement la stipulation rabbinique : les fils du Royaume sont les Juifs qui ont d'autre part à le mériter, bien qu'ils en soient les héritiers légitimes. Mais les juifs qui ne respectent pas la loi de Dieu

21. Mt 28, 18-20.
22. Mt 8, 5-12.

n'y accéderont pas, alors que les païens qui sont justes peuvent y accéder. Jésus ne cherchait donc pas à judaïser les nations, mais à les préparer au festin eschatologique à Jérusalem avec les héritiers méritants du Royaume [23].

Nous pouvons à présent faire le point entre cette réflexion doctrinale et les informations historiques par lesquelles nous l'avons introduite ; pour les auteurs bibliques, fils d'Israël, Dieu a vainement proposé son alliance à toutes les nations, mais la faute d'Adam, le crime d'Abel, la génération du déluge et celle de la tour de Babel, montraient que le choix d'un peuple au sein de l'humanité était nécessaire à la réalisation du projet divin qui, désormais, s'engageait dans la voie étroite du particularisme, condition de l'universalisme authentique. C'est ainsi que le peuple d'Israël devait fonctionner comme une dynamique messianique pour l'humanité à laquelle il n'était demandé que le respect des données morales universelles : justice, absence de meurtre, absence de débauche, etc. Au sein de cette alliance avec Israël, elle-même placée au centre de l'alliance avec l'humanité, s'est déployée la prophétie de Jésus qui déclara la possibilité, et fournit les conditions de la conversion des païens au Dieu d'Abraham d'Isaac et de Jacob. A quelques principes près, son enseignement, bien que discuté dans le Talmud, était identique à celui des pharisiens. Ceux-ci n'ont jamais cru qu'il fallait judaïser les nations pour atteindre les temps messianiques. Jésus ne l'a pas pensé non plus et il ne l'a pas voulu. Le message évangélique s'adressait donc d'abord et exclusivement aux nations qui, si elles cherchaient à dépasser la morale pour une spiritualité qui les conduisît au Père de l'humanité et au Créateur du monde, devaient obligatoirement se réunir autour de Jésus et fonder leur foi en lui et en sa parole. Mais il est vrai que l'homme juif, aujourd'hui, doit savoir retrouver le cœur de l'enseignement deutéronomique et de la pensée pharisienne dans la parole de Jésus : parole d'amour, parole d'unité entre l'intériorité et l'extériorité, parole de liberté et parole d'Esprit.

5. L'identité de Jésus

Mais Jésus ne s'est point limité à cette fonction. Il ne représentait pas seulement pour les païens ce que la Torah était pour les juifs. Il s'est proclamé, ou on l'a proclamé, autre. C'est sur son identité que la séparation entre l'Eglise et la Synagogue est impossible à réduire. Le Talmud se fait et demeure d'un silence impressionnant sur Jésus, alors qu'il discute souvent son enseignement. Ce que les pharisiens

23. Cf. Lc 13, 28-29.

refusaient en Jésus, ce n'était même pas sa prétention messianique. La Torah, par la bouche d'Isaïe, avait déjà déclaré que le roi perse Cyrus était un messie parce qu'il avait permis aux juifs de retourner dans leurs pays et d'y bâtir le Temple de Jérusalem, détruit par Nabuchodonosor. Quelques siècles auparavant, le fils du roi impie Achaz, avait également été considéré comme messie. Certains exégètes ont interprété le livret d'Emmanuel, qui devait naître d'une « jeune femme », dans le sens d'Ezéchias, le fils d'Achaz. Les rabbins avaient convaincu leurs communautés que la période d'Ezra et de Néhémie était une période de « douleurs d'enfantement du Messie ». Six siècles plus tard, au milieu du second siècle de l'ère courante, Rabbi Aquiba a considéré Bar Kokhba comme le Messie né pour débarrasser la terre sainte des païens et des Romains. Son élève Rabbi Chim'on Bar Yohay a perçu, dans les victoires des Parthes sur les légions romaines stationnées au Moyen-Orient, des signes messianiques. Il disait : « Si tu vois un cheval parthe attaché à un arbre en Terre Sainte, sache que le messie est arrivé. » Il espérait voir les Parthes chasser les Romains de la Terre promise. Que Jésus se soit présenté comme un messie également, ne pouvait en aucune façon embarrasser les pharisiens. En réalité, c'est sa prétention divine et l'idée de l'incarnation de Dieu dans « le fils d'une femme » qui furent considérées comme un blasphème par les Rabbins. Le peuple juif ne pouvait et ne peut encore aujourd'hui que repousser de tout son être une telle prétention, une telle naturalisation et une telle humanisation de la puissance divine. L'opposition éclatait dès le sermon sur la montagne, non entre l'enseignement de Jésus et celui des pharisiens et de la Torah, mais entre la Torah comme source, et l'affirmation tant de fois répétée, « Moi je vous dis ! » Or, si la vérité et l'originalité de l'Evangile se rapportent plus à la personne de Jésus qu'à son enseignement, la révélation mosaïque ne pouvait que contredire la révélation chrétienne dans son affirmation essentielle. Même Jésus ne pouvait prétendre à une autorité quelconque sur la Torah : seul Dieu l'avait révélée ; seul, il en était le maître éternel. Le peuple d'Israël ne pouvait que l'interpréter, l'adapter, l'étendre, l'approfondir, mais non point la changer. C'était d'ailleurs ce que Jésus disait, en tant que prophète :

> N'allez pas croire que je sois venu abroger la Torah ou les prophètes : je ne suis pas venu abroger mais accomplir. Car en vérité, je vous déclare, avant que ne passent le ciel et la terre, pas un Yod, pas le moindre trait d'une lettre, ne passera de la loi que tout ne soit arrivé. Dès lors, celui qui transgressera un seul de ces plus petits commandements et enseignera aux humains à faire de même sera déclaré le plus petit dans le Royaume des cieux[24].

24. Mt 5, 17-19.

Que Jésus ait été autorisé à interpréter la Torah afin de la rendre plus vivante et plus concrète, c'était parfaitement légitime. N'était-ce point là le rôle précis du prophète et du rabbin ? L'interprétation autorisée de Jésus était d'autant plus authentique qu'elle se présentait elle-même comme une revalorisation de la Loi et comme une affirmation de son autorité éternelle. Mais alors, quel est le contenu exact de ce « Moi je vous dis... » ? Sur la montagne, dans son sermon, Jésus s'équivalait-il à YHWH sur le Sinaï, disant : « Moi, je suis YHWH ton Dieu, qui t'ai fait sortir d'Egypte de la maison des esclaves ? » La conscience de soi qu'avait alors Jésus était-elle celle d'un Dieu ou d'un prophète ? Le rabbin tenait son autorité de la Torah, le prophète la tenait, quant à lui, de Dieu. C'était l'expérience qu'avait la foule quand elle accourait aux paroles de Jésus, le prophète : « Or, quand Jésus eut achevé ces instructions, les foules restèrent frappées de son enseignement ; car il les enseignait en homme qui a autorité et non pas comme leurs scribes[25]. » Mais tenir son autorité de Dieu signifiait-il avoir autorité sur la Torah et sur l'Alliance conclue au Sinaï ? Assurément pas, car les voies de Dieu sont sans repentance et Jésus le savait. Pour parler d'un « Ancien Testament » ou d'une « Ancienne Alliance », pour déclarer l'Eglise comme un « nouvel Israël », pour affirmer que la loi de l'Evangile était supérieure à la Torah, il fallait donner à Jésus un autre statut que celui de la Torah vis-à-vis d'Israël, et celui de prophète du peuple juif pour les païens. Il fallait en faire, en outre, le dépositaire de la puissance divine ; il fallait croire, non pas que Dieu parlait à travers la voix de Jésus, mais qu'il était descendu sur la terre en empruntant la chair de Jésus et que le « Verbe s'était fait chair ». Il fallait surtout admettre qu'après avoir proposé aux nations son alliance par la révélation naturelle, Dieu l'avait confiée au peuple d'Israël par une révélation surnaturelle, mais devant l'échec, ou après l'accomplissement de cette seconde étape de l'Alliance Dieu ne se limitait plus à proclamer sa parole ni son Verbe ; il décidait, dans une troisième étape de l'Alliance, de s'incarner ou, plus précisément, d'incarner l'un des aspects de sa personne infinie. La preuve en était que seul Dieu pouvait remettre les péchés, dans la Torah. Et Jésus les remettait. Seul encore Dieu était capable d'aimer les ennemis. Or Jésus les aimait ! La prétention divine de Jésus — à moins qu'il ne l'ait jamais eue lui-même dans le sens où la théologie médiévale l'a comprise — était inacceptable pour les pharisiens à cause de plusieurs raisons.

---

25. Mt 7, 28-29 ; cf. Mc 1, 22 ; Lc 4, 32.

6. La parole incarnée

En premier lieu, si l'on peut distinguer trois étapes dans le projet divin : l'alliance avec les nations, celle avec Israël, et celle de Jésus dans lequel Dieu incarne un aspect de sa personne, rien n'empêche de prévoir une quatrième étape qui serait peut-être l'ultime moment de la réalisation totale et définitive de la promesse divine. L'Eglise l'énonce dans le concept de « retour du Christ » sans pouvoir montrer d'une manière décisive que ce retour est prévu depuis les Evangiles et dans les paroles de Jésus. La Synagogue affirme que c'est cette ultime étape qu'elle attend comme une réalisation promise depuis Abraham et jamais encore produite sous quelque forme que ce soit. Les Juifs attendent toujours le quatrième patriarche, après Abraham, Isaac et Jacob ; ils attendent le huitième jour après le Shabbat, le Fils de l'Homme après le temps de l'Homme, Israël après Jacob. Ils savent qu'Israël est « le fils premier né de YHWH »[26] et que les autres peuples sont aussi les autres fils de Dieu. Ils savent surtout que cette filialité est métaphorique et qu'elle signifie responsabilité, fidélité et transmission, du fait même de sa nature métaphorique. Par contre, l'attribut de royauté de Dieu est réel ; le royaume de Dieu doit se réaliser aujourd'hui et ici, constamment, dans la mesure où tous les peuples se reconnaissent comme sujets du créateur du monde ; ou encore, dans la mesure où le « fils premier né » est entièrement consacré à la garde et à la réalisation de ce royaume, de siècle en siècle, de pays en pays, de Père en fils. Dans ce « déjà-là » en puissance dans l'existence pure et simple d'Israël, les juifs ont, pour geste fondamentale et pour rite essentiel, le « pas-encore ». Israël, peuple messie, sauveur du monde, les juifs essayent de le devenir toujours.

C'est bien pourquoi, en second lieu, la conception qu'ils ont de la perfection leur interdit de croire qu'un jour elle puisse être réalisée. A Moïse qui le suppliait de se montrer à lui, YHWH répondit : « L'homme ne peut me voir et rester en vie[27]. » Non seulement YHWH ne pourra jamais s'incarner totalement, mais aucun de ses aspects ne le pourra jamais non plus. Les juifs ne peuvent avoir la tentation de diviniser Israël en tant que fils de Dieu, ni la Torah en tant que verbe de Dieu, ni le peuple juif en tant qu'incarnant parfaitement la Torah. Celle-ci reste la parole de Dieu ; elle ne peut être que parole de Dieu, c'est-à-dire moyen de communication entre deux êtres radicalement différents l'un de l'autre, et extérieurs l'un à l'autre. La parole de Dieu n'est pas Dieu ; elle n'est pas Israël, le Fils

26. Ex 4, 22.
27. Ex 33, 21.

de Dieu ; elle nous permet seulement de découvrir la volonté de Dieu pour l'humanité : tendre vers le face à face exprimé par le dialogue et aussi par la vision ; tendre, et donc jamais se confondre ; parole et jamais communion. La perfection de l'homme est celle de sa perfectibilité ; elle n'est pas un état que l'on puisse atteindre. Quelle que soit la perfection atteinte par un homme ou par un peuple, elle reste humaine et ne peut en aucun cas se confondre avec un aspect de Dieu.

C'est la notion de création, en troisième lieu, qui interdit au peuple juif le principe de l'incarnation de la divinité. Créer signifie séparer, distinguer, différencier. Dieu créa, c'est-à-dire sépara la lumière et le jour, de l'obscurité et de la nuit. La lumière créée est également séparée de Dieu : elle n'en est pas une émanation car elle est créée par la parole : « Elohim dit : que soit lumière et fut lumière [28]. » De même, le firmament du second jour sépare les eaux. On peut donc relire tout le premier chapitre de la Bible et constater que la notion de création signifie la différence et la séparation. S'il en est ainsi, Dieu n'est pas le monde ni les forces cosmiques. L'infini de l'univers n'est pas de même nature que l'Infini qui parle à l'être humain. La notion de création est à l'opposé du panthéisme. Dieu n'est point l'homme, ni l'humanité, ni la société. La transcendance de l'homme par rapport à l'homme n'est pas de même nature et n'a pas le même sens que celle de Dieu par rapport à l'homme. Dieu n'est pas le passage à l'infini de l'une des qualités humaines. Dieu est Dieu et l'homme est l'homme : aucun des deux ne peut prétendre prendre la nature de l'autre. Chacun reste ce qu'il est ; c'est à ce prix seulement que le dialogue authentique est possible. Création et incarnation sont deux notions contradictoires et irréductibles l'une et l'autre. C'est la notion de révélation qui les relie et c'est pourquoi il n'y a de révélation juive que par la parole qui franchit le néant qui sépare Dieu de l'homme.

L'Eglise a été bâtie sur ce scandale de l'incarnation et, en conséquence, de la naissance virginale de Jésus. Appelons ce scandale mystère, afin de signifier le respect et le rejet simultanés que les juifs témoignent à son endroit, ainsi que la source à laquelle la foi chrétienne s'alimente. L'alternative est sérieuse et tellement grave qu'elle a conduit l'Eglise à l'accusation incompréhensible et inacceptable de déicide à l'égard du peuple de Jésus, le juif. Ou l'on proclame que Dieu est mort et qu'il est ressuscité ; qu'il est mort pour la faute de l'humanité, et pour le mal du monde, afin d'accomplir le salut universel. Ou bien l'on croit que Dieu n'est jamais mort, et qu'il ne peut mourir, même pour les fautes de l'homme, car « chacun doit mourir pour sa propre faute » ou l'expier et en demander le pardon

28. Gn 1, 3.

définitif. Disons que Dieu s'est occulté, qu'il s'est éclipsé à cause du mal que l'homme introduit scandaleusement dans la création, mais qu'il demeure vivant éternellement, attendant le repentir de l'humanité.

7. Le repentir de l'Eglise

Le repentir de l'humanité doit commencer par celui de l'Eglise et s'exprimer dans la formulation d'une théologie nouvelle en rupture avec l'ancienne théologie qui a porté des mauvais fruits en fournissant à l'antisémitisme des forces spirituelles. Il faut bâtir l'amour chrétien sur de nouvelles bases et transmettre le message, de Jésus aux païens, dans l'esprit même où Jésus en a témoigné jusque dans sa mort et par sa mort même. L'Eglise doit donc retrouver d'abord sa matrice juive. C'est seulement en replaçant les paroles et la vie de Jésus dans leur contexte pharisien qu'elle peut en saisir concrètement le sens éternel. Les Evangiles sont en continuité avec la Torah, sur le plan du contenu et sur le plan de la forme. Qui ne connaît pas la méthode et l'esprit pharisiens ne peut comprendre le message évangélique qu'à travers la sagesse des nations, c'est-à-dire, la philosophie en l'occurrence. Ne touchons-nous pas du doigt, ici, la faute précise de la théologie qui a cherché à introduire le logos grec dans les textes sémitiques ?

L'Eglise doit encore admettre qu'il n'y a qu'un Israël : le peuple juif. L'humilité qui lui est ici demandée la rend apte à réaliser le projet divin avec le peuple juif, et non contre lui, ni à sa place. Elle doit assumer, dans l'histoire et dans l'esprit, l'expérience deux fois millénaire qu'elle a eue du peuple juif : il est inassimilé parce qu'inassimilable. Il va à Dieu par la Torah, parce qu'il est justement Israël, le peuple responsable devant Dieu de toute l'humanité. Il n'a donc, en aucune façon, besoin de passer obligatoirement par Jésus pour aller au Père. Il est lui-même le Fils aîné de Dieu, du Dieu de Jésus. Il en résulte que quiconque ne peut passer par la Torah, ne peut aller au Père que par la parole et l'enseignement de Jésus.

L'Eglise doit enfin comprendre que le messianisme juif a une double dimension : particulière et universelle, spirituelle et géographique. Le retour du peuple juif sur la terre à lui promise depuis trente-cinq siècles par Dieu — qu'il se produise aujourd'hui ou demain — est inscrit dans le projet divin. Le rapport d'Israël et de sa terre est d'ordre métaphysique et physique à la fois. Il doit y vivre selon la volonté de Dieu et sous son regard, exclusif de toute autre idéologie et de toute autre religion. C'est sur la terre promise que l'Eglise devrait aider le peuple juif à bâtir la société que Dieu attend depuis Abraham, afin qu'elle puisse bâtir à son tour l'humanité que le même Dieu d'Abraham attend depuis Jésus.

Israël, c'est un peuple, une terre et une langue, choisis par Dieu pour rendre l'humanité capable de dialoguer avec Lui... L'Eglise, c'est un esprit d'amour et d'ouverture à tous, sans distinction aucune, répandu sur tous les hommes afin de mieux participer à la tâche d'Israël. Il reste évidemment à demander si le peuple juif se rend chaque jour capable de son attribut d'Israël, et si les chrétiens sont à la hauteur de l'Eglise à bâtir sur l'esprit de Pierre ainsi que l'a voulu le Rabbi, le prophète, et l'homme de Dieu : Jésus. C'est alors que, cessant de creuser l'abîme qui les a séparés pendant deux millénaires, l'Eglise et la Synagogue comprendront qu'un même Père qui est au ciel les a appelées, toutes deux, à enseigner aux hommes à chanter sa louange. Car en tout cela il s'agit, et il ne peut s'agir, que de la gloire exaltante du Créateur de l'univers et du Père de tous les hommes.

BIBLIOGRAPHIE

I. TEXTES JUIFS

Les documents de la controverse avec le christianisme ont été rassemblés par J.D. EISENSTEIN, *Otzar Vikkuhim,* New York, 1925. (Il s'agit d'une anthologie des controverses médiévales, en hébreu. On en trouvera une présentation thématique, d'accès plus facile, dans l'ouvrage de David J. LASKER, *Jewish Philosophical Polemics against Christianity in The Middle Ages,* Ktav, New York, 1977.)

Une présentation renouvelée de la question, s'appuyant sur les auteurs modernes, a été faite par Walter JACOB, *Christianity through Jewish Eyes. The Quest for Common Ground,* Hebrew Union College Press, Cincinnati, 1974. (Dans cette nouvelle problématique, les juifs libéraux ont eu la plus grande part. L'anthologie s'étend de Mendelssohn à Fackenheim, en passant par Benamozegh, Rosenzweig, Leo Baeck, Klausner, Martin Buber.)

A. ALTMAN, *Tolerance and the Jewish Tradition,* Londres, 1957. (Ouvrage d'un historien, qui est également un très grand auteur.)

J. KATZ, *Exclusiveness and Tolerance,* Oxford, 1961. (Par un orthodoxe. La spécificité chrétienne n'est pas envisagée pour elle-même. Le point de vue est celui de la position des « autres » en général au regard du judaïsme.)

Même s'ils ont été davantage lus et écoutés par les chrétiens que par les juifs, on ne doit pas sous-estimer l'importance des écrits dans lesquels Martin Buber a parlé du christianisme : *Judaïsme,* trad. fr. par M.-J. Jolivet, Verdier, Paris, 1981, et *Zwei Glaubensweisen,* Zurich, 1950. Le premier surtout contient des aperçus très rigoureux qui demeureront.

Robert GORDIS, *The Root and the Branch : Judaism and Free Society,* Chicago, 1962. (Point de vue « conservateur ».)

ANDRÉ NÉHER, *l'Existence juive,* Seuil, Paris, 1962. (Contient un article assez abrupt, écrit au moment du concile Vatican II, pp. 232-237 et une présentation du dialogue entre Rosenzweig et Rosenstock, pp. 204-231).

Eliane AMADO LÉVY-VALENSI, *la Racine et la Source. Essais sur le judaïsme,* Zikarone édit. et Colbo édit., Paris, 1968. (Contient un grand nombre de contributions très stimulantes, en suivant une approche psychologique, sur le rapport entre le juif et le chrétien.)

F.E. TALMAGE, *Disputation and Dialogue. Readings in The Jewish-Christian Encounter,* New York, 1975.

Arthur A. COHEN, *The Myth of the Judeo-Christian Tradition,* Schocken Books, New York, 1971 (1re éd. 1957). (Fait le point des malentendus et des possibilités.)

II. TEXTES CHRETIENS

M.-T. Hoch et B. Dupuy, *les Eglises devant le judaïsme. Documents officiels 1948-1978*, Cerf, Paris, 1980. (Recueil des textes de base qui définissent la position actuelle des Eglises : Dix points de Seelisberg, documents du Conseil œcuménique des Eglises, déclaration de Vatican II avec les états successifs du texte, documents nationaux et confessionnels.)

Pour suivre ce que fut la recherche des Eglises au cours de ces dernières années, recherche qui se poursuit toujours actuellement, on consultera les revues *Cahiers sioniens* (parus de 1945 à 1953, 68, rue Notre-Dame des Champs, 75006 Paris), *Sens* (bulletin de l'Amitié judéo-chrétienne de France, 11, rue d'Enghien, 75010 Paris, en particulier nos 1973/IV, 1975/I), *Rencontre. Chrétiens et Juifs* (47, rue Montorgueil, 75002 Paris, en particulier nos 25-26, 31, 40, 44, 46, 49) et *les Nouveaux Cahiers* (publiés par l'Alliance israélite universelle, 45, rue La Bruyère, 75009 Paris, en particulier les nos 49, 54, 67) ; SIDIC (Service international de documentation judéo-chrétienne, via Garibaldi 28, 00153 Rome).

Jacques Maritain, *le Mystère d'Israël et autres essais*, Desclée De Brouwer, Paris, 1965. (Du livre de Léon Bloy, *le Salut par les juifs*, rééd. Mercure de France, Paris, 1949, Maritain a hérité une vision du rôle de l'Israël d'aujourd'hui dans le mystère du salut. Il stigmatise le « péché d'antisémitisme. » Il regarde le peuple d'Israël comme un « corps mystique », dont la destinée propre demeure à côté de celle de l'Eglise.)

F. Lovsky, *Antisémitisme et Mystère d'Israël*, Albin Michel, Paris, 1955 ; *la Déchirure de l'absence*, Calmann-Lévy, Paris, 1971. (Deux ouvrages, fort judicieusement documentés, écrits par un historien, dans lesquels l'antisémitisme apparaît véritablement pour ce qu'il est : une infidélité chrétienne.)

III. RECHERCHES CONTEMPORAINES

L'œuvre des pionniers, qui ont contribué à une relecture des Evangiles et des Pères de l'Eglise, mérite toujours d'être consultée. Les questions qu'ils ont à juste titre soulevées et leurs critiques à l'égard d'interprétations considérées comme reçues n'ont, dans l'ensemble, pas encore reçu de réponses définitives : Jules Isaac, *Jésus et Israël*, Albin Michel, Paris, 1948 ; *l'Enseignement du mépris*, Fasquelle, Paris, 1962 ; *Genèse de l'antisémitisme*, Calmann-Lévy, Paris, 1956 ; *l'Antisémitisme a-t-il des racines chrétiennes ?* Fasquelle, Paris, 1960 ; *Actes du Colloque de Rennes 1977*, Hachette, Paris, 1979 ; James Parkes, *The Conflict of The Church and The Synagogue*, coll. « A Temple Book », Atheneum, New York, 1969 ; *Fin d'exil*, SIPEP, Paris, 1964.

Une ère nouvelle a certainement été ouverte par la publication de l'ouvrage capital de Franz Rosenzweig, *l'Etoile de la Rédemption*, trad. par A. Derczanski et J.L. Schlegel, Seuil, Paris, 1981. (Cette œuvre magistrale et unique date de 1921. C'est un des livres les plus importants de toute la littérature philosophique contemporaine, écrit dans un style presque inspiré. Lorsqu'il parut, il était si neuf qu'il ne fut guère compris. La mort de Rosenzweig en 1929, puis le choc du génocide hitlérien l'ont fait tomber un moment dans l'oubli. Il est cependant promis à un grand avenir. Une excellente présentation en a été donnée par St. Mosès, *Système et Révélation*, Seuil, Paris, 1981.)

Paul Van Buren. *Discerning The Way. A Theology of The Jewish Christian*

Reality, Seabury Press, New York, 1980. (Ouvrage écrit dans la ligne de l'ouverture théologique suscitée par Rosenzweig. Première partie d'un ensemble qui doit en comporter quatre. L'auteur, qui fit vers 1960 partie des « théologiens de la sécularisation », revient sur ses positions antérieures, que la rencontre du judaïsme l'a obligé à dépasser. Ouvrage très important.)

Franz MUSSNER, *Traité sur les Juifs,* Cerf, Paris, 1981. (Livre simple et clair, en dépit de sa présentation érudite, qui rappelle de façon sûre et très heureuse les grands principes d'une saine exégèse des textes bibliques relatifs au judaïsme).

D. BOUREL, A. DERCZANSKI, B. DUPUY, P. LENHARDT, etc., *Aperçus sur le fait juif,* numéro spécial des *Recherches de Science religieuse,* 66, 1978/4.

Gregory BAUM, *les Juifs et l'Evangile,* Cerf, Paris, 1965.

Edouard FLANNERY, *l'Angoisse des juifs,* Casterman, Paris, 1964.

Marcel SIMON, *Verus Israël,* De Boccard, Paris, 1964.

Pierre PIERRARD, *Juifs et Catholiques français,* Paris, 1971.

Lazare LANDAU, *De l'aversion à l'estime. Juifs et catholiques de France de 1919 à 1939.* Préface de Jacques Madaule, Centurion, Paris, 1980.

Pierre DABOSVILLE, *Foi et culture dans le monde d'aujourd'hui,* Fayard-Mame, Paris, 1979, pp. 183-204 et 409-504.

Sur Auschwitz : Franklin H. LITTEL, *The Crucifixion of The Jews. The Failure of Christians to Understand the Jewish Experience,* Harper and Row, New York, 1975 ; Eva FLEISCHNER (éd.), *Auschwitz : Beginning of A New Era ? Reflections On The Holocaust,* Ktav, New York, 1977.

Sur l'itinéraire des juifs actuels : *Colloques des intellectuels juifs,* PUF, Paris, (douze volumes parus de 1963 à 1980) ; A. FINKIELKRAUT, *le Juif imaginaire,* Seuil, Paris, 1980.

D. FLUSSER, *Jésus,* Seuil, Paris, 1970. L'ouvrage le plus représentatif d'une recherche juive contemporaine sur Jésus, par un professeur de l'Université de Jérusalem. Du même auteur : *Iahadut ou-meqorot ha-notzurut* (Le judaïsme et les origines du christianisme) Tel Aviv, 1979, 488 p. (A paraître en français.)

CHAPITRE II

Le christianisme vu par l'islam

par MOHAMED TALBI

SOMMAIRE. — 1. La vision musulmane de l'histoire du salut ; 2. Jésus : le prophète précurseur de Muhammad ; 3. La valeur du christianisme.

1. La vision musulmane de l'histoire du salut

On ne peut saisir la manière dont le christianisme est perçu par un musulman que si l'on tient compte de la vision musulmane globale de l'économie du salut. L'idée axiale de cette vision consiste dans l'affirmation de l'unité fondamentale du message divin. *Dîn Allah wâhid*. La religion de Dieu est une. Tous les messagers *(Rusul)*, si l'on s'en tient au noyau essentiel du message, ont transmis invariablement la même Parole, toujours plus ou moins réfractée — nous reviendrons sur le problème de l'altération *(tahrîf)* — à travers le prisme déformant de notre imparfaite et évoluante humanité. Telle est l'affirmation centrale sur laquelle repose toute la théologie musulmane. Le message de Dieu, s'il a été très divers dans son contenu pratique (aspect *sharî'a*, comportement et culte), n'a jamais varié sur l'essentiel : l'invitation adressée à l'homme de prendre conscience de sa relation privilégiée au Créateur. Aussi l'Islam ne s'oppose-t-il pas aux révélations antérieures : il les authentifie, les intègre, les épure et les parachève (*Coran*, V, 48). Le Coran s'adresse ainsi, d'abord aux hommes d'une façon générale, puis à Muhammad en particulier : « Il vous a ouvert, en matière de religion *(dîn)*, la voie qu'Il avait déjà recommandée à Noé. C'est celle-là même que Nous t'avons révélée, et que Nous avions auparavant recommandée à Abraham, à Moïse, et à Jésus, à savoir : célébrez le culte de Dieu, et n'en faites pas un sujet de division » (XLII, 13).

Dans cette perspective Dieu n'a jamais cessé de se révéler aux hommes, partout au cours des temps, depuis la création d'Adam. Les prophètes qui ont transmis sa « guidance » *(hudan)* ne nous sont pas tous connus. Parmi eux les prophètes bibliques — et en particulier Abraham, Moïse et Jésus — s'ils ont joué un rôle déterminant, n'en constituent pas moins, numériquement, une toute petite minorité. La tradition musulmane chiffre en effet le nombre des prophètes par dizaines de milliers [1]. Les nombres qu'elle fournit, et qui varient entre 120 000 et 124 000, ne reposent naturellement sur aucune base sérieuse. Mais ils indiquent combien est dominante dans la conscience musulmane l'idée que Dieu a toujours parlé aux hommes en tous temps et en tous lieux. Aussi l'Islam insiste-t-il sur la complémentarité et la gradation des Ecritures qui toutes procèdent d'une même source, le *Umm al-Kitāb*, Le Livre-Mère de la Prescience divine, c'est-à-dire du plan du Créateur sur la création (*Coran* XIII, 39 et XLIII, 4). Croire à toutes les Ecritures est ainsi un article de foi fondamental du credo musulman : « Dites : Nous croyons en Dieu ; à ce qui nous a été révélé ; à ce qui a été révélé à Abraham, à Ismaël, à Isaac, à Jacob et aux [douze] Tribus ; à ce qui a été confié à Moïse et à Jésus ; et à ce qui a été confié à [tous les] prophètes par leur Seigneur. Nous ne faisons aucune différence parmi eux, et nous nous en remettons à Dieu » (*Coran*, II, 136 ; le même verset III, 84. Voir aussi II, 285).

Ainsi, considérées dans leur essence, les religions sont toutes les mêmes. Telle est la position traditionnelle, et toujours actuelle [2], de la théologie musulmane. Dans cette optique l'Islam, dans sa *ʿaqîda*, dans sa formulation de la foi, n'est pas une religion nouvelle. Au niveau ontologique Adam avait déjà reçu potentiellement tout le plan de Dieu sur sa postérité. « Dieu apprit à Adam tous les noms » (*Coran*, II, 31). Il fut le premier être qui reçut le dépôt du sacré *(amāna)* qui allait révolutionner sa condition, et déterminer sa relation d'Islam — c'est-à-dire de rapports confiants et conscients — le liant à Dieu. En un sens Adam fut le premier prophète : il reçut le premier la Parole. En lui l'humanité avait répondu, à la question primordiale « Ne suis-Je pas votre Seigneur ? » (*Coran*, VII, 172), par le « oui » qui avait scellé, par un pacte réciproque, la condition humaine, et la nature particulière de la relation liant la créature au Créateur. C'est la seule alliance que reconnaît l'Islam.

Or, l'Islam, dans son essence, n'est rien d'autre que la fidélité à ce « oui ». Le mot, qui dérive d'une racine qui nous a donné aussi paix *(silm)* et salut *(salâm)*, véhicule l'idée prégnante de remise confiante,

---

1. Voir Cheick Si Boubakeur Hamza, *le Coran, traduction nouvelle et commentaires*, éd. Fayard-Denoël, Paris, 1972, I, p. 658, qui renvoie aux sources.

2. Elle s'exprime avec une particulière netteté dans l'œuvre du Dr Kâmil Husayn. Voir le Père J. Jomier, « le Val Saint (al-Wâd al-Muqaddas) et les religions, du Docteur Kâmil Husayn », in *Islamochristiana*, publication du Pontificio Istituto di Studi Arabi, Rome, 1977, III, pp. 58-63.

volontaire, sereine et consciente de soi entre les mains de Dieu, c'est-à-dire l'adhésion au plan du Créateur sur notre humanité. *Anâ muslim,* que l'on traduit par « je suis musulman », signifie en fait « je suis celui qui s'en remet à Dieu ». On comprend dès lors mieux l'affirmation coranique : « De tout temps la seule religion aux yeux de Dieu est l'Islam » (*Coran,* III, 19). Voici du reste comment s'exprime, dans toute sa pureté, cet Islam par la bouche de l'un de ses meilleurs représentants dans la tradition coranique, Abraham[3] : « Et ainsi priait Abraham, avec Ismaël, en élevant les assises du Temple : O Seigneur ! Accepte de nous cet ouvrage. Tu es l'Audient et l'Omniscient. Fais de nous, Seigneur, des hommes accomplissant Ta volonté *(muslimîn),* et de notre postérité une communauté vouée à Ton service *(muslima).* Enseigne-nous comment célébrer Ton culte, et accepte notre pénitence. Tu es Pardon et Miséricorde » (*Coran,* II, 127-128).

Seulement les modalités du culte et de l'organisation éthico-sociale (*sharâʾiʿ*) avaient varié à l'infini dans le temps et l'espace, à mesure que l'évolution programmée par le Créateur suivait son cours. Si en somme la *ʿaqîda*, en tant que regard de confiance et de dépendance porté par la créature sur le Créateur, constitue un invariant, les *sharâʾiʿ*, en tant que praxis, elles, sont éminemment des variables. Le mot *sharîʿa* (pl. *sharâʾiʿ*) signifie littéralement une *Voie,* et par là un mode d'organisation de l'espace sacré et profane de la façon qui assure le meilleur équilibre entre le spirituel et le temporel, pour déboucher finalement sur le tout de l'Au-delà, finalité totalisante et ultime qui donne son plein sens à la vie. Ainsi tous les prophètes qui avaient précédé Jésus étaient chargés de *sharâʾiʿ* spécifiques destinées à leurs *ummahs*, à leurs communautés respectives. Moïse[4] est le type même de ces prophètes « nationaux », avec une *sharîʿa*, une Voie — c'est le sens du mot *Torah* — ou une Loi particulièrement rigoureuse destinée à son peuple *(qawmih),* ce qui ne diminue en rien l'exemplarité de son message. Dans Le Livre qui lui fut révélé il y a en effet « une lumière et une "guidance" *(hudan)* pour les hommes » (*Coran,* VI, 91) d'une façon générale.

Mais le tournant décisif ne va se produire qu'à partir de Jésus. Jésus est le « Signal de l'Heure » (*Coran,* XLIII, 61), de l'imminence d'une mutation capitale dans l'économie du salut. A partir de ce moment le message divin va commencer à prendre un caractère universel. Certes, Jésus était chargé d'une mission destinée directement « aux Fils d'Israël » (*Coran,* V, 72 et LXI, 6), et c'était parmi eux qu'il avait développé son action. Mais la personnalité du Messager, les circonstances de sa

---

3. Voir M. Talbi, « Foi d'Abraham et foi islamique », in *Islamochristiana,* Rome, 1979, V, 1-5.

4. Il est cité 135 fois dans le Coran.

naissance et de sa vie, le contenu du message, et l'écho qu'il avait rencontré en dehors d'Israël, tout indiquait qu'une mutation capitale était en cours.

Or dans l'optique musulmane Jésus annonçait Muhammad et le préparait. C'est donc avec l'Islam que la mutation se réalisa pleinement et se fit d'une netteté absolue. Le message coranique — laissons de côté le problème de la correspondance engagée par le Prophète avec les principaux souverains du moment — est nettement universel. La Parole de Dieu est certes révélée « en un arabe parfaitement clair » (XXV, 195 ; voir aussi : XXII, 2 ; XIII, 37 ; XX, 113 ; XXXIX, 28 ; XLI, 2 ; XLII, 7 ; et XLIII, 3). Mais au fond peu importe l'idiome. « Si nous avions révélé le Coran en une langue étrangère *(aʿjamiyan)*, on aurait dit : Ah ! Si seulement il était en versets distinctement intelligibles ! Quoi ! Un idiome barbare *(â — aʿjamiyun)*, et en [milieu] arabe ? ! — Dis : Ce Coran est, pour tous ceux qui croient, Guidance et Guérison. Quant à ceux qui ne croient pas, de toute façon ils ont les oreilles bouchées, et il n'est pas perceptible à leur cécité. Pour ceux-là l'appel est de toute manière inaudible tant il vient de loin » (*Coran*, XLI, 44).

Message universel, le Coran ne s'adresse pas aux Arabes *en tant que tels*. Le mot *ʿArab* (Arabes), aussi surprenant que cela puisse paraître, ne s'y rencontre nulle part. Seuls les Bédouins *(Aʿrâb)* parmi eux sont interpellés, dans un petit nombre de versets en quatre sourates (IX, 10, 97-99, 101, 120 ; XXXII, 20 ; XLVIII, 11, 16 ; et XLIX, 14), le plus souvent assez durement en raison de leur inconstance, de leur indifférence, et de leur imperméabilité religieuse. « Les Bédouins *(Aʿrâb)* disent : Nous croyons. — Dis-leur : Vous ne croyez pas. Dites plutôt : Nous nous soumettons. Car la foi n'a pas encore pénétré dans vos cœurs... » (*Coran*, XLIX, 14). La Parole, dans le Coran, s'adresse constamment à l'homme : à l'homme — sans distinction de sexe — au singulier (*insân*, 65 fois), au pluriel de paucité (*unâs*, 5 fois), et surtout collectivement (*ins*, 18 fois ; et *al-nâs*, 241 fois) ; elle s'adresse aux êtres des deux sexes (*dhakar wâ unthâ*, III, 195 ; IV, 134 ; XIII, 8 ; XVI, 97 ; XXXV, 11 ; XL, 4 ; LIII, 45 ; LXXV, 39), et particulièrement aux croyantes et aux croyants (*muʾminâtun, muʾminûn*, 231 fois), sans compter les autres termes, très nombreux, dérivés de la racine *âmana* (croire)[5].

Autre mutation capitale dans l'histoire du Salut, marquant pour l'humanité le début de l'ère de la maturité : le passage résolu à la rationalité. Le Coran confirme les miracles des prophètes antérieurs, particulièrement ceux accomplis par Jésus. Mais Muhammad, bien

5. Nous n'avons pas recensé les termes *rajul* et *mar'* (homme dans le sens de *vir*), ainsi que *imra'a*, *nisâ'*, et *niswa* (femmes).

que la Tradition, contre toute évidence et avec une certaine naïveté, lui en attribue, n'en fit pas. Pourtant on lui en réclamait avec insistance (*Coran,* II, 118 ; IV, 153 ; VI, 8, 35-37, 50, 124, 158 ; X, 15, 20 ; XI, 12 ; XIII, 7, 27 ; XVII, 90-93 ; XXV, 7-8, LXIV, 6). La réponse, dictée par Dieu, fut : « Dis : Gloire au Seigneur ! Suis-je autre chose qu'un humain Messager ? ! » (*Coran,* XVII, 93). L'âge des miracles était en effet clos. Dans le passé le miracle fut du reste d'une efficacité limitée (*Coran,* IV, 153 ; LXIV, 6). Avec les temps qui commencent sa valeur de conviction ne peut plus être que nulle. C'est que le prodige est un défi à la raison. Or, pour une humanité majeure, la conviction de foi passe d'abord par l'adhésion de la raison. Par ailleurs, la matérialité du prodige, en dehors du petit cercle forcément restreint des témoins — et encore ! — ne peut jamais être établie avec une certitude absolue. Il correspond à un certain âge mental.

Avec le Coran il ne s'agit plus de désarmer l'incrédulité en désarmant l'esprit frappé de stupeur. La « preuve » change de nature. « Hommes ! une preuve *(burhân)* vous est venue de votre Seigneur, et Nous avons fait descendre pour vous une lumière éclatante » (*Coran,* IV, 174). La « preuve » est une Lumière, celle qu'apporte la Parole de Dieu. Elle est constamment offerte à tout homme qui en cherche et en désire l'éclairage. Dans le Coran l'esprit est constamment sollicité de sortir de son ombre, de sa routine, et de sa paralysie pour jeter un regard neuf et interrogateur sur l'univers. La preuve n'est pas celle du langage des mathématiques. On ne prouve pas Dieu. En tout cas, pas de cette façon. Non ! Il s'agit d'une méditation sur les signes *(âyât)* qui se lisent partout dans la création, de l'infiniment petit à l'infiniment grand, du plus humble au plus grandiose parmi les infinies manifestations de l'existant. Tout le Coran — il faudrait presque tout citer — est une insistante invitation à scruter de bout en bout le Livre de l'univers... et à méditer. C'est cette méditation éclairée qui prépare les cœurs et les esprits à s'ouvrir à Dieu, à le rencontrer, et à le recevoir. On ne prouve pas Dieu, on le découvre et on le rencontre. Est-il présomptueux dès lors de penser que la fonction essentielle de la raison consiste à offrir à l'homme la faculté de recevoir Dieu et de saisir sa relation à l'Absolu, et que ses autres activités, si révolutionnaires, si éblouissantes soient-elles, eu égard à cette fonction primordiale, sont en définitive accessoires ? Le règne animal, si on n'a d'attention que pour les réussites purement matérielles, ne nous offre-t-il pas, après tout, des exemples supérieurs d'adaptation au milieu ambiant ! Les animaux n'ont pas besoin d'invention, ni d'industrie, ni de psychiatres, pour tirer de l'environnement, sans gâchis, les conditions optimales à leur bonheur. Ce qui distingue l'homme — plus que ses inventions qu'il n'est pas dans nos intentions de déprécier par je ne sais quelle absurde attitude obscurantiste — c'est sa capacité de s'articuler à l'Absolu et de recevoir Dieu. Et s'il est capable de le faire, c'est qu'il a été « hominisé » par le Souffle ou l'Esprit *(Rûh)* divin (*Coran*, XV, 29 ; XXXII, 9 ; XXXVIII, 72), qui a allumé en lui l'étincelle de la conscience et de la rationalité. C'est à cette étincelle — d'abord trop vacillante pour pouvoir se passer de l'adjuvant du surnaturel, puis suffisamment luminescente pour rendre possible le changement de registre — que le Coran fait inlassablement appel, ouvrant ainsi le début d'une ère nouvelle : celle de la fin de la Révélation prophétique et de la Présence de la Parole.

Dans la conception musulmane de l'histoire du salut, Muhammad est en effet « Le Sceau des Prophètes » (*Coran*, XXXIII, 40). Avec lui le rôle de guides confié à ces derniers arrivait à son terme. Jésus, qui l'avait annoncé et préparé comme on l'avait déjà indiqué, avait poussé auparavant jusqu'à ses extrêmes limites l'idéal éthique. Il représente, dans la Tradition musulmane, « Le Sceau de la Sainteté »[6], et à ce titre il est le modèle des mystiques. Désormais, le cycle de la Révélation étant clos, l'homme est convié à puiser directement dans la Parole divine, définitivement concrétisée et présente dans le Coran — qui authentifie, récapitule et parachève les Ecritures antérieures (*Coran*, V, 48) — la lumière susceptible d'éclairer sa foi et sa vie.

Tous les hommes sont donc invités à embrasser l'Islam. « Quiconque recherche, en dehors de l'Islam, une autre religion, cela ne sera point accepté de lui, et dans l'Au-delà il sera parmi les perdants » (*Coran*, III, 85). On peut comprendre ce verset, en fait on l'a longtemps compris, on le comprend encore, dans le sens : Hors de l'Islam, point de salut. Nous verrons cependant que, sur ce point précis, la théologie musulmane, qui n'a jamais été si monolithique, s'est beaucoup nuancée et a considérablement évolué, faisant une large place, dans le cadre préalable de la sincérité et de la droiture, à la pluralité des voies vers Dieu[7].

---

6. Voir Louis MASSIGNON, *la Passion de Hallâj*, Gallimard, 1975, III, p. 221.

7. Signalons déjà que Kasimirski, prenant le mot *Islâm* dans son sens large et générique, donne une interprétation différente de ce verset. Il traduit : « Quiconque désire un autre culte que la résignation à Dieu (Islam), ce culte ne sera point reçu de lui, et il sera dans l'autre monde du nombre des malheureux » (*le Coran*, Garnier-Flammarion, 1970, p. 77, verset 79). Cf. Abdullah YUSUF ALI, *The Holy Qur'ân*, éd. The islamic Foundation, Leicester, 1975, p. 145, note 418. R. BLACHÈRE (*le Coran*, éd. G.P. Maisonneuve, Paris, 1957, p. 87, verset 79) le commente ainsi : « ... le présent v. semble sous-entendre : quiconque recherche une autre religion que l'Islam après avoir embrassé celui-ci, cela ne sera pas admis ». Cheikh SI BOUBAKEUR HAMZA (*op. cit.*, I, 131) s'abstient de tout commentaire.

2. Jésus : le prophète précurseur de Muhammad

Les musulmans ont la plus grande vénération pour Jésus[8], et en parlent avec amour et respect. Mais ils en parlent différemment. Sur un point si capital il convient de ne pas cacher, selon une très juste formule du Père M. Lelong[9], que si les convergences sont quelquefois profondes, les divergences sont aussi fondamentales. « Pour susciter... des attitudes éclairées, respectueuses et religieuses »[10], de part et d'autre, on ne doit ni minimiser les unes, ni masquer les autres. On évitera ainsi les amères désillusions, et on construira l'amitié sur le respect des différences dans la clarté.

D'abord les convergences. Voici comment le Coran présente l'Annonciation faite à Marie : « Les Anges dirent : O Marie ! Dieu t'a choisie, Il t'a purifiée, Il t'a choisie de préférence à toutes les femmes de l'Univers. O Marie ! Prie le Seigneur, prosterne-toi, et incline-toi avec ceux qui s'inclinent devant Lui... Les Anges dirent : O Marie ! Dieu t'annonce une bonne nouvelle : Un Verbe émanant de Lui. Son nom est l'Oint *(Masîḥ)*, Jésus, Fils de Marie. Il sera illustre dans ce monde et dans l'Au-delà, et il sera parmi les proches du Seigneur. Il parlera aux hommes dès le berceau, à l'âge adulte, et il comptera parmi les Saints — Elle dit : O Seigneur ! Comment aurai-je un enfant, alors que nul homme ne m'a jamais touchée ? ! — Il dit : Ainsi Dieu crée ce qu'Il veut. Lorsqu'il a décrété une chose, Il dit : "Sois", et elle est » (*Coran*, III, 42-47 ; voir aussi la Sourate « Marie », XIX, 16-36). A propos de Marie les concepts musulmans et chrétiens — dans la formulation que leur donnent au moins les catholiques — coïncident, à quelques divergences[11] de détail près, pour ainsi dire parfaitement. Le Coran est peut-être le texte sacré où s'affirme avec le plus de force et de netteté le dogme de la conception virginale de Jésus. Il rejette avec indignation « l'horrible infamie » (*buhtân ʿazîm*, *Coran*, IV, 156) portée contre la Vierge.

Une Sourate entière (*Coran* XIX) lui est dédiée. Jusqu'à nos jours, Maryam (= Marie) est un prénom très courant dans les sociétés musulmanes. Il est le seul prénom féminin cité dans le Coran où il y

---

8. La bibliographie est trop abondante pour être mentionnée dans un article de cette dimension. Mais on peut consulter : Wismer Don, *The Islamic Jesus, An Annoted Bibliography of Sources in English and French*, New York, 1977, 305 pages.

9. Au dos de la couverture de son livre *Deux fidélités, une espérance. Chrétiens et musulmans aujourd'hui*, Cerf, Paris, 1979.

10. M. Lelong, *op. cit.*, p. 87.

11. Sur ces divergences, du reste facilement conciliables, voir Cheick Si Boubakeur Hamza, *op. cit.*, I, pp. 611-616.

figure trente-quatre fois (pouvant désigner aussi la sœur de Moïse). Par ailleurs il va sans dire que Marie n'est nullement souillée par le péché originel, tout simplement parce que cette notion est étrangère à l'Islam. Le Coran insiste d'ailleurs sur le fait que Dieu l'a particulièrement purifiée, la préparant ainsi à recevoir la visite de l'Esprit (*Coran,* XIX, 17). C'est dire la place privilégiée qu'occupe Marie dans la piété musulmane. Mais en même temps l'Islam repousse avec énergie toutes les formes de mariolâtrie. Il condamne avec force une hérésie où Marie est divinisée figurant comme déité à côté de Jésus (*Coran,* V, 116). Et naturellement il n'y a pas de place dans la foi musulmane, qui n'admet aucun culte en dehors de celui du Dieu Un, pour aucune hyperdulie mariale. Une grande vénération en somme, mais aucun hommage particulier de quelque nature que ce soit.

A propos de Jésus nous retrouvons la même vénération, toujours circonscrite dans des limites strictement humaines. Jésus est désigné dans le Coran de façon concomitante ou séparément par trois expressions que nous avons déjà rencontrées : al-Masîh, ʿÎsâ, Ibn Maryam (= Fils de Marie). L'expression le Fils de l'Homme, si courante dans les Evangiles, ne s'y rencontre jamais. Al-Masîh, signifie en arabe l'Oint, et correspond très exactement à l'araméen *Meshîkhâ,* ou à l'hébreu *Mashiah,* rendu en grec par *Christos* (= Christ). Mais dans le Coran l'expression al-Masîh, qui a beaucoup intrigué les commentateurs, ne fait aucune référence au concept de Libérateur annoncé et attendu. Aussi avons-nous évité de traduire par le Messie, comme on le fait souvent, pour éviter les ambiguïtés et les confusions que pourrait entraîner cette traduction. Pour l'Islam en effet Jésus n'est pas le Messie *déjà là* pour les chrétiens, et *pas encore* arrivé pour les Juifs. Il était simplement « l'Oint », celui qui avait reçu l'Onction sacrée comme il était de coutume pour les prophètes [12], voire les prêtres d'Israël, sans aucune allusion au Royaume et aux Temps messianiques. ʿÎsâ, dont l'étymologie pose quelques difficultés morphologiques, correspond au nom araméen de Jésus, *Ieshoua,* transcrit en grec *Ièsous* (= Jésus). *Al-Masîh ʿÎsâ,* est donc très littéralement, à l'inversion près, *Ièsous Christos,* ou Jésus Christ.

Le Coran en parle en ces termes : il est un « Verbe (*Kalima,* littéralement un mot, une parole) émanant de Dieu » (*Coran,* III, 45) ; « Son Verbe (*Kalimatuhu*) jeté à Marie, et un Esprit émanant de Lui » (*Coran,* IV, 171) ; « une parcelle de l'Esprit insufflée dans Marie »

12. Voir Lv 4, 3.5.16. Voir aussi 1 S 10, 1-12 ; 16, 11-13. Sur l'attente messianique cf. Is 11, 1-9. Parmi les sources musulmanes on peut renvoyer à trois commentateurs : Tabarî (m. 923), *Tafsîr,* Le Caire, 1954, VI, 35 ; Râzî (m. 1209), *Tafsîr,* Le Caire, s.d., VIII, 52 ; Ibn ʿAshûr (m. 1973), *Tafsîr,* Tunis, 1969, III, 245-247.

(*Coran,* LXVI, 12) ; « il est soutenu par l'Esprit Saint *(Rûh al-Qudus)* » (*Coran,* II, 87 et 253 ; V, 110) ; Jean Baptiste l'annonça en tant que « Verbe *(Kalima)* émanant de Dieu, un seigneur *(sayyid)*, un homme chaste, et un prophète parmi les saints » (*Coran,* III, 39).

De ces textes les musulmans ne tirent pas comme conclusion que Jésus soit d'une nature particulière, parce qu'il est impossible de le faire dans le contexte coranique. Jésus demeure entièrement, et *uniquement*, homme. Le terme *kalima* qui lui est appliqué, et que nous avons rendu selon l'usage courant par Verbe, prête à confusion. Il n'a pas la même résonance pour les chrétiens et les musulmans. Ce terme, qui intervient vingt-huit fois dans le Coran avec des sens très divers [13], fait, dans le cas présent, exclusivement référence à la conception — miraculeusement virginale — de Jésus, conception qui procède du *Kun,* c'est-à-dire du *Fiat* éminemment libre du Créateur. En effet, « pour Dieu, il en est de Jésus comme d'Adam, qu'Il forma de terre puis dit : "Sois", et il fut » (*Coran,* III, 59). Quant à l'Esprit *(Rûh)*, il fut d'abord insufflé dans Adam (*Coran,* XV, 29 ; XXX, 9 ; XXXVIII, 72) — et de ce fait en tout homme il y a quelque chose de divin — et depuis n'a jamais cessé de soutenir les prophètes et tous les croyants (*Coran,* XII, 87 ; XVI, 2 et 102 ; XXVI, 193 ; XL, 15 ; LVIII, 22). Aucune incarnation et aucune consubstantialité donc.

Aucune filiation non plus, Dieu n'ayant ni engendré, ni été engendré (*Coran,* CXII, 3). Cette filiation — évoquée deux fois comme impliquant une compagne [14] (*Coran,* VI, 101 ; LXXII, 3) — est considérée comme blasphématoire et scandaleuse, et est dénoncée avec insistance (*Coran,* IV, 171 ; X, 68 ; XVII, 111 ; XVIII, 4 ; XIX, 35. 88-93 ; XXI, 26 ; XXIII, 91 ; XXV, 2 ; XXXIX, 4 ; XLIII, 31). « Sont également mécréants (*kafara)* ceux qui disent : Dieu est l'Oint Fils de Marie » (*Coran,* V, 17, 72), ou qui professent que « Dieu est le Troisième de Trois » *(Thâlithu Thalâthatin)* » *(Coran,* V, 73).

Le Coran dénonce-t-il ainsi le mystère de la Trinité ? Ou dénonce-t-il plutôt une triade, et un trithéisme, dans lesquels les chrétiens — certaines hérésies aujourd'hui disparues mises à part —

---

13. « Une bonne parole » (*Kalima tayyiba, Coran,* XIV, 24) ; « une mauvaise parole » (*kalima khabîtha, Coran,* XIV, 26) ; « une parole de mécréance » (*kalimat kufr, Coran,* IX, 74) ; « une parole de damnation » (*kalimat al-'adhâb,* Coran, XXXIX, 19, 71) ; « un moyen terme » (*kalima sawâ, Coran,* III, 64) ; la parole de Dieu opposée à celle des mécréants (*Coran,* IX, 40) ; etc.

14. Faut-il y voir une allusion, plus ou moins lointaine, au concept du « Dieu-Epoux ? » Sur ce concept on peut consulter l'ouvrage récent d'André MANARANCHE, *Des noms pour Dieu,* Fayard, 1980, pp. 265-273, qui renvoie à Mc 2, 19-20 ; Mt 25, 1-3 ; et Jn 3, 29. Il s'agit en effet d'une symbolique qui — quel que soit le degré d'abstraction et d'approfondissement de la relation d'amour — aux yeux de l'Islam, relève d'un langage inadmissible sur Dieu.

ne se reconnaissent pas ? Pour Denise Masson [15] les textes coraniques « n'attaquent nullement les dogmes de la Trinité et de l'incarnation tels que l'Eglise les professe ». Et pour le R.P. Robert Caspar « le Christ, l'Evangile et les chrétiens *(Nasârâ)* du Coran n'ont rien à voir avec le Christ historique et le véritable Evangile » [16].

Que les chrétiens ne se reconnaissent pas — ou plus — dans les dogmes condamnés par le Coran, cela ne peut que réjouir les musulmans, et offrir des chances accrues de rapprochement. Mais c'est aussi courir au-devant d'amères désillusions que de penser que le mystère trinitaire, quelles que soient les subtilités du langage qui l'expriment, ou les progrès de la démythisation, puisse se concilier avec le monothéisme tel que le professe les musulmans. Triade, trithéisme, ou Trinité, peu importe. Ce que condamne le Coran c'est un certain langage sur Dieu marqué par les ambiguïtés et les excès (*Coran*, IV, 171 ; et V, 77). Comme l'écrit A. Merad « il s'agit, pour le Coran, de mettre en question le mystère trinitaire, en tant qu'il ne s'harmonise pas avec la visée fondamentale de la foi monothéiste pure et simple » [17].

Pour les musulmans, Jésus n'a qu'une seule nature, celle de son humanité [18]. Le Coran, tout en confirmant sa conception exceptionnelle et ses miracles (*Coran*, III, 49 ; V, 112-114, avec allusion à l'eucharistie), précise : « Il est un Messager envoyé aux Fils d'Israël » (*Coran*, III, 49 ; voir aussi LXI, 6) — il s'inscrit ainsi dans toute une tradition ; « Il confirme la Torah » tout en assouplissant la Loi (*Coran*, III, 50 ; voir aussi V, 46) ; « Il n'est qu'un serviteur *('abd)* que Nous avons comblé de nos faveurs et proposé en modèle aux Fils d'Israël » (*Coran*, XLIII, 59) ; « L'Oint, Fils de Marie, n'est qu'un Messager, que d'autres Messagers avaient précédé » (*Coran*, V, 75 ; voir aussi V, 46 et LVII, 27) ; « L'Oint ne trouve pas indigne de lui d'être un serviteur *('abd)* de Dieu » (*Coran*, IV, 172) ; face au Créateur il n'a aucun privilège particulier ; en effet, au même titre que tous les habitants de la Terre, Dieu, s'Il le voulait, pourrait le faire périr *(yuhlik)* lui et sa mère (*Coran*, V, 17) ;

15. *Monothéisme coranique et Monothéisme biblique, doctrines comparées*, Desclée De Brouwer, 1976, p. 98.

16. « Témoignage œcuménique en Terre d'Islam », in *Parole et Mission*, nº 48, janvier 1970, Cerf, Paris, p. 74.

17. « Dialogue islamo-chrétien : pour la recherche d'un langage commun », in *Islamochristiana*, nº 1, Rome, 1975, p. 5.

18. Les interrogations de A. Merad — « l'humanisation de Jésus, dans le Coran, est-elle si absolue... N'y est-il pas défini comme "Verbe de Dieu" (*Coran* III, 5), comme "Son Verbe... et Esprit venant de Lui" (*Coran*, III, 171) ? » — sont celles d'un intellectuel de culture musulmane vivant en milieu européen. Elles ne sont pas représentatives de la pensée de l'Islam.

l'essence de son message consiste à dire : « Dieu est mon Seigneur et le vôtre. Adorez-Le ! Telle est la voie droite » (*Coran,* III, 51).

Messager de Dieu, Jésus reçut et transmit *al-Injîl,* l'Evangile — *au singulier* — « contenant une guidance (*hudan*) et une lumière (*nûr*) » (*Coran,* V, 46). Au même titre que la Torah, qu'il confirme et qu'il continue — les deux textes sont toujours cités ensemble, à une exception près, et intimement liés — et que le Coran qui le suit, l'authentifie et le parachève, l'Evangile est un Livre révélé (*Coran,* III, 3, 48, 65 ; V, 46-47, 66, 68, 110 ; VII, 157 ; IX, 111 ; XLVIII, 29 ; LVII, 27). Ces quelques lignes suffisent pour souligner combien les conceptions chrétiennes et musulmanes diffèrent. Pour les musulmans, l'Evangile est la Révélation, dont Jésus n'est que le Messager. Pour les chrétiens, la Révélation c'est Jésus, et les Evangiles n'en sont que le témoignage. En employant le même mot, les chrétiens et les musulmans ne parlent pas de la même chose.

Pour les musulmans, l'Evangile — le texte révélé — ne nous est pas parvenu, du moins dans son intégralité et sa pleine authenticité, et les Evangiles ne sont qu'une Vie de Jésus, une *Sîra,* une relation édifiante qui appelle les réserves d'usage afférentes au genre, d'autant plus que les traductions successives et la prolifération des versions posent de sérieux problèmes. D'où la doctrine du *tahrîf*[19], ou *tabdîl,* de l'altération — certains disent de la falsification — des anciennes Ecritures. L'exposé le plus complet de cette doctrine nous est fourni par al-Juwaynî (m. 1085) dans son *Shifâ' al-ghalîl fi-l-tabdîl*[20]. Dans le Coran (II, 75, 146, 159, 174 ; IV, 46 ; V, 13-15, 41) l'accusation de *tahrîf* subi par les anciennes Ecritures vise surtout la Torah — avec une allusion à l'écriture humaine, donnée pour divine, du Talmud (*Coran,* II, 79) — et s'adresse particulièrement à l'attitude hostile et sarcastique des juifs de Médine. Toujours est-il que la doctrine du *tahrîf,* au lieu de servir de stimulant pour la recherche, a entraîné un certain manque de curiosité. Certains auteurs musulmans avaient bien puisé, quelquefois avec beaucoup d'honnêteté — c'est le cas particulièrement de l'historien al-Ya'qûbî (m. vers 905) relatant la vie de Jésus — dans les Evangiles qui circulaient dans leur espace

19. On peut sur cette question consulter la thèse (non imprimée et assez discutable) de Muhammad Hassanein, *le Tahrîf des Evangiles d'après les théologiens musulmans. Contribution à l'étude de la controverse islamo-chrétienne,* Université de Paris-Sorbonne (Paris IV, 1980).

20. Voir Michel Allard, s.j., *Textes apologétiques de Guwaynî,* éd. Dar el-Machreq, Imprimerie catholique, Beyrouth, 1968, qui donne le texte arabe avec sa traduction annotée, et renvoie aux autres sources. Voir aussi Cheick Si Boubakeur Hamza, *op. cit.,* I, pp. 237-242, qui renvoie aux sources et résume certaines positions modernes.

géographico-culturel. Mais comme l'écrit A. Ferré, on a quand même « l'impression de se trouver en présence d'une certaine attitude de défiance, de la part de ces auteurs, vis-à-vis des Evangiles, attitude à laquelle la doctrine du *tahrîf* des Ecritures n'est sans doute pas étrangère » [21]. Une attitude opposée, débouchant sur une lecture musulmane, et naturellement critique, des anciennes Ecritures, aurait été pourtant davantage dans l'axe de l'esprit coranique. Le Coran se place en effet, sans ambiguïté aucune, dans le courant de la tradition biblique, à laquelle il apporte le couronnement final. On y lit, à l'adresse de Mohammad : « Dieu — il n'y a d'autre divinité que Lui — le Vivant, le Subsistant, t'a révélé le Livre, en toute vérité, confirmant les Ecritures précédentes, comme Il avait révélé auparavant la Torah et l'Evangile » (*Coran,* III, 2-3). On y lit encore, à l'adresse du scepticisme des mekkois au sujet de la prophétie : « Interrogez donc ceux qui avaient reçu les Ecritures (*ahl al-dhikr*) si vous ne savez pas [22] », ce qui aurait pu, avec prudence et vigilance, frayer la voie à certains échanges. Le climat conflictuel, et les méfiances réciproques, avaient bouché cette voie. Le dialogue en cours l'ouvrira-t-il ? Patience, prudence, persévérance et espérance. Signalons toutefois qu'un pas a été fait dans cette direction, en communion de pensée avec l'exégète médiéval Fakhr al-Dîn al-Râzî (1148-1209), par l'hindou Sayyid Ahmad Khan (1817-1898) dans son *Commentary on The Holy Bible* [23], mais cet auteur n'a pas eu depuis des émules.

Est lié au *tahrîf* l'épineux problème de l'annonce de Muhammad dans les anciennes Ecritures. Dans l'économie coranique de la révélation Jésus était « le Signal de l'imminence de l'Heure » (*wa innahu la-'alamun* [24] *li-l-sâ'a, Coran,* XLIII, 61) — sans aucune allusion au Royaume —, c'est-à-dire d'une accélération de l'histoire sur la route menant l'homme vers le terme que Dieu lui avait fixé. Il annonçait, et préparait ainsi, la fin du cycle de la prophétie, et l'avènement de celui de la Présence de la Parole. Cette Parole est le

21. « L'historien al-Ya'qûbî et les Evangiles », in *Islamochristiana,* Rome, 1977, III, p. 82.

22. *Coran,* XVI, 43. Voir le commentaire de Tabarî, *Tafsîr,* éd. du Caire 1954, XIV, 108.

23. Voir sur cet ouvrage Christian W. Troll, « Sayyid Ahmad Khan on Matthew 5, 17-20 », dans *Islamochristiana,* Rome, 1977, III, pp. 99-105, qui donne un exemple de la façon de procéder de l'auteur. L'ouvrage de M. Lelong, *Deux fidélités, une espérance. Chrétiens et musulmans aujourd'hui,* Cerf, Paris, 1979, qui met en parallèle des passages de la Bible (Ancien et Nouveau Testament) et du Coran, est aussi un pas positif, avec la prudence et la sympathie nécessaires pour le succès, dans la bonne direction.

24. La leçon choisie par la *Vulgate* est *la-'ilmun* (une science). Mais celle que nous avons retenue, et qui est aussi parfaitement canonique, nous paraît préférable. Voir R. Blachère, *le Coran,* Paris, 1957, p. 523.

Coran qui, dictée surnaturelle, « fut descendu par l'Esprit Saint, de la part de Dieu en toute vérité » (*Coran,* XVI, 102), et fut déposé par l'Esprit Fidèle dans le cœur de Muhammad (*Coran,* XXVI, 193), pour nous être transmis et demeurer avec nous à jamais. Muhammad ne parla donc pas de lui-même. Il était l'ultime Messager, annoncé — affirme le Coran avec force et netteté (II, 129 ; III, 81 ; VII, 157 ; XXVI, 196 ; LXI, 6) — par les anciennes Ecritures, et chargé de clore le chapitre de la Révélation. L'exégèse musulmane[25] renvoie d'une façon générale à : Gn 17, 20 et 49, 10 ; Dt 18, 15-22 ; Is 8, 23 ; 42, 1-5 et 52, 13-15 ; Dn 7, 13-14 ; et surtout Jn 14, 15-17 et 16, 5-15). Mais comment interpréter d'une façon convaincante pour tous, et avec certitude, des textes qui nous sont parvenus sous la forme d'oracles plus ou moins franchement sibyllins ? Faut-il incriminer le *tahrîf* dont est pétrie la pâte de notre condition humaine — nous sommes tous des prismes plus ou moins déformants — ou s'agit-il d'un langage à décrypter et sciemment parabolique pour une raison qui nous dépasse ? Toujours est-il que dans ces conditions toute polémique est stérile, chacun découvrant avec bonne foi, dans des textes qui par nature s'y prêtent, ce qu'il y avait déjà plus ou moins inconsciemment mis. En définitive la polémique s'était polarisée autour de la notion de Paraclet, avec les aléas que suppose la transhumance de cette notion vers le grec — une langue indo-européenne — à partir de l'introuvable araméen, ce qui implique le choix délibéré d'une interprétation et d'un sens qui ne traduit pas forcément avec certitude et une exactitude absolue, le terme sémitique originel. Alors faut-il lire *Paraklètos,* avec ses divers sens (invoqué, avocat, intercesseur, directeur, ou selon l'usage qui a prévalu consolateur), ou *Pariklytos* (Le Loué — en arabe Muhammad), ce qui aboutit à une identification plus nette, nominative, du Paraclet avec le Prophète de l'Islam ? En définitive, il faut reconnaître honnêtement que les interprétations et les positions juives, chrétiennes et musulmanes, reposent sur des certitudes préalables de foi, et demeurent totalement inconciliables.

Le dernier point de divergence que nous évoquerons concerne la fin du Christ. Celui-ci est bien mort. L'enseignement du Coran (III, 55 ; V, 117 ; XIX, 33) est clair et formel sur ce point[26]. Mais est-ce sur la

25. Voir Cheick Si Boubakeur Hamza (*op. cit.,* I, p. 380 et II, pp. 769-770, 1100) ainsi que Hamidullah (*le Coran,* Paris, 1959, pp. 58, 359, 545) qui renvoient aux sources.

26. Signalons que Mâlik (m. 795), le fondateur de l'école mâlikite, le fait mourir de mort naturelle à trente-et-un ans. Voir T. Ben Achour, *Tafsîr,* Tunis, 1969 ; III, p. 258. Voir aussi l'ouvrage de Mahmûd Shaltût — qui fait autorité — *al-Fatâwâ,* Le Caire, 1969, pp. 50-70. Cependant certaines traditions de facture populaire mêlent Jésus, sous des influences diverses, à la légende bien connue du Mahdî (Voir *l'Encyclopédie de l'Islam,* s.v.). Pour les shîites le Mahdî est leur Imam, de la lignée de Muhammad, entré vivant en

croix ? Le Coran ne nie pas qu'il y ait eu effectivement une scène de crucifixion et d'exécution. Mais, repoussant les prétentions arrogantes des juifs — en la personne de ceux de Médine en l'occurrence — qui se glorifiaient d'avoir fait exécuter et crucifier Jésus, il précise : « Ils ne l'ont pas tué ; ils ne l'ont pas crucifié ; ce fut plutôt une illusion (*wa lakin shubbiha lahum*). Ceux qui en débattent contradictoirement sont dans l'incertitude à son sujet. Ils n'en ont aucune connaissance sûre, et ne font que suivre une conjecture. Ils ne l'ont pas tué en toute certitude (*yaqînan*). Dieu l'a plutôt élevé (*rafa'ahu*) vers Lui. Dieu est Tout Puissant et Sage » (IV, 157-158). Ce verset, placé dans son contexte, pourrait se prêter à interprétation (*ta'wîl*). En effet, si en Jésus on avait voulu tuer, d'une façon avilissante, le Messager de Dieu, en sa certitude et sa réalité profonde, on n'y avait pas réussi. « Ce ne fut qu'une illusion[27]. » Toute l'ambiguïté du verset tourne autour de ce *wa lakin shubbiha lahum*, que les traducteurs ont rendu de différentes façons[28], avouant ainsi leur embarras. Devant cette ambiguïté, l'exégèse traditionnelle[29], niant « le fait de la crucifixion » conformément au sens littéral du début du verset, a opté d'une manière générale pour l'explication qui fait intervenir un sosie — qui pour certains n'est autre que Judas lui-même changé en conséquence — crucifié à la place de Jésus. Depuis, la théologie musulmane n'a

---

occultation et appelé à réapparaître, à la fin des temps, pour instaurer le Royaume de paix, de justice et de bonheur absolus pour tous les hommes. Il n'y a d'autre Mahdî, rétorquent certains de leurs adversaires, armés de traditions adéquates, que Jésus qui au cours de sa parousie tuerait al-Dajjâl (voir *l'Encyclopédie de l'Islam* s.v.) c'est-à-dire l'Antéchrist et assurerait le triomphe définitif de l'Islam. La traduction du Coran par Cheick Si Boubakeur Hamza (*op. cit.*, I, p. 122 par exemple) est influencée par cette légende ; de même celle de Abdullah YUSUF ALI, *op. cit.*, p. 1337, note 4662.

27. En commentant cette expression, on a souvent rapproché la position de l'Islam de celle du docétisme (Voir par exemple Henri MICHAUD, *Jésus selon le Coran*, coll. « Cahiers théologiques », n° 46, Delachaux et Niestlé, Neuchâtel (Suisse), 1960, pp. 64-71, qui renvoie aux autres études.) Or, la différence entre les deux positions est totale. Pour le docétisme Jésus n'a qu'une seule nature, celle de sa divinité. Il en découle que la crucifixion, quoique *très réelle*, n'a atteint que sa chair apparente. L'Islam se situe exactement à l'opposé de cette doctrine. Jésus n'a qu'une seule nature, celle de son humanité. Si l'on admet « le fait de la crucifixion », celle-ci ne peut pas ne pas avoir atteint son unique chair humaine et seule réelle.

28. Voir à titre d'exemple : R. BLACHÈRE, *le Coran*, Paris, 1957, p. 128 ; KASIMIRSKI, *le Coran*, rééd. Paris, 1970, p. 103 ; Cheick SI BOUBAKEUR HAMZA, *op. cit.*, I, pp. 203-204. Signalons aussi que dans la traduction d'inspiration Ahmadite de Maulawi Sher 'Ali (Rabwa, West Pakistan 1960), l'expression est rendue ainsi : « They slew him not, nor crucified him, but he was made to appear to them like one crucified... »

29. TABARÎ, *Tafsîr*, Le Caire, 1954, VI, pp. 12-17 ; RÂZÎ, *Tafsîr*, Le Caire, s.d., XI, pp. 99-110 ; Zamakhsharî, *Kashshâf*, Le Caire, 1935, I, 312.

guère évolué sur ce point. Le *Tafsîr* récent de T. Ben Achour développe les mêmes idées[30], et Kāmil Husayn, l'auteur de *Qarya Zâlima* (*la Cité inique*) — ouvrage traduit en plusieurs langues et consistant en une méditation sur le Procès de Jésus — fait valoir que « ce que les chrétiens appellent le fait de la crucifixion du Christ ne pouvait pas être considéré comme un fait »[31], eu égard, entre autres, aux circonstances, aux erreurs judiciaires, etc...

3. La valeur du christianisme

L'Oint, Jésus Fils de Marie, est ainsi à la fois un lien très fort, et une pomme de discorde, entre chrétiens et musulmans. L'Islam le revendique et le glorifie. Mais de ce fait, corollaire inévitable, Jésus est aussi au point focal des divergences qui opposent chrétiens et musulmans. Honnêtement on doit reconnaître que ces divergences ne sont pas surmontables. Une ambiance d'écoute réciproque, dans le respect conscient et mutuel des différences, peut cependant substituer à la polémique[32], qui au cours des siècles a fait tant de mal et a contribué à durcir les positions, une ouverture accueillante sur l'autre. Le temps où l'on envoyait allègrement, avec joie, les adversaires de l'extérieur — tout comme ceux de l'intérieur — au feu, est bien révolu.

Les plus clairvoyants parmi les musulmans, en accord avec ce qu'il y a de plus pur dans leur tradition, s'interrogent, et interrogent la Parole de Dieu qui est au centre de leur foi. Or cette Parole que nous dit-elle ? Elle nous dit justement de ne pas nous substituer à Dieu, et de ne pas nous empresser à juger à sa place. En effet « seul le Seigneur sait mieux que quiconque celui qui s'est égaré de son chemin, et Il sait aussi mieux que quiconque celui qui est dans la bonne direction ». Cette invitation à éviter le triomphalisme puéril, et à faire preuve d'humilité dans le respect du mystère de Dieu, intervient quatre fois dans le Coran (VI, 117 ; XVI, 125 ; LIII, 30 ; LXVIII, 7), et on peut citer deux autres versets de même inspiration (XVII, 84 ; XXVIII, 56).

---

30. Tunis, 1971, VI, pp. 18-24.
31. J. Jomier, « le Val Saint »... in *Islamochristiana*, III, 59.
32. Sur cette polémique médiévale on peut consulter A. Th. Khoury, *les Théologiens byzantins et l'Islam, textes et auteurs* (VIIIe-XIIIe s.), Nauwelaerts, Louvain-Paris, 1969, qui offre en outre un exposé très clair relatif à la vision classique que le christianisme a de l'Islam, pp. 9-30. Sur l'aspect musulman de cette polémique, consulter la thèse de A. Charfi, *al-Fikr al-islâmî fî al-radd ʿalâ al-nasârâ ilâ nihâyat al-garn al-râbiʿ* (*La pensée musulmane aux prises avec la polémique contre les chrétiens jusqu'à la fin du IV/Xe siècle*, Université de Tunis ; manuscrit).

Aussi personne n'a-t-il jamais sérieusement contesté au sein de l'Islam que le christianisme soit une expérience religieuse authentique. Lorsque les menées hostiles sont écartées, et la droiture des cœurs assurée, le Coran parle avec éloge et respect des chrétiens. Dieu a particulièrement mis dans les cœurs des adeptes de Jésus Fils de Marie « charité et mansuétude » (*ra'fa wa rahma, Coran* LVII, 27). La vie monacale, si typique du christianisme, lorsqu'elle est observée en toute sincérité et pureté, est source de « bénédiction divine » (*Coran* LVII, 27). C'est aussi aux chrétiens que ces deux versets font allusion : « Parmi les détenteurs de l'Ecriture il est une communauté droite. Durant la nuit ils récitent les versets de Dieu et se prosternent. Ils croient en Dieu et au Dernier Jour. Ils recommandent le bien, réprouvent le mal, et rivalisent dans les bonnes œuvres. Ceux-là sont parmi les saints. Jamais le bien qu'ils font ne leur sera dénié. Car Dieu connaît bien les vertueux » (*Coran,* III, 113-115). Enfin « ceux qui disent : nous sommes chrétiens » sont les plus proches des musulmans, « car parmi eux on compte des prêtres et des moines, et ils ne s'enflent point d'orgueil » (*Coran,* V, 82). Ainsi certaines valeurs, parmi les plus caractéristiques du christianisme : charité, mansuétude, humilité, don total de soi à Dieu dans la contemplation et la prière, sont non seulement reconnues, mais exaltées et données en exemple à tous les croyants qui, « rivalisant dans les bonnes œuvres », sont soucieux de perfectionnement spirituel.

La plupart des exégètes classiques soutiennent toutefois que ces éloges ne concernent que les chrétiens qui, en raison même de leur droiture, avaient reconnu la validité du message coranique et avaient, en toute bonne foi, répondu à son appel. Certains citent même des noms, ou dressent des listes [33]. Cette interprétation restrictive est naturellement celle de ceux pour qui en dehors de l'Islam il n'y a point de salut. Or cette interprétation — qui du reste n'avait jamais été l'objet d'une unanimité absolue — est de plus en plus mise en cause de nos jours. Elle est en effet visiblement marquée au coin du climat conflictuel — avec les inévitables anathèmes et exclusions réciproques — qui avait prévalu durant des siècles, et qui est loin, il faut le reconnaître, d'avoir totalement disparu.

Ceux qui aujourd'hui la contestent lui reprochent donc de ne pas être dans l'axe de l'esprit coranique. Certes, l'Islam est une religion universaliste. L'appel lancé à tous les hommes, et aux fidèles de la tradition biblique en particulier (*Coran,* III, 64), est toujours valable. Mais le message n'oblige que lorsqu'il trouve son chemin vers les cœurs. Le Coran affirme avec une netteté absolue : « nulle contrainte

---

33. Tabarî, *Tafsîr,* IV, 52 ; VII, 1-2 ; Râzî, *Tafsîr,* VIII, 200.

en religion »[34] (II, 256), et les musulmans sont unanimes sur ce point. C'est en effet la libre adhésion, donc la liberté de conscience, qui fait la valeur de la foi. Cette liberté est si intangible, si fondamentale, que Dieu s'adresse en ces termes à son Messager : « Edifie ! Tu n'as d'autre mission que d'édifier. Tu n'es investi d'aucun pouvoir de contrainte sur les gens » (*Coran,* LXXXVIII, 21-22). Citons encore, à l'adresse du Prophète : « Quoi ! Vas-tu donc contraindre les gens à être croyants » (*Coran,* X, 99) ; « appelle au chemin de ton Seigneur par la sagesse, et en édifiant avec douceur ; discute avec la plus grande courtoisie... » (*Coran,* XVI, 125) — et à l'intention des musulmans en général, dans leurs relations avec les dépositaires de la tradition judéo-chrétienne : « Ne discutez avec les Gens du Livre qu'avec la plus grande courtoisie, à l'exception de ceux qui, parmi eux, font preuve d'injustice. Dites : Nous croyons à ce qui nous a été révélé et à ce qui vous a été révélé. Notre Dieu et votre Dieu ne font qu'un, et nous nous en remettons à Lui » (*Coran,* XXIX, 46).

Tel est l'esprit coranique. En d'autres termes, lorsque la présentation du message coranique n'a pas été convaincante, en toute bonne foi, les autres voies de salut conservent toute leur valeur, et le christianisme en est une particulièrement privilégiée. Telle est en particulier l'opinion de l'une des plus grandes autorités de l'Islam de tous les temps, Ghazâlî[35] (1058-1111). Cette opinion a été reprise, avec une grande ouverture d'esprit, par Muhammad Abdû (1849-1905), le chef de file de la *Nahḍa,* du mouvement réformiste islamique moderne. Il s'appuie sur le verset II, 62 : « Ceux qui croient [en l'Islam], les juifs, les chrétiens et les sabéens, tous ceux qui croient en Dieu, au Dernier Jour, et pratiquent le Bien, tous ceux-là auront leur rétribution auprès de leur Seigneur. Nulle crainte pour eux, et ils ne seront pas attristés[36]. »

---

34. Les circonstances de la révélation de ce verset méritent d'être rapportées. Les commentateurs (Tabarî, *Tafsîr,* III, 14 ; Râzî, *Tafsîr,* VII, 15-16 ; Ibn Kathîr, *Tafsîr,* Le Caire s.d., I, 310-311 ; T. Ibn 'Ashûr, *Tafsîr,* III, 28) s'accordent pour nous apprendre que plusieurs musulmans de Médine (ou un musulman) avaient voulu contraindre leurs enfants, nés dans le christianisme ou le judaïsme — ou convertis à l'une de ces deux religions — à embrasser l'Islam. Le Prophète réprouva. Puis le verset en question vint interdire formellement toute pression en matière religieuse.

35. Voir *Faysal al-Tafriqa,* Le Caire, 1901, pp. 75-78. Voir aussi R. Caspar, « le Salut des non-musulmans d'après Ghazâlî », in *Ibla,* 1968, fasc. 2, pp. 301-313 ; du même auteur, « le Salut des non-musulmans d'après Abû Hâmid Muhammad al-Ghazâlî », in *Islamochristiana,* III, 47-49.

36. Ce verset est confirmé, à quelques variantes près, encore une fois un peu plus loin (*Coran,* V, 69 ; voir aussi II, 111-112). Voir R. Caspar, « le Salut des non-musulmans d'après le commentaire coranique du Manâr », in

Mais les réticences demeurent. Rashîd Ridhâ (1865-1935), le plus influent disciple de Muhammad 'Abdû, reprend les idées de « l'Eminent Maître » (*al-Ustâdh al-Imâm*) dans un sens beaucoup plus restrictif, sur un ton diffus qui traduit assez son embarras. L'opinion majoritaire, celle qui est la plus influente au niveau des masses, n'est pas encore tout à fait mûre en effet pour une ouverture qui risque de relativiser l'absolu de la foi. Elle est bien représentée par le Tunisien T. Ibn 'Ashûr (m. 1973) qui, dans son commentaire du verset en question[37], explique qu'il ne s'agit que des détenteurs des anciennes Ecritures qui avaient mené une bonne vie, en conformité avec leurs religions respectives, *avant l'apparition de l'Islam*, ou de ceux qui, vivant à l'époque de la Révélation coranique, s'étaient convertis.

Des voix, même dans les rangs des traditionalistes, continuent cependant à prêcher l'ouverture. Mahmûd Shaltût, qui fut recteur d'al-Azhar — l'université de théologie la plus écoutée de l'Islam actuel — fait preuve d'une exceptionnelle largeur d'esprit. Se plaçant au niveau de la foi d'une façon générale, il rejoint, dans son ouvrage — qui fait autorité — *l'Islam, credo et praxis*[38], les idées de Ghazâlî au sujet du préalable de la présentation convaincante du message entraînant l'intime certitude. « Rejeter, en totalité ou en partie, le credo » de l'Islam, écrit-il[39], n'entraîne pas automatiquement la privation du Salut. Il n'en est ainsi que si ce rejet, en dépit de l'intime certitude acquise dans le for intérieur, intervient pour des raisons « d'entêtement pervers et de vain orgueil, ou par désir des biens périssables et des honneurs fallacieux, ou encore par crainte futile des blâmes »[40]. C'est cette duplicité et cette fausseté que Dieu ne pardonne pas. Et l'auteur de conclure par ce verset : « Ils nièrent [nos signes] — bien qu'ils en fussent convaincus en leur for intérieur — mus par l'iniquité et l'arrogance » (*Coran* XXVII, 14).

Enfin le penseur musulman contemporain le plus déterminé, et le plus représentatif de l'ouverture sur les fidèles de la tradition biblique (*Ahl al-Kitâb*), dans un esprit résolument œcuménique, est incontestablement le shaykh égyptien de formation exclusivement traditionnelle, Mahmûd Abû Rayya (1889-1970). « J'ai consacré ma vie tout entière, écrit-il, à prêcher l'union des hommes de religion, à l'image de la

---

Islamochristiana, III, pp. 50-57. Pour les controverses soulevées par ce verset, et ses différentes interprétations, voir M. TALBI, *Islam et Dialogue*, Maison tunisienne de l'Edition, Tunis, 1972, note 1, pp. 28-32.

37. TAFSÎR, I, 509.

38. *al-Islâm, 'aqîda wa sharî'a*, Le Caire, 2e éd., 1964.

39. *Op. cit.*, pp. 31-32. R. Caspar a traduit ce passage dans *Islamochristiana*, III, 56-57, note 12.

40. M. SHALTÛT, *op. cit.*, p. 32.

profonde unité de leurs traditions religieuses[41].» Il est en effet convaincu, selon l'expression de A. Merad, que «l'apologétique traditionnelle, avec sa vision manichéenne du monde»[42], est une impasse. Abû Rayya puise son inspiration dans le principe — nous l'avions déjà évoqué — de l'unité foncière de tous les messages religieux. Il intitule, dans l'axe d'Afghânî (1838-1897) et de 'Abdû (1849-1905), l'ouvrage où il milite pour le rapprochement de tous ceux qui croient en un Dieu Un, Créateur et Rétributeur : *La religion de Dieu est une par la voix de tous les Messagers*[43]. Dans cet ouvrage, qui mérite d'être traduit entièrement — c'est le vœu de l'auteur — trois chapitres méritent particulièrement d'être signalés : *Les dix commandements révélés à Moïse, sur lui soit le salut* (chap. 4, pp. 69-78) ; *Les juifs et les chrétiens ne sont ni infidèles ni polythéistes* (chap. 6, pp. 107-114 ; trad. par A. Merad dans *Islamochristiana*, IV, 158-163) ; *L'union des trois monothéismes* (chap. 9, pp. 125-139).

L'œuvre du Dr Kâmil Husayn (1901-1977) — un homme de science, il était médecin — est de même inspiration[44]. Elle vise «à revaloriser la conscience et les valeurs psychologiques des hommes en vue de les rapprocher dans le respect profond de l'attitude personnelle de chacun d'eux en face de Dieu»[45]. Cette introduction d'une dimension relativement nouvelle, la psychologie, dans le débat, lui fait écrire : «Le conflit entre adeptes de diverses religions se réduit à des oppositions de structure psychologique et à l'opposition des images dans lesquelles s'exprime l'influence des divers facteurs de purification. En d'autres termes, les manifestations de la religion diffèrent selon la position prise face à la force suprême par laquelle sont guidés ceux qui croient dans l'inconnaissable. Elles diffèrent également selon notre position en face de Dieu. Cette position en face de Dieu ne peut être que crainte, ou amour, ou espoir. Ces trois éléments se retrouvent en tout homme religieux mais, dans chaque cas, l'un des trois éléments l'emporte sur les deux autres et cela, suivant le tempérament propre de chacun[46].» Ainsi, selon la dominante, on est avec Moïse (crainte), avec Jésus (amour), ou avec l'Islam (espoir).

---

41. Cité par A. MERAD, «Un penseur musulman à l'heure de l'œcuménisme : Mahmûd Abû Rayya (1889-1970)», in *Islamochristiana*, IV, 1978, p. 155, d'après *Dîn Allah wâhid...*, p. 33.
42. Dans *Islamochristiana*, IV, 1978, p. 152.
43. *Dîn Allah wâhid 'alâ alsinat jamî al-rusul*, 1re éd., Le Caire, 1963 ; 2e éd. revue et augmentée, Le Caire, 1970, 174 pages.
44. Voir J. JOMIER, «le Val-Saint (al-Wâdi al-Muqaddas) et les religions», du Docteur Kâmil Husayn, in *Islamochristiana*, III, 1977, pp. 58-63.
45. J. JOMIER, *op. cit.*, III, 59.
46. Trad. de J. JOMIER, *op. cit.*, III, 59.

Le débat continue. Dans un monde déjà trop petit pour nos rêves, et auquel nous ne sommes plus cloués par la gravitation, nous ne pouvons plus penser en termes de caricature, d'ignorance, ou d'exclusion. Toute religion qui s'enferme dans son clocher se condamne inexorablement à l'asphyxie. « Dans un lointain avenir, naturellement, écrit W. Montgomery Watt [47], on pourrait s'attendre à ce qu'il n'y ait plus qu'une seule religion pour tout le monde, quoiqu'elle pourrait contenir, en elle-même, des variations permises, comparables aux quatre rites légalement admis dans l'Islam sunnite. » Nous n'en sommes pas là. Mais en attendant nos sociétés sont bien installées dans le pluralisme, et comme il ressort de ce qui précède nos contemporains [48] en prennent de plus en plus clairement conscience. Ce phénomène, il n'y a pas à le déplorer, car très certainement il va, comme une étape nécessaire, dans le sens du plan de Dieu. Citons : « Si ton Seigneur l'avait voulu, ceux qui sont sur terre, tous sans exception, auraient été des croyants » (*Coran*, X, 99) ; ou encore : « A chacun Nous avons assigné une voie et une direction. Si Dieu l'avait voulu, Il aurait fait de vous tous une même communauté. Mais Il a voulu vous éprouver par la condition qu'Il vous a faite. Rivalisez donc dans les bonnes actions ! Vous retournerez tous auprès de Dieu. Alors il vous éclairera sur les différends qui vous opposent » (*Coran*, V, 48).

Dieu aurait pu du reste peupler la terre avec des anges (*Coran*, XXVII, 95), voire nous remplacer par des anges (*Coran*, XLIII, 60). Il a préféré faire confiance à l'homme — un homme qui commet l'injustice et répand le sang — justement au grand scandale des anges (*Coran*, II, 30), car Il sait que cet homme, quels que soient les cahots

---

47. Dans *Islamic Revelation in the Modern World*, Edimbourg, 1969, p. 127.

48. Evidemment les malentendus, la sollicitation des textes et le triomphalisme n'ont pas disparu pour autant, et il faut aussi en être conscient. Citons trois exemples parmi une multitude d'autres : G. BASETTI-SANI, *The Koran in the Light of Christ (Islam in The Plan of History of Salvation)*, Franciscan Herald Press, Chicago, 1977, trad. de l'italien, 223 p. (C.R. dans *Islamochristiana*, V, 1979, pp. 286-289), où l'auteur nous donne une interprétation chrétienne du Coran auquel il reconnaît ainsi, ce qui est en un sens positif, un certain caractère sacré ; Ahmad Shafaat, *The Gospel According to Islam*, Vantage Press, New York, 1979, 99 pages, où l'auteur à partir du Coran essentiellement, mais aussi en mettant en œuvre l'Ancien et le Nouveau Testament — quelquefois retouchés — ainsi que des sources docétiques, esséniennes, ou juives gnostiques, reconstitue un Evangile conforme aux données de l'Islam ; enfin il suffit de citer le titre de l'ouvrage de Ali ARSALAN AYDIN, *Islâm-Hristiyan Diyalogu ve Islâmin Zaferi (Dialogue islamo-chrétien et victoire de l'Islam)*, Ankara, 1977, 232 p. (C.R. dans *Islamochristiana*, V, 1979, 291-292), pour en indiquer l'inspiration. Cet ouvrage est consacré au « Séminaire du Dialogue islamo-chrétien » qui s'est tenu à Tripoli (Libye) en février 1976.

du chemin, mérite en définitive cette confiance. Comment, en retour, l'homme ne ferait-il pas confiance à Dieu ! Nos divergences, nos oppositions, avec les tournures tragiques qu'elles prennent quelquefois, font partie de l'insondable mystère qui constitue le tissu de notre condition humaine. En nous assumant mieux, dans davantage de clarté, nous pourrons mieux les dépasser et nous dépasser. En nous appuyant sur nos convergences profondes il nous est possible de travailler pour davantage d'harmonie, dans le respect du droit de l'autre à la différence[49], avec cette espérance que nous baignerons tous, un jour, dans la lumière de Dieu (*Coran*, XXIV, 35 ; XXXIII, 43). Certains mystiques, tel Ibn 'Arabî (1165-1240), si admiré et si contesté à la fois au sein de l'Islam, ont pu dans certains cas, l'espace d'un instant dans leur « ivresse spirituelle », se plonger dans cette lumière unifiante et s'écrier : « Mon cœur est devenu capable de toute forme. C'est une pâture pour les gazelles, un couvent pour les moines chrétiens, un temple pour les idoles, la Ka'ba pour les pèlerins, les Tables de la Loi et le livre du Coran. Je suis la religion de l'amour[50]. »

Mais en fait le syncrétisme est une impasse plus qu'une solution. Nous pouvons cependant, dans le respect et l'estime des richesses spirituelles de l'autre, et en nous plaçant sur le plan supérieur de la foi, inverser la formule que nous avions évoquée au début du chapitre, et dire : si nos divergences doctrinales sont profondes et irréductibles, nos convergences dans l'Amour de Dieu, le culte du Seigneur et la prière sont fondamentales. Qui oserait penser, en fin de compte, que le diplôme du salut sera décerné à celui qui, sur le seuil du Seigneur, rendra la meilleure copie en sciences religieuses ?! « Au jour où les richesses et les enfants ne seront plus d'aucune utilité, et où plus rien ne compte, si ce n'est de se présenter devant Dieu avec un cœur pur » (*Coran*, XXVI, 88-89).

Terminons par ce verset : « Dis : Travaillez ! Dieu, Son Messager, et l'ensemble des croyants vous verront à l'œuvre. Puis vous retournerez auprès de Celui qui connaît le Visible et l'Invisible. Alors Il vous dévoilera [le sens de] ce que vous faisiez » (*Coran*, IX, 105).

---

49. Voir M. Talbi, « Une communauté de communautés, le droit à la différence et les voies de l'harmonie », *Islamochristiana*, IV, 1978, pp. 11-25.

50. Cité par Cheick Si Boubakeur Hamza (*op. cit.*, I, 242), d'après B. Carra de Vaux, *les Penseurs de l'Islâm*, Paris, 1921-1926, V, p. 229.

CHAPITRE III

Le christianisme vu par le bouddhisme

par MOHAN WIJEYARATNA

SOMMAIRE. — 1. La personne de Jésus Christ; 2. L'enseignement de Jésus Christ et celui du christianisme; 3. L'Eglise. Bibliographie.

Dans cette contribution qui est destinée surtout à des lecteurs chrétiens, il est inutile de dire comment les bouddhistes *devraient* voir le christianisme, ou bien comment ils *pourraient* le voir. Il est plus utile et c'est notre devoir, de constater ici comment ils le voient *en fait*. De même nous partirons des bouddhistes des pays de tradition bouddhiste, plus spécialement de Sri-Lanka (Ceylan), ou de Thaïlande, et non pas des bouddhistes occidentaux convertis récemment à cette religion et qui, tout en acceptant la philosophie et la voie bouddhistes, gardent une certaine connaissance inter-religieuse, à la fois du bouddhisme et du christianisme. Nous considérerons les trois points suivants :

1. Comment les bouddhistes voient-il la personne de Jésus-Christ ?
2. Comment considèrent-ils son enseignement et celui du christianisme ?
3. Comment est perçue l'Eglise ?

1. La personne de Jésus-Christ

A Sri-Lanka, en Thaïlande et en Birmanie les bouddhistes sont encore en très forte majorité. La plupart d'entre eux appartiennent aux provinces. Ils pratiquent leur religion traditionnelle, le bouddhisme mélangé aux pratiques religieuses populaires [1]. Ils ne condam-

1. Voir G. Obeyesekere, « Theodicy, Sin and Salvation in a Sociology of Buddhism », in *Dialectic in Practical Religion* (ed. E.R. Leach), University Press, Cambridge, 1968; M. Nash, *Anthropological Studies in Theravada Buddhism*, Yale University Press, New Haven, 1966; S.J. Tambiah,

nent pas les autres religions, même s'ils pensent que la meilleure est la leur. D'ailleurs ils n'ont pas le temps de comparer les religions, ni les connaissances pour le faire. Généralement ils ne savent rien de la personne de Jésus-Christ ou de celle de Mahomet. Imaginons cependant quelqu'un qui connaisse Jésus-Christ. Il le connaît non par les Evangiles mais sûrement par les statues de Jésus-Christ qu'il voit devant les églises. Sans doute 50 % des bouddhistes, au moins une fois dans leur vie, ont vu une statue ou l'autre de Jésus. A Sri-Lanka, 90 % des bouddhistes connaissent Jésus-Christ par les statues placées devant les églises des villes ou des villages. Par ces statues ils voient que Jésus est cloué sur une croix et qu'il est dans un état de tristesse. Il est normal que l'impression des bouddhistes devant ces statues soit différente de celle des chrétiens qui connaissent Jésus-Christ par leur foi.

Lorsqu'un individu considère un leader religieux, il essaye naturellement de le comparer au sien. Autrement dit, pour évaluer les éléments d'une religion, l'homme cherche des critères dans sa propre religion. Les bouddhistes, qui voient la statue de Jésus sur la croix, la comparent à celle du Bouddha. Evidemment ces deux statues ne sont pas semblables. Le Bouddha est assis pieds croisés, sur un lotus, avec un petit sourire, dans un état de calme et de sérénité. En comparaison la statue de Jésus-Christ dénote une fatigue, une faiblesse, mêlée à la souffrance de la mort. La première représente la perfection, la deuxième le grand sacrifice qui eut lieu à la veille de la perfection. Mais les bouddhistes ne savent rien de la théologie de la crucifixion. Ils ne savent pas non plus que Jésus-Christ supporte tous les péchés du monde par cet événement. Selon les chrétiens, cette crucifixion de Jésus a apporté le salut au monde. Le deuxième Adam est venu pour apporter cette solution unique par sa grande obéïssance. Pour comprendre cela, il est nécessaire d'avoir une grande foi. Les bouddhistes ne la possèdent pas ! Selon eux, mourir ainsi n'est pas quelque chose de merveilleux, mais une grande tragédie. Ils souhaiteraient que Jésus-Christ ait pu échapper à cette catastrophe. Ils veulent que Jésus-Christ ait un petit sourire. Aussi la statue qui est devant eux ne leur fait-elle pas bonne impression.

A vrai dire une telle image de tristesse n'est pas non plus admirée par les Hindous. Eux aussi veulent voir Jésus-Christ dans un état

---

Buddhism and Spirit Cults in North-East Thailand, University Press, Cambridge, 1970 ; SPIRO, *Buddhism and Society : A Great Tradition and Its Burmese Vicissitudes*, George Allen and Unwin, Londres, 1971 ; M. M. AMES, *Religious Syncretism in Buddhist Ceylon*, unpubl. Ph.D. Thesis, Harvard University, 1962 ; R.F. GOMBRICH, *Precept and Practice*, Clarendon Press, Oxford, 1971.

serein et heureux, tout comme leur Vishnou ou Krishna. C'est probablement pour cela qu'une peinture indienne a représenté le Christ en ascète, sans barbe, mais avec un sourire sur le visage. C'est comme cela qu'elle a voulu le voir. Les peuples d'Asie aiment les visages souriants !

Les bouddhistes mieux informés savent que Jésus était innocent, et que malgré cela il fut condamné et crucifié par les prêtres juifs et les Romains. Le fait de vivre ainsi que de mourir pour le bonheur des autres est le plus grand principe des *bodhisatta* du bouddhisme. Les bouddhistes admirent et vénèrent les *bodhisatta*. Un jour j'étais en train de parler avec un bouddhiste et j'ai dit : « Pourquoi ne pouvons-nous pas traiter Jésus comme un des *bodhisatta* ? Il a sacrifié sa vie pour le bonheur des autres. » Mon ami bouddhiste « mieux informé » m'a répondu : « Dans le sacrifice de la vie, la volonté de donner sa vie est un fait important et indispensable. Or Jésus-Christ n'avait pas la volonté de mourir. Il fut condamné sans sa volonté. Il a hésité à mourir, même la veille de l'événement. N'a-t-il pas dit : "Mon Père, si cette coupe ne peut passer sans que je la boive, que ta volonté soit faite." Ici Jésus est un simple instrument de son Père. » Mon ami bouddhiste ignore la relation théologique entre le Fils et le Père. Pour lui ce n'est pas une question importante. D'ailleurs il ne croit pas qu'il y ait un Fils, de même qu'il ne croit pas qu'il y ait un Père.

L'autre point important est l'explication que donnent les bouddhistes de la condamnation de Jésus-Christ. Si quelqu'un, étant innocent, a été condamné à mort, selon les bouddhistes c'est là le résultat d'une action mauvaise commise dans ses vies antérieures. Selon cette explication Jésus a été crucifié car il avait lui-même sans doute commis un meurtre dans ses vies antérieures. En donnant cette explication, les bouddhistes n'ont aucune intention de médire de Jésus-Christ ou de dévaloriser sa position. Ils se fondent sur la théorie de l'action et de ses résultats (*kamma, kamma vipâka*). C'est de la même manière que certains événements pénibles de la vie du Bouddha sont interprétés par les bouddhistes. Le Bouddha, par exemple, avait parfois des douleurs de reins. Selon les bouddhistes c'était le résultat d'une mauvaise action dans ses vies antérieures : une fois il était né athlète et, en combattant, il avait blessé un autre athlète. Le Bouddha avait mal dans le dos comme trace de cette action mauvaise. De même le vénérable Moggallana, deuxième grand disciple du Bouddha, a été blessé mortellement par des voleurs car dans une de ses vies antérieures il avait fait une très mauvaise action : il avait blessé sa mère et son père. A cause de cette action il eut beaucoup de mal dans plusieurs vies et, dans sa dernière vie, il a été blessé mortellement. Il n'est donc pas étonnant que les bouddhistes expliquent de la même manière la crucifixion de Jésus-Christ. N'est-ce pas en effet le gnostique Basilide qui explique les souffrances des martyrs par une expiation des fautes commises « dans une autre vie »[2].

Pour les chrétiens Jésus-Christ se présente comme sauveur du monde. Mais les bouddhistes sont incapables de l'accepter comme le Sauveur ou un sauveur. La notion de sauveur dans le sens judéo-chrétien est un concept complètement étranger aux bouddhistes. Ils n'ont même pas l'habitude de considérer le Bouddha lui-même comme leur sauveur[3], mais comme un guide (*magga desaka*) qui montre la voie correcte, comme un Maître (*sattâ*) qui enseigne les méthodes correctes pour atteindre le salut, comme un ami noble (*kalyâna mitta*)[4] qui donne des conseils pour résoudre les problèmes intérieurs et personnels, comme un médecin qui prescrit les médicaments non nuisibles.

On peut se demander quelle est l'attitude des bouddhistes vis-à-vis des miracles faits par Jésus-Christ. Les miracles de la Bible ne sont pas considérés comme des faits intéressants ; et cela pour trois raisons :

1. Il y a une grande quantité de miracles dans les textes bouddhiques[5]. Les bouddhistes ne s'étonnent donc pas des miracles de la Bible.

2. La capacité de faire des miracles ne signifie pas essentiellement la perfection de l'individu qui fait des miracles. Car même les personnes imparfaites sont capables de faire des miracles.

3. Des miracles tels que les résurrections n'attirent pas l'attention des bouddhistes, car les bouddhistes, même très simples, ne croient pas qu'on puisse ressusciter les morts. Il en est de même de la résurrection de Jésus-Christ. La raison de cette « non-croyance » ne tient pas au fait que tous les bouddhistes connaissent profondément l'aspect biologique de la mort, mais au fait qu'ils n'ont pas l'habitude de croire à la résurrection, car c'est une notion tout à fait étrangère non seulement au bouddhisme mais aussi aux autres religions indiennes : jaïnisme, hindouisme, etc. Selon le bouddhisme la mort est la fin de la

---

2. Cf. E. de Faye, *Gnostique et Gnosticisme,* Paris, 2e éd., 1925, p. 42. J. Kennady, *Buddhist Gnosticism, The System of Basilides,* J. Roy A 1902, pp. 377-415 ; J. Filliozat : « la Doctrine des brahmanes d'après saint Hippolyte », in *Revue de l'histoire des religions* t. CXXX, 1945, p. 90.

3. Dans le sens ordinaire le Bouddha peut être appelé sauveur, tout comme dans la langue courante on dit que le médecin sauve la vie du malade. A vrai dire le médecin ne peut qu'aider à guérir : la guérison est une question individuelle tout comme la maladie. Voir A. Wayman « Bouddha as Savior », in *Studia Missionalia,* vol. 29, 1980, pp. 191-207.

4. Voir J.W. Boyd, « Buddha and "Kalyana mitta" », in *Studia missionalia* vol. 21, 1972.

5. Voir E. Gyömröi Ludowyk, *The Role of The Miracle in Early Pali Litterature,* Ph.D. Thesis, University of Ceylan, Peradeniya, Sri-Lanka.

vie. Elle est aussi le résultat inévitable de la naissance[6]. Pour ne pas mourir il faut éviter la naissance (*jâti nirodho jarâ marana nirodhâ*). Au lieu de résurrection les bouddhistes croient qu'il y a des naissances après la mort. A moins d'éviter ces renaissances on ne peut éviter la mort. Pour éviter ces renaissances, on doit essayer d'atteindre le plus haut état du progrès intérieur avant la mort.

2. L'enseignement de Jésus-Christ et celui du christianisme

Les moines bouddhistes essayèrent parfois d'interpréter le christianisme en termes bouddhiques[7]. Les savants chrétiens essayèrent également d'identifier les notions bouddhiques avec les notions chrétiennes[8]. Ce sont des comparaisons tout à fait admirables et utiles, surtout dans le domaine du dialogue inter-religieux.

Aux yeux des bouddhistes comme à ceux des chrétiens, il existe des différences entre le bouddhisme et le christianisme. Il est tout à fait normal qu'il y ait des différences entre deux religions nées dans deux pays, deux climats spirituels, deux époques différentes, et au milieu de fondements culturels différents les uns des autres.

Quelles sont les différences doctrinales ? Les bouddhistes ordinaires ne le savent pas en détail. La raison est évidente. La plupart des bouddhistes ne lisent pas la Bible, tout comme la plupart des chrétiens ne lisent pas les textes bouddhiques. Un prêtre catholique disait un jour devant un groupe religieux que les missionnaires avaient distribué au Japon deux millions d'exemplaires de la Bible en trois ans. Une personne dans l'auditoire demanda avec beaucoup d'hésitation : « Père, est-ce qu'ils se sont tellement intéressés à la Bible ? » Le prêtre répondit : « Malheureusement non. Ils l'acceptent par courtoisie ; mais la plupart d'entre eux ne la lisent pas. Parfois ils la jettent à la

---

6. Autant que l'on sache le Bouddha n'a jamais tenté de ressusciter un mort. Par contre tous les bouddhistes connaissent l'histoire suivante : un jour une jeune mère portant son fils unique mort dans les bras vint trouver le Bouddha et lui demanda de rendre la vie à son enfant. Le Bouddha lui prescrivit de lui apporter une poignée de moutarde provenant d'une maison dans laquelle personne, jamais, n'était mort ! Après avoir cherché en vain, la jeune femme comprit la leçon, enterra son enfant et devint religieuse dans l'ordre des moniales bouddhistes.

7. BUDDHADASA, *Christianity and Buddhism*, Bangkok, 1967 ; *Two Kinds of Language*, Bangkok, 1968.

8. M. ZAGO, « l'Annonce du message chrétien en milieu bouddhiste », in *Lumen vitae*, n° 29, 1974, pp. 77-82 ; Y. RAGUIN, *Bouddhisme, Christianisme* Paris, 1973 ; J.E. BRUNS, *The Christian Buddhism of St John : New Insights into The Gospel*, New York, 1971 ; J. FOZDAR, *The God of Buddha*, Asia Publishing House, New York, 1974. Cf. Bibliographie.

poubelle. » La « *Bible Society* » en Sri-Lanka et en Thaïlande distribue des exemplaires de la Bible parmi les bouddhistes mais ces derniers ne montrent pas un grand enthousiasme pour la lire.

Si par hasard un bouddhiste commence à la lire, il se sent étranger au milieu des faits bibliques. L'Ancien Testament particulièrement n'est pas un livre agréable pour les bouddhistes. Lorsqu'ils le lisent ils se trouvent devant une civilisation complètement différente de la leur. Aux yeux des bouddhistes, c'est l'histoire d'une nation (hébraïque, juive) qui n'a aucun lien avec les civilisations d'Asie auxquelles ils sont habitués. Les bouddhistes s'étonnent devant un concept comme celui de « peuple élu ». Les noms, les lieux, les histoires, les notions, les attitudes des peuples de l'Ancien Testament sont pratiquement étrangers aux bouddhistes. En outre, le dieu de l'Ancien Testament est un dieu jaloux ; il se met en colère et crée des problèmes aux autres peuples. Cette situation d'un dieu national, d'un dieu des montagnes ou d'un dieu de la guerre peut être identifiée à celle du *Veda* où se trouvent des dieux comme Indra ou Varuna. Mais aux yeux des bouddhistes le fait d'un dieu jaloux ou d'un dieu en colère, comme celui d'un Père universel, est inacceptable.

Lorsque les bouddhistes en arrivent au Nouveau Testament, ils se sentent mieux. Les bouddhistes intellectuels par exemple, en lisant l'Evangile, aiment les enseignements de Jésus-Christ comme le Sermon sur la montagne (Mt 5, 1-12) ou l'enseignement sur le pur et l'impur (Mt 15, 10-20). Ils admirent l'attitude de Jésus dans saint Jean 8, 1-11, car ils y trouvent des idées de bonté, de bienveillance, de gentillesse. L'enseignement sur le pur et l'impur rappelle l'enseignement du Bouddha sur le sujet. Cependant, dans les enseignements de Jésus-Christ aussi les bouddhistes sont troublés par les idées sur Dieu qui interviennent sans cesse. Par exemple : « Heureux les cœurs purs, car ils verront Dieu... Heureux les artisans de paix car ils seront appelés Fils de Dieu... » Ici il est clair que les enseignements de Jésus-Christ tournent autour de la notion centrale de Dieu. Si Dieu n'est pas là, tout est inutile, tout est vain. Ainsi la volonté de Dieu est le seul critère des valeurs morales : si une chose est bonne c'est qu'elle est bonne pour Dieu. Or en ce qui concerne le bien et le mal les critères des bouddhistes sont assez différents et non-théistes[9].

---

9. Pour discerner le bien et le mal les bouddhistes ont plusieurs critères non théistes : voir M. WIJEYARATNA. « Comment un bouddhiste perçoit-il la personne de Jésus-Christ ? » in *Cahiers universitaires catholiques*, 5 (1980-81), p. 29 note 2. Voir aussi : S. TACHIBANA, *The Ethics of Buddhism,* Oxford University Press, Londres, 1926 ; K.N. JAYATILLEKE, *Ethics in Buddhist Perspective,* Buddhist Publication Society, Kandy (Sri-Lanka), 1972 ; H. SADDHATISSA, *Buddhist Ethics,* Allen and Unwin, Londres, 1970.

Aux yeux des bouddhistes qui lisent la Bible, le Dieu du Nouveau Testament est beaucoup plus aimable que celui de l'Ancien Testament. Mais, dans l'ensemble, les bouddhistes rejettent la notion de Dieu [10]. Ils ne veulent pas accepter le plus grand commandement (Mt 22, 36) de Jésus-Christ. Ils sont aussi en désaccord avec les enseignements chrétiens qui se fondent sur les notions de création et de Dieu créateur. Ils ne croient pas à cette histoire de création. Comme Marcel Zago l'a remarqué [11], dans ce domaine ils ont leurs propres arguments.

— La création devrait être instantanée et générale, mais cela contredit les faits qui montrent dans l'univers des commencements progressifs.

— La création devrait être totale, mais cela s'oppose au *kamma*, à la loi de l'agir et de ses conséquences connexes.

— Si le créateur est la seule cause de tout ce qui arrive, alors l'effort humain est vain et l'homme n'est plus libre.

— La nature s'explique par elle-même, la causalité conditionnée est une explication suffisante et une causalité créatrice extérieure est superflue.

— Il n'y a pas de temps sans univers ; il ne peut donc pas y avoir eu de création au début.

D'autres arguments visent l'impossibilité d'un créateur et de son action :

— Les motivations de la création sont contradictoires. Si le créateur agit sans désir, alors il crée en dépendance de quelque chose d'autre ; si au contraire il désire, alors il dépend de ce désir-là ; en tout cas on ne peut pas sauvegarder sa souveraineté.

— Le créateur doit être tout-puissant et bon. Pourquoi, alors, la souffrance ?

— Si la cause n'a pas de commencement, comment l'effet peut-il en avoir un ?

R.H. THOULESS, « Christianity and Buddhism », in *Milla wa-Milla*, n° 2, novembre 1962.

10. Les bouddhistes ne croient pas en Dieu mais ils croient en l'existence de dieux dans les états célestes. Dans les textes canoniques ces dieux sont moins puissants que les hommes vertueux. Les bouddhistes donc ne croient jamais que ces dieux sont plus puissants que le Bouddha et les Arahantas. En outre, les dieux des bouddhistes ne sont pas tout-puissants ou immortels. Dans les pratiques religieuses populaires, les bouddhistes laïcs font des offrandes aux dieux et demandent « le pain quotidien », mais ils ne prient jamais les dieux pour leur salut.

11. Cf. *Eglise et théologie*, t. 6, 1975, pp. 40 ss. Voir aussi : NYANAPONIKA, *Buddhism and The God Idea*, Buddhist Publication Society, Kandy (Sri Lanka), n° 47 ; K. N. JAYATILLEKE, *Facets of Buddhist Thought*, Buddhist Publication Society, 1971 ; H. von GLASSENAPP, *A Non-Theistic Religion*, Allen and Unwin, Londres, 1970, pp. 35-47.

Selon ces points de vue et ces arguments, les bouddhistes rejettent la notion de Dieu et celle de création [12]. Il est donc normal qu'ils rejettent aussi les enseignements de Jésus-Christ fondés sur de telles notions. Il y a aussi une autre raison à ce rejet : les bouddhistes ne retrouvent pas dans les enseignements de Jésus-Christ leurs propres notions : la loi de l'action et de la rétribution (*kamma, kamma-vipâka*) [13], la renaissance (*punabbhava*), et la loi de la production conditionnée (*paticcasamuppâda*) etc. Aux yeux des chrétiens les bouddhistes sont non-croyants car ils ne croient pas en Dieu. Au contraire aux yeux des bouddhistes, les chrétiens sont non-croyants car ils ne croient pas qu'il y ait une rétribution « automatique » pour leurs actions bonnes ou mauvaises, et ils ne croient pas qu'il y ait des naissances après la mort.

3. L'Eglise

La plupart des bouddhistes n'ont aucune idée sur l'interprétation théologique de l'Eglise du Christ. Ils la connaissent seulement comme l'organisation des responsables du christianisme. Parfois il existe chez eux une certaine confusion, surtout en ce qui concerne la diversité des églises chrétiennes. La plupart des bouddhistes ne savent pas la différence entre l'Eglise catholique et les Eglises protestantes. Ils ne savent pas non plus que tous les catholiques sont chrétiens et que tous les chrétiens ne sont pas catholiques. Les bouddhistes mieux informés savent que le pape est le chef des catholiques. Mais ils n'ont pas d'idées précises sur l'autorité qu'il exerce, son origine ou sa tradition dans l'Eglise. Les bouddhistes voient l'Eglise, catholique ou protestante, à deux points de vue, le premier lié à l'histoire, le second reposant sur les faits qui se sont produits pendant les dix dernières années.

Lorsque les bouddhistes regardent l'Eglise par le biais de l'histoire, ils voient les prêtres chrétiens venus comme missionnaires. A leurs yeux ces missionnaires étaient des représentants de l'Eglise catholique ou protestante. Politiquement parlant, les missionnaires sont arrivés

---

12. Ce rejet des notions de création et de Dieu créateur a d'abord été formulé à l'encontre de la théologie brahmanique. Actuellement les bouddhistes simples utilisent ces arguments à l'égard des théologies juive et chrétienne.

13. Les bouddhistes mieux informés trouvent que d'une certaine façon J.-C. avait affirmé l'action et son résultat (Mt 6, 19 ; 7, 17 ; 11, 33-35). Mais les résultats viennent de Dieu (Mt 6, 4 ; 6, 14-15. 18). Voici le point avec lequel les bouddhistes sont en désaccord : selon eux la rétribution des actes est absolument automatique. Aucun juge suprême n'intervient pour peser vices et vertus, crimes et bienfaits, mal et bien.

dans les pays bouddhistes non pas avec la paix mais avec la guerre. La raison est très évidente : les missionnaires sont arrivés avec les envahisseurs. A Sri-Lanka (Ceylan) ils sont venus tout d'abord avec les soldats portugais. L'histoire du colonialisme montre qu'il y avait solidarité entre le soldat et le prêtre. S'il s'agit d'imposer un pouvoir politique, il est naturel qu'on exploite tous les moyens possibles, y compris la religion. Naturellement le soldat a tué les bouddhistes qui se sont défendus. Le prêtre était là pour donner sa bénédiction au soldat. Car ce n'était pas simplement une « conquista temporal », mais aussi une « conquista espiritual » [14]. Il faut noter que la grande époque des missions, à partir du début du XVIe siècle fut aussi l'époque de la lutte contre les religions « anti-chrétiennes ». L'Eglise catholique a senti l'obligation de sauver les « nations païennes » et de les amener vers le Royaume de Dieu par la conversion et leur entrée dans l'Eglise visible [15]. Dans cette perspective les missionnaires n'ont pas hésité à détruire les idoles « païennes », à brûler les reliques « païennes ». Ils sont allés aussi loin parce qu'ils étaient motivés par l'amour, par le désir de sauver les non-chrétiens des ruses de Satan. Vraiment, aux yeux des missionnaires, le bouddhisme et les croyances populaires des pays bouddhistes étaient des ruses de Satan. Au contraire, du point de vue des bouddhistes, les missionnaires et leurs amis envahisseurs étrangers étaient les représentants de Mara [16]. A Sri-Lanka, par exemple, à partir de 1505, le catholicisme commença à se propager. En 1602 les Hollandais arrivèrent et devinrent les maîtres du jeu. Ils commencèrent à persécuter les catholiques et les bouddhistes dans les provinces maritimes du Sud. Avec ces envahisseurs hollandais vinrent des missionnaires calvinistes. A partir de 1796, sous le régime britannique, l'Eglise anglicane fut active [17].

Enfin à partir du XXe siècle, le colonialisme faiblit. Il y eut des luttes

---

14. F.Y. SOUZA, Asia portuguesa, Lisbonne, 1666-75 ; Padre F. de QUEYROZ, *Conquista temporal e espiritual de Ceylao,* Colombo, 1916 ; Tikiri ABHAYASINGHA, *Portuguese Rule in Ceylon, 1594-1612,* Colombo, 1966.

15. Voir : A. PIERIS, S. J. « The Church, The Kingdom and the Others Religions », in *Dialogue,* t. 22, octobre 1970, pp. 3-7.

16. Anagarika DHARMAPALA, *Return to Righteousness : A Collection of Speeches Essays and Letters of Anagarika Dharmapala,* éd. A. Gurugē, Government Press, Colombo, 1965, p. 484 ; Pour les similitudes entre le Satan et le Mara, voir : J.W. BOYD, *Satan and Mara : Christian and Buddhist Symbols of Evil,* éd. J. Brill, Leyde, 1975.

17. Ces deux premiers colonisateurs avaient gouverné seulement les provinces maritimes du sud de Sri-Lanka. Les peuples cingalais ont gardé leur indépendance dans les autres provinces et leur roi résidait à Kotte ou à Kandy. Les Anglais eux aussi ont d'abord gouverné les seules provinces maritimes, mais avec une habile stratégie ils ont pu pénétrer dans le pays et ont envahi complètement l'île en 1815. Cependant il ne s'agissait pas d'une véritable

— non sanglantes — contre les colonisateurs, des luttes contre les pouvoirs étrangers. Le temps du nationalisme était arrivé. Les peuples des pays bouddhistes commencèrent à réfléchir sur leurs propres valeurs culturelles. Ils voulurent les rétablir. Dans ces luttes, les prêtres, les pasteurs et les autres chrétiens étaient du côté des colonisateurs [18]. Par leurs habitudes, par leurs paroles, par leur mode de vie, ils se présentaient comme des étrangers. Pour les bouddhistes donc, culture étrangère était synonyme de culture chrétienne [19]. A cause de cela l'Eglise aussi devenait un objet de mécontentement pour les peuples qui voulaient leur indépendance [20] ; à leurs yeux elle était le symbole, sinon le médium, du pouvoir étranger dans leur pays. Les révoltes de Birmanie ne furent pas seulement des manifestations de mécontentement contre le régime étranger, mais aussi contre le « christianisme » des missionnaires qui avait aidé le colonialisme [21]. En 1956, huit ans après l'indépendance, les leaders bouddhistes de la lutte nationale de Sri-Lanka se sont attaqués à l'Eglise, plus spécialement à l'Eglise catholique. Selon eux c'était l'Eglise catholique qui les avait privés de leurs privilèges nationaux [22].

---

invasion; un accord avait été signé en 1815 entre les indigènes et les représentants du souverain britannique. Celui-ci s'engageait à protéger les traditions cingalaises et les institutions bouddhistes. Voir : Tennakoon WIMALANANDA, *Buddhism in Ceylon under The Christian Powers and The Educational and Religious Policy of Britain Government in Ceylon 1797-1832*, Colombo, 1963.

18. K.M. de SILVA, « Christian Missions in Sri-Lanka and Their Reponse to Nationalism 1910-1948 », in *Studies in South Asian Culture,* éd. J.E. Van Lohuizen de Leeuw, E.J. Brill, Leyde, 1978, pp. 221-233. K. MALAGODA, « The Buddhist-Christian Confrontation in Ceylon 1880-1888 », in *Social Compass,* XX, 1973/2, pp. 171-200.

19. C'est pour cela, entre autres, que le christianisme demeure une religion étrangère dans les pays bouddhistes. Comme le Père Amyot l'a remarqué, en Thaïlande, être Thaï, dans la mentalité d'un Thaï, c'est être bouddhiste. Par conséquent, devenir chrétien, pour un Thaï, cela signifie — jusqu'à un certain point et dans la pratique — cesser d'être Thaï. Le Père Amyot écrit : « Si je demande à un Thaï : êtes-vous chrétien ? il me répondra : non ! je suis Thaï. Si je parle à un Thaï chrétien, il me dira : les Thaïs, ce sont les bouddhistes. » Voir : « le Monastère dans le contexte humain du bouddhisme Théravada », in *Rythmes du monde,* t. XVII, n° 1-2, 1969, p. 25 ; il faut noter qu'en Sri-Lanka les chrétiens n'ont pas assimilé les coutumes nationales comme la fête de nouvelle année (en avril), etc. Voir : Ch. FERNANDO, « How Buddhists and Catholics of Sri-Lanka see Each Other — A Factor Analytic Approach », in *Social Compass,* XX, 1973/2, pp. 321-332.

20. Il faut noter que même en Inde, dès l'indépendance, le gouvernement interdit les missionnaires étrangers.

21. E. SARKISYANZ, *Buddhist Background of Burmese Revolution,* Nijhoff, The Hague, 1965.

22. Voir : *The Betryal of Buddhism : The Report of Buddhist Commitee of Inquiry,* 1956, Dharmavijaya Press, Balangoda (Sri-Lanka).

Ainsi les souvenirs du passé à l'égard de l'Église ne sont pas très agréables. Mais, heureusement, pendant les dix dernières années, la situation a beaucoup évolué. Pour une raison évidente. Après la fin des luttes nationales, le pouvoir politique est tombé dans les mains des bouddhistes. Ils ont retrouvé leurs privilèges perdus. Désormais il n'y avait plus rien à craindre des chrétiens. L'attitude de méfiance à l'égard des chrétiens diminua graduellement. Actuellement les bouddhistes de Sri-Lanka ont des relations amicales avec les chrétiens. Les moines bouddhistes et les prêtres catholiques ou les pasteurs protestants se réunissent volontiers. Dans les fêtes chrétiennes les bouddhistes apportent volontairement leur aide. Lorsque, par exemple, le pape Paul VI vint à Sri-Lanka, en 1970, les bouddhistes n'ont pas hésité à aider les catholiques pour mieux organiser cet événement. En Thaïlande aussi il existe une très bonne amitié entre les bouddhistes et les chrétiens.

Dans les monastères bouddhiques les prêtres chrétiens sont bien accueillis [23].

A cette bonne entente entre les bouddhistes et les chrétiens, il y a une raison très forte qui vient de l'Eglise elle-même : c'est l'enthousiasme né de Vatican II. Cette nouvelle attitude de l'Eglise vis-à-vis des autres religions — pour voir « la sainteté qui existe à l'extérieur de l'Eglise chrétienne » (cf. Vatican II, *Lumen Gentium*, II, 15) — a donné le feu vert aux prêtres des paroisses pour propager une sympathie et une bienveillance envers les non-chrétiens sans intention de conversion. Les bouddhistes le sentent bien.

Ainsi le dialogue a commencé. Les bouddhistes n'ont pas peur du dialogue. En outre, ils n'ont pas besoin d'une autorité comme celle qui vient de Vatican II pour commencer le dialogue [24]. Dans le canon bouddhique, ils trouvent maint endroit où le Bouddha et ses disciples ont discuté avec les autres leaders religieux contemporains. Dans leur longue histoire, les bouddhistes n'ont jamais eu de guerre sainte ou *djihad* [25]. A cause de cette attitude de tolérance envers les idées des autres, entre autres, les bouddhistes ont l'habitude d'accueillir les chrétiens ou les hindous qui viennent pour dialoguer avec eux.

Dans le domaine du dialogue, la contribution des missionnaires chrétiens dans les pays bouddhistes est très large [26]. Ils commencèrent

---

23. Voir : J. Ulliana, « Pour un dialogue avec nos amis bouddhistes en Thaïlande », in *Rythmes du monde,* t. XVI, n° 2-3, 1968, pp. 130-135.

24. Dans le bouddhisme on ne trouve rien, nulle part, qui puisse être comparé au Vatican.

25. Voir : W. Rahula, *l'Enseignement du Bouddha,* Seuil, Paris, 1961, pp. 22.

26. A vrai dire, même bien avant Vatican II, les missionnaires dans les pays

les recherches sur divers aspects du bouddhisme. Dans le domaine de la vie spirituelle, les chrétiens, notamment les moines, sont très attirés par le bouddhisme[27]. La raison en est très simple : dans la vie monastique actuelle, il y a beaucoup de points communs entre ces deux religions[28]. Mais malheureusement, chez les bouddhistes ordinaires il n'existe pas de bonne connaissance de cet aspet du christianisme, tout comme c'est le cas chez les chrétiens ordinaires en ce qui concerne le monachisme bouddhique.

Cependant, les bouddhistes mieux informés ont l'occasion de participer à des séminaires internationaux et interreligieux, organisés par les chrétiens sur la spiritualité[29]. Les bouddhistes apprécient l'empressement des chrétiens à vouloir partager le patrimoine spirituel de l'Asie. En 1969, le patriarche des moines bouddhistes (*sangharâja*) de Thaïlande a participé à la cérémonie d'inauguration de la rencontre des moines chrétiens à Bangkok. En septembre de l'année dernière, un groupe de moines bouddhistes originaires du Japon a passé un mois dans divers monastères chrétiens d'Europe. Les maîtres Zen japonais sont bien souvent invités pour enseigner les méthodes de méditation dans les centres chrétiens comme *Meditationum Centrum* en Tholey à Schaumberg en Allemange Fédérale. Ces exemples nous montrent que la participation des bouddhistes au dialogue est assez fréquente et efficace.

A la fin de leur séjour en Europe, des moines bouddhistes japonais

---

d'Asie, comme les pères jésuites Nobili, Ricci, etc., et aussi les pasteurs protestants ont senti le besoin de dialoguer avec les religions d'Asie. Les bouddhistes mieux informés savent que certains protestants en Allemagne et en Angleterre étaient très ouverts au bouddhisme.

27. Le Père Thomas Merton disait en 1969, dans sa dernière conférence : « ... à mon avis, l'ouverture au bouddhisme, à l'hindouisme et à toutes ces grandes traditions asiatiques, nous donne une chance merveilleuse d'en apprendre davantage sur les possibilités de nos propres traditions, parce qu'elles ont pénétré cela du point de vue naturel beaucoup plus profondément que nous... » (« Marxisme et vie monastique », in *Rythmes du monde*, t. XVII, n° 1-2, éd. Abbaye St-André, Bruges, 1969, p. 48) ; voir aussi : *The Asian Journal of Thomas Merton*, Sheldon Press, Londres, 1973 ; B. de Give, « le Sujet de l'expérience religieuse en Orient et en Occident », in *Collectanea Cisterciensia*, 1978, n° 3, pp. 182-194 ; « Une retraite bouddhiste », in *Bulletin de l'A.I.M.*, éd. Secrétariat Aide Inter-monastères, Vanves, n° 26, 1980, p. 75 ; P. Massein, « le Point de vue bouddhiste et le Point de vue chrétien dans les techniques de méditation », in *Bulletin de l'A.I.M.*, n° 27, 1980, pp. 50-55.

28. Pour l'aspect historique de ce sujet, voir Mohan Wijeyaratna, *la Notion de renoncement dans le monachisme bouddhique Theravâda et dans le monachisme chrétien au désert* (IVe s.), Thèse de Doctorat, Université de Paris-Sorbonne, 1980, dactyl. 880 pages.

29. *Les Moines chrétiens face aux religions d'Asie*, éd. Secrétariat A.I.M Vanves, 1973.

disaient : « pendant ce séjour nous avons pu découvrir la charité désintéressée et la foi fervente des moines chrétiens dans leur vie quotidienne. Et nous avons été heureux de retrouver chez vous ce que nous considérons comme la valeur religieuse fondamentale et que nous appelons *ji hi*, c'est-à-dire l'amour... »[30] On pourrait multiplier les rappels de rencontres et de petites phrases significatives. En 1973, il y eut au moins trois délégations bouddhistes qui furent reçues au Vatican[31]. Le chef des moines du Laos s'est adressé au Pape en l'appelant « Saint-Père » alors que ce dernier accueillait le Dalai Lama par « Votre Sainteté ». Des deux côtés on note des efforts de compréhension réciproque. Le Dalai Lama déclarait ainsi : « Si Dieu sginifie la Vérité ultime alors, moi aussi, je crois en Dieu » tandis que le Pape reprenait un terme bouddhiste fondamental en souhaitant que « le mérite » du voyage de son interlocuteur « porte des fruits pour un meilleur avenir »[32]. Il semble bien, en tout cas, que le meilleur dialogue que les chrétiens puissent développer avec des bouddhistes se situe sur le terrain de la vie spirituelle.

---

30. F. de Béthune, « Séjour de moines bouddhistes dans des monastères européens », *Bulletin de l'A.I.M*, n° 27, 1980, pp.46-49.

31. Bulletin 8/23-24 du Secrétariat pour les non-chrétiens.

32. Le terme « mérite » (ou « action méritoire ») rappelle la notion bouddhique *Kamma* (en sanscrit *Karma*) qui signifie l'acte et sa rétribution.

BIBLIOGRAPHIE

SUR LE BOUDDHISME LUI-MÊME
(Etudes et choix de textes)

A. Bareau, *Buddha*. Présentation, choix de textes, bibliographie, Seghers, Paris, 1962.

A. Bareau, *les Religions de l'Inde : Bouddhisme,* Payot, Paris, 1966.

E.H. Brewster, *Gotama le Bouddha*. Sa vie d'après les écritures palies choisies par E.H. Brewster, Payot, Paris, 1929.

G. Bugault, « la Mystique du Bouddhisme indien », *Encyclopédie de la mystique,* vol. 3, Seghers, Paris, 1978, pp. 313-394.

E. Conze, *le Bouddhisme dans son essence et son développement,* Payot, Paris, 1952.

G. Grimm, *la Religion de Bouddha. La Religion de la connaissance,* trad. de l'allemand par B. et L. Ansiane, A. Maisonneuve, Paris, 1959.

D. Ikeda, *The Living Buddha : An Interpretative Biography,* transl. by B. Waston, Weatherhill, New York-Tokyo, 1976.

Mahathera Nayanaponika, *Initiation au bouddhisme,* trad. par S. Stork, A. Michel, Paris, 1968.

Mahathera Naynatiloka, *la Parole du Bouddha : schéma du système éthico-philosophique du bouddhisme suivant les citations du canon pali,* trad. par M. La Fuente, Librairie d'Amérique et d'Orient, Paris, 1978.

W. Rahula, *l'Enseignement du Bouddha d'après les textes les plus anciens.* Etude suivie d'un choix de textes, Seuil, Paris, 1961 (réédition « Points Sagesse » 1978).

L. Silburn, *le Bouddhisme,* Textes réunis, traduits et présentés par L. Silburn avec le concours de spécialistes, Fayard, collection « le Trésor spirituel de l'humanité », Paris, 1977.

Notons également les articles parus dans l'*Encyclopædia Universalis,* vol. I, 1975, 471-499 et l'*Histoire des Religions* de *l'Encyclopédie de la Pléiade,* tome I (1970) et tome III (1976).

SUR LE « DIEU DE BOUDDHA »

J. Fozdar, *The God of Buddha,* Asia Publishing House, New York, 1974.
Selon J. Fozdar, le Bouddha aurait admis être une part ou une dépendance de l'Absolu, de Brahman l'omniscient. Cette thèse a suscité une vive réaction d'opposition de la part d'un des responsables de la

« World Federation of Buddhism ». SIRI BUDDHASUKH : « Unacceptable Logic », *Bangkok Post*, 24 mars 1974, p. 14 ; « The God of Buddha », World Federation of Buddhism Review, t. XI, 2, 1974, pp. 39-47.

SUR LES RAPPORTS ENTRE BOUDDHISME ET CHRISTIANISME

Il n'existe pas encore de bibliographie sur la façon dont le christianisme est vu par le bouddhisme (thème de cette contribution), à part quelques amorces signalées dans les notes au bas des pages précédentes. En revanche il existe des contributions sur leurs rapports, par exemple :

« Bouddhisme et Christianisme », *Concilium*, n° 136, 1978.
Dialogue, revue éditée par le Study Centre for Religion and Society, 49015 Havelock Road, Colombo 6, Sri Lanka.
« Le Vide, expérience spirituelle en Occident et en Orient », in Hermès, vol. 6, 1969.
« Voies de salut », *Studia missionalia*, vol. 30, 1981.
W. JOHNSTON, s.j. *The Inner Eye of Love*, Harper and Row, San Francisco, 1978.

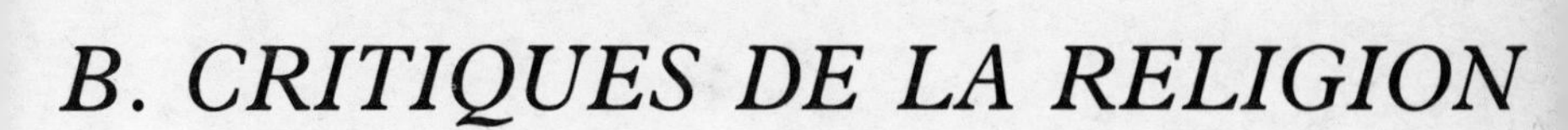

B. CRITIQUES DE LA RELIGION

CHAPITRE PREMIER

Les critiques marxistes de la religion

par ERIC BRAUNS

SOMMAIRE. — Introduction. I. Ludwig Feuerbach et la critique de la religion. II. K. Marx et F. Engels : 1. Critique philosophique de la religion ; 2. Critique politique ; 3. Critique économique. III. Evolution de la critique marxiste de la religion : 1. Quelques étapes ; 2. L'apport de Gramsci ; 3. La forme des questions. IV. Position actuelle de la critique marxiste de la religion : 1. L'humanisme prométhéen ; 2. Le christianisme pensé comme athéisme ; 3. Une anthropologie de la religion. Bibliographie.

INTRODUCTION

1. Ce que l'on rassemble sous l'étiquette « critique marxiste de la religion » ne constitue pas un ensemble homogène. Les limites de notre objet sont donc à tracer.

Tout d'abord, la critique marxiste de la religion ne se confond pas avec la critique que font des religions les différents partis communistes d'Europe ou d'ailleurs. Le marxisme ne s'identifie pas au communisme : il appartient aussi aux courants socialistes, aux mouvements de libération du tiers monde et, tout simplement, à la pensée contemporaine.

Lorsqu'on parle de critique marxiste de la religion, il faut encore préciser que cette critique ne vise pas seulement le christianisme, encore moins exclusivement le catholicisme : Marx et Engels ont analysé surtout le luthéranisme, Lénine s'est affronté à l'orthodoxie, Gramsci a étudié les formes du catholicisme italien, des chercheurs marxistes ont pris pour objet les religions du monde antique, d'autres celles des peuples dits « primitifs », d'autres enfin étudient l'Islam. Critique marxiste de la religion : « religion » est au singulier pour signifier que l'on prend en considération l'ensemble des représentations et pratiques religieuses sans les hiérarchiser selon l'ancienneté ou l'origine.

La critique marxiste de la religion n'est pas non plus synonyme de stratégie politique à l'égard des communautés religieuses. Le marxisme est à la source de *divers* projets de société et non d'un seul. Aussi ne peut-on formuler l'amalgame suivant : le marxisme est une « doctrine » impliquant une politique unique ; cette politique se déduit d'un idéal de l'homme en qui la croyance religieuse a disparu. Les recherches marxistes ont aujourd'hui assez d'histoire derrière elles pour être reconnues dans leur diversité et n'être pas réduites à cette forme de politique déductive qui fonctionne pourtant dans la réalité concrète. Toute pensée honnête reconnaîtra au marxisme le droit de n'être pas purement assimilé à ce qu'en a fait « un establishment socialiste encore à demi tsariste », selon la savoureuse expression d'E. Bloch [1].

2. Ces deux précautions une fois établies, il reste à poser les choix qui ont guidé cette présentation. La question de l'athéisme dans le marxisme ne redouble pas celle de la critique de la religion, même si elles sont liées de manière évidente. On ne traitera donc pas de l'athéisme marxiste qui n'est ni un accident de l'histoire, ni un corollaire du matérialisme historique et dialectique. L'athéisme dans le marxisme possède un statut historique — et pas seulement théorique — qu'il est nécessaire d'étudier en soi en raison de sa complexité.

De la même façon, nous avons délibérément écarté toute enquête sur les apports qu'une bonne part de la théologie chrétienne a reconnu avoir reçus du marxisme. Il s'agit d'une autre étude qui ne souffre pas de traitement par allusions.

La dernière limitation que nous nous sommes imposée est celle de demeurer dans l'espace français, excepté quelques mentions obligées, alors qu'en droit notre sujet devrait être traité sous son aspect international. Le marxisme est lié au mouvement ouvrier dans le monde, à tous les peuples engagés dans la voie de leur libération : ce fait entraîne la critique marxiste de la religion à prendre des chemins originaux selon que l'on se trouve en Asie, en Amérique latine ou en Afrique noire.

3. Notre but ici est de présenter les phases déterminantes de la constitution et du développement de la critique marxiste de la religion. Pour ne pas négliger les points d'appui antérieurs à Marx, on commencera par un aperçu concernant L. Feuerbach ; on suivra ensuite l'évolution des positions de Marx et de Engels ; après l'exposé

---

1. E. Bloch, *l'Athéisme dans le christianisme,* trad. E. Kaufholz et G. Raulet, Gallimard, Paris, 1978, Préface, p. 9.

de quelques lignes de force dans l'histoire de la tradition marxiste, on terminera par la présentation de quelques questions ouvertes dans l'actualité.

Pour ne pas multiplier à l'infini les préliminaires, certaines définitions demeurent implicites. Il s'agit de prendre acte d'un fait : le marxisme, philosophie et science de l'histoire, matérialisme dialectique et matérialisme historique, prenant sa source dans l'œuvre théorique de Marx et à présent toujours bien vivant, renouvelle de façon décisive l'intelligence de la culture humaine et en particulier de ses aspects religieux. A ce titre, l'indifférence d'un théologien contemporain au marxisme serait difficilement justifiable.

I. LUDWIG FEUERBACH ET LA CRITIQUE DE LA RELIGION

L'Essence du christianisme, ouvrage paru en 1841, a marqué profondément la pensée allemande. L'auteur a hésité à lui donner le titre de « Critique de la déraison pure » ; trois ans avant la naissance de F. Nietzsche, Feuerbach se détachait de la philosophie classique représentée par Kant et Hegel, et cette rupture prenait la forme significative d'une critique de la religion.

1. De Feuerbach, Marx et Engels ont hérité la *critique de la religion* comme objet philosophique. Que signifie-t-elle au milieu du XIXe siècle en Allemagne ? La religion avait été déjà un objet privilégié de la philosophie de Hegel. Dans le système hégélien, la religion, et en particulier le christianisme en tant que sommet des religions de l'humanité, est l'une des manifestations de l'Esprit, qui ne devient transparent à lui-même que dans la *philosophie*. La religion ne doit pas être abolie, mais dépassée et conservée : faire la philosophie de la religion, c'est assumer ce qu'elle nous dévoile, à sa manière, de l'Esprit.

Pour Feuerbach, rompre avec Hegel signifie se séparer de sa philosophie de la religion. L'entreprise, où *critique* se substitue à *philosophie,* consomme la rupture. La critique de la religion est simultanément critique de la philosophie de Hegel.

2. La critique de la religion est l'acte de naissance de la philosophie. Philosopher, c'est d'abord critiquer la religion où l'esprit humain s'est égaré. La philosophie renverse le renversement religieux ; elle redresse l'inversion qui fait vivre à l'homme croyant son rapport à lui-même comme s'il s'agissait d'un rapport à Dieu.

«*L'être absolu,* le Dieu de l'homme est *sa propre essence.* La puissance que *l'objet* exerce sur lui est donc *la puissance de sa propre essence*[2]. » Pour Feuerbach, l'objet premier et connaturel de la conscience est l'essence humaine : l'homme n'a d'autre objet de pensée que lui-même. Et c'est cet objet même que la conscience contemple en Dieu lorsqu'elle existe sous la forme concrète de conscience religieuse. « Le sentiment est ta conscience la plus intime, et pourtant en même temps une puissance distincte et indépendante de toi, il est *en toi au-dessus de toi :* il est ton essence la plus personnelle, mais qui t'empoigne *comme le ferait un être autre que toi,* bref, il est ton *Dieu* — comment veux-tu donc alors distinguer de cet être qui est en toi un second être objectif différent de toi ? Comment veux-tu échapper à ton sentiment ?[3] » L'analyse du processus par lequel le sentiment (*Gefühl*) s'objective, se représente et finalement se propose à lui-même sous les traits de Dieu, constitue l'essentiel de l'investigation de Feuerbach.

« La religion, du moins la religion chrétienne, est le rapport de l'homme avec lui-même[4]. » La vraie philosophie vise à dérober l'homme à la religion pour le restituer comme objet d'étude pour lui-même, dans une *anthropologie.*

Dans la VIe *Thèse sur Feuerbach,* en 1845, Marx reprend la formulation de Feuerbach pour la dépasser. L'objet de la conscience, c'est l'essence de l'homme ; mais l'essence de l'homme étant définie par Marx comme « l'ensemble des rapports sociaux », l'objet de la conscience humaine est désormais cet ensemble et rien d'autre. L'ensemble des rapports sociaux sera étudié en tant que réalité effective de l'essence humaine contrairement à Feuerbach dont *l'homme* n'est qu'une abstraction puisqu'il n'est que l'essence divine dépouillée de ses oripeaux religieux. Pour Marx, Feuerbach a bien compris que le *contenu* du monde religieux était le monde humain ; son erreur est d'avoir cru sauver cette vérité de l'homme emprisonnée dans les représentations religieuses en l'exilant simplement de la mythologie. L'exégèse abstraite du monde religieux permet bien d'obtenir un discours sur l'homme, mais cette anthropologie n'est qu'un reliquat appauvri de l'univers religieux. Marx enrichit d'un nouveau contenu l'essence de l'homme, d'un contenu qui ne se trouve qu'à l'état d'allusion inversée dans les représentations religieuses, à savoir la réalité pratique des rapports sociaux.

3. Il nous fallait souligner la dette de Marx et de Engels vis-à-vis de

2. L. Feuerbach, *Manifestes philosophiques, Textes choisis (1839-1845),* trad. L. Althusser, PUF, Paris, 1960, p. 62.
3. L. Feuerbach, *op. cit.,* p. 69.
4. L. Feuerbach, *Manifestes philosophiques, op. cit.,* p. 73.

cette grande œuvre. Feuerbach lègue à ses contemporains un *objet*, la religion, ce luthéranisme des grands prédicateurs comme Schleiermacher, et aussi une *méthode* philosophique, la critique.

Cette notion de *critique* depuis Kant et à travers Fichte, Schelling et Hegel, a changé de sens. Dans le vocabulaire kantien, la critique est *transcendantale :* la critique est la recherche des conditions de possibilité, des conditions a priori de l'exercice d'une faculté ou du déroulement d'un processus. Mettre en évidence le fonctionnement d'un appareillage rationnel ou d'une « machine » quelconque conduit inévitablement à la volonté de réformer leur usage. De transcendantale, la critique se fait *normative*. L'étude des déviances de l'usage sain d'une faculté ou d'un processus détermine la critique à répondre de l'origine de son objet : la critique est déjà généalogie avec Feuerbach. L'enquête vers l'amont des processus devient question de la signification globale des objets. La critique est interprétation, elle se transforme en *herméneutique*. En reprenant ce terme de « critique » jusqu'au sous-titre du *Capital*, Marx emboîte le pas à la philosophie allemande, mais peu à peu, l'opération correspondant au mot change de sens, comme on le verra.

Dans l'Allemagne de Marx, entre 1840 et 1848, aucun vrai débat d'idées ne semble possible. La monarchie prussienne qui depuis 1815 a repris sous son pouvoir la Rhénanie censure la presse, les universités, les associations. Dans cette région acquise aux idées de 1789 et française de 1793 à 1815, la Prusse cherche à étouffer toute velléité de sédition. Elle est aidée en cela par l'Eglise luthérienne qui est Eglise d'Etat. Dans un tel contexte historique, alors qu'aucun discours philosophique, politique, même juridique ou économique, ne peut être entendu, le discours sur la religion parle d'abondance. En même temps, la religion apparaît comme le verrou de l'oppression sociale. Pour le mouvement des Jeunes hégéliens, ou hégéliens de gauche, auquel appartiennent Feuerbach comme Marx et Engels, la critique de la religion n'est donc point une occupation secondaire. C'est là même que les jeunes hégéliens se détachent de Hegel et s'affrontent aux appuis d'un Etat politique qu'ils ne peuvent attaquer de face.

II. KARL MARX ET FRIEDRICH ENGELS

Schématiquement, on peut discerner trois étapes dans la critique de la religion chez Marx et Engels : chaque étape — correspondant à des œuvres précises que nous citerons — est marquée par une dominante d'abord philosophique, puis politique et enfin économique. La succession fait écho évidemment à des moments de la biographie de

Marx, à des lieux différents (l'Allemagne, Paris, Londres), à des événements politiques de première importance.

1. Critique philosophique de la religion

La première forme de critique, apparentée à celle de Feuerbach souvent cité, correspond à trois œuvres : *Critique de la philosophie de l'Etat de Hegel* (écrite en 1841-1842 et publiée en 1932), *Critique de la philosophie du droit de Hegel* (écrite en 1843, publiée en 1927 ; l'Introduction parut dans les *Annales franco-allemandes* en 1844) et les *Manuscrits de 1844* appelés aussi *Manuscrits économiques et philosophiques* (publiés en 1932).

« En ce qui concerne l'Allemagne, *la critique de la religion* est, pour l'essentiel, terminée, et la critique de la religion est la condition préliminaire de toute critique[5]. » Cette ouverture de l'Introduction à la *Critique de la philosophie du droit de Hegel* indique l'orientation de cette période. La critique de la religion est un préalable car, en Allemagne, la religion masque la réalité de l'Etat. L'œuvre de Feuerbach est assumée : il reste à s'attaquer à la vérité de la religion, c'est-à-dire à la société politique. La critique de la religion est le porche à la critique de l'Etat ; elle oblige donc à déloger Hegel dont la philosophie du droit sert de « couverture » à l'Etat. « Cet Etat, cette société produisent la religion, *conscience inversée du monde,* parce qu'ils sont eux-mêmes un *monde à l'envers*[6]. » Le contenu de la religion est juridique et politique. L'herméneutique à laquelle se livre Marx débouche à la fois sur une critique sociale et sur la construction d'une anthropologie philosophique.

La critique sociale montre que la contradiction réelle, l'exploitation, rend nécessaire l'existence d'un anesthésiant à usage des classes dominées. « La détresse religieuse est, pour une part, l'*expression* de la détresse réelle et, pour une autre, la *protestation* contre la détresse réelle. La religion est le soupir de la créature opprimée, l'âme d'un monde sans cœur, comme elle est l'esprit de conditions sociales d'où l'esprit est exclu. Elle est l'*opium* du peuple[7]. » Dans *l'Essence du christianisme*, le monde religieux se présente comme un fruit de la vie même du sentiment. Dès ces textes de jeunesse, Marx souligne l'hétéronomie de la religion, à la différence de Feuerbach : ce n'est pas spontanément du cœur de l'homme que jaillit le divin, mais d'une oppression réelle, objective, extérieure.

---

5. Cité dans le recueil : K. MARX et F. ENGELS, *Sur la religion,* éd. Sociales, Paris, 1972, p. 41.
6. *Ibid.*, p. 41.
7. K. MARX et F. ENGELS, *Sur la religion, op. cit.*, p. 42.

Le thème de l'*aliénation* (*Entfremdung*) parcourt les *Manuscrits de 1844*. L'homme est rendu étranger à lui-même par toutes les menaces qu'il subit provenant du monde naturel ou social. Dans les religions antiques, l'humanité a exorcisé les forces naturelles qui la dominent en les hypostasiant dans des divinités que l'on se conciliait grâce au culte. Dans le monde industriel, l'humanité est aussi menacée et par des forces non moins obscures : les classes exploitées sont dépossédées de leur liberté, de leur pouvoir et du fruit de leur travail. Rendu étranger à lui-même par la division et l'organisation du travail qu'il ne comprend ni ne maîtrise, l'homme projette dans le ciel la liberté et le bonheur qui lui sont inaccessibles ici-bas. Ainsi naissent les dieux.

« Si je *sais* que la religion est la conscience de soi *aliénée* de l'homme, je sais donc que dans la religion en tant que telle, ce n'est pas ma conscience de soi, mais ma conscience de soi aliénée qui trouve sa confirmation. Donc je sais alors que ma conscience de soi qui relève d'elle-même, de son essence, s'affirme non dans la *religion*, mais au contraire dans la religion *anéantie, abolie*[8]. » On peut rendre raison de la déraison et se libérer de l'aliénation. La critique sociale du droit et la critique philosophique de l'aliénation suggèrent la possibilité de décrire ce que serait une humanité désaliénée. A l'état d'ébauche, les *Manuscrits de 1844* offrent une anthropologie positive, l'image d'un homme en pleine possession de lui-même, libéré de ses craintes et de ses fantasmes, vivant des rapports sociaux transparents.

Partant de la religion pour aboutir à l'aliénation, Marx pense sa propre démarche comme une remontée de l'intelligible au sensible, de l'effet à la cause, du symptôme à la racine du mal. Il crève le paravent religieux pour trouver le paravent juridique et, au-delà, se retrouve avec la sordide et brutale réalité de la production. Il s'éloigne de Feuerbach car l'homme recherché, ce n'est plus l'essence, mais le travailleur pris dans les rapports de production. Durant cette période la critique sociale de Marx est encore occupée à se mesurer avec l'ombre portée de Hegel. « L'Etat » est celui du discours hégélien. En même temps s'annonce clairement l'exigence d'un approfondissement de l'économie politique. L'aliénation dont la religion est l'un des signes doit devenir l'objet d'une *science*[9].

Marx, désormais lié par l'amitié à Engels, va rencontrer des hommes qui n'ont pas eu besoin de passer au travers de l'écran

---

8. K. MARX, *Manuscrits de 1844*, trad. E. Bottigelli, éd. Sociales, Paris, 1969, p. 141.

9. A propos de la critique de l'Etat issue de la critique de la religion, on se reportera aux analyses de B. QUELQUEJEU dans « K. Marx a-t-il constitué une théorie du pouvoir d'Etat ? », in *RSPT*, t. 63, 1979.

hégélien pour percevoir la condition prolétarienne : les socialistes français.

2. Critique politique de la religion

A partir de 1844-1845, Marx est à Paris où il prend contact avec les divers courants du socialisme. Le mouvement ouvrier le frappe par son organisation, et ses inspirateurs tels P.-J. Proudhon, L. Blanc, A. Blanqui lui font découvrir la lignée des théoriciens de la société qui se sont succédé en France depuis J. Meslier jusqu'à Babeuf[10]. Marx récolte d'abondantes informations, il lit les écrits communistes, par exemple le *Voyage en Icarie* de E. Cabet paru en 1840. Naturellement il fait connaissance avec les milieux d'émigrés allemands où se sont constituées également des associations d'ouvriers comme la Ligue des Justes de W. Weitling. Il est impossible de résumer en quelques phrases tous les éléments recueillis par Marx et Engels en cette période et qui vont infléchir durablement leur pensée.

Pour ce qui est de leur critique de la religion, deux faits sont à relever : d'abord Marx et Engels s'initient à l'athéisme qui accompagne en France la philosophie des Lumières et qui est bien différent de celui que produit en la personne de Feuerbach la philosophie classique allemande. L'athéisme français est lié dès ses origines à la volonté de réforme politique, à l'idée d'une science possible des phénomènes sociaux et à un matérialisme. Pour cette tradition athée, l'abolition de la religion est radicale ; elle n'a rien à voir avec le dépassement (*Aufhebung*) qui fait de l'humanisme allemand (romantique ?) un accomplissement de la religion. En second lieu, on doit aussi souligner la rupture avec le communisme chrétien de Weitling. Une branche vigoureuse du socialisme a pensé et théorisé la synthèse du mouvement populaire de libération et de l'évangélisme chrétien : du côté français, citons P. Leroux, C. Pecqueur, Lamennais, Buchez, Saint-Simon, et parmi les socialistes allemands, W. Weitling et H. Kriege. Ce mouvement visant à faire de la Bible l'un des moteurs de la révolution sociale est important et peu connu : un homme comme A. Ruge, ami de Marx, a été lui aussi persuadé de la vitalité d'une inspiration religieuse pour la lutte révolutionnaire. Retenons

---

10. Sur les racines du socialisme français, on consultera : A. SOBOUL, « Lumières, Critique sociale et Utopie pendant le XVIIIe siècle français », in *Histoire générale du socialisme* (sous la direction de J. Droz), tome I. *Des origines à 1875*, Paris, PUF, 1972, p. 103 et ss. Sur les années dont nous parlons, on se reportera dans le même ouvrage à l'article de J. BRUHAT, « le Socialisme français de 1815 à 1848 », p. 331 ss. (Ces deux articles sont suivis chacun d'une bibliographie.)

seulement que si Marx et Engels combattent résolument l'amalgame de représentations religieuses et de programme politique, c'est qu'ils sont convaincus de la fragilité, sinon de l'incohérence, d'une telle symbiose. Pour s'organiser au-delà des frontières nationales et mener sa lutte avec une chance de succès, le prolétariat a besoin d'une théorie sûre et non d'une mythologie.

Marx et Engels, plongés dans la lutte politique, pensent cette théorie non pas comme une « philosophie sociale » à la manière de la *Philosophie de la misère* de Proudhon, mais sur le modèle des sciences, comme une « physique sociale ». La critique de la religion change de statut : elle fait partie d'un grand déblayage de l'esprit révolutionnaire qu'il faut libérer de l'*idéologie* pour qu'il puisse jeter les bases d'une science de sa propre pratique. La critique de la religion est englobée dans la critique de l'idéologie avec la morale, la métaphysique, la philosophie du droit, l'esthétique. L'idéologie ne désigne rien d'autre que cette surabondance d'idées par laquelle la bourgeoisie allemande compense son impuissance à faire sa révolution alors que les bourgeoisies anglaise et française ont mené la leur à bien.

Les œuvres représentatives de cette étape sont principalement : *la Question juive* (1845), *la Sainte Famille* (1845), *l'Idéologie allemande* et les *Thèses sur Feuerbach* (textes écrits en 1845-1846 et publiés en 1932). Marx et Engels « règlent leurs comptes », selon leurs propres termes, avec leur « conscience philosophique d'autrefois ». Ils rompent avec le mouvement des jeunes hégéliens, avec ce qu'ils raillent sous l'expression de « critique critique ». Ces édifices philosophiques sont sans autres effets qu'illusoires sur la réalité sociale.

L'analyse est politique : on recherche le fonctionnement social de la religion. En raison du point de vue de classe qu'ils ont adopté, Marx et Engels ne sont plus attentifs qu'aux effets politiques de la religion. Dans cette perspective, il n'y a pas de différence entre discours religieux dominant et discours philosophique dominant : cette indistinction est traduite par le recours au concept général d'*idéologie*.

La production des idées, des représentations et de la conscience est d'abord directement et intimement liée à l'activité matérielle et au commerce matériel des hommes, elle est le langage de la vie réelle. Les représentations, la pensée, le commerce intellectuel des hommes apparaissent ici encore comme l'émanation directe de leur comportement matériel. Il en va de même de la production intellectuelle telle qu'elle se présente dans le langage de la politique, des lois, de la morale, de la religion, de la métaphysique, etc., d'un peuple. Ce sont les hommes qui sont les producteurs de leurs représentations, de leurs idées, etc. Mais les hommes réels, agissants, tels qu'ils sont conditionnés par un développement déterminé de leurs forces productives et des relations qui y correspondent y compris les formes les plus larges que celles-ci peuvent prendre. La conscience ne peut jamais être autre chose que l'Etre conscient et l'Etre des hommes est leur processus de vie réelle. Et si, dans toute l'idéologie, les hommes et leurs rapports nous apparaissent placés la tête en bas comme dans une chambre noire, ce phénomène découle de leur processus de vie historique, absolument comme le renversement des objets sur la rétine découle de son processus de vie directement physique[11].

Ce texte dénote de façon limpide le déplacement de la pensée vers un nouvel objet, la recherche d'une science de l'histoire, d'une théorie scientifique des faits sociaux. Mais les ambiguïtés subsistent aussi car, pour quitter le domaine de la philosophie, on se trouve contraint de l'invoquer sans cesse. Certaines formules comme « l'Etre conscient » ne sont que les propositions idéalistes retournées. La « chambre noire » semble bien parente du renversement feuerbachien. Suffirait-il d'inverser l'idéologie pour faire naître magiquement la science ? Il y a enfin un ton qui rappelle celui des Lumières : l'émancipation humaine serait l'effet d'une victoire de la science sur l'illusion, de la clarté sur les ténèbres.

L'œuvre de Marx et Engels ne s'achève pas là : ils ne chercheront pas à publier de leur vivant *l'Idéologie allemande* et se consacreront à une nouvelle critique, la critique de l'économie politique.

3. Critique économique de la religion

La troisième forme de critique se rencontre dans les œuvres de Marx écrites à partir de 1857 (*Fondements de la critique de l'économie politique ; Contribution à la critique de l'économie politique ; le Capital*) et dans celles de Engels (*Anti-Dühring ; Dialectique de la nature ; Ludwig Feuerbach et la fin de la philosophie classique allemande*). Parler de critique « économique » de la religion est une expression ambiguë : en fait, durant ces années, se dessine autre chose qu'une critique et que nous désignerons par « théorie de la religion ».

a) Dans un premier temps, Marx avait traité de la religion en tant que telle ; dans la deuxième étape, la religion était devenue un objet secondaire, simple région de l'idéologie. Dans la dernière partie de l'œuvre de Marx et Engels, la religion, n'est plus du tout considérée pour elle-même, ni comme idéologie particulière, mais comme composante d'un fonctionnement social qui relève d'une science propre. Marx et Engels mettent en évidence la nécessité de *changer de terrain* pour rendre compte de phénomènes comme la religion. Cet autre terrain est la critique de l'économie politique et, en même temps, ce qui s'y construit : le matérialisme historique.

---

11. K. MARX et F. ENGELS, *l'Idéologie allemande*, trad. H. Auger, G. Badia, J. Baudrillard, R. Cartelle, éd. Sociales, Paris, 1968, pp. 50-51.

A priori, dans le monde humain, tout est *social* : des instruments de production aux formes normatives morales ou juridiques, tout est rapport de rapports, né d'une histoire matérielle. La religion est un rapport social lié aux rapports de production, exactement comme le droit. Pour percevoir cela, il faut *se déplacer*, ne plus partir de la religion, mais s'occuper de la production et de la reproduction de la vie sociale par les hommes. L'analyse de la religion du point de vue de la philosophie ou de la théologie ne conduit au mieux qu'à substituer des pensées à d'autres pensées : on interprète des discours, on les décrit, mais on ne les explique pas. Le monde des catégories philosophiques ne donne pas la clef de la religion car il a le même statut social que celui de la religion. Marx et Engels travaillent — dans et contre l'économie politique — à construire une connaissance globale des phénomènes sociaux, du processus complexe et contradictoire par lequel les hommes produisent ce qu'ils sont en société. A partir de cette science, on peut bâtir une théorie des faits religieux.

Sur l'effet bénéfique du changement de terrain, on ne s'attardera pas : il s'agit de s'arracher à la paraphrase qui caractérise la philosophie de la religion. Mais le changement de terrain ne mène pas infailliblement à l'invention d'une théorie « scientifique ». Adopter comme point de départ l'analyse de la structuration économique des sociétés concrètes peut conduire à une sorte d'indifférenciation des phénomènes sociaux. Aucun objet n'est plus spécifique, sinon celui de la science qui traite de l'économie ; puisqu'il y a identité et unicité de la cause, il y a égalisation des effets. S'il y a une théorie marxiste de la religion, elle n'est pas ce monisme explicatif de tout fait social. La reconnaissance de la spécificité des phénomènes idéologiques sera l'un des acquis de la tradition marxiste, comme on le verra plus loin.

b) Ni interprétation philosophique, ni relevé des effets politiques, la théorie de la religion vise à expliquer comment l'humanité socialisée produit sa croyance religieuse dans le même mouvement où elle produit son existence matérielle. Les éléments sont posés d'une théorie rendant compte de l'existence nécessaire des religions comme partie d'un processus sans commencement ni fin assignables qui englobe la façon de produire sa subsistance, de répartir les produits du travail, de régir les rapports de pouvoir et de se représenter le monde humain.

Ni Marx, ni Engels n'ont bâti cette théorie de la religion : des indications seulement, en note et comme en marge, nous sont fournies dans les écrits qui s'échelonnent de 1857 à la mort de Marx. Parmi ces éléments épars, retenons-en deux : le passage sur le fétichisme et la note sur la technologie, tous deux extraits du *Capital*.

Le propre du capitalisme est d'avoir réussi à donner à tous les produits du travail humain la même forme de *marchandise*. Dans le texte sur « le caractère fétiche de la marchandise et son secret », Marx se demande comment la généralisation de la forme marchandise réussit à imposer aux hommes, producteurs ou échangistes, la croyance illusoire selon laquelle la *valeur* d'une marchandise est liée à la chose elle-même. Le fétichisme de la marchandise consiste à croire que la valeur provient de l'objet, de sa nature, alors qu'elle a pour source le *travail*. Marx reconstitue la filière qui va du travail privé à la marchandise par l'échange pour montrer que le fétichisme est nécessaire. Le règne de la marchandise qui n'est possible que dans un certain état des rapports sociaux de production est inévitablement lié au règne du fétichisme. La marchandise secrète le fétichisme et réciproquement le fétichisme entretient le système de la marchandise.

Au cours du développement, Marx glisse au monde religieux qu'il qualifie de « reflet du monde réel ».

> En général, le reflet religieux du monde réel ne pourra disparaître que lorsque les conditions de travail et de la vie pratique présenteront à l'homme des rapports transparents et rationnels avec ses semblables et avec la nature. La vie sociale, dont la production matérielle et les rapports qu'elle implique forment la base, ne sera dégagée du nuage mystique qui en voile l'aspect, que le jour où s'y manifestera l'œuvre d'hommes librement associés, agissant consciemment et maîtres de leur propre mouvement social. Mais cela exige dans la société un ensemble de conditions d'existence matérielle qui ne peuvent être elles-mêmes le produit que d'un long et douloureux développement [12]. »

La religion apparaît ici comme une illusion nécessairement secrétée par un certain état des rapports sociaux. Chaque état des contradictions a son propre nuage mystique. Savoir qu'il y a illusion ne guérit pas de l'illusion ; Marx a quitté la critique des Lumières.

La fin de la religion est liée à un changement complet des rapports sociaux depuis la production jusqu'aux rapports idéologiques. Peut-on pour autant invoquer ce texte comme une description par Marx de la société communiste athée ? L'effacement du voile religieux dans la société aux rapports transparents et rationnels est-il une proposition *scientifique ?* Marx n'indique ici rien d'autre que la relation étroite entre croyances religieuses et mode de production : dans une métaphore utopique, il inverse la réalité présente. L'ensemble du texte est d'ailleurs dans le ton d'une robinsonnade, une projection de la société idéale, et la dernière phrase du paragraphe cité ne laisse aucun doute sur les précautions de lecture à respecter.

---

12. K. MARX, *le Capital,* livre I, section 1, chap. I, § 4, éd. Sociales, Paris, 1969, tome 1, p. 91.

Le second texte est une note du chapitre sur « le machinisme et la grande industrie ». Marx y souhaite l'avènement de la technologie entendue comme histoire des organes productifs de l'homme. Cette science des machines et des outils serait pour les hommes ce qu'est la « technologie naturelle » de Darwin étudiant les organes des plantes et des animaux comme moyens de production pour leur vie.

La technologie met à nu le mode d'action de l'homme vis-à-vis de la nature, le procès de production de sa vie matérielle, et, par conséquent, l'origine des rapports sociaux et des idées ou conceptions intellectuelles qui en découlent. L'histoire de la religion elle-même, si l'on fait abstraction de cette base matérielle, manque de critérium. Il est, en effet, bien plus facile de trouver par l'analyse le contenu, le noyau terrestre des conceptions nuageuses des religions, que de faire voir par une voie inverse comment les conditions réelles de la vie revêtent peu à peu une forme éthérée. C'est là la seule méthode matérialiste, par conséquent scientifique [13].

A travers ces lignes, on peut mesurer la rupture de Marx avec toute philosophie de la religion, avec la critique au sens classique. La critique nouvelle que nous appellerons avec S. Breton une « genèse socio-économique des idéologies » [14], ne se contente pas d'une analyse sémantique de la religion. Il est facile de mettre au jour les rapports réels qui se trouvent transposés dans les représentations religieuses ; il est moins aisé de montrer en quoi ils comportent en eux-mêmes la raison de leur transposition. L'exégèse d'une « projection » est une chose : la théorie du mécanisme de la projection en est une autre. En définissant l'épure d'une analyse matérialiste, Marx assigne à ses continuateurs les questions qu'ils devront reprendre. Il faudra expliquer comment telles contradictions prennent dans l'imagination humaine telles formes illusoires. Pourquoi ces mêmes contradictions donnent-elles naissance au cœur de la même société à des régions idéologiques différentes : religion, morale, art, etc. ? Pourquoi telle religion et non pas telle autre se maintient-elle vivante dans telle formation sociale ?

L'intérêt de ces textes de Marx et de Engels après 1857 est considérable malgré leur caractère fragmentaire. Ils ne constituent pourtant que des orientations.

Les rapports de production et les religions font système : mais la question de la nature du lien causal qui fait dépendre les religions de la « base matérielle » reste entière. Les silences sont trop nombreux pour que l'on parle de théorie constituée : ils représentent une attente de

---

13. K. MARX, *le Capital*, livre I, section 4, chap. XV, § 1, éd. Sociales, Paris, 1967, tome 2, p. 59, note 2.

14. S. BRETON, *Marxisme et Critique*, Desclée, Paris 1978, pp. 77 ss.

conceptualisation à laquelle la tradition marxiste tente encore aujourd'hui de répondre.

c) Le problème de l'avenir de la critique marxiste de la religion doit être clairement situé. Marx et Engels ont limité leur travail à la théorie du mode de production capitaliste ; la théorie de la religion n'est qu'un corollaire de cette théorie du mode de production capitaliste qui n'a jamais fini d'être faite puisqu'elle est liée à la pratique révolutionnaire au sein de cette formation sociale.

La théorie de la religion est la théorie du *mode religieux* de produire son existence sociale intimement lié au mode directement matériel de produire cette existence : elle est un aspect du matérialisme historique. La critique marxiste de la religion reste inachevée. La critique philosophique a été abandonnée, la critique politique a été jugée insuffisante et la critique économique demeure au programme. Le tournant pris résolument à partir de 1857 vers l'économie politique n'a pas le sens d'un rejet de l'analyse philosophique et politique des faits religieux. Les conditions de ces analyses seront seulement radicalement changées.

Deux données expliquent partiellement que dans la suite on a parlé d'une critique marxiste de la religion comme faite et accomplie. En premier lieu, une lecture des textes d'après laquelle Marx laisserait de toute évidence entendre que la critique économique est la bonne : en d'autres termes, la science de la religion serait la science des causes économiques des faits religieux. En second lieu, les essais de Engels où il applique le matérialisme historique à l'histoire religieuse donnent à penser que la clef est détenue : par exemple, les deux articles de la *Nouvelle Gazette Rhénane* intitulés « la Guerre des Paysans en Allemagne » (1850). Engels est également l'initiateur de la fameuse thèse du dépérissement de la religion qu'il appuie sur des réflexions concernant les religions de l'antiquité. Nous avons vu sous quelle forme, dans le passage sur le fétichisme, Marx avançait cette hypothèse : plus les rapports sociaux deviennent transparents, moins ils constituent le terrain favorable à l'éclosion de l'idéologie religieuse.

Ces deux faits éclairent la postérité immédiate de Marx et Engels. Dans le cadre d'une longue période d'économisme, la critique économique devient critique économiste de la religion. Ainsi s'explique peut-être une contradiction tenace : tantôt les héritiers du marxisme se gardent de toute politique anti-religieuse lorsque prévaut la certitude du dépérissement prochain de la religion (Lénine), tantôt se manifeste brutalement la tentative de déraciner le phénomène religieux en raison de sa persistance car il nie par son existence seule le changement proclamé des rapports sociaux (Staline). D'autres facteurs interviennent dans cette contradiction car le marxisme est inséparable du mouvement ouvrier international et, en même temps, des caractères nationaux des politiques qu'il guide.

Nous allons essayer de résumer depuis Marx et Engels les principaux apports à la critique marxiste de la religion, en redisant que la référence à l'histoire économique et politique n'entrant pas dans le cadre de notre exposé, cela en limite grandement la pertinence.

III. ÉVOLUTION DE LA CRITIQUE MARXISTE DE LA RELIGION

A grands traits, nous résumons quelques époques significatives, puis nous dirons un mot des apports de Gramsci et enfin nous indiquerons la forme prise peu à peu par certaines questions.

1. Quelques étapes

a) De 1890 à 1935, le marxisme se répand grâce aux traductions des œuvres de Marx et de Engels. Le mouvement ouvrier enrichit la théorie de ses premières grandes victoires, comme la révolution d'octobre 1917, et aussi de ses échecs, tel l'effondrement de la IIe Internationale. L'époque est marquée par un économisme presque général : les contradictions de plus en plus aiguës du capitalisme le précipitent à sa perte irrémédiable. L'attentisme qui découle d'une certitude *scientifique* quant à la théorie transforme l'héritage de Marx en une sociologie marxiste qui explique tous les phénomènes sociaux par leur cause économique, ou même simplement technologique. Un représentant de cette « sociologie » est certainement N. Boukharine [15]. En France, une brochure comme celle de L. Henry, intitulée « les Origines de la Religion », illustre ce que l'économisme peut faire de la critique de la religion [16]. Aucune religion n'a d'autonomie, même relative, et elle n'est que *l'expression immédiate* des rapports économiques dont elle est contemporaine. Ajoutons que l'économisme pousse à résoudre la question du Jésus historique comme un mythe élaboré de toutes pièces.

Le marxisme se développe également dans la social-démocratie allemande. Les travaux de K. Kautsky, bien que relevant du même économisme, ne manquent pas d'intérêt dans la mesure surtout où ils

---

15. Cf. N. Boukharine, *la Théorie du matérialisme historique* (Manuel populaire de sociologie marxiste), éd. Sociales Internationales, Paris, 1927.

16. L. Henry, *les Origines de la religion*, éd. Sociales Internationales, Paris, 1936.

entraînent la pensée marxiste à des enquêtes historiques précises. Kautsky écrit sur les religions grecque et romaine et sur les mouvements religieux du XVIe siècle en Allemagne : Luther, Münzer.

Bien entendu, l'œuvre de Lénine est décisive. Il écrit peu sur la religion, mais ses interventions dans la philosophie enrichissent la conceptualisation, en particulier sur la « théorie du reflet ». On se souvient que le mot est de Marx à propos du fétichisme : « Le monde religieux n'est que le reflet du monde réel. » Lénine n'aborde pas la question du reflet à propos de la religion, mais dans son débat sur la *connaissance* avec les empiriocriticistes. Ce qui peut être considéré plus comme une métaphore que comme un concept sera utilisé par lui également dans des articles sur la littérature. Dans la manière dont il recourt au « reflet », Lénine détruit progressivement le caractère intuitif et empirique de l'image. L'idéologie est un reflet sans milieu reflétant, c'est-à-dire sans miroir, à moins de retomber dans une dichotomie esprit/matière. Le reflet est de même nature que le reflété. Le reflet n'est pas non plus l'image duplicante d'un objet : ce qui est reflété, c'est la contradiction et non ses termes. La forme contradictoire des représentations est la transposition de la contradiction de la réalité pratique. Le reflet déformant fait apparaître des éléments dans une configuration fantastique, décalée. Enfin, le reflet n'est jamais contemporain de ce qu'il reflète. Lénine subvertit peu à peu tout ce que recèle de mécanique cette image physique ou physiologique, barrant la route à ses utilisations par trop évidentes.

b) Au cours des années 1935-1945, au temps de Staline et du Komintern, s'installe un humanisme athée qui n'apporte rien de nouveau à la critique de la religion. Une réaction à l'économisme se fait jour avec Lukàcs dont le marxisme devient un historicisme absolu. L'œuvre essentielle de Gramsci existe mais est inconnue. L'opposition ouverte du courant social-démocrate et du mouvement communiste aura pour notre sujet un certain effet positif car les théoriciens des deux bords vont rivaliser pour publier les œuvres inédites de Marx et Engels. L'édition des *Manuscrits de 1844*, de *l'Idéologie allemande*, de la *Dialectique de la Nature*, modifie la compréhension de la genèse théorique du marxisme et lézarde certaines caricatures du système. Nous soulignerons encore la trace vivante laissée à ce moment par B. Brecht qui, sans intervenir comme théoricien patenté, mais comme homme de théâtre, a eu plus d'une intuition féconde quant à l'analyse des faits religieux.

c) Après la Deuxième Guerre mondiale, dans la situation de guerre froide, on ne peut pas non plus parler d'intense travail théorique sur la religion. Les premières œuvres de R. Garaudy prolongeant l'économisme des années 1920 ; sa thèse, *le Marxisme et la personne humaine,* est un bon témoin de ce climat. En Allemagne, E. Bloch construit dans l'isolement son œuvre jugée hétérodoxe. Curieusement, ces années voient de plus en plus d'intellectuels chrétiens s'intéresser au marxisme, en particulier en France. Dans une ambiance d'anti-communisme et d'anti-marxisme exacerbés, ils ont cherché à fournir des exposés souvent rigoureux et très documentés du marxisme, en redressant ainsi les contre-vérités d'une propagande hostile. Citons les noms de P. Bigo, H.-C. Desroches, J.-Y. Calvez, J. Lacroix[17]. L'attention des chrétiens à la critique marxiste de la religion amorcera un dialogue et relancera le travail des marxistes.

d) Depuis les années 1960, les événements de l'histoire mondiale apparaissent encore moins isolables d'une étude du marxisme : destin politique de la Chine, relations entre les partis communistes et l'Union Soviétique, diffusion de l'analyse marxiste dans les mouvements de libération du tiers monde, participation de chrétiens à la lutte politique de partis se réclamant du marxisme. Nous nous contentons de relever dans le domaine philosophique quelques processus qui se poursuivent. Les textes fondateurs du marxisme-léninisme continuent d'être traduits et édités, donc mieux connus. Les œuvres de marxistes comme Gramsci, Bloch, Lukàcs se diffusent lentement. Le marxisme, ainsi en témoigne un cheminement comme celui de Sartre, fait partie de la culture intellectuelle et la confrontation avec ses divers courants — entre autres, celui de l'Ecole de Francfort — est inévitable. Les pionniers de certaines « sciences humaines », anthropologie ou linguistique, ont cherché leur voie à partir de débuts marxistes : R. Barthes et C. Lévi-Strauss n'ont pas renié ce point de départ.

Inévitablement, au moment où il acquiert en quelque sorte droit de cité, le marxisme inspire des études sur les religions dont les points d'appui théoriques divergent considérablement : travaux d'anthropologues (M. Godelier), d'historiens (P. Vidal-Naquet, J.-P. Vernant, P. Lévêque), de sociologues (M. Dion, G. Michelat et M. Simon), de philosophes (L. Goldmann) dispersent une critique marxiste de la religion jusqu'alors relativement unifiée. Le renouvellement des questions et leur éclatement ne se font pas toujours au détriment du marxisme, même s'il est difficile de synthétiser des résultats. C'est pourquoi, au lieu de prétendre rassembler ces recherches, on se limitera à décrire la forme prise par certaines questions après avoir détaché toutefois le cas exceptionnel de Gramsci.

---

17. A titre d'exemple, cf. J. Lacroix, *l'Homme marxiste,* Semaine sociale de France, 1947 (publié en 1951 par la Pensée catholique, Liège, et par l'Office général du livre, Paris).

2. L'apport de Gramsci

Fondateur du parti communiste italien avec P. Togliatti, A. Gramsci a été emprisonné par le fascisme de 1926 à 1937, c'est-à-dire jusqu'à sa mort. Ces années d'incarcération, en dépit de la maladie, lui permirent de réfléchir aux raisons de la défaite du mouvement ouvrier face à Mussolini. Ses *Cahiers de prison*, qui n'ont commencé à être accessibles au public français que depuis peu, sont une mine d'analyses nouvelles, la contribution la plus importante à l'avancée du marxisme depuis Lénine [18]. La réflexion de Gramsci porte principalement sur la nature de l'Etat et sur le fonctionnement des rapports politiques. L'ensemble des structures idéologiques sans lesquelles le pouvoir d'Etat ne s'exercerait pas constitue l'un des obstacles affrontés par les communistes italiens. Parmi ces structures se trouve le catholicisme. Ainsi, à l'encontre de la majorité des marxistes de l'époque, Gramsci attribue aux phénomènes idéologiques une efficacité sociale et donc politique.

Gramsci affine le concept : l'idéologie dominante qui fait bloc malgré ses propres contradictions internes combat plusieurs idéologies dominées. Les classes exploitées n'ont pas la même image d'elles-mêmes et cette absence d'unité de pensée permet la diffusion de l'idéologie dominante. La lutte politique doit tenir compte de ces contradictions dans les idéologies qui sont au pouvoir comme dans celles qui sont dominées ; elle doit reconnaître également la forme spécifique que prend l'idéologie dominante selon ses destinataires : philosophie pour les intellectuels, religion pour la petite et moyenne bourgeoisie, folklore pour les masses populaires. Les agents de chaque idéologie sont aussi distribués hiérarchiquement : la religion a ses théoriciens professionnels, les théologiens, ses gardiens-censeurs, les évêques et cardinaux, ses agents qualifiés, les prêtres, et enfin ses acteurs-consommateurs, les fidèles. Ces statuts différents sont nécessaires à l'implantation du pouvoir idéologique, mais ils sont aussi source de concurrence et de contradiction. L'analyse marxiste de la religion ne peut plus traiter par exemple du christianisme comme d'une doctrine en soi, comme d'un ensemble systématique de représentations.

A la suite de Lénine, Gramsci distingue l'esprit de classe et la conscience de classe. Le premier est spontané et de nature idéologique, instable et contradictoire, tandis que la conscience de

18. Les écrits de Gramsci sont en cours de publication en français aux éd. Gallimard, Paris : *Ecrits politiques I et II* (1914-1922), 1974-1975 ; *Cahiers de prison* (10 à 13), 1978 ; *Lettres de prison*, 1971.

classe présente une rationalisation cohérente et, par conséquent, acquise progressivement. Il existe une idéologie du prolétariat qui ne se confond pas avec la conscience claire des positions de classe. La religion, lorsque les classes sociales se l'approprient, compose avec l'esprit et la conscience de classe. Toute intervention dans la lutte idéologique qui serait aveugle sur cet enracinement différencié de la religion selon chaque classe est vouée à l'échec.

Gramsci s'écarte d'un discours marxiste qui avait posé jusque-là comme claire et distincte la dichotomie de la science et de l'idéologie. La science, conçue comme une *pratique* en continuel développement, ne se dissocie jamais complètement de représentations et donc de discours idéologiques. Le marxisme n'est pas un positivisme : lorsque le prolétariat use du matérialisme historique comme d'une science, il continue à le faire sous et dans une idéologie politique qui n'est jamais parfaitement consciente d'elle-même. Enfin, un dernier acquis de l'analyse du catholicisme par Gramsci est la découverte qu'aucune idéologie n'existe, et ne subsiste, sans une institution réglant des discours, des pratiques et des comportements ; en un mot, une religion n'existe pas sans Eglise. L'étude des rapports qui lient le fonctionnement de ces appareils idéologiques à l'appareil d'Etat doit compléter l'étude de la formation sociale.

3. La forme des questions

Tout comme la question de l'art, la critique de la religion joue le rôle de révélateur des problèmes de l'ensemble du marxisme. On voudrait insister à présent sur la relation entre la critique de la religion et les quatre questions suivantes dont la forme est toujours repérable aujourd'hui.

a) La nécessité pour le marxisme de définir la nature du fait religieux le renvoie à sa propre définition : s'il parvient à expliquer la religion, à la réduire et à s'y substituer dans les consciences, le marxisme n'est-il pas une *conception du monde (Weltanschauung)?* Marx, Engels et Lénine n'ont-ils pas fourni au prolétariat universel la nouvelle conception du monde qui lui est nécessaire pour mener sa lutte de classe à l'aide d'un instrument vraiment contemporain du monde scientifique ? Si le marxisme s'identifie à une conception du monde qui ferait pièce à l'intention globalisante de la religion, il s'attribue du même coup une compétence dans la morale, l'anthropologie, la détermination des fins et des valeurs. La discussion ne porte pas tant sur le droit que sur le fait : si, dans la réalité, le marxisme cherche à déloger la religion pour occuper sa *place*, ne se condamne-t-il pas à remplir la même fonction et, dès lors, ne tombe-t-il pas lui-même sous le coup de sa propre critique de la religion ? L'athéisme joue alors le rôle de théisme renversé. La question touche à trois difficultés : celle du statut de l'athéisme, de la philosophie et de la science dans le marxisme.

b) L'idéologie est un processus social par lequel les individus concrets sont constitués en « *sujets* ». Toute formation idéologique, morale, juridique ou religieuse, se perpétue et exerce son efficacité sociale parce que des individus y adhèrent, s'y reconnaissent « acteurs libres et conscients », c'est-à-dire sujets. La subjectivité n'est pas un donné mais un *résultat*, et le sujet que produit chaque idéologie particulière est particulier : la personne juridique n'est pas le croyant religieux et, plus précisément encore, le fidèle du christianisme n'est pas le fidèle de l'islam. Le marxisme a pour tâche d'analyser ces subjectivités spécifiques dans leur constitution et leur transformation. Le travail encore inaccompli s'offre, selon les termes de L. Althusser, comme « le problème du concept des *formes d'existence historiques de l'individualité* » [19].

c) Très tôt, Marx avait relevé le caractère contradictoire de la religion, à la fois *expression* de la misère et *protestation* contre elle. Toute religion remplit ces fonctions contradictoires de justification de l'ordre établi auquel elle donne un sens et de dénonciation de cet ordre. Mais le constat de la contradiction réclame une théorie explicative. Montrer que le même christianisme, à la même époque, inspire deux comportements politiques aussi opposés que ceux de Luther et de Münzer n'est pas sans intérêt : encore faut-il rendre compte de cette contradiction non seulement par une analyse des classes et des rapports de production, mais aussi à l'intérieur même de la religion chrétienne. Faute de quoi, l'idéologie religieuse chrétienne apparaît sans spécificité, comme un corps de doctrine malléable à merci et auquel on peut faire dire n'importe quoi. Le christianisme est constitué d'éléments divers, de traditions, de représentations, de pratiques, d'une Ecriture, qui forment un ensemble original traversé par des contradictions qui lui sont propres. C'est une autre tâche proposée à la critique marxiste de la religion de situer ces contradictions spécifiques au christianisme pour montrer ensuite comment elles entrent en composition avec les antagonismes sociaux.

d) L'évolution de la critique de la religion est dépendante des

---

19. L. Althusser, *Lire Le Capital*, Maspero, Petite Collection, Paris, 1968, tome 1, p. 140.

progrès de la théorie quant aux rapports entre infrastructure et superstructures. Ces deux dernières notions sont reconstruites à partir de l'*Introduction à la critique de l'économie politique* de 1857 où Marx présente le mode de production et la formation sociale comme un jeu de construction : la base, ou infrastructure, désigne les forces productives prises dans les rapports de production, et les superstructures embrassent les appareils idéologiques, juridiques, politiques qui forment l'Etat. Ce schème architectural avec base et sommet n'a pour fonction que de réaffirmer la détermination en dernière instance par l'économique : son simplisme imagé incite à l'économisme. Marx signale un axe de pensée fécond, invitant à des analyses concrètes. L'idée mécanique de causalité ne peut tenir lieu indéfiniment de conceptualisation de la relation qui va de la base aux superstructures.

La spécificité de cette causalité doit être pensée hors du modèle physico-mécanique. Le concept de *production*, central pour qui ne veut pas s'égarer loin du matérialisme, marque le caractère processuel de la réalité qui n'est jamais selon le mode d'être du résultat détaché des fonctionnements qui l'ont produit.

L'efficacité des superstructures sur la formation sociale est traduite par le concept de *reproduction des rapports sociaux* : l'idéologie est l'élément en lequel se reproduit par exemple la division du travail, ou l'inégalité des classes, des sexes, les rapports de domination. Il reste à déployer le mécanisme de l'identification idéologique pour montrer comment les « sujets » qu'elle fabrique s'intègrent volontairement à une société conflictuelle et occupent des rôles préétablis.

La question de la différenciation des « régions » de l'idéologie reste ouverte : il faut montrer en quoi le mécanisme de reproduction des rapports sociaux fonctionne spécifiquement dans la morale, l'art, la religion, le droit ou la forme de l'Etat. Cette recherche n'a de sens que pour un marxisme dégagé de l'économisme et capable de rendre compte de l'autonomie des superstructures, de leur capacité à se survivre à elles-mêmes et à développer une configuration *originale* de leurs contradictions. Dans leurs enquêtes, A. Gramsci, L. Kolakowsky, plus récemment F. Houtart, ont souligné la nécessité théorique de considérer en elle-même l'instance religieuse afin de produire le modèle satisfaisant de son processus qui n'est jamais immédiatement le discours — décalque des rapports sociaux économiques.

Depuis peu, on fait grief au marxisme d'ignorer l'importance de l'imaginaire et du fonctionnement symbolique pour l'individu et dans la vie sociale. Si l'on considère l'économisme qui a prévalu largement dans les recherches marxistes, ce reproche est fondé. Mais il ne faut pas s'y tromper : le marxisme ne traitera pas de l'imaginaire ou du symbolique en soi comme le fait le discours dominant vulgarisateur des sciences humaines. Adopter sans autre forme de procès l'idéologie des « structures symboliques » signifierait pour le marxisme l'abandon du *matérialisme* et de la *dialectique*, autrement dit, son auto-suppression. « Imaginaire » et « symbolique » désigneront pour le marxisme des processus et non des architectures éternelles.

IV. POSITIONS ACTUELLES DE LA CRITIQUE MARXISTE DE LA RELIGION

Nous voudrions terminer en élargissant la perspective sur trois visions actuelles de la religion. La critique marxiste de la religion sert de point d'appui ici à la constitution d'une vision philosophique de l'homme dans la vie sociale.

1. L'humanisme prométhéen

« Prométhée est le plus noble des saints et martyrs du calendrier philosophique [20]. » La phrase par laquelle Marx conclut la préface à sa thèse de doctorat en 1841 aura une postérité abondante dans la philosophie marxiste. Elle pourrait encore servir de devise à la tendance majoritaire du marxisme dans les pays socialistes.

Prométhée dérobe aux dieux le feu, symbole de l'habileté artiste et surtout de la science. Le marxisme en tant qu'humanisme prométhéen restitue à l'homme ce que l'homme a déposé dans la religion. Les dieux nous privent de la connaissance libératrice : il faut leur arracher la science pour la donner à ceux dont ils sont jaloux et qu'ils tiennent en esclavage par l'ignorance. Plus l'humanité s'approche de la connaissance du monde et d'elle-même, plus la puissance des dieux s'amenuise. Il y a concurrence absolue entre science et religion : depuis Epicure et Lucrèce, cette conviction est vivante tout au long de l'histoire du matérialisme.

La croyance religieuse occupe le terrain de la connaissance et exprime de façon erronée l'aspiration de l'humanité au savoir. A ce titre, la religion appartient cependant au trésor de l'humanité qu'il faut sauvegarder : désaliéner la religion, la débarrasser de sa forme religieuse comme telle, c'est aider l'humanité à prendre conscience d'elle-même, de ce qu'elle a de meilleur.

Le bénéfice théorique de l'humanisme n'est pas négligeable. Dans

---

20. Cité dans K. MARX et F. ENGELS, *Sur la religion*, éd. Sociales, Paris, 1972, p. 14 .

un climat pratique de tolérance, les chercheurs marxistes prennent en compte la totalité de la littérature religieuse ; afin d'extraire les valeurs contenues dans le christianisme, certains, comme V. Gardavsky et M. Machovec, reconnaissent même une place exceptionnelle à Jésus de Nazareth, exemplaire d'humanité hors du commun. La négation de la religion n'est pas une suppression, mais un accomplissement, une fructification. La religion vient à maturité lorsqu'elle sauve son contenu de sagesse et en fait don à l'humanité après l'avoir purifié de sa forme mythique. L'analyse peut s'appuyer d'ailleurs sur l'observation du phénomène de sécularisation des croyances.

A moins d'être aveuglé par un opportunisme pratique, on peut convenir que cet humanisme prométhéen est un retour vers l'hégélianisme. Le contenu de la religion, traité en soi, serait indépendant de la forme. Pour le matérialisme, les idées sont solidaires de pratiques et d'institutions, car elles sont *de même espèce*. C'est donc un recul de leur attribuer un statut autonome, condition a priori de leur récupération. En guise d'exemple : comment le marxisme traitera-t-il l'une des affirmations décisives de la théologie chrétienne, la proclamation de la filiation divine du Christ ? On voit bient la possibilité de lire et de s'approprier positivement des valeurs morales, une anthropologie, mais non un dogme. La question du rapport de Jésus à Dieu sera-t-elle considérée comme relevant de la *forme* religieuse — superstitieuse — ou du *contenu* théorique ? Le couple des catégories de contenu et de forme se révèle un outil impropre : seuls d'autres concepts permettront peut-être de poser la question d'une *transformation* de la religion.

2. Le christianisme pensé comme athéisme

E. Bloch est également convaincu que dans la religion, en fait dans le christianisme, le marxisme a un héritage à assumer. Pour l'exhumer, il faut d'abord identifier l'héritage et reconnaître la religion chrétienne pour ce qu'elle est. L'œuvre de Bloch est une enquête minutieuse sur les contradictions de la tradition chrétienne avant d'être une tentative d'intégration de certains éléments à la théorie marxiste.

Dans la Bible, E. Bloch lit la critique de toute théocratie ; il prend acte de ce qu'il nomme « la grogne des enfants d'Israël » contre l'injustice, de l'affrontement du prophétisme avec la puissance, en particulier chez Amos, de la condamnation radicale de l'idolâtrie religieuse. Des hardiesses inouïes le frappent : appeler Jésus « le Fils de l'Homme » et en faire l'égal de Dieu, c'est nier Dieu dans sa représentation *inhumaine* commune à toutes les religions. Le Dieu du buisson ardent contredit pareillement le concept de Dieu en s'affirmant Dieu futur : « Je suis qui je serai. » Le christianisme, à la suite du judaïsme, se dévoile comme un courant d'*exode*, de tension vers l'espérance, non comme le culte d'un ordre figé. L'eschatologie, avec l'utopie qu'elle engendre, l'éclatement de l'histoire qu'elle subvertit, s'oppose à toute exaltation de l'éternel, du définitif. Même l'au-delà n'est pas fixe.

La critique aiguë de Bloch vis-à-vis d'un athéisme étroit lui permet de ne pas ménager le christianisme. La religion a été pervertie, détournée de son sens, mutilée pour servir l'oppression et prêcher la patience aux écrasés. Il faut donc libérer l'athée de ses tabous et le croyant de son idéologie. Rendre la religion à elle-même, telle est la nouvelle mission de la critique marxiste. La religion est comme jadis opium *et* ferment de révolte ; ces rôles historiques inconciliables s'expliquent par les contradictions spécifiques de la théologie chrétienne : contradiction entre le présent et le « futur contenu dans le présent », entre eschatologie et transcendance, entre le refus de tout « en-haut » qui trahit la perte de l'homme et la nomination de Dieu. Le christianisme enferme sa propre négation : il est a-religieux. Il y a antagonisme en effet entre la *religion* qui veut dire *réunion (religio)*, donc unité et statisme, et l'appel du royaume de liberté pour ici-bas, l'invitation à transformer ce monde.

N'y a-t-il donc pas dans le marxisme, en ce qu'il médiatise le saut du royaume de la nécessité dans le royaume de la liberté, tout cet héritage aussi subversif qu'étranger au statisme, qui hante la Bible elle-même, qui y est resté trop longtemps enfoui et ne signifie pas réunion ? Exode hors du statisme, il y est toujours protestation et archétype du royaume de la liberté. Il est le dépassement dialectique de tout « en-haut » où l'homme n'apparaît pas, il est un transcender par la révolte, une révolte qui s'accompagne de transcendement même s'il n'y a pas de transcendance. Et cela est vrai dans la mesure où la Bible peut enfin être lue dans l'optique du *Manifeste communiste*[21].

La revendication principale de l'auteur est celle de la fécondation mutuelle du marxisme athée et d'un christianisme transformé : le prix de cette convergence est l'éviction du marxisme de la notion de *science* et la conception d'un christianisme sans *Eglise*. L'estime que l'on peut porter à la valeur de ce projet ne saurait voiler le problème posé par ces aménagements tant du marxisme que du christianisme.

3. Une anthropologie de la religion

a) Certains marxistes français posent de manière originale le problème de la religion, en dissociant d'abord le marxisme de

21. E. BLOCH, *l'Athéisme dans le christianisme*, Gallimard, Paris, 1978, p. 88.

l'athéisme. L. Sève distingue le théisme, croyance en un dieu révélé et personnel, du déisme, hypothèse rationnelle. Le marxisme, pour lui, n'est pas *athée* (ni a fortiori a-déiste) car l'athéisme est encore une façon de se poser relativement à la religion, contre elle. A l'image de n'importe quel savoir scientifique actuel dans lequel le mot « Dieu », absent, ne désigne aucun concept, le marxisme est un matérialisme radical qui est *ailleurs* que là où se pose la question de la foi ou de la non-foi[22]. Le lien historique du marxisme et de l'athéisme s'explique en grande partie par le poids de l'héritage de Feuerbach pour Marx et Engels.

La religion a la faculté de coexister avec le matérialisme historique à condition qu'elle renonce à imposer une vérité révélée aux sciences et qu'elle cesse toute compétition sur ce terrain du savoir scientifique. La religion existe alors comme la prise en charge, *sur son mode propre*, d'une question actuellement insoluble dans les sciences. « La foi religieuse se présente alors non plus comme *refus du savoir matérialiste* pour lui en substituer un autre sur le même terrain, mais comme *libre donation* de ce qu'elle estime être un "surcroît de sens" par rapport au savoir matérialiste en voie de développement illimité. Dès lors, dans la contradiction entre matérialisme scientifique et foi religieuse, *le développement de l'un ne présuppose plus la suppression de l'autre* »[23].Toujours selon L. Sève, on passe ainsi d'une contradiction antagonique à une contradiction non-antagonique.

b) La permanence du fait religieux énonce une interrogation nouvelle pour le matérialisme historique : comment s'explique cette permanence sinon par la *nature* de ce qui est investi dans la question du sens ? Définir la critique marxiste de la religion comme une *théorie de l'aliénation* entraîne une thèse nouvelle que formule M. Bertrand : « Si la foi en une transcendance divine est la contrepartie de l'impuissance et de l'aliénation humaines, il n'y a pas de raison, en effet, pour que cette foi disparaisse : elle peut changer de forme et de contenu sans être abolie[24]. » La persistance de la religion exprime la persistance de l'aliénation. Toute alinéation n'est pas de nature sociale et certaines se perpétuent. Une aliénation sociale est objet d'une lutte et de l'espoir d'une suppression, mais la conduite humaine oblige à subir d'autres aliénations, celle de la mort étant la plus absolue. « Dans la mesure où les bases du sentiment religieux ne sont pas toutes d'origine sociale,

---

22. L. Sève, *Une introduction à la philosophie marxiste,* éd. Sociales, Paris, 1980, § 5.23, pp. 408-411.
23. L. Sève, *ibidem,* p. 407.
24. M. Bertrand, in *Masses ouvrières,* n° 362, juillet-août 1980, p. 30.

l'hypothèse d'une permanence de la religion (comme forme de la conscience), n'est pas exclue. Elle peut être réduite à certains moments, elle peut se marginaliser (surtout si d'autres formes de la conscience prennent le relais), sans toutefois disparaître[25]. » Ainsi pourrait naître une anthropologie des besoins spécifiques assumés par les systèmes de croyance qui expliquerait la reproduction de tels systèmes.

c) Trois difficultés sont à relever, dont la première est que la question de l'athéisme reste entière : l'athéisme, legs de Feuerbach, est aussi celui du socialisme français. Et l'athéisme, en France, n'est pas solidaire comme en Allemagne de l'inflation des critiques théologiques. La frontière « entre le laboratoire et l'oratoire », selon l'expression célèbre, n'est pas si aisément invocable. L'athéisme a joué un rôle dans le matérialisme historique qui ne se confine pas à celui de « méthode ». Ce rôle reste à déterminer. La deuxième difficulté tient à l'emploi constant du concept d'*aliénation*. Etant donné son origine et sa logique typiquement feuerbachiennes, ce concept ne nous reconduit-il pas au point de départ, à un renversement philosophique de la théologie comme préalable à une restauration de l'homme dans son intégrité ? La dernière difficulté tient au déplacement de la critique vers une anthropologie de la religion. Outre que l'idée même d'anthropologie est peut-être battue en brèche par le matérialisme historique, le fait de rattacher la forme de rapport religieuse au monde à la permanence de certaines aliénations essentielles rend ardue l'explication de la spécificité de chaque formation religieuse historique. L'anthropologie induite par *la question du sens* ne s'intègre pas dans l'analyse historique de la force des *institutions* et des appareils. La permanence du christianisme est-elle — pour un point de vue matérialiste — à rattacher plus au caractère indéracinable de certaines questions qu'à la robustesse et à l'adaptabilité d'institutions comme l'Ecriture biblique ou la structuration du groupe ? La question est ouverte.

Réalisation de la religion dans l'humanisme prométhéen, confluence du marxisme et du christianisme pour le bien de l'utopie révolutionnaire, théorie de la « coexistence pacifique » du matérialisme et de la foi chrétienne, voilà trois figures actuelles de la critique marxiste de la religion qu'il conviendrait de lier aux situations politiques concrètes dont elles sont la consignation et, pour une art, la justification.

« Il ne faut jamais oublier, cependant, que sans l'intérêt porté

---

25. M. BERTRAND, *le Statut de la religion chez Marx et Engels*, éd. Sociales, Paris, 1979, pp. 184-185.

d'abord à la religion, et sans la critique de la religion qui s'est ensuivie, la conception marxienne de l'aliénation et la théorie de la marchandise auraient eu peine à prendre corps[26]. » Sans exagération, on peut dire avec E. Bloch que la critique de la religion a été l'une des conditions de possibilité du marxisme. Le processus d'intégration dans la théorie de ce qui a été son ouverture ou son prélude, ainsi que les transformations que subit du même coup son point de départ, ne se sont pas arrêtés. C'est pourquoi l'exposé ne peut conclure. Les résultats déjà importants ne se veulent pas définitifs et, tels quels, ils constituent déjà pour la théologie chrétienne le chemin d'un examen suffisamment sérieux des conditions de sa production pour ne pas être contournés.

26. E. Bloch, *l'Athéisme dans le christianisme*, op. cit., p. 330.

BIBLIOGRAPHIE

La liste d'ouvrages qui suit n'est pas exhaustive : elle indique les repères essentiels pour un approfondissement. Dans notre sélection, nous avons écarté tous les ouvrages purement polémiques, les brochures de propagande ou de vulgarisation, les recueils qui n'apportent aucun élément proprement philosophique au débat. L'autre limite que nous nous sommes imposée est de rester dans le cadre d'une littérature accessible en France. Nous ne mentionnons rien des recherches menées dans les pays socialistes, en Amérique Latine ou dans le reste du tiers monde.

La bibliographie comprend trois parties :

I. Textes de référence et études générales sur la critique marxiste de la religion.
II. Travaux marxistes sur la religion.
III. Etudes non marxistes sur la critique marxiste de la religion.

Nous faisons suivre de la lettre (B) les titres comprenant des bibliographies scientifiques et raisonnées. Sont accompagnés d'un astérisque les titres des ouvrages les plus directement accessibles. Les livres cités dans l'article ne sont pas tous repris dans cette bibliographie.

I. TEXTES DE RÉFÉRENCE ET ÉTUDES GÉNÉRALES SUR LA CRITIQUE MARXISTE DE LA RELIGION

Ludwig Feuerbach

(Seule une petite partie de l'œuvre est traduite en français.)

a) Œuvres

Manifestes philosophiques (textes choisis 1839-1845), trad. L. Althusser, PUF, Paris, 1960.
L'Essence du christianisme, trad. et présentation J.-P. Osier, Maspéro, Paris, 1968.

b) Etudes sur la critique feuerbachienne de la religion

A. Arvon, *L. Feuerbach et la transformation du sacré*, PUF, Paris, 1957 (B).
H. de Lubac, *le Drame de l'humanisme athée*, Spes, Paris, 1944.

KARL MARX, FRIEDRICH ENGELS, LÉNINE

a) Œuvres

On se référera aux œuvres publiées par les éditions Sociales, Gallimard (collection « la Pléiade ») et les éditions Anthropos ; nous ne reprenons pas la liste des textes cités dans le corps de l'article. Un guide utile : K. MARX et F. ENGELS, *Sur la religion*, trad. G. Badia, P. Bange, E. Bottigelli, éd. Sociales, Paris, 1972. Textes de Lénine : *Lénine et la religion*, éd. Sociales, Paris, 1949. Pour ce qui concerne Staline, un tel recueil n'existe pas ; il faut donc se reporter aux index des *Œuvres* publiées aux éditions du Progrès à Moscou.

b) Analyses d'ensemble sur la question chez Marx et Engels

Ch. WACKENHEIM, *la Faillite de la religion d'après Karl Marx*, PUF, Paris, 1963 (B).

G.M.-M. COTTIER, *l'Athéisme du jeune Marx, ses origines hégéliennes*, Vrin, Paris, 1959 (B).

M. BERTRAND, *le Statut de la religion chez Marx et Engels**, éd. Sociales, Paris, 1979.

J. GUICHARD, *le Marxisme de Marx à Mao** (théorie et pratique de la révolution), Chronique sociale, Lyon, 1968.

II. TRAVAUX MARXISTES SUR LA RELIGION

O. MADURO, « Analyse marxiste et sociologie des religions » (Esquisse d'une bibliographie internationale jusqu'en 1975), in *Social Compass*, tome XXIII, 1975/3-4, pp. 401-479.

ERNST BLOCH

(On ne dispose d'aucune édition complète de son œuvre en français.)

Thomas Münzer, théologien de la révolution, trad. M. de Gandillac, Union générale des Editions, 10/18, Paris, 1975.

L'Athéisme dans le christianisme, trad. E. Kaufholz et G. Raulet, Gallimard, Paris, 1978.

Le Principe Espérance, tome I, trad. fr. F. WUILKART, Gallimard, Paris, 1977.

ANTONIO GRAMSCI

(Outre les œuvres en cours de publication chez Gallimard que nous avons citées en note, nous signalons les deux ouvrages suivants : Une anthologie : *Gramsci dans le texte*, éd. Sociales, Paris, 1975. Une étude : H. PORTELLI, *Gramsci et la Question religieuse*, Anthropos, Paris, 1974 (B).

M. VERRET, *les Marxistes et la Religion* (essai sur l'athéisme moderne), Nouvelle critique, Paris, 1961, 2ᵉ éd. (B).

L. Kolakowsky, *Chrétiens sans Eglise,* trad. A. Posner, Gallimard, Paris, 1969.
Collectif (CERM), *Philosophie et Religion,* éd. Sociales, Paris, 1974.
La Pensée (Revue du rationalisme moderne), n° 192, avril 1977. (L'ensemble du numéro est consacré aux recherches marxistes sur les religions.)
Fr. Houtart, *Religion et Modes de production précapitalistes,* éd. de l'université de Bruxelles, Bruxelles, 1980. (Analyse des phénomènes religieux dans leur incidence sur l'économie du tiers monde.)

III. ETUDES NON MARXISTES SUR LA CRITIQUE MARXISTE DE LA RELIGION

Analyses philosophiques

H.-Ch. Desroches, *Signification du marxisme,* éd. Ouvrières, Paris, 1949 (B).
On peut recourir au petit ouvrage du même auteur :
*Marxisme et religions** PUF, Paris, 1962.
P. Bigo, *Marxisme et Humanisme* (introduction à l'œuvre économique de K. Marx) PUF, Paris, 1953.
J.-Y. Calvez, *la Pensée de Karl Marx,* Seuil, Paris, 1956 (B).
J. Lacroix, *le Sens de l'athéisme moderne,* Casterman, Paris, 1958, 6e éd.
— *Marxisme, existentialisme, personnalisme,* PUF, Paris, 1950, 7e éd.
S. Breton, *Théorie des idéologies,* Desclée, Paris, 1976.
Id., *Marxisme et Critique,* Desclée, Paris, 1978.
D. Dubarle, *Pour un dialogue avec le marxisme**, Cerf, Paris, 1964.
Paul Dognin, *Initiation à Karl Marx,* Cerf, Paris, 1970.

Réflexions sur la foi a partir de la critique marxiste

G. Girardi, *Marxisme et Christianisme,* Desclée, Paris, 1968.
Id., *Christianisme, Libération humaine, Lutte des classes,* Cerf, Paris, 1972.
R. Coste, *Analyse marxiste et Foi chrétienne,* éd. Ouvrières, Paris, 1976 (B).
Ch. Wackenheim, *Christianisme sans idéologie,* Gallimard, Paris, 1974 (B).
Ph. Warnier, *Marx pour un chrétien**, Fayard-Mame, Paris, 1977.
M. Simon, *Comprendre les idéologies,* Chronique sociale de France, coll. « Synthèse », Lyon, 1978.
J. Bauberot, *la Marche et l'Horizon** (jalons pour une foi post-marxiste), Cerf, Paris, 1979.
Lumière et Vie, tome XXIII, 1974, n° 117/118 : « Chrétien marxiste », Lyon.
Les Quatre Fleuves, n° 8 : « Chrétiens devant Marx et les marxismes », Seuil, Paris, 1978.
Collectif, *le Marxisme vivant,* Dossier de la Lettre, n° 233-234, l'Harmattan, Paris, 1978.

CHAPITRE II

Les critiques psychanalytiques de la religion

par YVES LEBEAUX

SOMMAIRE. — I. La conscience religieuse de soi et ses impasses : la conscience religieuse de soi ; l'imaginaire comme méconnaissance. II. Le fantasme inconscient et la croyance religieuse : le Père idéal ; la Mère archaïque ; l'Enfant merveilleux ; la complexité des relations entre fantasme et croyance religieuse ; Freud ; Jung. III. La reconnaissance du désir : fantasme et vérité ; questions à la religion ; psychanalyse et idéologie. Bibliographie.

D'une certaine façon, on peut dire que la psychanalyse est née à partir du moment où Freud a laissé ses patients dire tout ce qui leur venait à l'esprit, sans conduire ni interrompre le cours spontané de leurs associations. La conjonction de cette association libre et de l'attention flottante de la part du thérapeute ouvrait un espace nouveau où pouvait se déployer une parole autre, déliée des contraintes qui marquent habituellement la communication verbale aussi bien que la réflexion introspective. Dans un tel espace, toute parole est bonne à dire, recevable, assurée d'une écoute. Mise entre parenthèses du souci de cohérence, de rigueur logique, de compréhension au niveau des énoncés. Suspension du jugement qui trie les bonnes et les mauvaises pensées, l'acceptable et l'inacceptable, ce qu'il convient et ce qu'il ne convient pas de dire ou de croire. Possibilité de faire entendre tout ce qui peut venir à se signifier et par là de l'entendre soi-même.

C'est de l'ouverture première et inaugurale de cet espace analytique qu'il faut partir pour parler des rapports entre la religion et la psychanalyse. Car cette dernière ne se présente pas d'abord comme une construction théorique, scientifique ou idéologique, qui opposerait ses thèses à celles de la religion. Elle est d'abord cette démarche toujours singulière, humble et balbutiante dans laquelle peut être dit et entendu tout ce qui vient à la parole. Mais par là même intervient aussi une première dimension critique. A être formulées et reçues au même titre que les autres paroles, croyances et représentations religieuses perdent leur privilège de domaine à part, séparé du reste des productions psychiques du sujet. Elles vont se trouver prises dans d'étranges voisinages et contracter de singulières alliances. A la faveur de la surprise provoquée par ces rapprochements inattendus, une distance peut se creuser, une marge de jeu peut s'introduire dans la relation que le sujet entretenait avec ses propres convictions religieuses. Expérience d'une liberté nouvelle qui sera éventuellement ressentie comme l'ébranlement de tout le mode de fonctionnement subjectif antérieur avec lequel la religion faisait corps.

I. LA CONSCIENCE RELIGIEUSE DE SOI ET SES IMPASSES

L'un des premiers effets de la démarche analytique sera ainsi de faire apparaître les croyances et les pratiques religieuses dans leur dimension d'identifications imaginaires, c'est-à-dire de représentations qui donnent forme à la conscience que le sujet a de lui-même et soutiennent son narcissisme en lui fournissant l'image d'un moi idéal valorisant. Quelles sont les caractéristiques de ce réseau ou de ce système d'identifications ?

La conscience religieuse de soi

C'est en premier lieu le fait qu'il constitue justement un système et inscrit le sujet dans une totalité parfaitement englobante, puisqu'elle lui fournit la représentation d'une origine et d'une fin trans-historiques. Ceci est vrai au plus haut point du christianisme qui se donne comme la révélation absolue et définitive du sens de toute l'histoire. En y adhérant, l'homme reçoit de lui-même une image qui le fait coïncider à la fois avec son origine et avec son but ultime. Compréhension en principe sans reste puisque toute réalité et tout événement peuvent trouver une signification à l'intérieur du dessein de Dieu. Unification virtuellement totale puisque tout conflit et toute division subjective renvoient à une interprétation plus radicale qui les surmonte.

Cette unification s'opère en second lieu sous le signe de l'idéal. En acceptant de se voir dans le miroir de l'amour absolu et inconditionnel du Père, l'homme participe à la dignité de l'Image parfaite de Dieu qu'est le Fils. Image indestructible sur laquelle la mort n'a plus de prise. Vie nouvelle dont la substance est un amour exempt de tout égoïsme, de tout retour sur soi. Appel à une perfection qui fait dépasser tous les liens de la chair et du sang. Accès à une liberté qui échappe aux pesanteurs de la famille, de la richesse, du pouvoir et du sexe. Faiblesses et manquements eux-mêmes viendront conforter cette image idéale qui n'est créée et soutenue à chaque instant que par le pardon gratuit de Dieu à l'égard des pécheurs qui se reconnaissent tels. Tout écart, toute division peuvent s'interpréter en termes de péché et renvoyer à la puissance plus forte de la grâce.

Les identifications soutenues par le christianisme ont en troisième lieu un caractère prescrit. Ce que le sujet doit croire, faire et être, ce qu'il doit penser de lui-même et de sa position dans l'existence, tout cela lui est prescrit par une tradition qui le précède et qui l'enveloppe, qui suspend sa conscience de soi à l'autorité d'un savoir qui lui reste toujours extérieur. Identification et appartenance institutionnelle sont ici intrinsèquement liées. Le savoir de l'Autre est en même temps pouvoir puisqu'il atteint l'individu au plus intime de lui-même, déterminant l'image à laquelle il doit s'identifier, en même temps qu'il l'inscrit dans une institution qui se donne comme un ordre hiérarchique constitué par une série de renvois : des parents et des premiers éducateurs aux prêtres, aux évêques et au pape, de ceux-ci aux apôtres, aux textes fondateurs, finalement à Jésus et à Dieu lui-même. La conscience que le sujet prend de lui-même ne tire ainsi sa vérité et sa légitimité que de sa référence intrinsèque à un savoir et à une autorité extérieurs.

L'imaginaire comme méconnaissance

Qualifier d'imaginaire un tel système de représentations ne signifie pas qu'on le considère a priori comme faux et illusoire. Du point de vue de la psychanalyse, l'émergence du sujet humain passe nécessairement par la constitution d'un Moi formé de représentations, de projets et d'idéaux qui correspondent à autant d'identifications et soutiennent un investissement narcissique sans lequel il n'est pas de vie possible. « Imaginaire » n'a donc pas ici de connotation péjorative et désigne simplement tout un registre du fonctionnement psychique, une dimension et un moment dialectique de l'instauration des relations du sujet avec autrui et avec lui-même au sein d'une réalité accessible et signifiante. Mais l'imaginaire est aussi ce que la démarche analytique rencontre comme ce qui ne cesse de vouloir se refermer sur une illusoire auto-suffisance, comme ce qui soutient la méconnaissance de la nécessaire articulation de la conscience de soi à une autre dimension de la subjectivité. Dans toute la mesure où il se déploie et opère dans ce registre d'identification imaginaire, le christianisme va dès lors en partager les aléas et en renforcer les impasses. Comment cela ?

Il faut revenir à cette parole différente dont la règle analytique permet l'émergence et à ce qu'elle peut faire surgir d'irréductible par rapport au système de représentations qui fondait la conscience de soi religieuse. Achoppements du discours, émois, fantasmes, rêves viennent manifester de façon répétitive l'existence d'une subjectivité cachée qui échappe aux repérages familiers et cherche obscurément à se faire reconnaître. Reconnaissance qui ne va pas sans résistance, qui entraîne avec elle malaise et conflit dans la mesure où elle vient ébranler, fissurer l'ordre et l'unité que l'imaginaire avait précisément pour fonction de sauvegarder. Mais reconnaissance qui est en même temps expérience d'une relation nouvelle du sujet à lui-même, rupture du cercle à l'intérieur duquel l'introspection le faisait tourner en rond, promesse d'un changement réel. Dans le mouvement de cette démarche, le christianisme peut en venir à subir un retournement radical, à basculer du côté de la résistance au processus analytique et à apparaître comme une impasse destructrice. Tout ce qui en lui fonctionne comme idéal pourra se manifester comme point d'appui d'une force de méconnaissance et de dénégation qui rend l'homme étranger à toute une part de lui-même ; la sublimité de l'amour évangélique devient alors l'alibi d'un refus du corps et de la pulsion, évitement de la rencontre effective avec autrui ; la bonne nouvelle du pardon divin apparaît comme un piège qui enferme dans une impasse sans issue puisqu'elle alimente sans cesse la culpabilité à laquelle elle est censée répondre ; la promesse d'une vie libérée et réconciliée est perçue comme un leurre qui interdit au sujet de s'accepter enfin tel qu'il est et de briser les soumissions infantiles qu'il se crée de façon répétitive pour échapper à sa liberté ; la totale compréhension de lui-même qu'il trouvait dans la foi lui apparaît fictive par rapport à l'expérience qu'il fait d'une vérité qui se donne de façon imprévue, toujours partielle, et qui l'éloigne à chaque fois davantage du rêve de se saisir dans l'unité d'une image ou d'un sens maîtrisables. Ce qui faisait la force et la séduction du système identificatoire fondé sur le christianisme devient ici ce qui le rend éminemment fragile au regard d'une démarche qui vient débouter les prétentions de la conscience de soi à se clore sur elle-même.

Une telle mise en question n'est cependant pas propre à la psychanalyse. Elle rejoint d'autres critiques des systèmes idéologiques et des illusions subjectives dont ils sont à la fois le reflet et l'agent. L'apport spécifique de Freud a été la mise au jour d'une organisation fantasmatique inconsciente qui constitue comme la matrice et la source toujours agissante de la pensée et de l'activité conscientes. Et c'est à partir de là qu'il a élaboré ses hypothèses sur l'origine des croyances religieuses.

II. LE FANTASME INCONSCIENT ET LA CROYANCE RELIGIEUSE

Apparemment vouée à une dérive indéfinie et purement contingente, la parole associative s'avère commandée par des déterminismes spécifiques. Recoupements et points d'arrêt viennent peu à peu dessiner un certain nombre de lignes et manifester l'existence, en deçà de l'enchaînement des énoncés et des représentations conscientes, d'un réseau de pensées latentes, de fantasmes inconscients doués d'une articulation et d'une logique propres. A travers la multiplicité et les variations individuelles de ces scénarios fantasmatiques, Freud a su reconnaître l'importance particulière d'une organisation qui conditionne la constitution de tout sujet désirant et trouve son expression typique dans le mythe œdipien. Réalisation d'un vœu refoulé, le fantasme inconscient témoigne ainsi de la permanence d'une vie pulsionnelle archaïque qui plonge ses racines dans l'enfance et continue d'exercer sa pesée sur les productions psychiques les plus évoluées. S'agissant de religion, un renversement de perspective va intervenir ici : alors que le christianisme nous était d'abord apparu comme le soutien d'un système identificatoire visant à exclure au maximum le corps, la pulsion et le sexe, au bénéfice d'une conscience de soi narcissique, il va maintenant se manifester comme un lieu privilégié d'expression et de fixation de la sexualité infantile. Le jeu des associations va en effet montrer l'existence de relations étroites entre les différentes figures du divin proposées par la tradition religieuse et les principales images autour desquelles s'organisent les fantasmes inconscients.

Le Père idéal

Soit l'imago du Père idéal. Cette figure du rival à la fois aimé, envié et détesté est le pivot autour duquel se noue, mais risque aussi de se bloquer, la crise œdipienne. Le père apparaît ici comme le porteur de l'attribut phallique qui lui assure la possession de la mère et lui confère une toute-puissance mythique, et comme l'auteur arbitraire de l'interdit qui empêche l'enfant de réaliser les vœux d'une libido dont l'organe sexuel est devenu le pôle organisateur, le lieu d'expression privilégié. La figure paternelle idéalisée devient donc d'un même mouvement le modèle obligé de toute promotion dans la voie du désir et l'obstacle incontournable qui en barre l'accès. Cette problématique risque d'enfermer le jeune sujet masculin dans l'alternative fantasmatique ruineuse d'une révolte meurtrière et destructrice ou de l'érotisation d'une soumission passive : dans l'un et l'autre cas, il ne pourra assumer ni son sexe ni sa place dans un ordre généalogique où il pourrait se reconnaître à la fois fils et père potentiel. Cette impasse ne peut être levée qu'à travers la confrontation, dans la réalité, à un père qui peut à la fois supporter l'expression de l'agressivité sans en être détruit ni répondre par la violence, et témoigner que l'acceptation de la loi de l'interdit de l'inceste ouvre la possibilité d'un désir autonome, d'un avenir souhaitable. L'issue est alors pour le garçon l'émergence d'une identification nouvelle, distincte de l'impossible identité imaginaire postulée par le fantasme. De son côté, la petite fille doit renoncer à se poser en rivale de sa mère et à attendre d'un père idéalisé la satisfaction immédiate de ses vœux fantasmatiques, pour accéder à une identification sexuelle stable qui lui permettra de trouver sa propre voie vers la féminité et la maternité. Il est facile de voir comment la religion peut venir compromettre ce processus et favoriser la fixation à des positions fantasmatiques régressives. Dieu risque de prendre la place du Père idéal et de frapper d'insignifiance la relation au père réel. L'obéissance totale à la volonté divine permettra d'éviter tout affrontement, tout conflit, et réalisera les vœux de soumission masochiste du fantasme, moyen détourné d'acquérir l'illusoire toute-puissance attribuée au père. Le caractère indépassable de la dépendance vis-à-vis du créateur scellera la fixité d'une position dans laquelle le fils ne peut que rester un enfant n'ayant pas la libre disposition de son sexe ni la possibilité d'accéder à son tour à la paternité. Refoulés, les vœux de révolte et de meurtre ne proliféreront que davantage et alimenteront une culpabilité envahissante parce que sans issue : impossible de s'affronter à un Dieu tout-puissant qui est de surcroît tout amour.

La Mère archaïque

Le Père idéal se différencie en fait assez mal d'une autre imago inconsciente, celle de la Mère archaïque toute puissante, sein nourricier, refuge enveloppant, source rassasiante de toute bonté, consolation nostalgiquement recherchée, regard bienveillant auquel est suspendu tout amour et toute estime de soi. L'union totale et parfaitement satisfaisante avec une telle Mère est le vœu inconscient qui nourrit les souhaits œdipiens. Vœu foncièrement illusoire puisqu'il est soutenu par les traces d'une relation première qui est par définition perdue. Vœu mortifère de surcroît puisqu'il va à l'encontre du processus d'individuation et de séparation à travers lequel se constitue l'autonomie psychique du jeune enfant. C'est dire que le lien fantasmatique à la mère est fait, en même temps que d'amour, d'un paroxysme de haine, de rage destructrice et de culpabilité. La fusion recherchée est à la fois redoutée car elle est ce qui empêche de naître vraiment, d'être enfin soi ; la dépendance qui soutient imaginairement l'existence est ainsi celle qu'il est vital de rompre pour accéder à l'autonomie ; l'amour qui seul permet de s'aimer soi-même est celui qu'il faut risquer de perdre pour commencer à désirer pour son propre compte. Ici encore, on comprend que la religion puisse représenter une issue illusoire permettant de préserver le vœu fantasmatique d'union à la mère et de ne pas liquider la redoutable ambivalence qui le caractérise. Source de toute vie, plus intime au sujet que lui-même, bonté enveloppante et parfaitement comblante, amour toujours disponible, le Dieu chrétien se prête facilement à de telles transpositions. Mais il devient alors ainsi la prison à laquelle rien ne permet d'échapper, pas même la mort, le ventre détesté dont le sujet désespère de s'extraire, l'ombre terrifiante qui sape et empoisonne toute velléité d'autonomie.

L'Enfant merveilleux

Si le vœu de préserver le lien fantasmatique à l'amour et au regard maternels est si fort, c'est qu'il soutient la permanence d'une autre image, celle de l'Enfant merveilleux, soutien inconscient du narcissisme dont nous avons analysé dans la première partie quelques expressions conscientes. Il s'agit ici d'une visée d'auto-suffisance qui éliminerait tout recours à un extérieur, à une altérité, qui instituerait une parfaite unicité. La question de l'origine est résolue en même temps que supprimée par un fantasme d'auto-engendrement qui abolit tout écart, toute distance entre le sujet et lui-même. L'union et le désir sexuels des parents sont frappés d'insignifiance au regard de cette genèse qui fonde une coïncidence absolue de soi à soi. Beauté, perfection, plénitude sont les attributs de l'Enfant-Roi voué à une destinée unique qui le fait échapper à l'ordre trivial et besogneux des générations. Il est facile de concevoir les relations qui peuvent s'établir entre un tel fantasme et la figure de Jésus comme enfant divin constitué en objet d'adoration dès la première manifestation de sa présence. Mais plus radicalement, c'est Dieu lui-même qui peut devenir le miroir privilégié où surgit l'image d'un soi absolu, *causa sui*, sans altérité ni limite. Qu'il soit pensé comme le Tout-Autre et la différence absolue ne l'empêchera pas, bien au contraire, de pouvoir fonctionner à un autre niveau comme le soutien fantasmatique d'une illusoire auto-suffisance. Le maintien de cette statue vivante, de ce monument phallique que devient alors le sujet a cependant des exigences et des conséquences ruineuses : tout accomplissement réel lui est interdit qui dénoncerait l'écart entre la réalité et l'idéal tyrannisant auquel il cherche désespérément à s'identifier. L'Enfant merveilleux est aussi l'Enfant haï qu'il faut inéluctablement tuer et faire avorter pour pouvoir commencer à vivre.

La complexité des relations entre fantasme et croyance religieuse

A travers l'évocation de ces quelques exemples, on entrevoit la complexité des relations entre fantasme et croyance religieuse. D'un côté il y a une homologie certaine entre les imagos inconscientes et les différentes figures du divin. Mais d'un autre côté toute une dimension de l'organisation fantasmatique se trouve à chaque fois mise de côté par le discours religieux. C'est vrai par exemple de l'exclusion de l'imago de la Mère qui, à un premier niveau, ne trouve pas de place dans l'application au rapport à Dieu de la métaphore de la paternité et de la filiation, centrale dans le christianisme. C'est vrai surtout de tous les aspects négatifs, cruels ou hostiles de la relation du sujet à ses images inconscientes. De ce point de vue, la croyance apparaît comme le résultat d'une élaboration ou d'un compromis qui tout à la fois fournit une expression acceptable, une issue à l'imaginaire inconscient, et redouble son refoulement en rendant plus inaccessibles certains contenus. Un auteur comme Maurice Bellet a pu parler à ce propos d'un « Dieu pervers », refoulé spécifique qui hanterait le discours chrétien et réunirait justement en lui les traits négatifs exclus par ce discours. Quoi qu'il en soit, l'existence de relations entre fantasme inconscient et croyance religieuse est un fait qui a très tôt été mis en lumière par la psychanalyse. Il a donné lieu à deux types d'interprétation, que l'on peut qualifier, l'une de réductrice et l'autre d'intégratrice, et qui sont attachées aux noms de Freud et de Jung.

Freud

Pour Freud, ces relations s'expliquent par une commune origine mythique : au commencement de la culture, il y aurait le meurtre du chef et père de la horde primitive par les fils révoltés auxquels il interdisait la possession sexuelle des femmes du groupe. La conséquence du meurtre aurait été l'idéalisation du père mort, admiré et aimé autant que détesté, l'intériorisation de son interdit, l'émergence de la culpabilité et l'instauration d'une loi. Le culte du père et l'interdiction de l'inceste deviennent d'un même mouvement le fondement de tout ordre social et la matrice de toute croyance religieuse. Le sacrifice cultuel, avec son double aspect de commémoration du meurtre et de communion à l'ancêtre commun vénéré, est le prototype de tous les rites ultérieurs *(Totem et Tabou)*. L'humanité serait passée par un développement graduel du père primitif aux divinités tribales et au Dieu unique des grandes religions monothéistes. Le christianisme se distinguerait du judaïsme par l'aveu qui s'y fait jour du meurtre inaugural du père déplacé sur la figure d'un Fils divin *(Moïse et le Monothéïsme)*. Dans cette perspective, la religion n'est que la transposition déguisée des fantasmes œdipiens, la croyance n'est qu'une illusion alimentée par la culpabilité et le refus de renoncer aux images parentales idéalisées qui ont commandé le premier développement de la sexualité infantile ; le rite religieux est l'équivalent socialisé des rituels obsessionnels par lesquels le névrosé cherche à conjurer l'angoisse provoquée par ses pulsions meurtrières refoulées (actes obsédants, etc.). La critique est ici radicalement réductrice : le destin de la religion est celui de l'imaginaire inconscient, l'une et l'autre sont voués à perdre leur empire au fur et à mesure que l'homme se soumet à la clarté du Logos, aux exigences de la pensée scientifique *(Avenir d'une illusion)*. La voie de la vérité est aussi celle d'une sagesse résignée qui sait renoncer aux satisfactions et aux solutions illusoires liées à une étape dépassée du développement psychique.

Jung

On sait que sur ce point comme sur d'autres Jung s'est rapidement séparé de Freud et a proposé une interprétation différente de l'organisation fantasmatique inconsciente et de la nature de l'énergie pulsionnelle. La similitude entre les imagos constamment retrouvées dans l'analyse et les figures du divin proposées par les religions témoigne pour lui de la participation de tout être humain à un inconscient collectif qui, au-delà des vicissitudes de l'histoire de chacun, s'organise autour d'un certain nombre d'archétypes qui commandent le développement psychique et l'évolution de la libido. Leur réappropriation permet à l'individu à la fois de s'intégrer harmonieusement dans le Tout et d'élargir sa subjectivité aux dimensions d'un Soi qui surmonte le ruineux clivage entre conscient et inconscient. La libido ne se réduit pas à la sexualité infantile mise au jour par Freud mais devient une énergie psychique unifiante dont la poussée est secrètement animée par une visée téléologique. Dans cette perspective, les différentes religions correspondent à autant d'expressions et d'incarnations historiques contingentes des archétypes de l'inconscient collectif. La critique portera ici sur la prétention d'une foi déterminée à élever au rang d'absolu exclusif les particularités de son propre système de représentations et sur la tendance des institutions religieuses à réduire la croyance à une démarche volontariste et rationnelle coupant le sujet de ses racines inconscientes.

III. LA RECONNAISSANCE DU DÉSIR

Toute cette discussion sur l'origine et la signification des rapports entre imagos inconscientes et figures du divin reste cependant enfermée dans une problématique qui prend en quelque sorte à la lettre le fantasme et se contente d'en inventorier les contenus, d'en organiser les formes. Un peu comme si la mise au jour de l'imaginaire inconscient était manifestation immédiate d'une vérité cachée du sujet.

Fantasme et vérité

La mise en évidence du caractère fallacieux de cette immédiateté est l'un des thèmes majeurs de l'enseignement de Lacan et de sa relecture de l'œuvre de Freud. Resitués dans le mouvement du processus analytique, les scénarios fantasmatiques à travers lesquels s'articule et semble se figer l'imaginaire inconscient s'avèrent en effet commandés par une négation qui en est le véritable organisateur. La rivalité avec le Père idéal permet de maintenir la croyance illusoire en l'existence du phallus comme organe d'une puissance et d'une jouissance sans faille — quitte à en faire la propriété exclusive et inaccessible d'un seul — et de nier ainsi le caractère inéluctable de la castration symbolique, du manque qui soutient le désir. L'imago de la Mère archaïque est fondée sur une négation de la différence des sexes par la réunion de tous les attributs en une seule figure toute-puissante ; la quête nostalgique de l'union avec elle permet de nier la séparation et la béance qu'elle a inaugurée. L'Enfant merveilleux est le produit d'une négation de la division du sujet et de la distance infranchissable où il se situe par rapport à son origine. En faisant advenir à la parole ses fantasmes, l'analysant découvre ainsi peu à peu que l'agencement et le fonctionnement de son imaginaire inconscient obéissent à des nécessités et renvoient à une structure qui sont d'un autre ordre. La loi qui était d'abord apparue comme l'interdit arbitraire d'une volonté despotique devient dans cette perspective l'expression d'une logique incontournable, l'effet inéluctable de l'inscription de l'homme dans l'ordre du langage. Dans la mesure même où il s'efforce de la nier, le fantasme témoigne de l'insertion du sujet dans un ordre symbolique structuralement premier.

Effectivement, l'enfant n'émerge à la subjectivité que s'il est d'abord nommé et parlé par autrui, donc suspendu à un désir qui lui assigne une place inconnue de lui mais déterminante. Pour obtenir la satisfaction de ses besoins, il doit passer par la demande à un autre et par le recours à des signifiants qui lui préexistent, qui par définition laisseront toujours échapper quelque chose de sa singularité et feront dès lors de la vérité de son être le secret supposé d'un mythique Maître du langage, d'un Autre qui constitue dès lors la clef de voûte de toute structure subjective. En deçà des choses demandées et obtenues, en deçà des relations effectivement nouées avec l'entourage, il y aura donc toujours un reste, une ombre dont le fantasme sera précisément la mise en forme inconsciente : dans ce lieu viendront se déposer et se signifier les premières tentatives de réponse du sujet au désir supposé de l'Autre ; dans ce lieu aussi se constitueront toute une série d'objets imaginaires censés combler l'insatisfaction radicale et l'interrogation indéfinie provoquées par l'inscription dans l'ordre du langage. Mais ce que vient donner à entendre l'interdit de l'inceste, c'est que l'Autre, dont la mère a d'abord occupé la place, est inaccessible ; que la satisfaction sexuelle immédiate n'est pas permise au jeune sujet parlant et que son organe doit recevoir la marque d'une castration symbolique qui élève le phallus au rang de signifiant de la jouissance ; que l'objet imaginairement préservé par le fantasme est un objet radicalement perdu dont le manque fonde justement l'avènement et la permanence du désir. Le réel se constitue ainsi pour l'homme comme l'impossible dont la rencontre est nécessairement ratée puisque le sujet n'advient que dans la distance infranchissable que creuse le symbole entre la chose et lui. La place de l'Autre qui détiendrait le secret de la vérité instaurée par le surgissement de la parole est une place vide et le père se trouve lui-même soumis à la loi et au manque qui le constituent désirant. La seule issue offerte au désir est en définitive la reconnaissance des nécessités structurales qui le constituent comme désir de l'Autre, l'interprétation des processus à travers lesquels il se constitue en même temps qu'il se signifie, point de départ d'une errance qui est aussi le lieu du peu de vérité et de liberté auquel l'homme peut accéder.

Questions à la religion

Une telle perspective entraîne évidemment une reformulation des critiques adressées par la psychanalyse à la religion. On peut être frappé par l'homologie qui existe entre la position du sujet comme désir de l'Autre, au-delà des leurres de toutes les satisfactions imaginaires du rapport à la réalité, et la proclamation par le christianisme de l'ouverture d'une relation d'amour à Dieu qui constituerait la vocation et l'essence ultimes de l'homme. Diverses tentatives ont été faites pour établir à partir de là une articulation entre démarche psychanalytique et foi chrétienne. Mais il convient de ne pas dissimuler les antinomies qui rendent hasardeux et peut-être impossibles de tels cheminements. Du point de vue de la psychanalyse, en promettant au désir humain l'obtention du Souverain Bien, le christianisme méconnaît et subvertit la loi qui fonde justement l'émergence du sujet désirant. En faisant occuper par Dieu la place vide de l'Autre et en annonçant la possibilité de la rencontre, il ouvre l'accès à ce qui constituerait la seule jouissance totale mais risque du même coup d'annuler la distance qui protège le sujet de la réalisation mortifère des scénarios fantasmatiques où il se fait objet de la jouissance de l'Autre. En relativisant et en limitant au maximum plaisir sexuel et satisfactions pulsionnelles, l'Evangile pointe bien ce que le désir peut avoir d'irréductible, mais il peut soutenir par là l'illusion d'une fausse infinitude qui élude la castration symbolique : la mise hors jeu du sexe permettrait de préserver la positivité imaginaire du phallus, de maintenir le mirage d'une jouissance phallique qui échapperait à la limite intrinsèque au plaisir. C'est son rebondissement indéfini qui fait considérer comme infini un désir qui se soutient en fait de son assujettissement à des limitations très précises. La rencontre de l'homme et de la femme est justement le lieu où se manifestent de façon privilégiée ces limites et où se découvre l'impossible du rapport sexuel au regard du vœu de complémentarité harmonieuse des désirs en présence. Fonder sur un amour totalisant la relation de l'homme à autrui et à Dieu peut conduire à éluder la division que creuse au cœur de la subjectivité le désir en tant précisément que désir de l'Autre : ce qui me constitue désirant et désiré est irréductible à toute image ou signification dans laquelle je pourrais m'unifier et renvoie à un objet nécessairement perdu et manquant. Le sujet humain ne peut advenir qu'à l'intérieur d'un champ symbolique dont les lois mêmes rendent impossible tout accès direct au signifié ; la psychanalyse découvre au fondement du rapport de l'homme à la vérité une éthique qui lui interdit la jouissance de ce sens ultime et comblant qui semble être la visée de la religion.

Psychanalyse et idéologie

Le risque existe ici que la théorie analytique devienne elle-même objet d'idéalisation, soit prise pour un savoir détenant et dictant le dernier mot sur la condition humaine ; qu'elle se fige en un dualisme érigeant le conflit et la contradiction en principes d'une vision du monde pessimiste ; qu'elle soit identifiée à un système d'affirmations, de caractère finalement métaphysique, livrant la vérité ultime du rapport de l'homme au réel. La psychanalyse se retrouverait alors sur le même terrain que les philosophies ou les religions qu'elle critique, le débat étant ramené à un choix entre des thèses opposées. S'il est incontestable que, par certains de ses aspects, la pensée freudienne peut donner lieu à une telle interprétation, il nous reste à montrer que la démarche psychanalytique, dans ce qu'elle a de plus spécifique, conduit dans une autre direction.

Disons d'abord qu'il est de la nature du processus interprétatif de ne jamais se clore sur une signification dernière. Freud l'avait déjà noté à propos de l'interprétation du rêve : il y a comme un ombilic qui rattache la chaîne des pensées latentes du rêveur à un sol ou à une source qui préservent une zone d'inaccessible. Mais on peut élargir cette constatation à toute réalité et représentation, qui n'interviennent dans le champ psychanalytique que comme les relais d'une chaîne indéfinie de renvois et de métaphores. Le rationalisme et le positivisme constituent assurément le contexte intellectuel et idéologique dans lequel est née la psychanalyse, mais celle-ci en subvertit les présupposés dans la mesure où elle se meut dans la dimension d'un sens irréductible à l'enregistrement d'une réalité empirique, fût-elle psychique, ou à la découverte de rapports structurels formalisables. Même si elle comporte un aspect d'explication et permet la compréhension d'un certain nombre de mécanismes psychologiques, l'interprétation ouvre à une vérité qui n'est pas celle d'un système explicatif fermé sur lui-même. Elle débouche au contraire sur ce que Guy Rosolato a pu appeler « la relation d'inconnu » : au-delà de ces bornes du pensable que constituent les figures fantasmatiques de la féminité, de la mère et de la mort, toute organisation signifiante et toute vie psychique s'avèrent référées à un inconnu inaccessible, centre et source inassignables auxquels s'articule pourtant intrinsèquement la constitution du sujet humain. Ainsi, la découverte des déterminants singuliers qui assignent à chacun sa place dans le champ symbolique laisse intacte la question du sens de la destinée et entière la tâche d'y répondre. Ce que la psychanalyse met en question, c'est la prétention d'un certain idéalisme à poser cette question du sens au niveau de la pure conscience de soi et indépendamment de son inscription corporelle, fantasmatique et mythique. Mais la reconnaissance et le parcours de ce réseau de relations symboliques où s'enracine le sujet est aussi ce qui permet à ce dernier de se situer autrement par rapport à son destin, de l'assumer comme lieu d'une interrogation restant en définitive toujours ouverte et inépuisable. Si, à certains moments et par certains aspects, la démarche et la théorie analytique peuvent apparaître comme un processus de déchiffrement levant l'obscurité de ce qui constituait auparavant des énigmes, elles conduisent en définitive à la reconnaissance de la réalité comme mystère appelant non pas l'explication mais justement l'interprétation. Les fantasmes individuels peuvent à bon droit être considérés comme autant de versions ou de variantes de mythes qui permettent à chaque sujet d'inscrire son histoire dans un ordre signifiant lui donnant valeur de destinée. Le processus analytique se révèle ici solidaire d'une anthropologie pour laquelle la référence au mythe constitue l'horizon indépassable de toute activité psychique. Si la fonction du discours mythique est d'apporter à la question de l'origine et du sens une réponse échappant par définition aux limites de la rationalité, on voit que la psychanalyse s'inscrit dans un espace qui n'est décidément pas celui d'une vérité objective et scientifique au sens reçu du terme. Elle ne se pose pas non plus en doctrine qui viendrait dire le vrai sur le vrai et constituerait dès lors une nouvelle mythologie. Elle n'est que le repérage jamais terminé des coordonnées symboliques par rapport auxquelles s'effectue la constitution d'un sujet humain qu'elle aura aidé, « au mieux, à transformer un mystère de paralysant qu'il était en créateur qu'il est devenu »*. La psychanalyse n'entre pas ici en concurrence avec la religion dont le rôle est de proposer des doctrines et des pratiques assurant une interprétation et une régulation déterminées des rapports de l'homme au champ mythologique dans lequel il est inévitablement inscrit ; elle renvoie chacun aux choix qui sont les siens, mais en creusant l'espace d'une interrogation qui empêche toute croyance de méconnaître son enracinement pulsionnel inconscient et de se durcir en système négateur du désir subjectif qui la soutient. Cette interrogation, nous l'avons vu, est de nature à remettre en cause nombre de présupposés à partir desquels le christianisme est le plus souvent vécu et pensé. Elle entraîne de toute façon une modification profonde du rapport du croyant à l'univers religieux qui était ou reste le sien.

---

* J.-P. Valabrega, *Phantasme, Mythe, Corps et Sens,* Paris, 1980, p. 268.

BIBLIOGRAPHIE

LES SOURCES

Pour situer les différents courants psychanalytiques on pourra se reporter à :

J.-P. Fages, *Histoire de la psychanalyse après Freud,* Privat, Toulouse, 1976.

PSYCHANALYSE ET RELIGION

Nous citons quelques ouvrages significatifs des relations possibles entre psychanalyse et religion (particulièrement la foi chrétienne) :

M. Bellet, *Foi et psychanalyse,* Desclée De Brouwer, Paris, 1973.

Id., *le Dieu pervers,* Desclée De Brouwer, Paris, 1979.

F. Dolto et G. Severin, *l'Evangile au risque de la psychanalyse,* 2 vol., Delarge, Paris, 1977 s.

Id., *la Foi au risque de la psychanalyse,* Delarge, Paris, 1981.

J. Durandeaux, *les Chrétiens au feu de la psychanalyse,* Paris, 1972.

E. Granger, *le Croyant à l'épreuve de la psychanalyse,* Cerf, Paris, 1980.

A. Plé, *Freud et la religion,* Cerf, Paris, 1968.

Id., *Freud et la morale,* Cerf, Paris, 1969.

J. Pohier, *Au nom du Père... Recherches théologiques et psychanalytiques,* Cerf, Paris, 1972.

Id., *le Chrétien, le plaisir et la sexualité,* Cerf, Paris, 1974.

Id., *Quand je dis Dieu,* Seuil, Paris, 1977. (Ce livre ayant fait l'objet d'une mise en garde épiscopale et romaine, on se reportera également à la mise au point par l'auteur dans la préface à l'édition allemande : *Wenn ich Gott sage,* Walter Verlag, Olten, 1980 et à « Débat autour d'un livre » (J. Colette et Cl. Geffré), *le Supplément,* sept. 1978, pp. 427-460.

P. Ricœur, *De l'Interprétation. Essai sur Freud,* Seuil, Paris, 1965.

Id., *le Conflit des interprétations. Essai d'herméneutique,* Seuil, Paris, 1969.

G. Rosolato, *Essai sur le symbolique,* Gallimard, Paris, 1969.

R.L. Rubenstein, *l'Imagination religieuse. Théologie juive et psychanalyse,* Gallimard, Paris, 1971.

J.C. Sagne, *Péché, Culpabilité, Pénitence,* Cerf, Paris, 1971.

A. Vergote, *l'Interprétation du langage religieux,* Seuil, Paris, 1974.

Id., *Dette et désir. Deux axes de la dérive pathologique,* Seuil, Paris, 1979.

CHAPITRE III

L'approche analytique des énoncés théologiques

par FRANCIS JACQUES

SOMMAIRE. — Signifiance et validité : une question radicale ; Le mouvement analytique en philosophie : de l'objet à la méthode ; Le déroulement du programme de l'approche analytique ; Une impasse : l'analyse vérificationnelle ; L'analyse fonctionnelle des jeux de langage : une attitude plus positive à l'égard des énoncés théologiques ; Vers une approche analytique intégrée ; un exemple : les énoncés de croyance religieuse ; De la référence en théologie ; Dieu, un référent qui a statut de Personne ; De l'approche analytique à la philosophie de la religion. Bibliographie.

L'approche analytique, qui s'est développée principalement dans les pays anglo-saxons [1], fait de l'analyse du langage en contexte un préalable à la position de n'importe quel problème philosophique. Elle se meut essentiellement sur le plan des énoncés. Aussi concernera-t-elle la philosophie de la religion par le biais des énoncés religieux, et en particulier des énoncés théologiques.

Les contextes religieux sont divers, et variés les types d'énoncés qui y sont émis : hymnes et Psaumes, récits, législations, Proverbes, écrits sapientiaux, prophéties, etc. La discussion des philosophes s'est concentrée sur un segment restreint de cette diversité énorme : les énoncés théologiques pris en un sens large, où il désigne le discours des croyants sur Dieu. Donc à la fois le langage de la foi vivante et son objectivation. En cette dernière, on ne distinguera pas, dans les limites de ce travail [2], entre la théologie interprétative des textes où s'articule l'expérience religieuse, et d'autre part le langage systématique d'une théologie spéculative.

---

1. Il faudrait mentionner aussi quelques logiciens catholiques polonais partisans d'une théologie déductiviste et constructive.

2. Le lecteur ne perdra pas de vue sa finalité purement didactique dans un ouvrage d'initiation.

En simplifiant, on dira que le langage théologique est un langage de *second degré*, un méta-langage volontiers objectivant. Il présuppose un autre langage où se dit l'expérience religieuse du salut qu'il ne fait qu'expliciter. Le langage théologique se présente comme un discours marqué d'historicité qui emprunte à la conceptualisation existante, à ses risques et périls, pour rendre transparent à lui-même le discours originaire où l'homme confesse sa foi et entreprend de nommer Dieu. Le mouvement de pensée dont B. Russell et G. E. Moore sont les fondateurs, a estimé que c'est là que se pose le problème crucial ; dans une confession de foi, une prédication, une liturgie, une invocation, ce qui est spécifique n'est pas la demande ou l'aveu, ni même la croyance, c'est le fait de s'adresser à Dieu et d'en attendre une réponse. C'est le concept de communication avec une personne incorporelle, spirituelle, surnaturelle, qui n'est pas clair. Les difficultés pour comprendre les autres formes du langage religieux naissent des énoncés sur Dieu.

I

Or, l'approche dont nous parlons aborde la religion du côté de ce qui fonde la *validité* des énoncés. Elle se demande comment ils signifient, c'est-à-dire comment ils font sens à la fois et référence conformément à leur statut logique et linguistique. C'est ici que serait la principale source de perplexités, en même temps que le moyen d'installer l'examen sur le terrain le plus objectif. Cette clarification n'a pas besoin de justification supplémentaire. Son intérêt est intrinsèque, car c'est une dimension inéliminable de la critique. Elle peut même contribuer à une interrogation radicale sur la possibilité de l'entreprise théologique.

Signifiance et validité : une question radicale

Une telle approche partage avec l'approche herméneutique de tradition allemande le souci d'être une *Sprachkritik*, et le postulat général que la médiation du langage est obligée. En deçà, il n'y a que « le silence et l'absence ». C'est toujours dans un discours que s'articule l'expérience religieuse. Loin que l'analyse logico-linguistique soit extrinsèque, elle jouit d'une sorte de priorité. Car il y a une textualité de la foi biblique qui lui est spécifique, une quasi-précédence du discours sur la vie de foi elle-même. Du côté analytique comme du côté herméneutique, on souscrit parallèlement à certains enjeux sémantiques. Par exemple à l'idée que l'exégèse ne devra pas se laisser fasciner par les modèles structuraux qui réalisent une hypostase du texte en soi[3] en tenant la langue pour un système de signes sans extérieur. L'exégète devra prendre en compte l'intégralité de la situation de signification, laquelle comporte le langage lui-même, ce à quoi il se réfère, et les utilisateurs du langage pour lesquels — entre lesquels — le langage signifie quelque chose. Les deux approches recommandent également de porter attention aux analyses du discours et à ses instances propres, les énoncés. Le texte n'est qu'un moment dans une chaîne communicative que l'exégète détermine et restitue pour les lecteurs d'aujourd'hui.

Il convient ici d'éviter une méprise. Une première série de différences apparaît aussitôt. Une philosophie analytique de la religion s'intéresse essentiellement à des questions de *justifiabilité* en termes de signification et vérité. Au point d'inverser l'ordre de la démarche par rapport à l'herméneutique. Le travail de l'herméneute se meut dans le cercle fameux du croire pour comprendre. Il emprunte au croire ses présuppositions. Pas question d'interpréter le discours théologique sans avoir réinterprété la parole de Dieu qui, dans l'Ecriture, s'adresse aux hommes. L'approche analytique, elle, se veut franchement anhistorique. Au lieu de partir de la plénitude des textes pour leur trouver un sens, elle part des critères de signifiance établis théoriquement pour leur accorder ou leur refuser un sens. Elle ne se demande pas si le mode de révélation de la Bible conditionne le mode de l'analyse ; le discours théologique et l'activité religieuse seront justifiables ou non selon qu'on prête sens ou non aux énoncés qui concernent Dieu. Le problème spécifique que pose le langage religieux est celui de sa *signifiance*. La question est assez radicale, puisque la position diffère autant de celle de l'athée traditionnel que de celle du théiste. Quels titres avons-nous pour accepter la proposition que le monde est créé, gouverné par un Dieu personnel, tout-puissant et parfaitement bon ? L'athée soutient qu'une telle proposition est fausse, le théiste qu'elle est vraie. Mais d'abord est-elle pourvue de sens ? Même l'agnostique n'allait pas jusqu'à poser cette question préalable.

Ce qu'il est convenu d'appeler le mouvement analytique reprend la question philosophique là où l'ont laissée la *Critique de la raison pure* de Kant et les *Dialogues sur la religion naturelle* de Hume. En effet, Kant avait fait voir la vanité des démonstrations théoriques de l'existence de Dieu, tout en réservant la possibilité d'une preuve pratique. Du moins maintenait-on que la raison peut concevoir Dieu, même si elle n'a pas le droit de poser son existence. Hume avait été plus négatif : comme

3. Pour un constat amusé, M.H. ABRAMS, « How to Do Things with Texts », in *Partisan Review*, 4, 1979, pp. 516-517.

notre faculté de connaître est dépourvue de tout pouvoir objectif en dehors de l'expérience sensible qui est finie, nous ne saurions nous élever jusqu'à l'idée du parfait ou de l'infini. C'était là mettre en cause l'existence même de l'idée de Dieu en nous. Les philosophes analytiques partent du dilemme qui en résulte : ou bien il ne nous est pas possible de nous former un concept de Dieu infini, ou bien, si nous en sommes capables, nous ne sommes pas en mesure de démontrer qu'Il existe. L'approche herméneutique tient que seule reste ouverte la voie d'une théologie historique ou révélée. L'approche analytique reprend la question fondamentale pour la radicaliser et la préciser. Il reste en effet dans le dilemme précédent à expliquer d'où vient l'illusion qu'on détruit, et d'où vient qu'on ait pu se croire en mesure de la surmonter. Il ne s'agit plus seulement de savoir s'il y a quelque expérience pertinente pour la formation de l'idée de Dieu, mais la question est portée au niveau du langage religieux pour demander s'il est signifiant et ce qui fonde sa signification.

Nouvelle différence : l'approche analytique entend rester sur le plan des énoncés, alors que l'approche herméneutique relie la théorie générale du discours à une théorie générale du sens, et le sens lui-même, fût-il inscrit dans une écriture, à une théorie de l'*intentionalité* : à l'intérieur de l'instance du discours le sens est intentionnel. L'aventure du texte commence, affranchie de l'intention de son auteur, mais la possibilité d'écrire et le champ scriptural tout entier reposent sur le caractère intentionnel du sens par rapport à l'acte qui le vise, et doit le recouvrer. Au contraire, l'approche analytique considère le plan des énoncés dans son autonomie, et ne le dépasse qu'*in extremis*, lorsqu'il est devenu intenable.

Le mouvement analytique en philosophie : de l'objet à la méthode

Comment expliquer ces deux premières différences, qui sont très largement constantes ? L'approche analytique en philosophie de la religion dépend de la grande histoire de l'approche analytique en philosophie. Elle en reproduit l'envergure — entre l'analyse *vérificationnelle* inspirée par le positivisme logique et l'analyse *fonctionnelle* et pluraliste des jeux de langage inspirée par le second Wittgenstein — et la marche vers une analyse plus compréhensive et plus intégrée. Mais, derrière la diversité considérable de ce « mouvement » de pensée, un domaine d'accord, une ressemblance de famille. On admet que la philosophie ne se confond avec aucune des sciences empiriques [4]. Elle

4. Ainsi L. Wittgenstein, *Tractatus* 4.111.

ne poursuit aucune synthèse des connaissances. Elle a pour domaine la sphère de la *signification.* Son langage fonctionne comme l'ultime méta-langue à l'égard des énoncés objectifs. A la différence de la science, qui entreprend de constituer un monde d'objets associables à des énoncés bien formés, la philosophie examine leur signification, tout comme celle des énoncés que forment les mathématiciens, théologiens, moralistes, etc.

En ce sens — et c'est le premier principe de cette nouvelle approche — son sujet est de second ordre, et les concepts par lesquels la philosophie s'attache à expliciter le rapport des symbolismes à l'expérience qu'ils organisent, sont des méta-concepts.

Second principe : le sujet premier de la philosophie est la signification *par langage ;* elle ne traite pas d'objets ni d'actes, ni même du langage comme objet (à l'instar de la linguistique), mais de la signification des symbolismes élaborés dans les diverses sphères culturelles, y compris la religion. Ce second principe est si largement accepté, que G. Ryle a pu dire que l'histoire du XXe siècle en philosophie anglo-saxonne est très largement l'histoire de la notion de signification. Ajoutons : linguistique.

C'est quand il s'agit d'élucider le rapport des divers langages à l'expérience humaine, religieuse aussi bien, c'est-à-dire la signification de la signification, qu'on va rencontrer une diversité interne au mouvement analytique. Pourtant l'accord se fait encore sur une nouvelle idée-force. Et d'abord sur un refus. On rejette le psychologisme. Et la manière de Frege ou Wittgenstein est beaucoup plus radicale que celle de Husserl. Le sens n'est pas l'image ou la représentation au sens psychologique. Il se produit en fonction des règles d'un langage dont le fonctionnement est autonome. Ce qui a pour effet de débouter toute fondation sur les actes, opérations ou même visées intentionnelles d'un sujet transcendantal. En outre, pour abolir l'idée ou l'image au sens philosophique, l'enquête ira au-delà des mots séparés, isolés, discrets. C'est dans le contexte d'une phrase que le mot est signifiant et qu'il a un usage. Sur cet axiome de *contextualité*, repose toute la sémantique des logiciens qui ont suivi l'influence de Frege : c'est à partir du sens des phrases que doit être appréhendé le sens des mots. Que veulent dire, appliqués à Dieu, les prédicats positifs *bon* dans « Dieu est bon », *aime* dans « Dieu nous aime », ou des prédicats négatifs comme *infini, intemporel, incorporel* dans « Dieu est infini », etc. ? Et le sens des mots se réduit à la contribution au sens des phrases où ils figurent. Quant au sens des phrases — notamment des phrases précédentes — il repose sur la notion de condition de vérité. Connaître ce que signifie une phrase, c'est connaître les conditions qui doivent être remplies pour que son énoncé soit vrai. Le fait que la proposition est seule capable d'être vraie ou fausse, est une autre indication que la signifiance (*meaningfulness*) investie dans les mots est abstraite et partielle. Cette assomption de *véri-conditionnalité*, qui lie signification et vérité, met toute cette sémantique en affinité avec les énoncés de science. On pressent que l'approche du langage religieux pourra devenir très critique, sauf renouvellement drastique de toute la conception.

Nous retrouvons bien — comme un troisième principe — ce qui fonde l'approche analytique : le lieu propre de la signification est la proposition ou *l'énoncé* (toujours proféré en contexte). Le fait d'être ou de ne pas être pourvu de sens concerne les phrases complètes en tant qu'elles sont susceptibles d'être vraies ou fausses. C'est là et non ailleurs que se laisse percevoir le mode de structuration de nos concepts.

Reste à savoir quelle est la méthode adéquate. A nouveau une plate-forme unanime : l'analyse et non pas la synthèse. Précisons. Non pas directement l'analyse conceptuelle, mais — quatrième principe — *l'analyse de la signification des énoncés*. Non que la philosophie analytique se confonde alors avec la philosophie du langage comme thème distingué (au même titre que le désir ou le pouvoir). Tout au plus comporte-t-elle une philosophie du langage — autour de la question essentielle de savoir à quelles conditions il peut être signifiant — apte à justifier son ambition, apte à montrer que l'analyse logique de la signification peut revêtir une portée philosophique. C'est-à-dire que l'on peut traiter philosophiquement des mathématiques, de la politique, de la perception ou de la théologie, à partir de l'examen critique des conditions de possibilité de la signification des énoncés correspondants. Les travaux initiaux de Russell et Moore, puis ceux de Carnap et Wittgenstein, montrèrent clairement qu'un grand registre d'enquête s'ouvrait.

II

La manière d'analyser les énoncés théologiques va dépendre à la fois des options qui rendent à l'analyse du sens une portée philosophique — on pourra distinguer un héritage empiriste, nominaliste, mais aussi transcendantal — du contexte retenu par l'analyse — l'énoncé *stricto sensu* ou le système théorique où il s'intègre — et enfin des approches corrélatives.

Le déroulement du programme de l'approche analytique

Historiquement, l'approche fut d'abord *syntaxique*, axée sur la forme logique des énoncés. Il y eut un temps où seule la syntaxe formelle[5] était tenue pour une théorie rigoureuse et développée, tandis que la sémantique était simplement un commentaire intuitif et informel à son sujet. Il s'agit alors d'étudier le langage en termes des relations qui existent entre les signes eux-mêmes (C. Morris). Jusqu'ici on veut ignorer la fonction référentielle du langage et le rôle des interprétants, afin d'étudier plus complètement les propriétés formelles du langage.

Il n'est pas indifférent de voir établie l'irréductibilité entre deux constructions de base pour le verbe « croire » : croire que (avec la forme dérivée je *le* crois) et croire à ce que (avec la forme dérivée « croire en »). Sans aller jusqu'à la rigueur axiomatique dans la sphère de la théologie systématique, un auteur comme J. L. Mackie s'efforce de la traiter à l'instar d'un système déductif[6]. Mais déjà A. Tarski avait démontré qu'on pouvait caractériser logiquement les notions de référence[7], de vérité, de satisfiabilité. Dès lors il devenait clair qu'on ne pouvait plus se borner à apprécier l'adéquation syntaxique du langage de la foi par rapport à des normes internes au langage lui-même : par rapport à l'Ecriture et à la Tradition, et pour l'Eglise à des déclarations du magistère. On ne pouvait plus se borner à examiner la cohérence systématique entre les axiomes de la théologie dogmatique et les principes qui apparaissent dans le langage de la foi vivante. Au reste, la contradiction apparente qui surgit dans un énoncé tel que « Dieu est compromis dans l'histoire, et pourtant Il n'est pas sujet au changement », indique bien qu'une investigation ultérieure de type sémantique est indispensable. Il faut se prononcer sur l'usage approprié des termes « Dieu », ou « sujet au changement », ou « parfait », appliqués à Dieu — et négativement, en rejetant les objets de référence qui ne conviennent pas. C'est le seul moyen de faire disparaître les bizarreries qui apparaissent dans la structure syntaxique de la théologie systématique[8]. Il faut aussi clarifier le registre *référentiel* des énoncés théologiques qui ont le souci de dire quelque chose de Dieu (qu'Il est, et ce qu'il en est).

L'étude *sémantique* du langage religieux est solidaire de la réflexion épistémologique sur la science moderne. La conception traditionnelle de l'analogie, sous sa forme thomiste, était une tentative pour sauver la valeur de vérité et le caractère indicatif des énoncés théologiques, en évitant les deux écueils de l'agnosticisme et de la chute dans

---

5. R. Carnap, *la Syntaxe logique du langage,* 1934.
6. J.L. Mackie, « Evil and Omnipotence », *Mind,* vol. LXIV, 1955.
7. Dans le présent contexte, nous appellerons *référence* la capacité du discours de se rapporter à une réalité extra-linguistique. Le discours est conçu moins comme objet que dans sa valeur de médiation, en ce qu'il est au sujet de ce qui n'est pas lui-même.
8. Cf. I. Crombie, in *New Essays,* op. cit.

l'équivoque. Toute étude de la référence des énoncés religieux doit partir du fait que le support métaphysique de l'*analogie* est ruiné.

Rappelons qu'Aristote avait assigné à la métaphysique une double fonction : traiter de l'être en tant qu'être pris universellement[9] ; étudier la substance non sensible et immobile[10]. L'unité de l'être n'est pas équivoque. Elle n'est pas non plus simple homonymie : des analogies de proportion existent entre des objets tombant sous des catégories différentes. Mais, pour Aristote en tout cas, de telles analogies ne sont pas l'objet d'une science véritable. Saint Thomas, qui n'a pas renoncé au caractère scientifique de la métaphysique, emprunte à la métaphysique comme science de l'être immatériel et immobile (théologie rationnelle) la garantie suprême susceptible de légitimer l'analogie. La théologie spéculative fait de la philosophie la servante de la théologie, car elle a compris qu'une fois démontrée par une preuve — qui *ne fait pas* usage de l'analogie — l'existence du premier moteur, sa causalité particulière peut fonder les analogies des êtres. Ceux-ci dépendent du premier moteur qui leur fournit principe et fin. Le fondement de l'analogie est l'éminence du Créateur sur la créature naturelle. La nature est pénétrée d'une signification qui la dépasse, et le mouvement des êtres porte la marque du premier moteur qui le cause et le soutient.

Il est bien connu que, depuis Galilée, la théorie physique a adopté le principe inertial d'un mouvement sans cause. A juste titre la théologie rationnelle s'est sentie menacée : non seulement le monde de l'analogie dans la nature était ruiné, mais la preuve du premier moteur elle-même était minée. Elle faisait en effet usage du principe de causalité et de la distinction entre l'acte et la puissance. Et ceux-ci s'appliquent alors à des concepts de la matière trop différents — à la fois substance sensible éternelle, substances corruptibles, substances sujettes au mouvement local — pour ne pas requérir une unité. Et la seule unité pensable semble bien être celle de l'analogie elle-même. Ce que J. Vuillemin appelle le *cercle du dogmatisme* devenait manifeste. L'identité de l'analogie fait problème entre deux choses hétérogènes. Comment conclure de la corruption au transport local sauf à donner à la catégorie de causalité un usage transcendant ? Kant, qui a pris acte du fait que la matière du physicien est réduite à l'étendue physico-mathématique, l'interdit dans la *Critique*. Après lui le problème de l'*analogia entis* a cessé de se poser en philosophie. Ce n'est pas un hasard si ce résultat négatif a coïncidé avec le développement moderne d'une conception ensembliste des mathématiques et d'une

---

9. *Métaphysique Kappa 4, 1061b, 25.*
10. *Op. cit. Lambda* I, 1069b.

logique extensionnelle[11]. Il est décidément difficile de recourir à l'analogie pour fonder la référence des énoncés théologiques. Nous verrons plus loin comment rendre un sens à une logique de l'analogie, mais pour cela il faudra réinterpréter tout autrement le projet spéculatif de la théologie.

Longtemps la sémantique post-frégéenne, avec ses axiomes de contextualité et de véri-fonctionnalité, dont nous avons parlé plus haut, se donna pour théorie rigoureuse et bien développée, tandis que l'approche *pragmatique*, qui concerne un troisième élément de la situation de signification, à savoir le rapport aux utilisateurs du langage (et non plus seulement le langage lui-même et ce à quoi on se réfère) n'était qu'un sujet informel livré à la spéculation.

Aujourd'hui, les premiers efforts pour construire une théorie pragmatique rigoureuse se sont déployés, renouvelant l'approche analytique. Avec elle le paradigme de la *communicabilité* tend à se substituer au paradigme de l'expressivité en philosophie du langage. Une théorie de l'usage, de la dépendance au contexte extra-linguistique, se développe. Après le point de vue historique et le point de vue structural, qui sont apparus successivement depuis le XIXe siècle, le point de vue pragmatique consiste à découvrir les déterminations du symbolisme qui rendent possibles les actes de communication, auxquels sont ordonnés les langages naturels. L'analyse s'enrichit. Elle pourra traiter de la portée sémantique des assertions, eu égard à un contexte d'usage dans la communauté de communication. C'est alors seulement qu'elle entre en concurrence avec l'approche herméneutique comme *art d'interpréter* des textes en général, de déceler ce qui n'est pas manifeste, en même temps qu'art de franchir la distance culturelle qui nous sépare des textes et l'écart qui sépare le discours de ce qu'il doit dire.

Bien entendu, la finesse des résultats n'est peut-être pas égale à celle de l'approche herméneutique. Mais c'est compensé par la rigueur d'une approche antérograde qui progresse par complication croissante de son modèle vers une appréhension stricte des conditions logiques d'une situation de signifiance. Déjà le point de vue logique déborde la simple syntaxe pour accueillir successivement les dimensions sémantique, puis pragmatique. Les ressources de l'analyse se sont accrues pour traiter de la communicabilité par un système de signes en général. Le logicien philosophe admet que l'homme est présent dans la langue qui lui sert à se référer au monde. L'homme, ou plutôt la communauté scientifique des experts, quand il s'agit d'analyser les

---

11. Sur l'élimination progressive de la notion aristotélicienne de « puissance » en physique, en mathématiques et enfin en logique, cf. J. VUILLEMIN, *De la logique à la théologie*, op. cit., pp. 224 ss.

énoncés de la science, et la communauté historique des croyants quand il s'agit d'analyser les énoncés religieux. C'est ce progrès qu'il nous faut maintenant suivre en passant en revue quelques prises de position significatives quant à la spécificité du langage théologique.

III

On a vu le parti-pris thomiste : la théologie est une science qui doit satisfaire aux canons aristotéliciens. Le théologien fera œuvre de détermination scientifique par un discours à l'indicatif qui désigne et décrit ce qui est. Or, pour les positivistes du Cercle de Vienne, et pour ceux qui subissent leur influence, le langage religieux (pas plus que la métaphysique) ne présente ni les garanties logiques ni les justifications empiriques qui permettent à un ensemble de propositions d'être pourvues de sens.

Une impasse : l'analyse vérificationnelle

Rappelons le principe. Ces philosophes sont empiristes (tout le contenu de la connaissance vient de l'expérience) et logiciens (tout le contenu formel de la connaissance vient de la syntaxe logique du langage). Or le langage théologique se veut cognitif. Que peut vouloir dire, pour un énoncé, « avoir une éventuelle valeur cognitive » ? Que cela fera une différence selon qu'il sera vrai ou faux, répond Schlick à la suite de Peirce [12]. Dire qu'un énoncé est *significatif*, c'est dire qu'il exprime un état de choses possible dans les limites de l'expérience. Un énoncé authentique représente la construction d'un fait possible aux fins d'expérience. En d'autres termes, on doit pouvoir partir de l'énoncé synthétique en question et stipuler les conditions selon lesquelles l'état de choses existe ou au contraire n'existe pas. En un mot, être signifiant c'est être vérifiable. Sous sa forme stricte, le critère invoque la notion d'énoncés *protocolaires* exprimant directement les *data* d'expérience : un énoncé synthétique est *meaningful* si et seulement si un contenu factuel peut lui être assigné au moyen d'énoncés protocolaires qui en sont déductibles. Déterminer ces énoncés revient donc très exactement à établir la signification de

---

12. Encore dans *Testability and Meaning*, lorsque le critère empiriste aura été rectifié et affaibli, R. Carnap maintiendra : « En tant qu'empiristes, nous demandons que le langage soit restreint d'une certaine façon ; que les prédicats descriptifs, et dès lors les propositions synthétiques, ne soient pas admis sans qu'ils aient quelque connexion avec les observations possibles, laquelle doit être caractérisée de façon convenable. »

l'énoncé en question. En ce sens, sa signification réside dans la possibilité d'en déduire une suite d'énoncés protocolaires. C'est donc une propriété fondamentalement logique. On voit aussitôt la cohérence entre le critère d'empiricité du sens et le critère de traductibilité dans le langage extensionnel, puisqu'aucun énoncé ne sera pourvu de sens si son organisation formelle ne le dispose pas à cette déduction.

Il n'est pas besoin de beaucoup réfléchir pour s'apercevoir que les énoncés théologiques deviennent en droit invérifiables, partant dépourvus de sens : ils ne représentent aucun état de fait possible, simultanément ils ne relèvent d'aucune procédure d'analyse logique. Le référent « Dieu » est un pseudo-objet, et quand d'aventure le théologien raisonne ou prouve, la preuve s'effondre dans ses prémisses, qui ne peuvent être formulées dans la syntaxe logique. L'inspiration empiriste traditionnelle (Hume) survit : on ne peut même pas former l'idée de Dieu. Comment prouverait-on son existence ? (Kant). Le comportement logique du mot « Dieu » est tel, insiste Findlay, que la question de son existence ne peut même pas être posée à propos de sa référence, puisque je me réfère à lui comme à un être nécessaire et infini, hors de l'existence et du temps, cause unique du monde comme totalité. Outre qu'un tel référent est inobservable, les règles analytiques pour l'emploi correct des termes « nécessaire et « existence », préviennent la formulation de toute proposition dans laquelle « Dieu » apparaîtrait comme sujet logique [13].

A fortiori est-il difficile de soutenir que les énoncés de croyance religieuse sont des *assertions* authentiques. Dès qu'on asserte, on fait une déclaration qui a une valeur de vérité, partant dont on doit donner les conditions de vérité. Au reste, on ne peut même déterminer le genre de preuve qui serait requis pour convaincre de sa fausseté une croyance religieuse que quelqu'un tient pour vraie. Comme le montre A. Flew sur l'exemple célèbre du jardinier inconnu, à chaque effort pour la falsifier, le croyant ajoute une concession sans abandonner sa croyance. Et l'assertion religieuse meurt de la mort d'un millier de restrictions. Mieux vaut abandonner l'idée qu'il s'agit d'une assertion, ou même d'une hypothèse.

En fait, la tentative de A. Flew, puis de D. Cox, et de J. N. Findlay, pour mettre au jour l'impossibilité logique de certains concepts, en réduisant l'aspect assertif du discours théologique à des assertions invérifiables, aboutit à soupçonner la pertinence de l'analyse vérificationnelle. Notamment les paradoxes, extravagances et hyperboles qui

---

13. Pour une critique, cf. S. Breton, *Foi et Raison logique*, op. cit., pp. 107-109, et F. Jacques, *Différence et Subjectivité*, op. cit., chap. I, §3.

sont si fréquents dans le langage théologique (sur le mal, sur la liberté, sur la mort, par exemple), ne sauraient être assimilés à des énoncés nécessairement faux, simples contradictions, ou symptômes de confusion linguistique. Eux que l'on a longtemps donnés comme dépassement du *logos* et chiffre de la transcendance, on soupçonne qu'ils fonctionnent comme des substituts de certains usages créateurs du langage, qu'ils sont des occasions stimulantes pour des formulations théologiques plus profondes, et qu'ils sont plutôt des symptômes de pénétration linguistique. Le procédé qui consiste à jeter le discrédit sur des terminologies traditionnelles très anciennes, à les traduire dans le vocabulaire technique et à exprimer une surprise choquée de voir les confusions logiques qui en résultent, est un procédé trop facile pour être convaincant.

Nous n'avancerons pas beaucoup dans la compréhension du langage théologique en le soustrayant de toute expérience possible ou en le rendant analytiquement impossible. D'autant que le critère de vérifiabilité se révèle dans le même temps *introuvable*. De correction en rectification, il est constamment affaibli. L'empirisme moderne y renonce. Bien mieux, la distinction entre énoncés analytiques et synthétiques qui était au cœur de la philosophie néo-positiviste de la signification, a été récusée par Quine ; la syntaxe logique du langage a éclaté ; les systèmes logiques déviants sont apparus aux côtés des systèmes classiques ; la conceptualité logique s'est étendue, permettant de concilier la modalité et la quantification. Une nouvelle conception du sens, de ses conditions formelles comme de ses conditions empiriques, est possible, où le problème sémantique doit être tenu indépendant du problème de la mise à l'épreuve empirique [14].

L'analyse fonctionnelle des jeux de langage : une attitude plus positive à l'égard des énoncés théologiques

Mais surtout une nouvelle conception du langage renouvelle l'approche analytique et va permettre de concevoir autrement l'analyse des énoncés théologiques [15].

Les derniers écrits de Wittgenstein nous offrent en effet un modèle alternatif : plutôt qu'une invention instrumentale utile pour commu-

---

14. Au lieu de les confondre comme les Viennois, il faut les dissocier : le premier est de nature sémantique, le second de nature méthodologique. Sur ce point voir M. Bunge, *Foundations of Physics*, Berlin, Springer, 1967.

15. On évitera d'assimiler la philosophie analytique à telle philosophie du langage déterminée, pas plus qu'il ne faut la réduire à l'une de ses formes historiques : l'atomisme logique du *Tractatus* diffère des positivismes viennois comme de l'Ecole d'Oxford ou de l'empirisme américain de Quine.

niquer des faits empiriques, le langage est présenté comme un organisme en croissance naturelle, comparable à une ville ancienne.

> ... un dédale de petites rues et de places, avec de vieilles maisons ou de plus récentes, comportant des extensions ajoutées à des dates diverses. Le tout entouré de beaucoup de nouveaux quartiers, avec leurs rues toutes droites et leurs maisons uniformes [16].

Remplaçant l'analyse vérificationnelle standard, une analyse *fonctionnelle* et pluraliste du sens est possible. Pour elle, le langage sera un produit social complexe, qui possède un grand nombre d'usages également légitimes. Autre est l'efficience d'une interrogation, d'une promesse, d'un commandement, d'une description empirique. Qu'on se représente la multiplicité des jeux de langage, au moyen des exemples suivants : rapporter un événement, inventer une histoire, faire des conjectures au sujet d'un événement, former une hypothèse, solliciter, maudire, prier, et ainsi de suite ad libitum [17]... Bref, le langage en ses divers jeux est tenu pour un phénomène naturel.

Dès lors l'attitude de l'analyste change. Il ressemble moins à un technicien choisissant l'appareil le plus utile pour un but spécifique, qu'à un biologiste appelé à observer et à classer des espèces naturelles. Le philosophe n'a plus à offrir des définitions pré-conçues de la signifiance. Mais si l'analyse fonctionnelle des jeux de langage retrouve pour une part le principe de l'empirisme, c'est autrement : en décrivant, en classant, en comparant scrupuleusement usages et contextes. Ainsi c'est dans le mode formel que F. Ferré [18] examine les règles limitant l'usage des mots à l'intérieur de trois types de discours théologiques : soit que le théologien subordonne la signification de ses énoncés à la seule autorité des Ecritures (*logic of obedience*), soit qu'il la fonde sur l'expérience d'une rencontre avec Dieu (*logic of encounter*), soit qu'il s'appuie sur l'analogie (*logic of analogy*). Mais le philosophe fera bien de garder son esprit critique, car l'habileté dans l'usage ne garantit pas une compréhension adéquate des règles qui gouvernent l'usage. Comme dit G. Ryle, il ne faut pas confondre *knowing how* et *knowing that*.

Considérons par exemple la « logique de l'analogie ». Ses fondements ontologiques étant ruinés, comme on l'a vu, tout au plus peut-on lui demander d'apporter des critères pour un usage discipliné de la langue naturelle à l'intérieur des contextes religieux. Une fois que

---

16. L. WITTGENSTEIN, *Investigations philosophiques*, § 23.

17. *Ibidem*.

18. F. FERRÉ, *Language, Logic and God*, op. cit., chap. VI à VIII (trad. fr. *Le langage religieux a-t-il un sens ?*, Cerf, coll. « Cogitatio Fidei », n° 47, Paris, 1970).

l'analogie a été traitée dans le « mode formel », le seul problème à son sujet est de savoir comment le langage, en dépit de sa nature anthropomorphique, peut recevoir un usage en évitant à la fois l'univocité, qui donne naissance à l'anthropomorphisme, et le pur et simple non-sens de l'équivoque. Il s'agit de produire les *règles qui limitent l'usage* des mots empruntés à des contextes ordinaires quand ils sont utilisés théologiquement, c'est-à-dire en des formules contenant le mot « Dieu », qui appelle lui-même des mots comme « infini » et « transcendant ». Il faut qu'il y ait déjà une raison dans l'univers du discours théologique (dogmes, credo...) pour soutenir que telle qualité ou telle relation est dérivée de l'activité caractéristique de Dieu. Et de même pour l'analogie de proportionnalité. On dira qu'un mot peut être emprunté à un contexte séculier seulement si le mot peut s'appliquer à Dieu de la façon permise par des axiomes fondamentaux et des règles de déduction gouvernant le système entier du discours théiste.

On a compris que l'analyse fonctionnelle correspond à une approche *pragmatique* en théorie du langage, même si la dimension pragmatique n'a pas reçu sa portée formelle. Elle invite à ne pas déplacer le langage de sa matrice dans la communauté sociale. Toutefois, la même conviction essentielle de l'approche analytique demeure. Que l'analyse soit correctrice et normative, ou qu'elle soit simplement descriptive, on soutient qu'aussi longtemps que le langage n'est pas employé, il est générateur de perplexités. Celles-ci disparaissent en partie quand on le soumet à une analyse convenable. Mais désormais il s'agit de rechercher les usages effectifs qui exhibent la signification d'un mot, d'une expression ou d'un énoncé. Séparez-les du contexte où ils ont leur fonction réelle, vous serez assailli de fausses questions et de vraies incompréhensions.

Nous voici en meilleure posture pour donner un sens au langage de la foi, à condition de repérer son contexte réel. Rien ne nous empêche de justifier sa disparité de caractères. Par exemple d'être relatif à des événements, d'impliquer un engagement, de comporter le point de fuite d'une référence eschatologique. Les énoncés du langage religieux ne sont pas simplement des descriptions d'états de choses. Ils comportent un aspect *auto-implicatif* et assimilateur, car ils mettent en jeu des attitudes d'engagement et de reconnaissance du locuteur [19]. Celui-ci accepte une Parole, par laquelle il s'avoue intimement concerné. Une analyse en termes de jeux de langage donne le moyen

19. L'analyse linguistique de D. Evans éclaire le problème du statut de la Révélation et du salut par le Christ. Cf. *The Logic of Involvement*, op. cit., pp. 204, 215, 267-268. Indiquons que pour lui le langage auto-implicatif est une partie de l'usage performatif, mais couvre la totalité de l'usage expressif du langage.

de surmonter le psychologisme des attitudes. Celles-ci composent en effet la force illocutoire propre aux énoncés théologiques. La « force » est cette dimension constitutive du sens [20] qui fait précisément d'un énoncé tantôt un acte d'invocation, tantôt une parole d'annonce, ou encore une promesse et une action de grâces. Même quand le langage religieux a la forme d'un récit, il ne se borne pas à rapporter des événements : il met activement en œuvre leur signification.

IV

La nouveauté de la démarche (qui jusqu'ici à plus d'un lecteur semblera peut-être relative) c'est que le discours théologique ne voit plus son sens reconnu à partir d'une critériologie extrinsèque, mais à l'intérieur d'une *forme de vie* — la vie de foi aussi bien — en laquelle se dévoile sa signification. Parallèlement, rappelons que c'est à partir de la foi elle-même, de son discours, que se constitue l'appréhension rationnelle du théologien dans son langage du second degré. Il devient désormais possible d'affirmer que le langage de la foi a ses propres critères. Non que ce qui est dit dans le langage de la foi soit identique à l'engagement ou à la reconnaissance même par lesquels il est rendu opérant : même si un tel discours présuppose des attitudes par lesquelles le locuteur se lie à ce qu'il dit, la performativité du langage de la foi n'épuise pas sa signification. On aurait tort de porter à l'absolu l'approche pragmatique, au détriment d'une relation de référence qu'il faut analyser en rapport avec la dimension auto-implicative.

Vers une approche analytique intégrée

Il ne s'agit pas d'insister sur la dimension pragmatique au point d'ignorer les aspects du système et de la référence. Inversement, certains se vouent si complètement à examiner la possibilité d'une référence signifiante qu'ils veulent ignorer toute autre question. Le souci des questions sémantiques ne doit pas devenir obsessionnel, comme ce fut le cas pour l'analyse vérificationnelle. En définitive, le principe de vérification des positivistes était une règle sémantique (à portée épistémologique) pour évaluer et contrôler l'aptitude référentielle du langage cognitif.

---

20. Sur ce point capital, on pourra se reporter à notre analyse in *Dialogiques*, I. *Recherches logiques sur le dialogue*, Troisième rech., chap. I, § 6.

Personne ne peut condamner un traitement du langage théologique simplement parce qu'il échoue à prendre en compte toutes les dimensions du langage en une analyse complète. Chaque dimension mérite une attention particulière. Mais toute prétention à produire une compréhension complète du discours théologique, est pour le moins prématurée, tant qu'on ignorera ou qu'on traitera de manière inadéquate une ou plusieurs dimensions de la situation de signification.

Bien entendu, l'analyse fonctionnelle d'inspiration wittgensteinienne, en termes de jeux de langage, n'est ni définitive ni suffisante. On ne peut s'en tenir à ce pluralisme anthropologique sans renoncer aux droits de la théorie en matière de langage et sans perdre la spécificité de la croyance religieuse. Le moment est venu d'indiquer la voie d'un *dépassement* conforme aux contraintes les plus générales de l'approche analytique en philosophie. Du reste, celles-ci sont essentielles pour comprendre sa nouveauté, comme pour mesurer le sérieux de la tâche :

1° Le respect des acquêts considérables de l'analyse au plan de la syntaxe et de la sémantique. Des auteurs comme Searle et Hintikka sont attentifs à sauver l'option extensionnelle en matière de logique, lors même qu'ils tiennent compte de la dimension pragmatique de leurs énoncés. La théorie des actes de langage du premier, la sémantique des mondes possibles du second en font foi.

2° On procède par complication du modèle d'analyse primitif, selon une démarche progressive. On ne perdra jamais de vue la loi du genre quand on voudra apprécier les résultats. C'est sans doute la première fois qu'on voit apparaître un travail collectif et cohérent en philosophie, et jusqu'à un certain point cumulatif.

3° S'agissant de conférer un statut à la langue ordinaire, la philosophie analytique a pris dès le début du siècle un certain nombre de positions sur le plan de la philosophie première. Le parti anti-hégélien contre Bradley, anti-phénoménologique contre Meinong, est extrêmement profond chez Russell. Il s'alimente à des raisons logico-épistémologiques difficiles, aujourd'hui encore, à réfuter. La philosophie comparée peut certes faire état de réévaluations partielles de certaines thèses entre traditions rivales, tantôt de la part du mouvement analytique (H. P. Grice, W. Sellars), tantôt de la part de la phénoménologie (P. Ricœur), mais sauf éclectisme injustifiable dont les auteurs sont conscients, ce genre de réévaluation demeure limité.

Néanmoins, une lecture transcendantale peut être faite d'auteurs comme Frege et Wittgenstein, qui souligne leur affinité avec la problématique des limites. Bien sûr, l'instance transcendantale n'est plus le sujet originaire. C'est le langage qui est directement grandeur transcendantale. Mais il n'est pas impossible de fonder l'approche analytique sur une autre instance originaire. Le maintien d'un schéma transcendantal exige d'articuler deux types de relations : de l'homme avec les choses en qualité de référents — au sens de la sémantique des logiciens — et simultanément de l'homme avec l'homme comme partenaire dans une communication. Il ne suffit pas de réinterpréter le rapport classique d'objectivation comme un rapport de référence, encore faut-il le composer avec un second rapport, d'interlocution. La relation d'un *ego* à un objet ne se transforme pas en rapport de référence entre un locuteur et ce dont il parle sans que l'*ego* n'entre lui-même dans un rapport d'appartenance virtuel à une communauté historique où il y a des novateurs comme des orthodoxes. C'est que le langage ne peut être relié aux choses que s'il est animé par la relation interlocutive ou relationnelle.

Ainsi que je l'ai montré ailleurs [21], nous disposons de la première génération de théories qui permettent d'installer la *relation interlocutive* à la source et au fondement des effets de sens : théorie des actes de langage, sémantique élargie aux mondes possibles, théorie des jeux de stratégie, à condition de les modifier pour leur assurer une consistance relative. Elles peuvent rendre compte des effets dynamiques qu'entraîne la relation entre les interlocuteurs : transaction sémantique, interaction communicative, actions conjointes. La linguistique française de l'énonciation peut être utilisée dans le même schéma à condition d'être recentrée comme linguistique de la mise en discours entre partenaires.

Pour montrer ce que peut ici une approche analytique *intégrée*, prenons l'exemple des *énoncés de croyance* (éventuellement religieuse). Nous avons appris par les syntacticiens que la construction « croire que » est irréductible à la construction « croire à ce que ». Au plan sémantique, la spécificité conceptuelle du croire est établie par sa valeur de modalité. Les logiciens ont développé une logique épistémique sur le même principe que la logique modale. L'idée est de remarquer que l'opérateur de croyance (à l'instar des opérateurs modaux « il est possible que », « il est nécessaire que ») induit la considération de plusieurs mondes possibles : la fonction de croyance est ainsi rapprochée de la fonction de vérité, et ainsi traitée de manière extensionnelle à l'aide d'un référentiel élargi. Dès lors, dire « je crois que p », c'est dire « p est vrai dans tous les mondes possibles

21. In *l'Espace logique de l'interlocution*, PUF, Paris, à paraître.

compatibles avec ce que je crois ». Les objets individuels sont objets de croyance au sens où ils apparaissent comme membres des mondes possibles spécifiés par la clause « x croit que p »[22]. Le logicien devient capable de formuler des opérateurs réitérés tels que « je sais que tu crois », et de rendre compte des inférences dans leur contexte. Le lecteur notera que la croyance est dérobée au psychologisme comme elle est rendue neutre par rapport à l'ontologie. La construction « croire que » est définie *sémantiquement* par rapport à la vérité et par rapport à un référentiel.

Bien sûr, la sémantique des attitudes propositionnelles découpe une signification lexicale du verbe « croire » à l'intérieur d'un champ sémantique beaucoup plus vaste, puisqu'il exprime concurremment la conjecture et l'hypothèse, la simple apparition d'une idée comme l'adhésion intellectuelle, le plausible et le vraisemblable, le doute comme la confiance donnée. De plus, la primauté conférée à la construction en « que » est démentie par les syntacticiens. Pourtant, il faut remarquer que la logique épistémique n'est pas démunie pour rendre compte de certaines extensions intéressantes. D'abord, elle permet de suivre la confrontation des états de croyance en contexte dialogal[23]. Pour la première fois la théorie permet d'exprimer l'énonciateur — le croyant — par rapport auquel les mondes possibles sont sélectionnés, et même le rapport qui existe entre les interlocuteurs, puisque leur confrontation discursive peut être décrite dans la théorie. L'analyse peut suivre la façon dont la classe de mondes possibles considérée se délimite peu à peu jusqu'à ce que les partenaires se mettent d'accord sur un protocole de la forme « nous croyons que p ». A tout moment, les énoncés de croyance prennent leur valeur dans un référentiel de mondes possibles qui sont compatibles avec ce que les interlocuteurs présupposent et déclarent comme étant leur croyance à un certain moment de leur entretien. Avant d'être commune dans un *credo*, une croyance a été communiquée[24].

La forme « croire que », à l'évidence, n'est ni simple ni obvie. Elle renvoie à la question de *l'autre*, puisque le moindre énoncé de croyance est prononcé sur la base de présupposés communs. En outre, le croire fait intervenir la question du *temps*, car un énoncé de croyance apparaît

22. J. HINTIKKA, « Individuals, Possible Worlds and Epistemic Logic », in *Noûs*, 1957, pp. 33-62.

23. J'ai moi-même étendu le modèle épistémique en cette direction, en accord avec la logique des wh-questions, in *Dialogiques*, op. cit., Quatrième recherche.

24. Cf. notre « Croyance commune et croyance communiquée » (3), in *Dialectica*, vol. 33, n° 3-4, 1979, pp. 263-280.

virtuellement à l'intérieur d'une séquence d'énonciation. Ici l'approche pragmatique prend de l'ampleur, au-delà de ce qui en avait été pris en charge par la sémantique des attitudes propositionnelles élargie à la confrontation de croyance entre deux interlocuteurs. Ce sont en effet des règles *pragmatiques* qui régissent des actes de langage implicites tels que questionner, répondre, objecter, affirmer, selon des règles stratégiques, qui gouvernent l'élaboration d'un ultime protocole en « nous », logiquement de forme modale quantifiée, sur lequel les interlocuteurs puissent se mettre d'accord. Il apparaît donc que l'approche analytique des énoncés de croyance en général est en meilleure position pour aborder les énoncés de croyance religieuse. Ne serait-ce que pour dégager où réside l'irréductible, ou pour désigner les tâches prochaines de l'analyse. On comprend que les énonçables dogmatiques puissent être logiquement relatifs à la communauté ecclésiasle qui les élabore comme forme dogmatique autour de protocoles d'accord en « nous ». Quand je les reprends à mon compte, je récite le *Credo*.

Mais qu'en est-il si l'*irréductible* de la croyance religieuse se loge dans la seconde construction « croire à ce que » ou, dérivativement, dans la forme « croire en » ? On a vu que celle-ci connote l'engagement du croyant, cet élément auto-implicatif que l'analyse fonctionnelle s'était bornée à hypostasier et à décrire comme jeu de langage. Jusqu'à un certain point, une approche analytique intégrée permet de réduire « x croit en y » à « x croit que y... ». Avançons avec prudence. D'abord cette forme apparaît pour une part comme l'abréviation des diverses raisons que x a de croire ce qui concerne y. Ainsi dans le *Credo* je crois que Dieu est unique, qu'Il est créateur, qu'Il vit des relations trinitaires, etc. Ensuite une telle abréviation est à l'issue plutôt qu'à l'initiale d'une liste d'énoncés en « croire que », qu'elle récapitule en même temps qu'elle la déborde. Car la liste n'est pas limitative. Enfin « x croit en y » sur le témoignage des autres membres de la communauté parlante. Et lorsqu'un fidèle croit le témoignage d'un autre membre de la communauté de croyance, l'expression « x croit z » présente de nouveau un statut *méta-linguistique*. A nouveau une séquence discursive est qualifiée du point de vue communicationnel : on indique que x accepte le même ensemble de présuppositions de départ que z, et partant qu'il tient, dans le cadre sémantique ainsi déterminé, ce que dit z comme digne de créance.

Or dans les deux cas, apparaît un excès de sens. Le caractère abréviatif et méta-discursif des formules pointe vers lui comme vers un irréductible. A. Flew avait raison : les énoncés de croyance religieuse ne sont ni des assertions, ni des conjectures, ni des hypothèses, qui seraient vérifiables ou même falsifiables comme telles. Mais attention : elles ne sont pas non plus des formules émotives, vides de contenu cognitif, exprimant la crainte ou le désir d'être rassuré. Leur mode d'assentiment est *sui generis*. Rien n'empêche d'appeler, avec la tradition, *articula fidei*, le corrélat de ce mode d'assentiment. Comme dit saint Thomas dans le *De Veritate*, c'est le mystère révélé de Celui en qui je crois qui est le corrélat de l'acte de foi, et non pas la série des énonçables dogmatiques.

Il n'est pas indifférent de retrouver par l'analyse un résultat traditionnel en théologie : le réseau de croyances énoncé dogmatiquement dans le *Credo* n'est pas directement l'objet de la foi, il est relatif d'une part à la communauté ecclésiale qui les élabore historiquement en tant que protocole d'accord, souvent après une période de crise (nous croyons que), et d'autre part au mystère révélé (nous croyons en Lui). Celui en qui le fidèle croit s'est révélé comme transcendant et personnel. Cette affirmation n'est pas non plus rebelle à l'analyse. Voyons pourquoi.

De la référence en théologie

Les textes bibliques ont pour référent ultime un être personnel et transcendant. Si donc l'analyse veut atteindre ce référent au niveau du discours primaire qui est le sien, par rapport aux énoncés théologiques de type spéculatif qui entreprennent de le rendre intelligible, elle devra s'attacher à ces expressions originaires de la foi que sont les narrations, les prophéties, les hymnes, les Psaumes, les législations, les Ecrits sapientiaux, les formules liturgiques, les prières. A proprement parler, on n'y *nomme* pas Dieu, qui surgit devant Moïse comme l'innommable. Elles s'y réfèrent. Et ce mode de référence est variable, multiple, et néanmoins articulé.

Voici comment je réinterprète quant à moi la polyphonie biblique dont parle P. Ricoeur[25]. Je tiens avec prudence qu'on pourrait sans artifice considérer le mode de référence à Dieu d'un triple point de vue. Il y a d'abord les textes où Dieu est présent dans l'histoire du salut, acteur dans les récits de la délivrance où le croyant s'implique comme fidèle : ce sont les narrations. Il y a ensuite les textes où il est invoqué ou loué. Tels sont les Psaumes et les hymnes. Il y a en troisième lieu les textes où Il parle par la bouche du prophète, qui s'exprime en Son nom. Or c'est bien tous ensemble que ces textes se réfèrent à Dieu, de façon différente. Mais d'une façon qui n'est pas indifférente. Le mode de référence est triple. Dieu est l'hyper-actant dans la confession narrative des événements fondateurs. Mais ce *Il* souverain est compensé par le *Tu* de l'invocation ou de la louange ; il a

25. « Nommer Dieu », in *Etudes théologiques et religieuses,* 1979.

son répondant dans le *Je* prescripteur, auteur de la Loi, qui parle dans le discours prophétique.

Or ce mode de référence essentiellement triple compose, pour peu qu'il soit unifié, une référence typique à *Quelqu'un*. Avant de nous expliquer sur ce point, rappelons un point essentiel : on a remarqué que la promulgation de la Loi est organiquement liée au récit de la délivrance. Et que tous deux sont inséparables du discours prophétique. De manière analogue, la référence à Dieu est référence à une Personne en ceci que nous pouvons, par l'analyse, dégager trois modes de référence et recouvrer en eux les trois positions ou les trois fonctions d'un acte de communication. Qu'est-ce en effet qu'une personne sinon un être qui est capable de se reconnaître — ou qui peut être reconnu — en tant qu'objet d'un discours qui le concerne comme *lui*, et simultanément qui est capable d'accueillir l'interpellation d'autrui qui lui dit *tu*, en même temps qu'il prend la parole pour parler aux autres en disant *je*.

Revenons alors aux expressions originaires de la foi. Notons que Dieu comme référent, premièrement échappe à chacune prise séparément ; deuxièmement, Il est leur référent commun ; troisièmement Il est identifiable comme quelqu'un, pour peu qu'on parvienne à opérer le recouvrement de leur mode de référence. L'exégèse ici reçoit les garanties de la logique de l'identité personnelle, cependant que la théologie spéculative prend le risque de transformer la référence à Dieu dans un discours purement délocutif[26]. Un risque qui est analogue à celui que nous courons dès que nous prétendons transformer un savoir sur l'*ego* personnel en simple représentation. En qualité de Personne, Dieu est Celui qui communique quelque chose de Lui dans Son alliance avec Son peuple, et Se réserve comme l'au-delà de cette communication. A mon sens, c'est dans la mesure où ce recouvrement trans-instanciel est difficile, et parce qu'il n'est jamais opéré effectivement dans un texte donné, que le recouvrement des trois instances de la communication de Dieu reste ouvert. Et c'est dans cette même mesure qu'il y a fuite à l'infini du référent Dieu.

V

Mais il y a une autre raison qui permet de voir en Dieu l'archi-référent d'un discours tout à fait spécifique.

Tentons une hypothèse sur l'articulation des textes bibliques. Par exemple dans le *Pentateuque*, entre le discours narratif et le discours

26. Cf. notre *Différence et subjectivité*, op. cit., ch. I.

prescriptif. Le contenu des exigences et des commandements dérive du récit de la Délivrance. En s'ordonnant à la Délivrance, ces recommandations n'ont plus rien de contraignant. Si elles demeurent prescriptives, quel est leur contenu ? Précisément les conditions de la relation d'Alliance entre Dieu et Son Peuple. Seulement il faut tenir compte des conditions anthropologiques de notre existence concrète, pour comprendre quelle forme peut bien prendre un message de Délivrance, c'est-à-dire de liberté devant Dieu. On perçoit qu'un tel message devrait apparaître :

1° Sous une forme méta-communicationnelle qui envahit toute la confession de foi : voici les conditions d'une alliance droite entre les personnes. Le statut général des recommandations est méta-linguistique.

2° Comme une révélation historique concernant un mode de relation canonique tout autre. Entendez tout différent de l'ordinaire de la violence et de la ruse. Révélation qui est liée de manière assez contingente à des événements fondateurs qu'il faut bien rapporter sur le mode narratif.

3° Un tel message doit apparaître sous le mode prescriptif de la Loi. Elle existe pour autant que l'homme n'ose pas vivre librement devant Dieu. Pour autant que par suite du *modus deficiens* de sa relation avec Lui, quelque injonction doit bien rappeler à l'homme comment découvrir la liberté en Dieu. Pour un chrétien plus évidemment, le commandement nouveau qui est repris du *Deutéronome*, interfère avec le récit évangélique du Fils, qui est le Libérateur.

On aura compris au terme de cette analyse dans quelle mesure les textes bibliques, comme nos énoncés de croyance religieuse, ont pour référent ultime Dieu. Un référent qui a statut de Personne. Qui est identifié par recouvrement entre l'archi-locuteur de la prophétie, l'archi-destinataire du Psaume ou de l'hymne, l'archi-actant des récits de la Délivrance. En outre, Il a statut de Personne éminente en tant qu'Il est impliqué par un discours très particulier : du point de vue logique des niveaux de langage, il s'agit d'une Parole sans précédent, qui porte sur la canonique des relations humaines. Elle annonce ce que peut être le paradigme d'une relation interpersonnelle, qu'elle se réalise comme amour ou comme parole. Ce discours a donc statut méta-communicationnel. Et sa référence ultime, qui est Dieu, est identifiée, en théologie dogmatique, comme le Dieu trine, manifesté dans la vie trinitaire. Mais auparavant, cet éminent référent s'était donné dans les relations fondamentales qui relient, au cours de l'histoire du salut, les personnes humaines à la Personne canonique, à la fois Principe et Fin, c'est-à-dire créatrice et exigente de toute conversion.

Sans doute parce que la communication dans sa structure tri-personnelle est si essentielle à l'homme qu'à l'origine de son être nous supposons volontiers la communication, le dogme de la Trinité nous fait entrevoir que cette communication est au sein même de Dieu, avant d'être au principe de la création.

Ainsi s'esquisse la philosophie de la religion qui pourrait servir d'arrière-plan à l'approche analytique. Pour le reste, soyons allusif, comme il convient en conclusion.

A mon sens, l'identité personnelle qui s'établit pour chacun de nous entre des personnes communicantes — par l'amour, la parole non tronquée — est le plus beau miroir de la Trinité. Qu'on y songe : quand la personne humaine se retourne vers soi, elle est présente à elle-même dans sa trinitarité trans-instancielle.

> Le moi se dit moi, ou toi, ou il. Il y a les trois personnes en moi. La Trinité. Celle qui tutoie le moi ; celle qui le traite de lui (P. Valéry).

Tout comme ce que Dieu est en Soi se révèle par le fait que Père, Fils et Saint-Esprit sont — chacun — à la fois distincts par rapport aux autres, et leur égal par rapport à soi. Archétype, dans le langage théologique, de l'humanité tri-personnelle, le dogme trinitaire fonde dans l'absolu de l'être l'hypothèse que le fond de la personne humaine est relationnel.

Au reste, le dogme de la *création* n'est pas délié du dogme *trinitaire,* mais forme avec lui un ensemble imposant. Dieu crée toutes choses pour être en relation les unes avec les autres. En droit, la personne humaine n'existe que dans la mesure où Dieu la pose dans l'existence, et cela par un acte d'amour, de suscitation gracieux et gratuit. A son tour, la personne humaine est capable de se manifester au cours de sa vie relationnelle, et d'abord de recevoir la révélation du Dieu trine. Créer un être capable de cet accueil est le comble de la création. Les deux problèmes de l'être et du rapport de l'homme à l'être sont présentés au plan dogmatique et résolus ensemble.

Ainsi l'extraordinaire surgit du monde le plus ordinaire de nos événements et de nos références. Les écrits bibliques concernent notre monde. Mais la dimension référentielle des textes se constitue de façon *sui generis* pour servir de cadre à l'identification essentiellement inachevée et inachevable du Principe.

BIBLIOGRAPHIE

I. SUR LE CARACTERE ANALOGIQUE DES PREDICATS THEOLOGIQUES

S. THOMAS, *S. Theol.* Ia Pars, q. 13 ; CAJETAN, *The Theology of Names,* trad. A. Rushinski and H.J. Koren, Pittsburgh, 1953.

Sur le débat concernant le langage analogique : A.L. MASCALL, *Existence and Analogy,* Londres, 1949 ; F. FERRÉ, *Language, Logic and God,* Harper and Row, New York, 1961, pp. 103-116 ; A. KENNY, *The Five Ways,* Routledge and Kegan Paul, 1969.

II. DISCUSSIONS RECENTES PAR DES PRATICIENS DE LA PHILOSOPHIE ANALYTIQUE

A. FLEW and A. MAC INTYRE ed., *New Essays in Philosophical Theology,* New York, 1955 ; D. COX, « The Significance of Christianity », in *Mind,* vol. LIX, 1950 ; J.N. FINDLAY, « Can God's Existence be Disproved ? », in *New Essays,* op. cit. ; R.M. HARE, « Religion and Morals », in *Faith and Logic,* B. Mitchell, Londres, G. Allen and Unwin, 1957 ; W. HEPBURN, *Christianity and Paradox,* Watts, Londres, 1958 ; F.H. CLEOBURY, *Christian Rationalism and Philosophical Analysis,* Londres, 1959 ; A. MACINTYRE, « The Logical Status of Religious Belief », in *Faith and Topic,* op. cit. ; CROMBIE, « The Possibility of Theological Statements » et J. WISDOM, « Gods », in A. FLEW, *Essays in Logic and Language,* First Series Oxford, 1951 ; C.S LEWIS, « On Obstinacy in Belief », in *They Asked for a Paper,* Londres, 1962 ; W.F. ZUURDERG, *An Analytical Philosophy of Religion,* Nashville, 1958 ; C.B. MARTIN, *Religious Belief,* Ithaca, N.Y., 1957 ; I.T. RAMSEY, « Religious Language », Londres, 1957 ; J.M. BOCHENSKI, *The Logic of Religion,* N.Y. U.P., 1965 ; Discussion entre A.J. AYER et COPLESTON, s.j., radiodiffusée en 1949 à la B.B.C. ; D. EVANS, *The Logic of Self-Involvement,* Londres, 1963 ; D.Z. PHILLIPS, *Faith and Philosophical Enquiry,* Londres, 1970 ; ID., *Religion without Explanation,* Oxford, 1976 ; D. STEWART, *Exploring the Philosophy of Religion,* Prentice Hall, Inc. Englewood Cliffs, 1980.

III. INTERPRETATIONS SYMBOLIQUES DES ENONCES RELIGIEUX

G. SANTAYANA, *Reason in Religion,* N.Y., 1905 ; R.B. BRAITHWAITE, *An Empiricist's View of The Nature of Religious Belief,* Cambridge, 1955 ; W.M. URBAN, *Symbolism and Belief,* Boston, 1957 ; Philip WHEELWRIGHT, *The Burning Fountain,* Bloomington, 1954.

IV. LE LANGAGE RELIGIEUX COMME FORME SYMBOLIQUE UNIQUE, I.E. « MYTHIQUE »

E. CASSIRER, *Philosophie der symbolischen Formen,* vol. V, Berlin, 3 vol., 1923, 5, 9 ; trad. anglaise Ralph Manheim, New Haven, Connecticut, 1952, 1955, 1957 ; sous forme résumée in *Sprache und Mythos,* Leipzig, 1925, trad. *Language and Myth,* by S.K. Langer, N.Y., 1946, trad. fr. *la Philosophie des formes symboliques,* éd. de Minuit, Paris, 1977 (3 vol.); P. RICOEUR, « Nommer Dieu », in *Etudes théologiques et religieuses,* 1979. Ces divers travaux excèdent à vrai dire l'approche analytique.

V. LE LANGAGE RELIGIEUX COMME MODE AUTONOME DE DISCOURS

W.T. STACE, *Time and Eternity,* Princeton, N.J. 1952 ; P. TILLICH, *Systematic Theology,* Chicago, 1951-1963, trad. fr. *Théologie systématique* I, II, Planète, 1970 ; III, l'Âge d'homme, 1980 ; *Dynamics of Faith,* N.Y., 1957 ; L. WITTGENSTEIN, *Lectures and Conversations on Aesthetics, Psychology and Religious Belief,* Oxford, 1966 ; D. STEWART, *Exploring The Philosophy of Religion,* Prentice-Hall, 1980.

VI. EN LANGUE FRANÇAISE

Présentation de la « philosophie analytique » : F. JACQUES, in *Encyclopædia Universalis* ; et aussi Préface au numéro spécial de la *Revue de métaphysique et de morale,* n° 2, avril-juin 1979.

Quelques commentaires : Pour la mise en place du critère de signifiance et sa mise en œuvre par le premier positivisme viennois, (Carnap, Schlick et Hahn), et sur les divergences de fond avec le « positivisme de la science unifiée » (Neurath), voir M. CLAVELIN, « les Deux Positivismes du Cercle de Vienne », in *Archives de philosophie,* n° 43, 1980, 33-35.

Sur la critique interne des dogmes positivistes et l'édification d'un empirisme qui en fait l'économie, cf. F. JACQUES, « L'œuvre de Quine, perspective sur un réseau », in *les Etudes philosophiques,* n° 2, 1980, pp. 215-238.

Sur l'idée d'une logique formelle et logique transcendantale de la théologie : S. BRETON, *Foi et Raison logique,* Seuil, 1975, chap. I-IV.

Sur le point de vue analytique contemporain, J. VUILLEMIN, *De la logique à la théologie,* Flammarion, 1967 ; et aussi, *le Dieu d'Anselme et les Apparences de la raison,* Aubier-Montaigne, 1972.

Sur les problèmes de langage dans l'expression théologique, F. JACQUES, « le Sens d'une question, le Non-sens d'une problématique », in *le Doute et la Foi,* Desclée De Brouwer, 1967.

Un effort d'intégration entre les approches analytique et herméneutique, J. LADRIÈRE, « le Langage théologique et le Discours de la représentation », *Miscellanea Albert Dondeyne,* Louvain, 1974, pp. 149-176. Et déjà son « Langage auto-implicatif et Langage biblique selon Evans », in *l'Articulation du sens,* Aubier Montaigne, 1970.

Pour une reformulation analytique du problème de la croyance religieuse,

M.D. DELAUNAY-POPELARD, « Comprendre le croire », in *la Croyance*, Beauchesne, 1982, pp. 203-220.

La conception trinitaire d'un Dieu personnel devant l'analyse logique du langage, cf. notre *Différence et Subjectivité,* Aubier-Montaigne, 1982, chap. II § 2 et chap. V § 5.

TABLE DES MATIÈRES

Sommaire des cinq tomes 7

Préface 9

PREMIÈRE PARTIE

DES MANIÈRES D'HABITER ET DE TRANSFORMER LE MONDE

Chap. I. **Savoir, idéologie, interprétation,** par Jean Granier 17

I. Le savoir de l'être 18

Une quête grandiose de deux millénaires, 18. — L'essor de la pensée rationnelle, 18. — Le contexte de la cité, 19. — Le divin et l'être, 19. — Le questionnement aristotélicien, 20. — L'être et l'essence, 21. — L'être et la théologie, 22. — Ontologie et métaphysique, 23. — Être et logique : de Kant à Hegel, 23.

II. Interprétation et idéologie 25

La philosophie renonce à être un savoir, 25. — Le procès de l'être, 26. — Le rôle de Heidegger, 26. — L'être code le discours philosophique qui est interprétation du monde, 27. — Repenser la subjectivité, 27. — Le moi, lié à une praxis, entre interprétation et réalité, 28. — L'idéologie pose la conscience au fondement de l'être, 29. — L'idéologie, effet de méconnaissance à corriger, 30. — Comprendre d'abord l'essence de la praxis, 30. — La praxis aliénée ou le passage de l'interprétation à l'idéologie, 31. — Conclusion : la philosophie porte l'empreinte du moi existentiel, 32. — L'interprétation s'ordonne à un texte jamais achevé en soi, 32.

Bibliographie 34

Chap. II. **Poétique et symbolique,** par Paul Ricœur 37

Le discours religieux est mixte : préconceptuel et conceptuel, 37. — L'aspect symbolique du discours religieux, 38. — La poétique, discipline descriptive, 39.

I. Le symbolisme immanent à la culture 40

Le geste, 40. — L'action délibérée, 41. — Cinq caractéristiques du symbolisme, 41.

II. Le symbolisme explicite et le mythe 44

L'organisation du symbolique dans l'écriture, 44. — Un sens second atteint à travers un sens premier, 44. — Un symbolisme structuré, 45. — Un symbolisme de nature narrative, 46. — Mythe et allégorie, 46.

III. Le « moment » de l'innovation sémantique : la métaphore 47

La métaphore, noyau sémantique du symbole, 48. — Les trois conditions de l'innovation sémantique, 49. — Le rôle de l'imagination, 49.

IV. Symbole et métaphore 51

Le « moment » non sémantique du symbole, 51. — La psychanalyse, 52. — La phénoménologie de la religion, 53. — L'activité poétique, 54. — La vie de la métaphore et le symbole, 55.

V. Symbole et narration 56

L'extension de la fonction poétique dans le récit, 56. — La mise en intrigue, 56. — L'intrigue, équivalent narratif de l'innovation sémantique, 57. — Imagination et tradition, 58.

VI. Le « moment » heuristique : symbole et modèle 59

CONCLUSION 61

Chap. III. **Mythe et sacré,** par Michel Meslin 63

Le conflit des interprétations, 63.

I. L'attitude rationaliste : le mythe comme fiction illusoire 64

II. L'approche psychologique : le mythe comme expression psychique collective 67

III. L'approche sociologique et ethnologique : le mythe comme langage, forme de connaissance et modèle d'intégration active 69

IV. Un langage signifiant 72

L'approche structuraliste, 73. — L'anthropologie religieuse : le mythe est explicatif parce que signifiant, 74. — Mythe et rite, 75. — Pour une anthropologie religieuse, 77.

V. La dialectique sacré/profane 78

Mobilité du sacré, 80. — Sacré et divin, 81.

BIBLIOGRAPHIE 83

Chap. IV. **La connaissance de foi,** par Jean-François Malherbe 85

I. Connaître un monde c'est d'abord l'habiter 86

1. Le monde, 86. — 2. L'action, 88. — 3. L'interprétation, 88. — 4. Le langage, 89. — 5. La tradition, 91. — 6. La culture, 91. — 7. L'éthique, 92.

II. Habiter le monde de Dieu au cœur du monde de l'homme 94

1. Le monde du savant, 94. — 2. Le monde du philosophe, 96. — 3. La question de Dieu, 97. — 4. Du conflit des interprétations à l'articulation du sens, 98. — 5. Le monde du croyant, 100. — 6. La connaissance de foi, 100. — 7. La théologie, 102.

III. « Celui qui n'aime pas ne connaît pas Dieu » (1 Jn 4, 7) 104

1. Le lieu de la vérité, 104. — 2. La vérification, 105. — 3. Jésus-Christ, 106. — 4. La charité, 108. — 5. La fidélité, 108. — 6. L'espérance, 109. — 7. Ulysse et Abraham, 110.

DEUXIÈME PARTIE

CARACTÉRISTIQUES DE LA THÉOLOGIE

A. NORMES ET CRITÈRES 115

Chap. I. **Pluralité des théologies et unité de la foi,** par Claude Geffré 117

I. La nouveauté du pluralisme théologique 118

1. Le pluralisme des sociétés modernes, 119. — 2. Le pluralisme religieux, 120. — 3. Un pluralisme philosophique insurmontable, 122.

II. La signification théologique du pluralisme 123

1. La richesse du Mystère du Christ, 123. — 2. La dimension noétique de la concupiscence, 125. — 3. La pluralité des figures historiques du christianisme, 126.

III. L'unité multiforme de la foi 129

1. Théologie et Révélation, 129. — 2. « La foi n'est pas pluraliste », 130. — 3. Les critères de l'unité de la foi, 134.

IV. Pluralisme théologique et exercice du magistère 137

BIBLIOGRAPHIE 141

Chap. II. **Vérité et tradition historique,** par Pierre Gisel 143

I. Liminaire : autorité et vérité 143

II. Tradition : anamnèse et production 145

III. La vérité est témoignage et interprétation 147

IV. Critique et affirmation 152

V. Nécessité d'un canon 155

BIBLIOGRAPHIE 160

Chap. III. **Théologie et vie ecclésiale,** par Jean-Marie Tillard 161

I. De la parole reçue à « l'intelligence de la foi » 161

A) *Ce que la théologie reçoit du sensus fidelium,* 164
B) *La théologie, à son tour, donne des critères de discernement* 169
C) *L'indéfectibilité de l'Église* 172

II. Du « ministère » des théologiens au magistère doctrinal 173

A) *Le ministère des évêques et celui des théologiens* 173
B) *La place du magistère* 177
1. Histoire et formes du magistère, 178. — 2. L'infaillibilité, 179.
C) *Magistère, théologie et sensus fidelium* 180

B. BRANCHES DE LA THÉOLOGIE 183

Chap. I. **Théologie biblique,** par Paul Beauchamp 185

Préambule 185

I. Conditions 188

A) *Statut de la théologie biblique* 188
B) *La théologie biblique et son milieu* 189

II. Données 191

A) *Les composantes de la connaissance biblique* 191

1. Histoire, 191. — 2. Anthropologie, 192. — 3. Sciences du langage, 194.

B) *Une encyclique et un concile* 196

III. Problématique 200

A) *Le « sens plénier »* 200

B) *L'herméneutique* 202

C) *Nouvelle herméneutique* 207

D) *La clé de voûte* 212

IV. Ouverture 216

Le franc-parler, signe de l'accomplissement des Écritures, 217. — La Loi et les Prophètes, les deux premières classes d'écrits, 218. — La loi, récit et commandement : la figure, 219. — La Sagesse, troisième classe d'écrits qui reprend les deux premières, 219. — L'unité est donnée avec la fin : l'Apocalypse et l'arrêt du livre, 220. — Le Nouveau Testament, 222. — Reprise des subdivisions de l'Ancien Testament, 223. — Le récit évangélique, 223. — Reprise et récapitulation des figures universelles, 224. — Loi et prophétie : la croix, 225. — Les Épîtres, 225. — La coïncidence de Jésus et de l'Esprit dans l'Église, 227. — Les Apocalypses et l'orientation vers l'inaccompli, 227.

BIBLIOGRAPHIE 229

Chap. II. **Théologie historique,** par Yves Congar 233

I. L'Histoire, entrée dans une tradition 233

A) « Théologie historique ». Questions de vocabulaire, 235. — B) Avantages d'une connaissance de l'histoire. Éveil au sens historique, 237.

II. L'histoire de l'Église 240

A) L'histoire, 240. — B) Objet et contenu de l'histoire de l'Église, 241. — C) Nature ou statut de l'histoire de l'Église, 243.

III. Histoire des dogmes 246

IV. Histoire des institutions et droit 249

V. Patrologie ou patristique 252

VI. Histoire de la liturgie 257

VII. Histoire de la spiritualité 259

VIII. Histoire et œcuménisme 261

Chap. III. **Théologie dogmatique,** par Adolphe Gesché . . 263

I. Besoins externes 265

A) Les sciences humaines, 265. — B) La crise de la métaphysique occidentale, 267. — C) L'histoire, 269. — D) Une nouvelle herméneutique du sens et de la vérité, 271. — E) La praxis et l'action, 273.

II. Besoins internes 274

A) Le mouvement œcuménique, 274. — B) La redécouverte de l'Écriture, 275. — C) Les rapports entre magistère et théologiens, 277. — D) La transformation de la théologie fondamentale, 279.

Conclusion 260

Bibliographie 282

Chap. IV. **Théologie pratique et spirituelle,** par René Marlé 287

I. Les diversifications historiques de la théologie 287

Caractère spirituel et pastoral de la théologie patristique, 287. — L'introduction d'une nouvelle rationalité. Les « Sommes » du moyen âge, 288. — Distanciation progressive de la théologie et de la spiritualité, 288. — Luther, avocat d'une théologie « pratique » en face de la scolastique héritée, 290. — La scission de l'édifice théologique, 291. — Essai de réintégration de la spiritualité dans la théologie, 291. — Deux exemples récents de théologie spirituelle, 292. — Un dualisme récusé de nos jours, 294.

II. Une nouvelle manière de théologiser 295

Dans le sillage du marxisme ?, 296. — La théologie comme théorie des pratiques référées à la foi, 296. — Une des approches du mystère, 297.

Bibliographie 298

Chap. V. **La pratique de l'interdisciplinarité. Deux exemples** 299

I. Incidences des sciences du langage sur l'exégèse et la théologie, par Jean Delorme 299

A) Diachronie/synchronie 300

B) Conditions externes/internes de la signification 302

1. L'oral et l'écrit, 302. — 2. Le dire et le dit, 303. — 3. La communication et la signification, 304.

C) Phrase/Discours 305

D) Pistes de réflexion 308

Pour aller plus loin 310

II. La sociologie religieuse : problématiques, réception et utilisation dans les milieux chrétiens, par André Rousseau 312

Introduction 312
A) Comparer, classer, mesurer 313
B) Les fonctions sociales de la religion 316
C) Lire les classiques 319
1. Durkheim (1858-1917), 319. — 2. Marx-Engels (1818-1883 ; 1820-1895), 320. — 3. Max Weber (1864-1920), 320. — 4. Ernst Troeltsch (1865-1923), 322.

Bibliographie 324

C. LIEUX ET MOYENS 327

Chap. I. **La formation théologique** 329

I. Description du contexte français catholique actuel, par André Rousseau 329

I. *Brèves réflexions sur un moment historique* 330
II. *Lieux et types de formation en France* 335
A) Des facultés à quelques innovations 335
1. Information — vulgarisation, 337. — 2. Formations ponctuelles et spécialisées, 337. — 3. Formations globales hors cycle scolaire, 337. — 4. Trois filières pour les laïcs, 338.
B) De la formation à la vulgarisation 339
1. Quelques lieux de formation et de réflexion, 339. — 2. Autour de la catéchèse, 342. — 3. Formation permanente et grande diffusion, 344.

II. Le contexte belge francophone actuel, par Dieudonné Dufrasne 345

A) Brèves réflexions sur un moment historique 345
B) Formation universitaire de type fondamental et de recherche 347
C) Cycle fondamental non universitaire 348
D) Formation des enseignants diplômés 348
E) Formation permanente 349

III. La formation théologique dans le Québec français, par Gilles Langelier 351

A) Situation 351
B) Orientations de quelques centres théologiques 353
1. La théologie aujourd'hui (Québec), 353. — 2. Exégèse et théologie (Montréal), 354. — 3. Sciences humaines de

la religion et théologie (Sherbrooke), 354. — 4. Éthique et Théologie morale (Rimouski), 355.

C) Pour en savoir davantage : des adresses 355

IV. La formation théologique en Suisse romande, par Bernard Bonvin 357

A) Quelques composantes spécifiques 357

B) Les lieux de formation universitaire 359

1. Catholiques, 359. — 2. Réformés, 359. — 3. Cours de troisième cycle (œcuménique), 359.

C) Parcours de formation théologique non universitaire 360

1. Catholiques, 360. — 2. Il existe aussi des parcours de formation, 360. — 3. Réformés, 360.

D) Les centres d'accueil et les maisons de retraite..... 361

E) Formation permanente 361

Chap. II. **Les revues dans le travail théologique,** par François Refoulé 362

Chap. III. **La recherche bibliographique,** par Michel Albaric 369

I. La bibliographie et sa méthode 369

La question, 370. — La recherche, 372. — Le choix, 374.

II. Anatomie d'un livre 376

III. De l'usage des bibliothèques 378

Les lieux de travail : les bibliothèques, 379.

IV. Pour retrouver un document 380

Bibliographies de bibliographies, 381. — Manuels de bibliographie, 382. — Bibliographies théologiques, 383. — Les périodiques de sciences religieuses, 384. — Répertoires des sigles utilisés pour les publications de sciences religieuses, 386. — Répertoires d'éditeurs, 386.

V. L'importance des encyclopédies 387

VI. Petit vocabulaire technique 389

TROISIÈME PARTIE

LE CHRISTIANISME VU DU DEHORS

A. LE CHRISTIANISME PARMI D'AUTRES RELIGIONS

Chap. I. **Le christianisme vu par le judaïsme,** par Armand Abécassis 401

1. La liberté religieuse dans le judaïsme 402
2. Le vrai Israël 406
3. Évangile et Torah 408
4. Église et Synagogue 409
5. L'identité de Jésus 412
6. La parole incarnée 415
7. Le repentir de l'Église 417

BIBLIOGRAPHIE 419

Chap. II. **Le christianisme vu par l'Islam,** par Mohamed Talbi 423

1. La vision musulmane de l'histoire du salut 423
2. Jésus : le prophète précurseur de Muhammad 429
3. La valeur du christianisme 437

Chap. III. **Le christianisme vu par le bouddhisme,** par Mohan Wijeyaratna 445

1. La personne de Jésus-Christ 445
2. L'enseignement de Jésus-Christ et celui du christianisme 449
3. L'Église 452

BIBLIOGRAPHIE 458

B. CRITIQUES DE LA RELIGION 461

Chap. I. **Les critiques marxistes de la religion,** par Eric Brauns 463

Introduction 463
I. Ludwig Feuerbach et la critique de la religion 465
II. Karl Marx et Friedrich Engels 467
1. Critique philosophique de la religion, 468. — 2. Critique politique de la religion, 470. — 3. Critique économique de la religion, 472.

III. Évolution de la critique marxiste de la religion 477
1. Quelques étapes, 477. — 2. L'apport de Gramsci, 480. — 3. La forme des questions, 481.

IV. Positions actuelles de la critique marxiste de la religion 484
1. L'humanisme prométhéen, 484. — 2. Le christianisme pensé comme athéisme, 485. — 3. Une anthropologie de la religion, 486.

BIBLIOGRAPHIE 490

Chap. II. **Les critiques psychanalytiques de la religion,** par Yves Lebeaux 493

I. La conscience religieuse de soi et ses impasses 494

La conscience religieuse de soi, 494. — L'imaginaire comme méconnaissance, 495.

II. Le fantasme inconscient et la croyance religieuse ... 497

Le Père idéal, 497. — La Mère archaïque, 498. — L'Enfant merveilleux, 499. — La complexité des relations entre fantasmes et croyance religieuse, 500. — Freud, 500. — Jung, 501.

III. La reconnaissance du désir 502

Fantasme et vérité, 502. — Questions à la religion, 503. — Psychanalyse et idéologie, 504.

BIBLIOGRAPHIE 507

Chap. III. **L'approche analytique des énoncés théologiques,** par Francis Jacques 509

I. Signifiance et validité : une question radicale, 510. — Le mouvement analytique en philosophie : de l'objet à la méthode, 512. — II. Le déroulement du programme de l'approche analytique, 514. — III. Une impasse : l'analyse vérificationnelle, 518. — L'analyse fonctionnelle des jeux du langage : une attitude plus positive à l'égard des énoncés théologiques, 520. — IV. Vers une approche analytique intégrée, 523. — De la référence en théologie, 528.

BIBLIOGRAPHIE 532

Achevé d'imprimer en septembre 1982
sur les presses de l'imprimerie Laballery et Cie
58500 Clamecy
Dépôt légal : septembre 1982
Numéro d'impression : 20499
Numéro d'éditeur : 7584